Suhrkamp BasisBibliothek 47

D0550573

Diese Ausgabe der »Suhrkamp BasisBibliothek – Arbeitstexte für Schule und Studium« bietet nicht nur Theodor Fontanes Roman *Effi Briest*, sondern auch einen Kommentar, der alle für das Verständnis des Buches erforderlichen Informationen enthält: eine Zeittafel zu Leben und Werk Fontanes, die Entstehungs- und Rezeptionsgeschichte, einen kommentierten Forschungsüberblick, Literaturhinweise sowie detaillierte Wort- und Sacherläuterungen. Der Kommentar ist entsprechend den neuen Rechtschreibregeln verfasst.

Zu ausgesuchten Texten der Suhrkamp BasisBibliothek erscheinen im Cornelsen Verlag Hörbücher und CD-ROMs. Weitere Informationen erhalten Sie unter www.cornelsen.de.

Dieter Wöhrle, geboren 1954, lebt und arbeitet in Luzern. Veröffentlichungen u. a. zu Ödön von Horváth (SBB 26, SBB 28, SBB 43), Bertolt Brecht (SBB 1) und Karl Valentin.

Theodor Fontane
Effi Briest

Roman

Mit einem Kommentar
von Dieter Wöhrle

Suhrkamp

Der vorliegende Text folgt der Ausgabe:
Theodor Fontane, *Effi Briest*, Insel Verlag (insel taschenbuch
2811), Frankfurt am Main und Leipzig 2002.

Originalausgabe
Suhrkamp BasisBibliothek 47
6. Auflage 2012
Erste Auflage 2004

Satz: pagina GmbH, Tübingen
Druck: CPI – Ebner & Spiegel, Ulm
Umschlaggestaltung: Hermann Michels und Regina Göllner
Printed in Germany

ISBN 978-3-518-18847-7

Inhalt

Effi Briest

Erstes Kapitel

In Front des schon seit ⌜Kurfürst Georg Wilhelm⌝ von der ⌜Familie von Briest⌝ bewohnten Herrenhauses zu Hohen-Cremmen* fiel heller Sonnenschein auf die mittagsstille
5 Dorfstraße, während nach der Park- und Gartenseite hin ein rechtwinklig angebauter Seitenflügel einen breiten Schatten erst auf einen weiß und grün quadrierten Fliesengang und dann über diesen hinaus auf ein großes, in seiner Mitte mit einer Sonnenuhr und an seinem Rande mit Can-
10 na indica* und Rhabarberstauden besetztes Rondell* warf. Einige zwanzig Schritte weiter, in Richtung und Lage genau dem Seitenflügel entsprechend, lief eine, ganz in kleinblättrigem Efeu stehende, nur an einer Stelle von einer kleinen weißgestrichenen Eisentür unterbrochene Kirchhofs-
15 mauer, hinter der der Hohen-Cremmener Schindelturm mit seinem blitzenden, weil neuerdings erst wieder vergoldeten Wetterhahn aufragte. Fronthaus, Seitenflügel und Kirchhofsmauer bildeten ein einen kleinen Ziergarten umschließendes Hufeisen, an dessen offener Seite man eines
20 Teiches mit Wassersteg und angekettetem* Boot und dicht daneben einer ⌜Schaukel⌝ gewahr wurde, deren horizontal gelegtes Brett zu Häupten und Füßen an je zwei Stricken hing – die Pfosten der Balkenlage schon etwas schief stehend. Zwischen Teich und Rondell aber und die Schaukel
25 halb versteckend standen ein paar mächtige alte Platanen. Auch die Front des Herrenhauses – eine mit Aloekübeln* und ein paar Gartenstühlen besetzte Rampe – gewährte bei bewölktem Himmel einen angenehmen und zugleich allerlei Zerstreuung bietenden Aufenthalt; an Tagen aber, wo
30 die Sonne niederbrannte, wurde die Gartenseite ganz entschieden bevorzugt, besonders von Frau und Tochter des Hauses, die denn auch heute wieder auf dem im vollen

Fiktiver Ort im Havelland nordwestl. von Berlin

Indisches Blumenrohr

Hier: rundes, großes Blumenbeet

angekettetem

Als Zierpflanze benutztes Liliengewächs

Schatten liegenden Fliesengange saßen, in ihrem Rücken ein paar offene, von wildem Wein umrankte Fenster, neben sich eine vorspringende kleine Treppe, deren vier Steinstufen vom Garten aus in das Hochparterre des Seitenflügels hinaufführten. Beide, Mutter und Tochter, waren fleißig bei der Arbeit, die der Herstellung eines aus Einzelquadraten zusammenzusetzenden Altarteppichs galt; ungezählte Wollsträhnen und Seidendocken* lagen auf einem großen, runden Tisch bunt durcheinander, dazwischen, noch vom Lunch* her, ein paar Dessertteller und eine mit großen, schönen Stachelbeeren gefüllte Majolikaschale*. Rasch und sicher ging die Wollnadel der Damen hin und her, aber während die Mutter kein Auge von der Arbeit ließ, legte die Tochter, die den ⌐Rufnamen Effi⌐ führte, von Zeit zu Zeit die Nadel nieder und erhob sich, um unter allerlei kunstgerechten Beugungen und Streckungen ⌐den ganzen Kursus⌐ der Heil- und Zimmergymnastik durchzumachen. Es war ersichtlich, daß sie sich diesen absichtlich ein wenig ins Komische gezogenen Übungen mit ganz besonderer Liebe hingab, und wenn sie dann so dastand und, langsam die Arme hebend, die Handflächen hoch über dem Kopf zusammenlegte, so sah auch wohl die Mama von ihrer Handarbeit auf, aber immer nur flüchtig und verstohlen, weil sie nicht zeigen wollte, wie entzükkend sie ihr eigenes Kind finde, zu welcher Regung mütterlichen Stolzes sie vollberechtigt war. Effi trug ein blau- und weißgestreiftes, halb kittelartiges Leinwandkleid, dem erst ein fest zusammengezogener, bronzefarbener Ledergürtel die Taille gab; der Hals war frei, und über Schulter und Nacken fiel ein breiter Matrosenkragen. In allem, was sie tat, paarte sich Übermut und Grazie*, während ihre lachenden braunen Augen eine große, natürliche Klugheit und viel Lebenslust und Herzensgüte verrieten. Man nannte sie die »Kleine«, was sie sich nur gefallen lassen mußte, weil die schöne, schlanke Mama noch um eine Handbreit höher war.

Rollen von aufgewickelten Seidenfäden

Hier: zweites Frühstück

Bunt bemalte, glasierte Tonschale

Anmut, Liebreiz

Eben hatte sich Effi wieder erhoben, um abwechselnd nach links und rechts ihre turnerischen Drehungen zu machen, als die von ihrer Stickerei gerade wieder aufblickende Mama ihr zurief: »Effi, eigentlich hättest du doch wohl Kunstreiterin werden müssen. Immer am Trapez, immer ⌜Tochter der Luft⌝. Ich glaube beinah, daß du so was möchtest.«

»Vielleicht, Mama. Aber wenn es so wäre, wer wäre schuld? Von wem hab' ich es? Doch nur von dir. Oder meinst du von Papa? Da mußt du nun selber lachen. Und dann, warum steckst du mich in diesen Hänger, in diesen Jungenskittel? Mitunter denk' ich, ich komme noch wieder in kurze Kleider. Und wenn ich *die* erst wieder habe, dann knix' ich auch wieder wie ein ⌜Backfisch⌝, und wenn dann die Rathenower* herüberkommen, setze ich mich auf Oberst Goetzes Schoß und reite hopp, hopp. Warum auch nicht? Drei Viertel ist er Onkel und nur ein Viertel Courmacher*. Du bist schuld. Warum kriege ich keine Staatskleider? Warum machst du keine Dame aus mir?«

»Möchtest du's?«

»Nein.« Und dabei lief sie auf die Mama zu und umarmte sie stürmisch und küßte sie.

»Nicht so wild, Effi, nicht so leidenschaftlich. Ich beunruhige mich immer, wenn ich dich so sehe . . .« Und die Mama schien ernstlich willens, in Äußerung ihrer Sorgen und Ängste fortzufahren. Aber sie kam nicht weit damit, weil in ebendiesem Augenblicke drei junge Mädchen aus der kleinen, in der Kirchhofsmauer angebrachten Eisentür in den Garten eintraten und einen Kiesweg entlang auf das Rondell und die Sonnenuhr zuschritten. Alle drei grüßten mit ihren Sonnenschirmen zu Effi herüber und eilten dann auf Frau von Briest zu, um dieser die Hand zu küssen. Diese tat rasch ein paar Fragen und lud dann die Mädchen ein, ihnen oder doch wenigstens Effi auf eine halbe Stunde Gesellschaft zu leisten. »Ich habe ohnehin noch zu tun, und

Angehöriger des Husaren-Regiment Nr. 3 in Rathenow

(franz.) Person, die einer Dame den Hof macht, Verehrer

junges Volk ist am liebsten unter sich. Gehabt euch wohl.«
Und dabei stieg sie die vom Garten in den Seitenflügel führende Steintreppe hinauf.

Und da war nun die Jugend wirklich allein.

Zwei der jungen Mädchen – kleine, rundliche Persönchen, 5
zu deren krausem, rotblondem Haar ihre Sommersprossen
und ihre gute Laune ganz vorzüglich paßten – waren Töchter des auf ⌈Hansa⌉, Skandinavien und ⌈Fritz Reuter⌉ einge-
schworenen Kantors Jahnke, der denn auch, unter Anlehnung an seinen mecklenburgischen Landsmann und Lieb- 10
lingsdichter und nach dem Vorbilde von Mining und
Lining*, seinen eigenen Zwillingen die Namen Bertha und
Hertha gegeben hatte. Die dritte junge Dame war Hulda
Niemeyer, Pastor Niemeyers einziges Kind; sie war damen-
hafter als die beiden anderen, dafür aber langweilig und 15
eingebildet, eine lymphatische* Blondine, mit etwas vor-
springenden, blöden* Augen, die trotzdem beständig nach
was zu suchen schienen, weshalb denn auch Klitzing von
den Husaren gesagt hatte: »Sieht sie nicht aus, ⌈als erwarte
sie jeden Augenblick den Engel Gabriel⌉?« Effi fand, daß 20
der etwas kritische Klitzing nur zu sehr recht habe, vermied
es aber trotzdem, einen Unterschied zwischen den drei
Freundinnen zu machen. Am wenigsten war ihr in diesem
Augenblicke danach zu Sinn, und während sie die Arme
auf den Tisch stemmte, sagte sie: »Diese langweilige Stik- 25
kerei. Gott sei Dank, daß ihr da seid.«

»Aber deine Mama haben wir vertrieben«, sagte Hulda.

»Nicht doch. Wie sie euch schon sagte, sie wäre doch gegangen; sie erwartet nämlich Besuch, einen alten Freund
aus ihren Mädchentagen her, von dem ich euch nachher 30
erzählen muß, eine Liebesgeschichte mit Held und Heldin,
und zuletzt mit Entsagung. Ihr werdet Augen machen und
euch wundern. Übrigens habe ich Mamas alten Freund
schon drüben in Schwantikow gesehen; er ist Landrat, gute
Figur und sehr männlich.« 35

Figurenpaar
aus Reuters
Roman *Ut
Mine Stromtid*
(1862–64)

krankhaft
blasse

Hier: schwach-
sichtig oder
schüchtern

»Das ist die Hauptsache«, sagte Hertha.

»Freilich ist das die Hauptsache, ⌐Weiber weiblich, Männer männlich⌐ – das ist, wie ihr wißt, einer von Papas Lieb-
lingssätzen. Und nun helft mir erst Ordnung schaffen auf
dem Tisch hier, sonst gibt es wieder eine Strafpredigt.«

Im Nu waren die Docken in den Korb gepackt, und als alle
wieder saßen, sagte Hulda: »Nun aber, Effi, nun ist es Zeit,
nun die Liebesgeschichte mit Entsagung. Oder ist es nicht
so schlimm?«

»Eine Geschichte mit Entsagung ist nie schlimm. Aber ehe
Hertha nicht von den Stachelbeeren genommen, eh kann
ich nicht anfangen – sie läßt ja kein Auge davon. Übrigens
nimm so viel du willst, wir können ja hinterher neue pflük-
ken; nur wirf die Schalen weit weg oder noch besser, lege
sie hier auf die Zeitungsbeilage, wir machen dann eine Tüte
daraus und schaffen alles beiseite. Mama kann es nicht
leiden, wenn die Schlusen* so überall umherliegen, und
sagt immer, man könne dabei ausgleiten und ein Bein brechen.«

»Glaub' ich nicht«, sagte Hertha, während sie den Stachelbeeren fleißig zusprach.

»Ich auch nicht«, bestätigte Effi. »Denkt doch mal nach,
ich falle jeden Tag wenigstens zwei-, dreimal, und noch ist
mir nichts gebrochen. Was ein richtiges Bein ist, das bricht
nicht so leicht, meines gewiß nicht und deines auch nicht,
Hertha. Was meinst du, Hulda?«

»Man soll sein Schicksal nicht versuchen; Hochmut
kommt vor dem Fall.«

»Immer Gouvernante*; du bist doch die geborene alte
Jungfer*.«

»Und hoffe mich doch noch zu verheiraten. Und vielleicht
eher als du.«

»Meinetwegen. Denkst du, daß ich darauf warte? Das fehlte noch. Übrigens, ich kriege schon einen, und vielleicht
bald. Da ist mir nicht bange. Neulich erst hat mir der kleine

(norddt.)
Schalen

Erzieherin,
hier: Person,
die gern
belehrt

Ältere,
unverheiratete
Frau

Ventivegni von drüben gesagt: ›Fräulein Effi, was gilt die
Wette, wir sind hier noch in diesem Jahre zu Polterabend
und Hochzeit‹.«
»Und was sagtest du da?«
»›Wohl möglich‹, sagt’ ich, ›wohl möglich; Hulda ist die   5
älteste und kann sich jeden Tag verheiraten.‹ Aber er wollte
davon nichts wissen und sagte: ›Nein, bei einer anderen
jungen Dame, die geradeso brünett ist, wie Fräulein Hulda
blond ist.‹ Und dabei sah er mich ganz ernsthaft an ...
Aber ich komme vom Hundertsten aufs Tausendste und   10
vergesse die Geschichte.«
»Ja, du brichst immer wieder ab; am Ende willst du
nicht.«
»Oh, ich will schon, aber freilich, ich breche immer wieder
ab, weil es alles ein bißchen sonderbar ist, ja, beinah ro-   15
mantisch.«
»Aber du sagtest doch, er sei Landrat.«
»Allerdings, Landrat. Und er heißt ⌐Geert von Innstetten⌐,
Baron von Innstetten.«
Alle drei lachten.   20

beleidigt »Warum lacht ihr?« sagte Effi pikiert*. »Was soll das heißen?«
»Ach, Effi, wir wollen dich ja nicht beleidigen, und auch
den Baron nicht. Innstetten sagtest du? Und Geert? So
heißt doch hier kein Mensch. Freilich, die adeligen Namen   25
haben oft ⌐so was Komisches⌐.«
»Ja, meine Liebe, das haben sie. Dafür sind es eben Adelige.
Die dürfen sich das gönnen, und je weiter zurück, ich meine
der Zeit nach, desto mehr dürfen sie sich’s gönnen. Aber
davon versteht ihr nichts, was ihr mir nicht übelnehmen   30
dürft. Wir bleiben doch gute Freunde. Geert von Innstetten
also und Baron. Er ist geradeso alt wie Mama, auf den
Tag.«
»Und wie alt ist denn eigentlich deine Mama?«
»Achtunddreißig.«   35

»Ein schönes Alter.«

»Ist es auch, namentlich wenn man noch so aussieht wie die Mama. Sie ist doch eigentlich eine schöne Frau, findet ihr nicht auch? Und wie sie alles so weg hat, immer so sicher und dabei so fein und nie unpassend wie Papa. Wenn ich ein junger Leutnant wäre, so würd' ich mich in die Mama verlieben.«

»Aber Effi, wie kannst du nur so was sagen«, sagte Hulda. »Das ist ja gegen ⌐das vierte Gebot⌐.«

»Unsinn. Wie kann das gegen das vierte Gebot sein? Ich glaube, Mama würde sich freuen, wenn sie wüßte, daß ich so was gesagt habe.«

»Kann schon sein«, unterbrach hierauf Hertha. »Aber nun endlich die Geschichte.«

»Nun, gib dich zufrieden, ich fange schon an ... Also Baron Innstetten! Als er noch keine Zwanzig war, stand er drüben bei den Rathenowern und verkehrte viel auf den Gütern hier herum, und am liebsten war er in Schwantikow drüben bei meinem Großvater ⌐Belling⌐. Natürlich war es nicht des Großvaters wegen, daß er so oft drüben war, und wenn die Mama davon erzählt, so kann jeder leicht sehen, um wen es eigentlich war. Und ich glaube, es war auch gegenseitig.«

»Und wie kam es nachher?«

»Nun, es kam, wie's kommen mußte, wie's immer kommt. Er war ja noch viel zu jung, und als mein Papa sich einfand, der schon ⌐Ritterschaftsrat⌐ war und Hohen-Cremmen hatte, da war kein langes Besinnen mehr, und sie nahm ihn und wurde Frau von Briest ... das andere, was sonst noch kam, nun, das wißt ihr ... das andere bin ich.«

»Ja, das andere bist du, Effi«, sagte Bertha. »Gott sei Dank; wir hätten dich nicht, wenn es anders gekommen wäre. Und nun sage, was tat Innstetten, was wurde aus ihm? Das Leben hat er sich nicht genommen, sonst könntet ihr ihn heute nicht erwarten.«

»Nein, das Leben hat er sich nicht genommen. Aber ⌈ein bißchen war es doch so was⌉.«

»Hat er einen Versuch gemacht?«

»Auch das nicht. Aber er mochte doch nicht länger hier in der Nähe bleiben, und das ganze Soldatenleben überhaupt muß ihm damals wie verleidet gewesen sein. Es war ja auch Friedenszeit. Kurz und gut, er nahm den Abschied und fing an, Juristerei zu studieren, wie Papa sagt, mit einem ›wahren Biereifer‹; nur als der Siebziger Krieg* kam, trat er wieder ein, aber bei den Perlebergern* statt bei seinem alten Regiment, und hat auch das ⌈Kreuz⌉. Natürlich, denn er ist sehr schneidig. Und gleich nach dem Kriege saß er wieder bei seinen Akten, und es heißt, ⌈Bismarck⌉ halte große Stücke von ihm und auch ⌈der Kaiser⌉, und so kam es denn, daß er ⌈Landrat⌉ wurde, Landrat im ⌈Kessiner Kreise⌉.«

»Was ist Kessin? Ich kenne hier kein Kessin.«

»Nein, hier in unserer Gegend liegt es nicht; es liegt eine hübsche Strecke von hier fort in ⌈Pommern, in Hinterpommern⌉ sogar, was aber nichts sagen will, weil es ein Badeort ist (alles da herum ist Badeort), und die Ferienreise, die Baron Innstetten jetzt macht, ist eigentlich eine Vetternreise oder doch etwas Ähnliches. Er will hier alte Freundschaft und Verwandtschaft wiedersehen.«

»Hat er denn hier Verwandte?«

»Ja und nein, wie man's nehmen will. Innstettens gibt es hier nicht, gibt es, glaub' ich, überhaupt nicht mehr. Aber er hat hier entfernte Vettern von der Mutter Seite her, und vor allem hat er wohl Schwantikow und das Bellingsche Haus wiedersehen wollen, an das ihn so viel Erinnerungen knüpfen. Da war er denn vorgestern drüben, und heute will er hier in Hohen-Cremmen sein.«

»Und was sagt dein Vater dazu?«

»Gar nichts. Der ist nicht so. Und dann kennt er ja doch die Mama. Er neckt sie bloß.«

In diesem Augenblick schlug es Mittag, und ehe es noch

Dt.-franz.Krieg 1870/71

In Perleberg war ein Teil des Ulanen-Regiments Nr. 11 stationiert.

Effi Briest

ausgeschlagen, erschien Wilke, das alte Briestsche ⌈Haus-
und Familienfaktotum⌉, um an Fräulein Effi zu bestellen:
»Die gnädige Frau ließe bitten, daß das gnädige Fräulein zu
rechter Zeit auch Toilette mache; gleich nach eins würde
5 der Herr Baron wohl vorfahren.« Und während Wilke dies
noch vermeldete, begann er auch schon auf dem Arbeits-
tisch der Damen abzuräumen und griff dabei zunächst
nach dem Zeitungsblatt, auf dem die Stachelbeerschalen
lagen.

10 »Nein, Wilke, nicht so; das mit den Schlusen, das ist unsere
Sache ... Hertha, du mußt nun die Tüte machen und einen
Stein hineintun, daß alles besser versinken kann. Und dann
wollen wir in einem langen Trauerzug aufbrechen und die
Tüte auf offener See begraben.«

15 Wilke schmunzelte.

»Is doch ein Daus*, unser Fräulein«, so etwa gingen seine
Gedanken; Effi aber, während sie die Tüte mitten auf die
rasch zusammengeraffte Tischdecke legte, sagte: »Nun fassen wir alle vier an, jeder an einem Zipfel und singen was
20 Trauriges.«

»Ja, das sagst du wohl, Effi. Aber was sollen wir denn singen?«

»Irgendwas; es ist ganz gleich, es muß nur einen Reim auf
›u‹ haben; ›u‹ ist immer Trauervokal. Also singen wir:

25 Flut, Flut
Mach alles wieder gut ...«,

und während Effi diese Litanei* feierlich anstimmte, setzten sich alle vier auf den Steg hin in Bewegung, stiegen in
das dort angekettelte Boot und ließen von diesem aus die
30 mit einem Kiesel beschwerte Tüte langsam in den Teich
niedergleiten.

»Hertha, nun ist deine Schuld versenkt«, sagte Effi, »wobei
mir übrigens einfällt, so vom Boot aus sollen früher auch

Hier: kleiner
Teufel

Bittgebet,
Klagelied

arme unglückliche Frauen versenkt worden sein, natürlich wegen Untreue.«

»Aber doch nicht hier.«

»Nein, nicht hier«, lachte Effi, »hier kommt so was nicht vor. Aber in ⌜Konstantinopel⌝, und du mußt ja, wie mir eben einfällt, auch davon wissen, so gut wie ich, du bist ja mit dabei gewesen, als uns Kandidat* Holzapfel in der Geographiestunde davon erzählte.«

»Ja«, sagte Hulda, »der erzählte immer so was. Aber so was vergißt man doch wieder.«

»Ich nicht. Ich behalte so was.«

Hier: Lehramtsanwärter

Zweites Kapitel

Sie sprachen noch eine Weile so weiter, wobei sie sich ihrer gemeinschaftlichen Schulstunden und einer ganzen Reihe Holzapfelscher Unpassendheiten mit Empörung und Behagen erinnerten. Ja, man konnte sich nicht genug tun damit, bis Hulda mit einem Male sagte: »Nun aber ist es höchste Zeit, Effi; du siehst ja aus, ja, wie sag’ ich nur, du siehst ja aus, wie wenn du vom Kirschenpflücken kämst, alles zerknittert und zerknautscht; das Leinenzeug macht immer so viele Falten, und der große, weiße Klappkragen . . . ja, wahrhaftig, jetzt hab’ ich es, du siehst aus wie ein Schiffsjunge.«

»Midshipman*, wenn ich bitten darf. Etwas muß ich doch von meinem Adel haben. Übrigens Midshipman oder Schiffsjunge, Papa hat mir erst neulich wieder einen Mastbaum versprochen, hier dicht neben der Schaukel, mit Raaen* und einer Strickleiter. Wahrhaftig, das sollte mir gefallen, und den Wimpel oben selbst anzumachen, das ließ’ ich mir nicht nehmen. Und du, Hulda, du kämst dann von der anderen Seite her herauf, und oben in der Luft

(engl.) Seekadett, Offiziersanwärter

Segelstange

wollten wir Hurra rufen und uns einen Kuß geben. Alle
Wetter, das sollte schmecken.«

»›Alle Wetter . . .‹, wie das nun wieder klingt . . . Du
sprichst wirklich wie ein Midshipman. Ich werde mich
aber hüten, dir nachzuklettern, ich bin nicht so waghalsig.
Jahnke hat ganz recht, wenn er immer sagt, du hättest zuviel von dem Bellingschen in dir, von deiner Mama her. Ich
bin bloß ein Pastorskind.«

»Ach, geh mir. ⌜Stille Wasser sind tief.⌝ Weißt du noch, wie
du damals, als Vetter Briest als Kadett* hier war, aber doch
schon groß genug, wie du damals auf dem Scheunendach
entlangrutschtest. Und warum? Nun, ich will es nicht ver-
raten. Aber kommt, wir wollen uns schaukeln, auf jeder
Seite zwei; reißen wird es ja wohl nicht, oder wenn ihr nicht
Lust habt, denn ihr macht wieder lange Gesichter, dann
wollen wir Anschlag spielen*. Eine Viertelstunde hab' ich
noch. Ich mag noch nicht hineingehen, und alles bloß, um
einem Landrat guten Tag zu sagen, noch dazu einem Landrat aus Hinterpommern. Ältlich ist er auch, er könnte ja
beinah mein Vater sein, und wenn er wirklich in einer Seestadt wohnt, Kessin soll ja so was sein, nun, da muß ich ihm
in diesem Matrosenkostüm eigentlich am besten gefallen
und muß ihm beinah wie eine große Aufmerksamkeit vorkommen. Fürsten, wenn sie wen empfangen, soviel weiß
ich von meinem Papa her, legen auch immer die Uniform
aus der Gegend des anderen an. Also nur nicht ängstlich . . . rasch, rasch, ich fliege aus, und neben der Bank hier
ist frei*.«

Hulda wollte noch ein paar Einschränkungen machen,
aber Effi war schon den nächsten Kiesweg hinauf, links
hin, rechts hin, bis sie mit einem Male verschwunden war.
»Effi, das gilt nicht; wo bist du? Wir spielen nicht Versteck,
wir spielen Anschlag«, unter diesen und ähnlichen Vor-
würfen eilten die Freundinnen ihr nach, weit über das Rondell und die beiden seitwärts stehenden Platanen hinaus,

Offiziersan-
wärter

Eine Art
Versteckspiel

Der Freischlag
ist Teil des
Versteckspiels.

bis die Verschwundene mit einem Male aus ihrem Verstek-
ke hervorbrach und mühelos, weil sie schon im Rücken
ihrer Verfolger war, mit »eins, zwei, drei« den Freiplatz
neben der Bank erreichte.

»Wo warst du?«

»Hinter den Rhabarberstauden; die haben so große Blätter, noch größer als ein ⌐Feigenblatt⌐...«

»Pfui...«

»Nein, pfui für euch, weil ihr verspielt habt. Hulda, mit
ihren großen Augen, sah wieder nichts, immer unge-
schickt.« Und dabei flog Effi von neuem über das Rondell
hin, auf den Teich zu, vielleicht weil sie vorhatte, sich erst
hinter einer dort aufwachsenden dichten Haselnußhecke
zu verstecken, um dann, von dieser aus, mit einem weiten
Umweg um Kirchhof und Fronthaus, wieder bis an den
Seitenflügel und seinen Freiplatz zu kommen. Alles war gut
berechnet; aber freilich, ehe sie noch halb um den Teich
herum war, hörte sie schon vom Hause her ihren Namen
rufen und sah, während sie sich umwandte, die Mama, die,
von der Steintreppe her, mit ihrem Taschentuche winkte.
Noch einen Augenblick, und Effi stand vor ihr.

»Nun bist du doch noch in deinem Kittel, und der Besuch
ist da. Nie hältst du Zeit.«

»*Ich* halte schon Zeit, aber der Besuch hat nicht Zeit gehalten. Es ist noch nicht eins; noch lange nicht«, und sich
nach den Zwillingen hin umwendend (Hulda war noch
weiter zurück), rief sie diesen zu: »Spielt nur weiter; ich bin
gleich wieder da.«

Schon im nächsten Augenblicke trat Effi mit der Mama in
den großen Gartensaal, der fast den ganzen Raum des Seitenflügels füllte.

»Mama, du darfst mich nicht schelten. Es ist wirklich erst
halb. Warum kommt er so früh? Kavaliere kommen nicht
zu spät, aber noch weniger zu früh.«

Frau von Briest war in sichtlicher Verlegenheit; Effi aber
schmiegte sich liebkosend an sie und sagte: »Verzeih, ich
will mich nun eilen; du weißt, ich kann auch rasch sein, und
in fünf Minuten ist ⌜Aschenpuddel⌝ in eine Prinzessin verwandelt. So lange kann er warten oder mit dem Papa plaudern.«

Und der Mama zunickend, wollte sie leichten Fußes eine
kleine eiserne Stiege hinauf, die aus dem Saal in den Oberstock hinaufführte. Frau von Briest aber, die unter Umständen auch unkonventionell sein konnte, hielt plötzlich
die schon forteilende Effi zurück, warf einen Blick auf das
jugendlich reizende Geschöpf, das, noch erhitzt von der
Aufregung des Spiels, wie ein Bild frischesten Lebens vor
ihr stand, und sagte beinahe vertraulich: »Es ist am Ende
das beste, du bleibst wie du bist. Ja, bleibe so. Du siehst
gerade sehr gut aus. Und wenn es auch nicht wäre, du siehst
so unvorbereitet aus, so gar nicht zurechtgemacht, und
darauf kommt es in diesem Augenblicke an. Ich muß
dir nämlich sagen, meine süße Effi ...«, und sie nahm
ihres Kindes beide Hände, »... ich muß dir nämlich sagen ...«

»Aber Mama, was hast du nur? Mir wird ja ganz angst und
bange.«

»... Ich muß dir nämlich sagen, Effi, daß Baron Innstetten
eben um deine Hand angehalten hat.«

»Um meine Hand angehalten? Und im Ernst?«

»Es ist keine Sache, um einen Scherz daraus zu machen. Du
hast ihn vorgestern gesehen, und ich glaube, er hat dir auch
gut gefallen. Er ist freilich älter als du, was alles in allem ein
Glück ist, dazu ein Mann von Charakter, von Stellung und
guten Sitten, und wenn du nicht ›nein‹ sagst, was ich mir
von meiner klugen Effi kaum denken kann, so stehst du mit
zwanzig Jahren da, wo andere mit vierzig stehen. Du wirst
deine Mama weit überholen.«

Effi schwieg und suchte nach einer Antwort. Aber ehe sie

diese finden konnte, hörte sie schon des Vaters Stimme von dem angrenzenden, noch im Fronthause gelegenen Hinterzimmer her, und gleich danach überschritt Ritterschaftsrat* von Briest, ein wohlkonservierter Fünfziger von ausgesprochener Bonhommie*, die Gartensalonschwelle, – mit ihm Baron Innstetten, schlank, brünett und von militärischer Haltung.

Effi, als sie seiner ansichtig wurde, kam in ein nervöses Zittern; aber nicht auf lange, denn im selben Augenblicke fast, wo sich Innstetten unter freundlicher Verneigung ihr näherte, wurden an dem mittleren der weit offenstehenden und von wildem Wein halb überwachsenen Fenster die rotblonden Köpfe der Zwillinge sichtbar, und Hertha, die Ausgelassenste, rief in den Saal hinein: »⌐Effi, komm.⌐«
Dann duckte sie sich, und beide Schwestern sprangen von der Banklehne, darauf sie gestanden, wieder in den Garten hinab, und man hörte nur noch ihr leises Kichern und Lachen.

Drittes Kapitel

Noch an demselben Tage hatte sich Baron Innstetten mit Effi Briest verlobt. Der joviale* Brautvater, der sich nicht leicht in seiner Feierlichkeitsrolle zurechtfand, hatte bei dem Verlobungsmahl, das folgte, ⌐das junge Paar⌐ leben lassen, was auf Frau von Briest, die dabei der nun um kaum achtzehn Jahre zurückliegenden Zeit gedenken mochte, nicht ohne herzbeweglichen Eindruck geblieben war. Aber nicht auf lange; *sie* hatte es nicht sein können, nun war es statt ihrer die Tochter – alles in allem ebensogut oder vielleicht noch besser. Denn mit Briest ließ sich leben, trotzdem er ein wenig prosaisch* war und dann und wann einen kleinen frivolen* Zug hatte. Gegen Ende der Tafel, das Eis

Vgl. Erl. zu 15,27.

Eigentl. Bonhomie: Gutmütigkeit, Biederkeit

Hier: fröhlich, leutselig

sachlich, nüchtern

leichtfertigen, bedenkenlosen

Effi Briest

wurde schon herumgereicht, nahm der alte Ritterschaftsrat noch einmal das Wort, um in einer zweiten Ansprache
das allgemeine Familien-Du zu proponieren*. Er umarmte   anbieten
dabei Innstetten und gab ihm einen Kuß auf die linke Bak-
5 ke. Hiermit war aber die Sache für ihn noch nicht abgeschlossen, vielmehr fuhr er fort, außer dem »Du« zugleich
intimere Namen und Titel für den Hausverkehr zu empfehlen, eine Art Gemütlichkeitsrangliste aufzustellen, natürlich unter Wahrung berechtigter, weil wohlerworbener
10 Eigentümlichkeiten. Für seine Frau, so hieß es, würde der
Fortbestand von »Mama« (denn es gäbe auch junge Mamas) wohl das beste sein, während er für seine Person,
unter Verzicht auf den Ehrentitel »Papa«, das einfache   Das Weglassen
Briest* entschieden bevorzugen müsse, schon weil es so   des Adelstitels
                                                          »von«
15 hübsch kurz sei. Und was nun die Kinder angehe – bei
welchem Wort er sich, Aug' in Auge mit dem nur etwa um
ein Dutzend Jahre jüngeren Innstetten, einen Ruck geben
mußte –, nun, so sei Effi eben Effi und Geert Geert. Geert,
wenn er nicht irre, habe die Bedeutung von einem schlank
20 aufgeschossenen Stamm, und Effi sei dann also der Efeu,
der sich darum zu ranken habe. Das Brautpaar sah sich bei
diesen Worten etwas verlegen an, Effi zugleich mit einem
Ausdruck kindlicher Heiterkeit, Frau von Briest aber sagte:
»Briest, sprich, was du willst, und formuliere deine Toaste* (engl.) Trink-
                                                              sprüche
25 nach Gefallen, nur ⌐poetische Bilder⌐, wenn ich bitten darf,
laß beiseite, das liegt jenseits deiner Sphäre*.« Zurecht-   Bereich
weisende Worte, die bei Briest mehr Zustimmung als Ablehnung gefunden hatten. »Es ist möglich, daß du recht
hast, ⌐Luise⌐.«
30 Gleich nach Aufhebung der Tafel beurlaubte sich Effi, um
einen Besuch drüben bei Pastors zu machen. Unterwegs
sagte sie sich: »Ich glaube, Hulda wird sich ärgern. Nun bin
ich ihr doch zuvorgekommen – sie war immer zu eitel und
eingebildet.« Aber Effi traf es mit ihrer Erwartung nicht
35 ganz; Hulda, durchaus Haltung bewahrend, benahm sich

sehr gut und überließ die Bezeugung von Unmut und Ärger ihrer Mutter, der Frau Pastorin, die denn auch sehr sonderbare Bemerkungen machte.

»Ja, ja, so geht es. Natürlich. Wenn's die Mutter nicht sein konnte, muß es die Tochter sein. Das kennt man. Alte Familien halten immer zusammen, und wo was is, kommt was dazu.« Der alte Niemeyer kam in arge Verlegenheit über diese fortgesetzten spitzen Redensarten ohne Bildung und Anstand und beklagte mal wieder, eine Wirtschafterin geheiratet zu haben.

Von Pastors ging Effi natürlich auch zu Kantor Jahnkes; die Zwillinge hatten schon nach ihr ausgeschaut und empfingen sie im Vorgarten.

»Nun, Effi«, sagte Hertha, während alle drei zwischen den rechts und links blühenden Studentenblumen auf- und abschritten, »nun, Effi, wie ist dir eigentlich?«

»Wie mir ist? Oh, ganz gut. Wir nennen uns auch schon du und bei Vornamen. Er heißt nämlich Geert, was ich euch, wie mir einfällt, auch schon gesagt habe.«

»Ja, das hast du. Mir ist aber doch so bange dabei. Ist es denn auch der Richtige?«

»Gewiß ist es der Richtige. Das verstehst du nicht, Hertha. Jeder ist der Richtige. Natürlich muß er von Adel sein und eine Stellung haben und gut aussehen.«

»Gott, Effi, wie du nur sprichst. Sonst sprachst du doch ganz anders.«

»Ja, sonst.«

»Und bist du auch schon ganz glücklich?«

»Wenn man zwei Stunden verlobt ist, ist man immer ganz glücklich. Wenigstens denk' ich es mir so.«

»Und ist es dir denn gar nicht, ja, wie sag' ich nur, ein bißchen genant*?«

»Ja, ein bißchen genant ist es mir, aber doch nicht sehr. Und ich denke, ich werde darüber wegkommen.«

Nach diesem, im Pfarr- und Kantorhause gemachten Be-

suche, der keine halbe Stunde gedauert hatte, war Effi wieder nach drüben zurückgekehrt, wo man auf der Gartenveranda eben den Kaffee nehmen wollte. Schwiegervater und Schwiegersohn gingen auf dem Kieswege zwischen
5 den zwei Platanen auf und ab. Briest sprach von dem Schwierigen einer landrätlichen Stellung; sie sei ihm verschiedentlich angetragen worden, aber er habe jedesmal gedankt. »So nach meinem eigenen Willen schalten und walten zu können ist mir immer das liebste gewesen, je-
10 denfalls lieber – pardon, Innstetten – als so die Blicke beständig nach oben richten zu müssen. Man hat dann bloß immer Sinn und Merk für hohe und höchste Vorgesetzte. Das ist nichts für mich. Hier leb' ich so freiweg und freue mich über jedes grüne Blatt und über den wilden Wein, der
15 da drüben in die Fenster wächst.«
Er sprach noch mehr dergleichen, allerhand Antibeamtliches, und entschuldigte sich von Zeit zu Zeit mit einem kurzen, verschiedentlich wiederkehrenden »Pardon, Innstetten«. Dieser nickte mechanisch zustimmend, war aber
20 eigentlich wenig bei der Sache, sah vielmehr, wie gebannt, immer aufs neue nach dem drüben am Fenster rankenden wilden Wein hinüber, von dem Briest eben gesprochen, und während er dem nachhing, war es ihm, als säh' er wieder die rotblonden Mädchenköpfe zwischen den Weinranken
25 und höre dabei den übermütigen Zuruf: »Effi, komm*.« Vgl. Erl. zu 22,14.
Er glaubte nicht an Zeichen und Ähnliches, im Gegenteil, wies alles Abergläubische weit zurück. Aber er konnte trotzdem von den zwei Worten nicht los, und während Briest immer weiterperorierte*, war es ihm beständig, als
30 wäre der kleine Hergang doch mehr als ein bloßer Zufall gewesen.

laut und mit Nachdruck weitersprach

Innstetten, der nur einen kurzen Urlaub genommen, war schon am folgenden Tage wieder abgereist, nachdem er versprochen hatte, jeden Tag schreiben zu wollen. »Ja, das mußt du«, hatte Effi gesagt, ein Wort, das ihr von Herzen kam, da sie seit Jahren nichts Schöneres kannte als beispielsweise den Empfang vieler Geburtstagsbriefe. Jeder mußte ihr zu diesem Tage schreiben. In den Brief eingestreute Wendungen, etwa wie »Gertrud und Klara senden dir mit mir ihre herzlichsten Glückwünsche«, waren verpönt; Gertrud und Klara, wenn sie Freundinnen sein wollten, hatten dafür zu sorgen, daß ein Brief mit selbständiger Marke daläge, womöglich – denn ihr Geburtstag fiel noch in die Reisezeit – mit einer fremden, aus der Schweiz oder Karlsbad.

Innstetten, wie versprochen, schrieb wirklich jeden Tag; was aber den Empfang seiner Briefe ganz besonders angenehm machte, war der Umstand, daß er allwöchentlich nur einmal einen ganz kleinen Antwortbrief erwartete. Den erhielt er denn auch, voll reizend nichtigen und ihn jedesmal entzückenden Inhalts. Was es von ernsteren Dingen zu besprechen gab, das verhandelte Frau von Briest mit ihrem Schwiegersohne: Festsetzungen wegen der Hochzeit, Ausstattungs- und Wirtschafts-Einrichtungsfragen. Innstetten, schon an die drei Jahre im Amt, war in seinem Kessiner Hause nicht glänzend, aber doch sehr standesgemäß eingerichtet, und es empfahl sich, in der Korrespondenz mit ihm, ein Bild von allem, was da war, zu gewinnen, um nichts Unnützes anzuschaffen. Schließlich, als Frau von Briest über all diese Dinge genugsam unterrichtet war, wurde seitens Mutter und Tochter eine Reise nach Berlin beschlossen, um, wie Briest sich ausdrückte, den »trousseau*« für Prinzessin Effi zusammenzukaufen. Effi freute sich sehr auf den Aufenthalt in Berlin, um so mehr, als der Vater darein gewilligt hatte, im Hôtel du Nord Wohnung zu nehmen. »Was es koste, könne ja von der Ausstattung abgezogen werden; Innstetten habe ohnehin alles.« Effi – ganz im Gegensatze zu der solche »Mesquinerien*« ein für allemal sich verbittenden Mama – hatte dem Vater, ohne jede Sorge

darum, ob er's scherz- oder ernsthaft gemeint hatte, freudig zugestimmt und beschäftigte sich in ihren Gedanken
viel, viel mehr mit dem Eindruck, den sie beide, Mutter und
Tochter, bei ihrem Erscheinen an der Table d'hôte* machen

(franz.)
Gemeinsame
Speisetafel im
Hotel

5 würden, als mit Spinn und Mencke, Goschenhofer* und
ähnlichen Firmen, die vorläufig notiert worden waren.

Vornehme,
luxuriöse
Geschäfte

Und diesen ihren heiteren Phantasien entsprach denn auch
ihre Haltung, als die große Berliner Woche nun wirklich da
war. Vetter Briest vom ⌐Alexander-Regiment⌐, ein unge-
10 mein ausgelassener, junger Leutnant, der die ⌐»Fliegenden
Blätter«⌐ hielt und über die besten Witze Buch führte, stellte sich den Damen für jede dienstfreie Stunde zur Verfügung, und so saßen sie denn mit ihm bei Kranzler* am Eck-
fenster oder zu statthafter Zeit auch wohl im Café Bauer

Berühmtes
Berliner Café

15 und fuhren nachmittags in den Zoologischen Garten, um
da die Giraffen zu sehen, von denen Vetter Briest, der übrigens Dagobert hieß, mit Vorliebe behauptete: sie sähen aus
wie adlige alte Jungfern. Jeder Tag verlief programmäßig,
und am dritten oder vierten Tage gingen sie, wie vorge-
20 schrieben, in die ⌐Nationalgalerie, weil Vetter Dagobert
seiner Cousine die »Insel der Seligen«⌐ zeigen wollte.
»Fräulein Cousine stehe zwar auf dem Punkte, sich zu verheiraten, es sei aber doch vielleicht gut, die ›Insel der Seligen‹ schon vorher kennengelernt zu haben.« Die Tante gab
25 ihm einen Schlag mit dem Fächer, begleitete diesen Schlag
aber mit einem so gnädigen Blick, daß er keine Veranlassung hatte, den Ton zu ändern. Es waren himmlische Tage
für alle drei, nicht zum wenigsten für den Vetter, der so
wundervoll zu chaperonnieren* und kleine Differenzen im-

eine junge
Dame zum
Schutz
begleiten

30 mer rasch auszugleichen verstand. An solchen Meinungs-
verschiedenheiten zwischen Mutter und Tochter war nun,
wie das so geht, all die Zeit über kein Mangel, aber sie
traten glücklicherweise nie bei den zu machenden Einkäu-
fen hervor. Ob man von einer Sache sechs oder drei Dut-
35 zend erstand, Effi war mit allem gleichmäßig einverstan-

den, und wenn dann auf dem Heimwege von dem Preise
der eben eingekauften Gegenstände gesprochen wurde, so
verwechselte sie regelmäßig die Zahlen. Frau von Briest,
sonst so kritisch, auch ihrem eigenen geliebten Kinde gegenüber, nahm dies anscheinend mangelnde Interesse nicht
nur von der leichten Seite, sondern erkannte sogar einen
Vorzug darin. »Alle diese Dinge«, so sagte sie sich, »bedeuten Effi nicht viel. Effi ist anspruchslos; sie lebt in ihren
Vorstellungen und Träumen, und wenn die ⌈Prinzessin
Friedrich Karl⌉ vorüberfährt und sie von ihrem Wagen aus
freundlich grüßt, so gilt ihr das mehr als eine ganze Truhe
voll Weißzeug*.«

Das alles war auch richtig, aber doch nur halb. An dem
Besitze mehr oder weniger alltäglicher Dinge lag Effi nicht
viel, aber wenn sie mit der Mama die Linden hinauf- und
hinunterging und nach Musterung der schönsten Schau-
fenster in den Demuthschen Laden* eintrat, um für die
gleich nach der Hochzeit geplante italienische Reise allerlei
Einkäufe zu machen, so zeigte sich ihr wahrer Charakter.
Nur das Eleganteste gefiel ihr, und wenn sie das Beste nicht
haben konnte, so verzichtete sie auf das Zweitbeste, weil
ihr dies Zweite nun nichts mehr bedeutete. Ja, sie konnte
verzichten, darin hatte die Mama recht, und in diesem Ver-
zichtenkönnen lag etwas von Anspruchslosigkeit; wenn es
aber ausnahmsweise mal wirklich etwas zu besitzen galt,
so mußte dies immer was ganz ⌈Apartes⌉ sein. Und *darin*
war sie anspruchsvoll.

Viertes Kapitel

Vetter Dagobert war am Bahnhof, als die Damen ihre
Rückreise nach Hohen-Cremmen antraten. Es waren
glückliche Tage gewesen, vor allem auch darin, daß man

Effi Briest

nicht unter unbequemer und beinahe unstandesgemäßer Verwandtschaft gelitten hatte. »Für Tante Therese«, so hatte Effi gleich nach der Ankunft gesagt, »müssen wir diesmal inkognito* bleiben. Es geht nicht, daß sie hier ins Hotel kommt. Entweder Hôtel du Nord oder Tante Therese; beides zusammen paßt nicht.« Die Mama hatte sich schließlich einverstanden damit erklärt, ja dem Liebling zur Besiegelung des Einverständnisses einen Kuß auf die Stirn gegeben.

unter fremdem Namen, unerkannt

Mit Vetter Dagobert war das natürlich etwas ganz anderes gewesen, der hatte nicht bloß den ⌈Gardepli⌉, der hatte vor allem auch mit Hülfe jener eigentümlich guten Laune, wie sie bei den Alexanderoffizieren* beinahe traditionell geworden, sowohl Mutter wie Tochter von Anfang an anzuregen und aufzuheitern gewußt, und diese gute Stimmung dauerte bis zuletzt. »Dagobert«, so hieß es noch beim Abschied, »du kommst also zu meinem Polterabend, und natürlich mit Cortege*. Denn nach den Aufführungen (aber kommt mir nicht mit Dienstmann oder Mausefallenhändler) ist Ball. Und du mußt bedenken, mein erster großer Ball ist vielleicht auch mein letzter. Unter sechs Kameraden – natürlich beste Tänzer – wird gar nicht angenommen. Und mit dem Frühzug könnt ihr wieder zurück.« Der Vetter versprach alles, und so trennte man sich.

Vgl. Erl. zu 27,9.

(franz.) Gefolge, Begleitung

Gegen Mittag trafen beide Damen an ihrer havelländischen Bahnstation ein, mitten im Luch*, und fuhren in einer halben Stunde nach Hohen-Cremmen hinüber. Briest war sehr froh, Frau und Tochter wieder zu Hause zu haben, und stellte Fragen über Fragen, deren Beantwortung er meist nicht abwartete. Statt dessen erging er sich in Mitteilung dessen, was er inzwischen erlebt. »Ihr habt mir da vorhin von der Nationalgalerie gesprochen und von der ›Insel der Seligen‹ – nun, wir haben hier, während ihr fort wart, ⌈auch so was gehabt⌉: unser Inspektor Pink und die Gärtnersfrau. Natürlich habe ich Pink entlassen müssen,

Hier: sumpfige Niederung

übrigens ungern. Es ist sehr fatal, daß solche Geschichten fast immer in die Erntezeit fallen. Und Pink war sonst ein ungewöhnlich tüchtiger Mann, hier leider am unrechten Fleck. Aber lassen wir das; Wilke wird schon unruhig.«

Bei Tische hörte Briest besser zu; das gute Einvernehmen mit dem Vetter, von dem ihm viel erzählt wurde, hatte seinen Beifall, weniger das Verhalten gegen Tante Therese. Man sah aber deutlich, daß er inmitten seiner Mißbilligung sich eigentlich darüber freute; denn ein kleiner Schabernack entsprach ganz seinem Geschmack, und Tante Therese war wirklich eine lächerliche Figur. Er hob sein Glas und stieß mit Frau und Tochter an. Auch als nach Tisch einzelne der hübschesten Einkäufe vor ihm ausgepackt und seiner Beurteilung unterbreitet wurden, verriet er viel Interesse, das selbst noch anhielt oder wenigstens nicht ganz hinstarb, als er die Rechnung überflog. »Etwas teuer, oder sagen wir lieber sehr teuer, indessen es tut nichts. Es hat alles so viel Chic*, ich möchte sagen so viel Animierendes*, daß ich deutlich fühle, wenn du mir solchen Koffer und solche Reisedecke zu Weihnachten schenkst, so sind wir zu Ostern auch in Rom und machen nach achtzehn Jahren unsere Hochzeitsreise. Was meinst du, Luise? Wollen wir nachexerzieren*? ⌜Spät kommt ihr, doch ihr kommt.⌝«

Frau von Briest machte eine Handbewegung, wie wenn sie sagen wollte: »unverbesserlich«, und überließ ihn im übrigen seiner eigenen Beschämung, die aber nicht groß war.

Ende August war da, der ⌜Hochzeitstag (3. Oktober)⌝ rückte näher und sowohl im Herrenhause wie in der Pfarre und Schule war man unausgesetzt bei den Vorbereitungen zum Polterabend. Jahnke, getreu seiner Fritz Reuter-Passion, hatte sich's als etwas besonders »Sinniges« ausgedacht, Bertha und Hertha als Lining und Mining* auftreten zu lassen, natürlich plattdeutsch, während Hulda das Käthchen von Heilbronn in der ⌜Holunderbaumszene⌝ darstel-

(franz.) Geschmack

Anregendes, Erheiterndes

Hier: nachholen

Vgl. 12,11–12.

len sollte, Leutnant Engelbrecht von den Husaren als Wetter vom Strahl. Niemeyer, der sich den Vater der Idee nennen durfte, hatte keinen Augenblick gesäumt, auch die verschämte Nutzanwendung auf Innstetten und Effi hinzu-
5 zudichten. Er selbst war mit seiner Arbeit zufrieden und hörte, gleich nach der Leseprobe, von allen Beteiligten viel Freundliches darüber, freilich mit Ausnahme seines Patronatsherrn* und alten Freundes Briest, der, als er die Mischung von Kleist und Niemeyer mit angehört hatte, leb-
10 haft protestierte, wenn auch keineswegs aus literarischen Gründen. »Hoher Herr und immer wieder Hoher Herr – was soll das? Das leitet in die Irre, das verschiebt alles. Innstetten, unbestritten, ist ein famoses Menschenexemplar, Mann von Charakter und Schneid, aber die Briests –
15 verzeih den Berolinismus*, Luise – die Briests sind schließlich auch nicht von schlechten Eltern. Wir sind doch nun mal eine historische Familie, laß mich hinzufügen Gott sei Dank, und die Innstettens sind es *nicht*; die Innstettens sind bloß alt, meinetwegen Uradel, aber was heißt Uradel*? Ich
20 will nicht, daß eine Briest oder doch wenigstens eine Polterabendfigur, in der jeder das Widerspiel unserer Effi erkennen muß – ich will nicht, daß eine Briest mittelbar oder unmittelbar in einem fort von ›Hoher Herr‹ spricht. Da müßte denn doch Innstetten wenigstens ein verkappter
25 Hohenzoller sein, es gibt ja dergleichen. Das ist er aber nicht, und so kann ich nur wiederholen, es verschiebt die Situation.«
Und wirklich, Briest hielt mit besonderer Zähigkeit eine ganze Zeitlang an dieser Anschauung fest. Erst nach der
30 zweiten Probe, wo das »Käthchen«, schon halb im Kostüm, ein sehr eng anliegendes Sammetmieder* trug, ließ er sich – der es auch sonst nicht an Huldigungen gegen Hulda fehlen ließ – zu der Bemerkung hinreißen, »das Käthchen liege sehr gut da«, welche Wendung einer Waffenstrek-
35 kung ziemlich gleichkam oder doch zu solcher hinüberlei-

Hier: Schirmherr

Ausdruck der Berliner Umgangssprache

Vor 1540 urkundlich als adelig nachweisbares Geschlecht

Samtmieder

tete. Daß alle diese Dinge vor Effi geheimgehalten wurden, braucht nicht erst gesagt zu werden. Bei mehr Neugier auf seiten dieser letzteren wäre das nun freilich ganz unmöglich gewesen, aber Effi hatte so wenig Verlangen, in die Vorbereitungen und geplanten Überraschungen einzudringen, daß sie der Mama mit allem Nachdruck erklärte, »sie könne es abwarten«, und wenn diese dann zweifelte, so schloß Effi mit der wiederholten Versicherung: es wäre wirklich so, die Mama könne es glauben. Und warum auch nicht? Es sei ja doch alles nur Theateraufführung und hübscher und poetischer als ⌐»Aschenbrödel«⌐, das sie noch am letzten Abend in Berlin gesehen hätte, hübscher und poetischer könne es ja doch nicht sein. Da hätte sie wirklich selber mitspielen mögen, wenn auch nur, um dem lächerlichen Pensionslehrer einen Kreidestrich auf den Rücken zu machen. »Und wie reizend im letzten Akt ›Aschenbrödels Erwachen als Prinzessin‹ oder doch wenigstens als Gräfin; wirklich, es war ganz wie ein Märchen.« In dieser Weise sprach sie oft, war meist ausgelassener als vordem und ärgerte sich bloß über das beständige Tuscheln und Geheimtun der Freundinnen. »Ich wollte, sie hätten sich weniger wichtig und wären mehr für mich da. Nachher bleiben sie doch bloß stecken, und ich muß mich um sie ängstigen und mich schämen, daß es meine Freundinnen sind.«
So gingen Effis Spottreden, und es war ganz unverkennbar, daß sie sich um Polterabend und Hochzeit nicht allzusehr kümmerte. Frau von Briest hatte so ihre Gedanken darüber, aber zu Sorgen kam es nicht, weil sich Effi, was doch ein gutes Zeichen war, ziemlich viel mit ihrer Zukunft beschäftigte und sich, phantasiereich wie sie war, viertelstundenlang in Schilderungen ihres Kessiner Lebens erging, Schilderungen, in denen sich nebenher und sehr zur Erheiterung der Mama eine merkwürdige Vorstellung von Hinterpommern aussprach oder vielleicht auch, mit kluger Be-

rechnung, aussprechen sollte. Sie gefiel sich nämlich darin, Kessin als einen halbsibirischen Ort aufzufassen, wo Eis und Schnee nie recht aufhörten. »Heute hat Goschenhofer das letzte geschickt«, sagte Frau von Briest, als sie wie ge-
5 wöhnlich in Front des Seitenflügels mit Effi am Arbeitsti- sche saß, auf dem die Leinen- und Wäschevorräte bestän- dig wuchsen, während der Zeitungen, die bloß Platz weg- nahmen, immer weniger wurden. »Ich hoffe, du hast nun alles, Effi. Wenn du aber noch kleine Wünsche hegst, so
10 mußt du sie jetzt aussprechen, womöglich in dieser Stunde noch. Papa hat den Raps vorteilhaft verkauft und ist unge- wöhnlich guter Laune.«

»Ungewöhnlich? Er ist immer in guter Laune.«

»In ungewöhnlich guter Laune«, wiederholte die Mama.
15 »Und die muß benutzt werden. Sprich also. Mehrmals, als wir noch in Berlin waren, war es mir, als ob du doch nach dem einen oder anderen noch ein ganz besonderes Verlan- gen gehabt hättest.«

»Ja, liebe Mama, was soll ich da sagen. Eigentlich habe ich
20 ja alles, was man braucht, ich meine, was man *hier* braucht. Aber da mir's nun mal bestimmt ist, so hoch nörd- lich zu kommen ... ich bemerke, daß ich nichts dagegen habe, im Gegenteil, ich freue mich darauf, auf die Nord- lichter und auf den helleren Glanz der Sterne ..., da mir's
25 nun mal so bestimmt ist, so hätte ich wohl gern einen Pelz gehabt.«

»Aber Effi, Kind, das ist doch alles bloß leere Torheit. Du kommst ja nicht nach ⌐Petersburg oder nach Archangel⌐.«

»Nein; aber ich bin doch auf dem Wege dahin ...«
30 »Gewiß, Kind. Auf dem Wege dahin bist du; aber was heißt das? Wenn du von hier nach Nauen fährst, bist du auch auf dem Wege nach Rußland. Im übrigen, wenn du's wünschst, so sollst du einen Pelz haben. Nur das laß mich im voraus sagen, ich rate dir davon ab. Ein Pelz ist für ältere Personen,
35 selbst deine alte Mama ist noch zu jung dafür, und wenn du

mit deinen siebzehn Jahren in Nerz oder Marder auftrittst, so glauben die Kessiner, es sei eine Maskerade.«

Das war am 2. September, daß sie so sprachen, ein Gespräch, das sich wohl fortgesetzt hätte, wenn nicht gerade ⌈Sedantag⌉ gewesen wäre. So aber wurden sie durch Trommel- und Pfeifenklang unterbrochen, und Effi, die schon vorher von dem beabsichtigten Aufzuge gehört, aber es wieder vergessen hatte, stürzte mit einem Male von dem gemeinschaftlichen Arbeitstische fort und an Rondell und Teich vorüber auf einen kleinen, an die Kirchhofsmauer angebauten Balkon zu, zu dem sechs Stufen, nicht viel breiter als Leitersprossen, hinaufführten. Im Nu war sie oben, und richtig, da kam auch schon die ganze Schuljugend heran, Jahnke gravitätisch* am rechten Flügel, während ein kleiner Tambourmajor, weit voran, an der Spitze des Zuges marschierte, mit einem Gesichtsausdruck, als ob ihm obläge, die Schlacht bei Sedan noch einmal zu schlagen. Effi winkte mit dem Taschentuch, und der Begrüßte versäumte nicht, mit seinem blanken Kugelstock zu salutieren.

Eine Woche später saßen Mutter und Tochter wieder am alten Fleck, auch wieder mit ihrer Arbeit beschäftigt. Es war ein wunderschöner Tag; der in einem zierlichen Beet um die Sonnenuhr herumstehende Heliotrop* blühte noch, und die leise Brise, die ging, trug den Duft davon zu ihnen herüber.

»Ach, wie wohl ich mich fühle«, sagte Effi, »so wohl und so glücklich; ich kann mir den Himmel nicht schöner denken. Und am Ende, wer weiß, ob sie im Himmel so wundervollen Heliotrop haben.«

»Aber Effi, so darfst du nicht sprechen; das hast du von deinem Vater, dem nichts heilig ist, und der neulich sogar sagte: Niemeyer sähe aus wie ⌈Lot⌉. Unerhört. Und was soll es nur heißen? Erstlich weiß er nicht, wie Lot ausgesehen

würdevoll

Hoher und
wohlrie-
chender Zier-
strauch

hat, und zweitens ist es eine grenzenlose Rücksichtslosigkeit gegen Hulda. Ein Glück, daß Niemeyer nur die einzige Tochter hat, dadurch fällt es eigentlich in sich zusammen. In einem freilich hat er nur zu sehr recht gehabt, in all und jedem, was er über ›Lots Frau‹, unsere gute Frau Pastorin, sagte, die uns denn auch wirklich wieder mit ihrer Torheit und Anmaßung den ganzen Sedantag ruinierte. Wobei mir übrigens einfällt, daß wir, als Jahnke mit der Schule vorbeikam, in unserem Gespräche unterbrochen wurden – wenigstens kann ich mir nicht denken, daß der Pelz, von dem du damals sprachst, dein einziger Wunsch gewesen sein sollte. Laß mich also wissen, Schatz, was du noch weiter auf dem Herzen hast?«

»Nichts, Mama.«

»Wirklich nichts?«

»Nein, wirklich nichts; ganz im Ernste . . . Wenn es aber doch am Ende was sein sollte . . .«

»Nun . . .«

». . . So müßt' es ein japanischer Bettschirm* sein, schwarz und goldene Vögel darauf, alle mit einem langen Kranichschnabel . . . Und dann vielleicht auch noch eine Ampel* für unser Schlafzimmer, mit rotem Schein.«

Frau von Briest schwieg.

»Nun siehst du, Mama, du schweigst und siehst aus, als ob ich etwas besonders Unpassendes gesagt hätte.«

»Nein, Effi, nichts Unpassendes. Und vor deiner Mutter nun schon gewiß nicht. Denn ich kenne dich ja. Du bist eine phantastische kleine Person, malst dir mit Vorliebe Zukunftsbilder aus, und je farbenreicher sie sind, desto schöner und begehrlicher erscheinen sie dir. Ich sah das so recht, als wir die Reisesachen kauften. Und nun denkst du dir's ganz wundervoll, einen Bettschirm mit allerhand fabelhaftem Getier zu haben, alles im Halblicht einer roten Ampel. Es kommt dir vor wie ein Märchen, und du möchtest eine Prinzessin sein.«

Raumteiler, meist aus mit Seide bespannten Holzrahmen

Hängelampe

Effi nahm die Hand der Mama und küßte sie. »Ja, Mama, so bin ich.«

»Ja, so bist du. Ich weiß es wohl. Aber meine liebe Effi, wir müssen vorsichtig im Leben sein, und zumal wir Frauen. Und wenn du nun nach Kessin kommst, einem kleinen Ort, wo nachts kaum eine Laterne brennt, so lacht man über dergleichen. Und wenn man bloß lachte. Die, die dir ungewogen sind, und solche gibt es immer, sprechen von schlechter Erziehung, und manche sagen auch wohl noch Schlimmeres.«

»Also nichts Japanisches und auch keine Ampel. Aber ich bekenne dir, ich hatte es mir so schön und poetisch gedacht, alles in einem roten Schimmer zu sehen.«

Frau von Briest war bewegt. Sie stand auf und küßte Effi. »Du bist ein Kind. Schön und poetisch. Das sind so Vorstellungen. Die Wirklichkeit ist anders, und oft ist es gut, daß es statt Licht und Schimmer ein Dunkel gibt.«

Effi schien antworten zu wollen, aber in diesem Augenblicke kam Wilke und brachte Briefe. Der eine war aus Kessin von Innstetten. »Ach, von Geert«, sagte Effi, und während sie den Brief beiseitesteckte, fuhr sie in ruhigem Tone fort: »Aber das wirst du doch gestatten, daß ich den Flügel schräg in die Stube stelle. Daran liegt mir mehr als an einem Kamin, den mir Geert versprochen hat. Und das Bild von dir, das stell' ich dann auf eine Staffelei; ganz ohne dich kann ich nicht sein. Ach, wie werd' ich mich nach euch sehnen, vielleicht auf der Reise schon und dann in Kessin ganz gewiß. Es soll ja keine Garnison haben, nicht einmal einen Stabsarzt, und ein Glück, daß es wenigstens ein Badeort ist. Vetter Briest, und daran will ich mich aufrichten, dessen Mutter und Schwester immer nach Warnemünde gehen – nun, ich sehe doch wirklich nicht ein, warum der die lieben Verwandten nicht auch einmal nach Kessin hin dirigieren sollte. Dirigieren, das klingt ohnehin so nach Generalstab, worauf er, glaub' ich, ambiert*. Und dann

ehrgeizig hinstrebt

kommt er natürlich mit und wohnt bei uns. Übrigens haben die Kessiner, wie mir neulich erst wer erzählt hat, ein ziemlich großes Dampfschiff, das zweimal die Woche nach Schweden hinüberfährt. Und auf dem Schiffe ist dann Ball (sie haben da natürlich auch Musik), und er tanzt sehr gut . . .«

»Wer?«

»Nun, Dagobert.«

»Ich dachte, du meintest Innstetten. Aber jedenfalls ist es an der Zeit, endlich zu wissen, was er schreibt . . . Du hast ja den Brief noch in der Tasche.«

»Richtig. Den hätt’ ich fast vergessen.« Und sie öffnete den Brief und überflog ihn.

»Nun, Effi, kein Wort? Du strahlst nicht und lachst nicht einmal. Und er schreibt doch immer so heiter und unterhaltlich* und gar nicht väterlich weise.«

unterhaltsam

»Das würd’ ich mir auch verbitten. Er hat sein Alter, und ich habe meine Jugend. Und ich würde ihm mit den Fingern drohen und ihm sagen: ›Geert, überlege, was besser ist.‹«

»Und dann würde er dir antworten: ›Was du hast, Effi, das ist das Bessere.‹ Denn er ist nicht nur ein Mann der feinsten Formen, er ist auch gerecht und verständig und weiß recht gut, was Jugend bedeutet. Er sagt sich das immer und stimmt sich auf das Jugendliche hin, und wenn er in der Ehe so bleibt, so werdet ihr eine Musterehe führen.«

»Ja, das glaube ich auch, Mama. Aber kannst du dir vorstellen, und ich schäme mich fast, es zu sagen, ich bin nicht so sehr für das, was man eine Musterehe nennt.«

»Das sieht dir ähnlich. Und nun sage mir, wofür bist du denn eigentlich?«

»Ich bin . . . nun, ich bin für gleich und gleich und natürlich auch für Zärtlichkeit und Liebe. Und wenn es Zärtlichkeit und Liebe nicht sein können, weil Liebe, wie Papa sagt, doch nur ein Papperlapapp* ist (was ich aber nicht glaube), nun, dann bin ich für Reichtum und ein vornehmes Haus,

Unsinn

Vgl. Erl.
zu 28,9–10.

Wilhelm I.
(1797–1888)

ein *ganz* vornehmes, wo Prinz Friedrich Karl* zur Jagd
kommt, auf Elchwild oder Auerhahn, oder wo der alte Kaiser* vorfährt und für jede Dame, auch für die jungen, ein
gnädiges Wort hat. Und wenn wir dann in Berlin sind, dann
bin ich für Hofball und Galaoper, immer dicht neben der 5
großen Mittelloge.«

»Sagst du das so bloß aus Übermut und Laune?«

»Nein, Mama, das ist mein völliger Ernst. Liebe kommt
zuerst, aber gleich hinterher kommt Glanz und Ehre, und
dann kommt Zerstreuung – ja, Zerstreuung, immer was 10
Neues, immer was, daß ich lachen oder weinen muß. Was
ich nicht aushalten kann, ist Langeweile.«

»Wie bist du da nur mit uns fertig geworden?«

»Ach, Mama, wie du nur so was sagen kannst. Freilich,
wenn im Winter die liebe Verwandtschaft vorgefahren 15
kommt und sechs Stunden bleibt oder wohl auch noch länger, und Tante Gundel und Tante Olga mich mustern und

vorwitzig,
neugierig

mich naseweis* finden – und Tante Gundel hat es mir auch
mal gesagt –, ja, da macht sich's mitunter nicht sehr
hübsch, das muß ich zugeben. Aber sonst bin ich hier im- 20
mer glücklich gewesen, *so* glücklich . . .«

Und während sie das sagte, warf sie sich heftig weinend vor
der Mama auf die Knie und küßte ihre beiden Hände.

»Steh auf, Effi. Das sind so Stimmungen, die über einen
kommen, wenn man so jung ist wie du und vor der Hoch- 25
zeit steht und vor dem Ungewissen. Aber nun lies mir den
Brief vor, wenn er nicht was ganz Besonderes enthält oder
vielleicht Geheimnisse.«

»Geheimnisse«, lachte Effi und sprang in plötzlich verän-
derter Stimmung wieder auf. »Geheimnisse! Ja, er nimmt 30
immer einen Anlauf, aber das meiste könnt' ich auf dem

Hier:
Amtstube des
Ortsvorstehers

Schulzenamt* anschlagen lassen, da, wo immer die landrätlichen Verordnungen stehen. Nun, Geert ist ja auch
Landrat.«

»Lies, lies.« 35

»»Liebe Effi . . .‹ So fängt es nämlich immer an, und manchmal nennt er mich auch ⌜seine kleine Eva⌝.«

»Lies, lies . . . Du sollst ja lesen.«

»Also: ›Liebe Effi! Je näher wir unsrem Hochzeitstage kommen, je sparsamer werden Deine Briefe. Wenn die Post kommt, suche ich immer zuerst nach Deiner Handschrift, aber wie Du weißt (und ich hab' es ja auch nicht anders gewollt), in der Regel vergeblich. Im Hause sind jetzt die Handwerker, die die Zimmer, freilich nur wenige, für Dein Kommen herrichten sollen. Das Beste wird wohl erst geschehen, wenn wir auf der Reise sind. Tapezierer Madelung, der alles liefert, ist ein Original, von dem ich Dir mit nächstem erzähle, vor allem aber, wie glücklich ich bin über Dich, über meine süße, kleine Effi. Mir brennt hier der Boden unter den Füßen, und dabei wird es in unserer guten Stadt immer stiller und einsamer. Der letzte Badegast ist gestern abgereist; er badete zuletzt bei neun Grad, und die Badewärter waren immer froh, wenn er wieder heil heraus war. Denn sie fürchteten einen Schlaganfall, was dann das Bad in Mißkredit bringt, als ob die Wellen hier schlimmer wären als woanders. Ich juble, wenn ich denke, daß ich in vier Wochen schon mit Dir von der ⌜Piazetta aus nach dem Lido⌝ fahre oder nach Murano* hin, wo sie Glasperlen machen und schönen Schmuck. Und der schönste sei für Dich. Viele Grüße den Eltern und den zärtlichsten Kuß Dir von Deinem Geert.‹«

Laguneninsel
vor Venedig

Effi faltete den Brief wieder zusammen, um ihn in das Kuvert zu stecken.

»Das ist ein sehr hübscher Brief«, sagte Frau von Briest, »und daß er in allem das richtige Maß hält, das ist ein Vorzug mehr.«

»Ja, das rechte Maß, das hält er.«

»Meine liebe Effi, laß mich eine Frage tun; wünschtest du, daß der Brief *nicht* das richtige Maß hielte, wünschtest du, daß er zärtlicher wäre, vielleicht überschwenglich zärtlich?«

»Nein, nein, Mama. Wahr und wahrhaftig nicht, das wünsche ich nicht. Da ist es doch besser so.«

»Da ist es doch besser so. Wie das nun wieder klingt. Du bist so sonderbar. Und daß du vorhin weintest. Hast du was auf deinem Herzen? Noch ist es Zeit. Liebst du Geert nicht?«

»Warum soll ich ihn nicht lieben? Ich liebe Hulda, und ich liebe Bertha, und ich liebe Hertha. Und ich liebe auch den alten Niemeyer. Und daß ich euch liebe, davon spreche ich gar nicht erst. Ich liebe alle, die's gut mit mir meinen und gütig gegen mich sind und mich verwöhnen. Und Geert wird mich auch wohl verwöhnen. Natürlich auf seine Art. Er will mir ja schon Schmuck schenken in Venedig. Er hat keine Ahnung davon, daß ich mir nichts aus Schmuck mache. Ich klettre lieber, und ich schaukle mich lieber, und am liebsten immer in der Furcht, daß es irgendwo reißen oder brechen und ich niederstürzen könnte. Den Kopf wird es ja nicht gleich kosten.«

»Und liebst du vielleicht auch deinen Vetter Briest?«

»Ja, sehr. Der erheitert mich immer.«

»Und hättest du Vetter Briest heiraten mögen?«

»Heiraten? Um Gottes willen nicht. Er ist ja noch ein halber Junge. Geert ist ein Mann, ein schöner Mann, ein Mann, mit dem ich Staat machen kann und aus dem was wird in der Welt. Wo denkst du hin, Mama.«

»Nun, das ist recht, Effi, das freut mich. Aber du hast noch was auf der Seele.«

»Vielleicht.«

»Nun, sprich.«

»Sieh, Mama, daß er älter ist als ich, das schadet nichts, das ist vielleicht recht gut: er ist ja doch nicht alt und ist gesund und frisch und so soldatisch und so schneidig. Und ich könnte beinah sagen, ich wäre ganz und gar für ihn, wenn er nur . . ., ja, wenn er nur ein bißchen anders wäre.«

»Wie denn, Effi?«

»Ja, wie. Nun, du darfst mich nicht auslachen. Es ist etwas, was ich erst ganz vor kurzem aufgehorcht habe, drüben im Pastorhause. Wir sprachen da von Innstetten, und mit einem Male zog der alte Niemeyer seine Stirn in Falten, aber in Respekts- und Bewunderungsfalten, und sagte: ›Ja, der Baron! Das ist ein Mann von Charakter, ein Mann von Prinzipien.‹«

»Das ist er auch, Effi.«

»Gewiß. Und ich glaube, Niemeyer sagte nachher sogar, er sei auch ein Mann von Grundsätzen. Und das ist, glaub' ich, noch etwas mehr. Ach, und ich . . . ⌜ich habe keine⌝. Sieh, Mama, da liegt etwas, was mich quält und ängstigt. Er ist so lieb und gut gegen mich und so nachsichtig, aber . . . ich fürchte mich vor ihm.«

Fünftes Kapitel

Die Hohen-Cremmer Festtage lagen zurück; alles war abgereist, auch das junge Paar, noch am Abend des Hochzeitstages.

Der Polterabend hatte jeden zufriedengestellt, besonders die Mitspielenden, und Hulda war dabei das Entzücken aller jungen Offiziere gewesen, sowohl der Rathenower Husaren wie der etwas kritischer gestimmten Kameraden vom Alexander-Regiment. Ja, alles war gut und glatt verlaufen, fast über Erwarten. Nur Bertha und Hertha hatten so heftig geschluchzt, daß Jahnkes plattdeutsche Verse so gut wie verloren gegangen waren. Aber auch das hatte wenig geschadet. Einige feine Kenner waren sogar der Meinung gewesen, »das sei das Wahre; Steckenbleiben und Schluchzen und Unverständlichkeit – ⌜in *diesem* Zeichen (und nun gar, wenn es so hübsche rotblonde Krausköpfe wären) werde immer am entschiedensten gesiegt⌝«. Eines

ganz besonderen Triumphes hatte sich Vetter Briest in seiner selbstgedichteten Rolle rühmen dürfen. Er war als De-
muthscher* Kommis erschienen, der in Erfahrung gebracht, die junge Braut habe vor, gleich nach der Hochzeit
nach Italien zu reisen, weshalb er einen Reisekoffer ablie- 5
fern wolle. Dieser Koffer entpuppte sich natürlich als eine
Riesenbonbonnière von Hövel*. Bis um drei Uhr war getanzt worden, bei welcher Gelegenheit der sich mehr und
mehr in eine höchste Champagnerstimmung hineinreden-
de alte Briest allerlei Bemerkungen über den an manchen 10
Höfen immer noch üblichen Fackeltanz und die merkwürdige Sitte des ⌐Strumpfband-Austanzens⌐ gemacht hatte,
Bemerkungen, die nicht abschließen wollten und, sich immer mehr steigernd, am Ende so weit gingen, daß ihnen
durchaus ein Riegel vorgeschoben werden mußte. »Nimm 15
dich zusammen, Briest«, war ihm in ziemlich ernstem Tone
von seiner Frau zugeflüstert worden; »du stehst hier nicht,
um Zweideutigkeiten zu sagen, sondern um die Honneurs*
des Hauses zu machen. Wir haben eben eine Hochzeit und
nicht eine Jagdpartie.« 20
Worauf Briest geantwortet, »er sähe darin keinen so großen Unterschied; übrigens sei er glücklich«.
Auch der Hochzeitstag selbst war gut verlaufen. Niemeyer
hatte vorzüglich gesprochen, und einer der alten Berliner
Herren, der halb und halb zur Hofgesellschaft gehörte, 25
hatte sich auf dem Rückwege von der Kirche zum Hoch-
zeitshause dahin geäußert, es sei doch merkwürdig, wie
reich gesät in einem Staate, wie der unsrige, die Talente
seien. »Ich sehe darin einen Triumph unserer Schulen und
vielleicht mehr noch unserer Philosophie. Wenn ich beden- 30
ke, dieser Niemeyer, ein alter Dorfpastor, der anfangs aussah wie ein Hospitalit* . . . ja, Freund, sagen Sie selbst, hat
er nicht gesprochen wie ein Hofprediger*? Dieser Takt und
diese ⌐Kunst der Antithese⌐, ganz wie ⌐Kögel⌐, und an Gefühl ihm noch über. Kögel ist zu kalt. Freilich ein Mann in 35

Vgl. 28,17.

Pralinen- oder
Bonbongefäß
der Berliner
Schokoladen-
fabrik
H. v. Hövell

Ehrenbezei-
gungen

Hier: in ein
Hospital
aufgenom-
mene Person

Vom Fürsten
angestellter,
protest. Geist-
licher

seiner Stellung muß kalt sein. Woran scheitert man denn im Leben überhaupt? Immer nur an der Wärme.« Der noch unverheiratete, aber wohl eben deshalb zum vierten Male in einem »Verhältnis« stehende Würdenträger, an den sich diese Worte gerichtet hatten, stimmte selbstverständlich zu. »Nur zu wahr, lieber Freund«, sagte er. »Zuviel Wärme! . . . ganz vorzüglich . . . Übrigens muß ich Ihnen nachher eine Geschichte erzählen.«

Der Tag nach der Hochzeit war ein heller Oktobertag. Die Morgensonne blinkte; trotzdem war es schon herbstlich frisch, und Briest, der eben gemeinschaftlich mit seiner Frau das Frühstück genommen, erhob sich von seinem Platz und stellte sich, beide Hände auf dem Rücken, gegen das mehr und mehr verglimmende Kaminfeuer. Frau von Briest, eine Handarbeit in Händen, rückte gleichfalls näher an den Kamin und sagte zu Wilke, der gerade eintrat, um den Frühstückstisch abzuräumen: »Und nun, Wilke, wenn Sie drin im Saal, aber das geht vor, alles in Ordnung haben, dann sorgen Sie, daß die Torten nach drüben kommen, die Nußtorte zu Pastors und die Schüssel mit kleinen Kuchen zu Jahnkes. Und nehmen Sie sich mit den Gläsern in acht. Ich meine die dünngeschliffenen.«

Briest war schon bei der dritten Zigarette, sah sehr wohl aus und erklärte, »nichts bekomme einem so gut wie eine Hochzeit, natürlich die eigene ausgenommen«.

»Ich weiß nicht, Briest, wie du zu solcher Bemerkung kommst. Mir war ganz neu, daß du darunter gelitten haben willst. Ich wüßte auch nicht warum.«

»Luise, du bist eine Spielverderberin. Aber ich nehme nichts übel, auch nicht einmal so was. Im übrigen, was wollen wir von uns sprechen, die wir nicht einmal eine Hochzeitsreise gemacht haben. Dein Vater war dagegen. Aber Effi macht nun eine Hochzeitsreise. Beneidenswert. Mit dem Zehnuhrzug ab. Sie müssen jetzt schon bei Re-

gensburg sein, und ich nehme an, daß er ihr – selbstverständlich ohne auszusteigen – die Hauptkunstschätze der ⌐Walhalla⌐ herzählt. Innstetten ist ein vorzüglicher Kerl, aber er hat so was von einem Kunstfex*, und Effi, Gott, unsere arme Effi, ist ein ⌐Naturkind⌐. Ich fürchte, daß er sie 5
mit seinem Kunstenthusiasmus etwas quälen wird.«

»Jeder quält seine Frau. Und Kunstenthusiasmus ist noch lange nicht das Schlimmste.«

»Nein, gewiß nicht; jedenfalls wollen wir darüber nicht streiten; es ist ein weites Feld. Und dann sind auch die Menschen so verschieden. Du, nun ja, du hättest dazu getaugt. 10
Überhaupt hättest du besser zu Innstetten gepaßt als Effi. Schade, nun ist es zu spät.«

»Überaus galant, abgesehen davon, daß es nicht paßt. Unter allen Umständen aber, was gewesen ist, ist gewesen. 15
Jetzt ist er mein Schwiegersohn, und es kann zu nichts führen, immer auf Jugendlichkeiten zurückzuweisen.«

»Ich habe dich nur in eine animierte Stimmung bringen wollen.«

»Sehr gütig. Übrigens nicht nötig. Ich *bin* in animierter 20
Stimmung.«

»Und auch in guter?«

»Ich kann es fast sagen. Aber du darfst sie nicht verderben. Nun, was hast du noch? Ich sehe, daß du was auf dem Herzen hast.« 25

»Gefiel dir Effi? Gefiel dir die ganze Geschichte? Sie war so sonderbar, halb wie ein Kind, und dann wieder sehr selbstbewußt und durchaus nicht so bescheiden, wie sie's solchem Manne gegenüber sein müßte. Das kann doch nur so zusammenhängen, daß sie noch nicht recht weiß, was sie 30
an ihm hat. Oder ist es einfach, daß sie ihn nicht recht liebt? Das wäre schlimm. Denn bei all seinen Vorzügen, er ist nicht der Mann, sich diese Liebe mit leichter Manier* zu gewinnen.«

Frau von Briest schwieg und zählte die Stiche auf dem 35

Kunstnarr

(franz.)
Art und Weise

Kanevas*. Endlich sagte sie: »Was du da sagst, Briest, ist Gittergewebe zum Besticken das Gescheiteste, was ich seit drei Tagen von dir gehört habe, deine Rede bei Tisch mit eingerechnet. Ich habe auch so meine Bedenken gehabt. Aber ich glaube, wir können
5 uns beruhigen.«

»Hat sie dir ihr Herz ausgeschüttet?«

»So möcht' ich es nicht nennen. Sie hat wohl das Bedürfnis zu sprechen, aber sie hat nicht das Bedürfnis, sich so recht von Herzen auszusprechen, und macht vieles in sich selber
10 ab; sie ist mitteilsam und verschlossen zugleich, beinah versteckt; überhaupt ein ganz eigenes Gemisch.«

»Ich bin ganz deiner Meinung. Aber wenn sie dir nichts gesagt hat, woher weißt du's?«

»Ich sagte nur, sie habe mir nicht ihr Herz ausgeschüttet.
15 Solche Generalbeichte, so alles von der Seele herunter, das liegt nicht in ihr. Es fuhr alles so bloß ruckweis und plötzlich aus ihr heraus, und dann war es wieder vorüber. Aber gerade weil es so ungewollt und wie von ungefähr aus ihrer Seele kam, deshalb war es mir so wichtig.«

20 »Und wann war es denn und bei welcher Gelegenheit?«

»Es werden jetzt gerade drei Wochen sein, und wir saßen im Garten, mit allerhand Ausstattungsdingen, großen und kleinen, beschäftigt, als Wilke einen Brief von Innstetten brachte. Sie steckte ihn zu sich, und ich mußte sie eine Vier-
25 telstunde später erst erinnern, daß sie ja einen Brief habe. Dann las sie ihn, aber verzog kaum eine Miene. Ich bekenne dir, daß mir bang ums Herz dabei wurde, so bang, daß ich gern eine Gewißheit haben wollte, so viel, wie man in diesen Dingen haben kann.«

30 »Sehr wahr, sehr wahr.«

»Was meinst du damit?«

»Nun, ich meine nur . . . Aber das ist ja ganz gleich. Sprich nur weiter; ich bin ganz Ohr.«

»Ich fragte also rund heraus, wie's stünde, und weil ich bei
35 ihrem eigenen Charakter einen feierlichen Ton vermeiden

und alles so leicht wie möglich, ja beinah scherzhaft nehmen wollte, so warf ich die Frage hin, ob sie vielleicht den Vetter Briest, der ihr in Berlin sehr stark den Hof gemacht hatte, ob sie den vielleicht lieber heiraten würde . . .«

»Und?« 5

»Da hättest du sie sehen sollen. Ihre nächste Antwort war ein schnippisches Lachen. Der Vetter sei doch eigentlich nur ein großer Kadett in Leutnantsuniform. Und einen Kadetten könne sie nicht einmal lieben, geschweige heiraten. Und dann sprach sie von Innstetten, der ihr mit einem Male 10 der Träger aller männlichen Tugenden war.«

»Und wie erklärst du dir das?«

»Ganz einfach. So geweckt und temperamentvoll und beinahe leidenschaftlich sie ist, oder vielleicht auch weil sie es ist, sie gehört nicht zu denen, die so recht eigentlich auf 15 Liebe gestellt sind, wenigstens nicht auf das, was den Namen ehrlich verdient. Sie redet zwar davon, sogar mit Nachdruck und einem gewissen Überzeugungston, aber doch nur, weil sie irgendwo gelesen hat, Liebe sei nun mal das Höchste, das Schönste, das Herrlichste. Vielleicht hat 20 sie's auch bloß von der sentimentalen Person, der Hulda, gehört und spricht es ihr nach. Aber sie empfindet nicht viel dabei. Wohl möglich, daß es alles mal kommt, Gott verhüte es, aber noch ist es nicht da.«

»Und was ist da? Was hat sie?« 25

»Sie hat nach meinem und auch nach ihrem eigenen Zeugnis zweierlei: Vergnügungssucht und Ehrgeiz.«

»Nun, das kann passieren. Da bin ich beruhigt.«

»Ich nicht. Innstetten ist ein Karrieremacher – vom Streber will ich nicht sprechen, das ist er auch nicht, dazu ist er zu 30 wirklich vornehm – also Karrieremacher, und das wird Effis Ehrgeiz befriedigen.«

»Nun also. Das ist doch gut.«

»Ja, das ist gut! Aber es ist erst die Hälfte. Ihr Ehrgeiz wird befriedigt werden, aber ob auch ihr Hang nach Spiel und 35

Abenteuer? Ich bezweifle. Für die stündliche kleine Zerstreuung und Anregung, für alles, was die Langeweile bekämpft, diese Todfeindin einer geistreichen kleinen Person, dafür wird Innstetten sehr schlecht sorgen. Er wird sie nicht in einer geistigen Öde lassen, dazu ist er zu klug und zu weltmännisch, aber er wird sie auch nicht sonderlich amüsieren. Und was das Schlimmste ist, er wird sich nicht einmal recht mit der Frage beschäftigen, wie das wohl anzufangen sei. Das wird eine Weile so gehen, ohne viel Schaden anzurichten, aber zuletzt wird sie's merken, und dann wird es sie beleidigen. Und dann weiß ich nicht, was geschieht. Denn so weich und nachgiebig sie ist, sie hat auch was Rabiates* und läßt es auf alles ankommen.«

Rücksichtsloses, Wütendes

In diesem Augenblicke trat Wilke vom Saal her ein und meldete, daß er alles nachgezählt und alles vollzählig gefunden habe; nur von den feinen Weingläsern sei eins zerbrochen, aber schon gestern, als das Hoch ausgebracht wurde – Fräulein Hulda habe mit Leutnant Nienkerken zu scharf angestoßen.

»Versteht sich, von alter Zeit her immer im Schlaf*, und unterm Holunderbaum ist es natürlich nicht besser geworden. Eine alberne Person, und ich begreife Nienkerken nicht.«

Anspielung auf Kleists Figur Käthchen von Heilbronn, die öfters im Schlaf wandelt

»Ich begreife ihn vollkommen.«

»Er kann sie doch nicht heiraten.«

»Nein.«

»Also zu was?«

»Ein weites Feld, Luise.«

Dies war am Tage nach der Hochzeit. Drei Tage später kam eine kleine gekritzelte Karte aus München, die Namen alle nur mit zwei Buchstaben angedeutet. »Liebe Mama! Heute vormittag die ⌐Pinakothek⌐ besucht. Geert wollte auch noch nach dem andern* hinüber, das ich hier nicht nenne, weil ich wegen der Rechtschreibung in Zweifel bin, und

die Glyptothek, (griech.) Skulpturensammlung

fragen mag ich ihn nicht. Er ist übrigens engelsgut gegen
mich und erklärt mir alles. Überhaupt alles sehr schön,

Vornehmes
Münchner
Hotel

aber anstrengend. In Italien wird es wohl nachlassen und
besser werden. Wir wohnen in den ›Vier Jahreszeiten‹*, was
Geert veranlaßte, mir zu sagen, ›draußen sei Herbst, aber   5

sinnvoll

er habe in mir den Frühling‹. Ich finde es sehr sinnig*. Er ist
überhaupt sehr aufmerksam. Freilich ich muß es *auch* sein,
namentlich wenn er was sagt oder erklärt. Er weiß übrigens
alles so gut, daß er nicht einmal nachzuschlagen braucht.
Mit Entzücken spricht er von Euch, namentlich von Ma-   10

gekünstelt,
unnatürlich
benehmend

ma. Hulda findet er etwas zierig*; aber der alte Niemeyer
hat es ihm ganz angetan. Tausend Grüße von Eurer ganz
berauschten, aber auch etwas müden Effi.«
Solche Karten trafen nun täglich ein, aus Innsbruck, aus
Verona, aus Vicenza, aus Padua, eine jede fing an: »Wir   15
haben heute vormittag die hiesige berühmte Galerie besucht«, oder wenn es nicht die Galerie war, so war es eine
Arena oder irgendeine Kirche »Santa Maria« mit einem
Zunamen. Aus Padua kam, zugleich mit der Karte, noch
ein wirklicher Brief. »Gestern waren wir in Vicenza. Vi-   20
cenza muß man sehen wegen des ⌐Palladio⌐; Geert sagte
mir, daß in ihm alles Moderne wurzele. Natürlich nur in
bezug auf Baukunst. Hier in Padua (wo wir heute früh
ankamen) sprach er im Hotelwagen etliche Male vor sich
hin: ⌐›Er liegt in Padua begraben‹⌐, und war überrascht, als   25
er von mir vernahm; daß ich diese Worte noch nie gehört
hätte. Schließlich aber sagte er, es sei eigentlich ganz gut
und ein Vorzug, daß ich nichts davon wüßte. Er ist überhaupt sehr gerecht. Und vor allem ist er engelsgut gegen
mich und gar nicht überheblich und auch gar nicht alt. Ich   30
habe noch immer das Ziehen in den Füßen, und das Nach-
schlagen und das lange Stehen vor den Bildern strengt mich
an. Aber es muß ja sein. Ich freue mich sehr auf Venedig. Da
bleiben wir fünf Tage, ja, vielleicht eine ganze Woche.
Geert hat mir schon von den Tauben auf dem Markusplat-   35

ze vorgeschwärmt, und daß man sich da Tüten mit Erbsen kauft und dann die schönen Tiere damit füttert. Es soll Bilder geben, die das darstellen, schöne blonde Mädchen, ›ein Typus wie Hulda‹, sagte er. Wobei mir denn auch die
5 Jahnkeschen Mädchen einfallen. Ach, ich gäbe was drum, wenn ich mit ihnen auf unserm Hof auf einer Wagendeichsel sitzen und *unsere* Tauben füttern könnte. Die ⌈Pfauentaube⌉ mit dem starken Kropf dürft ihr aber nicht schlachten, die will ich noch wiedersehen. Ach, es ist so schön hier.
10 Es soll ja auch das Schönste sein. Eure glückliche, aber etwas müde Effi.« Frau von Briest, als sie den Brief vorgelesen hatte, sagte: »Das arme Kind. Sie hat Sehnsucht.«
»Ja«, sagte Briest, »sie hat Sehnsucht. Diese verwünschte Reiserei . . .«
15 »Warum sagst du das jetzt? Du hättest es ja hindern können. Aber das ist so deine Art, hinterher den Weisen zu spielen. Wenn das ⌈Kind in den Brunnen gefallen⌉ ist, decken die Ratsherren den Brunnen zu.«
»Ach, Luise, komme mir doch nicht mit solchen Geschich-
20 ten. Effi ist unser Kind, aber seit dem 3. Oktober ist sie Baronin Innstetten. Und wenn ihr Mann, unser Herr Schwiegersohn, eine Hochzeitsreise machen und bei der Gelegenheit jede Galerie neu katalogisieren will, so kann ich ihn daran nicht hindern. Das ist eben das, was man sich
25 verheiraten nennt.«
»Also jetzt gibst du das zu. Mir gegenüber hast du's immer bestritten, immer bestritten, daß die Frau in einer Zwangslage sei.«
»Ja, Luise, das hab' ich. Aber wozu das jetzt. Das ist wirk-
30 lich ein zu weites Feld.«

Sechstes Kapitel

Mitte November – sie waren bis ⌜Capri und Sorrent⌝ gekommen – lief Innstettens Urlaub ab, und es entsprach seinem Charakter und seinen Gewohnheiten, genau Zeit und Stunde zu halten. Am 14. früh traf er denn auch mit dem Kurierzuge* in Berlin ein, wo Vetter Briest ihn und die Cousine begrüßte und vorschlug, die zwei bis zum Abgange des Stettiner Zuges noch zur Verfügung bleibenden Stunden zum Besuche des ⌜St. Privat-Panoramas⌝ zu benutzen und diesem Panoramabesuch ein kleines Gabelfrühstück* folgen zu lassen. Beides wurde dankbar akzeptiert. Um Mittag war man wieder auf dem Bahnhof und nahm hier, nachdem, wie herkömmlich, die glücklicherweise nie ernst gemeinte Aufforderung, »doch auch mal herüberzukommen«, ebenso von Effi wie von Innstetten ausgesprochen worden war, unter herzlichem Händeschütteln Abschied voneinander. Noch als der Zug sich schon in Bewegung setzte, grüßte Effi vom Kupee* aus. Dann machte sie sich's bequem und schloß die Augen; nur von Zeit zu Zeit richtete sie sich wieder auf und reichte Innstetten die Hand.

Es war eine angenehme Fahrt, und pünktlich erreichte der Zug den Bahnhof Klein-Tantow, von dem aus eine Chaussee nach dem noch zwei Meilen* entfernten Kessin hinüberführte. Bei Sommerzeit, namentlich während der Bademonate, benutzte man statt der Chaussee lieber den Wasserweg und fuhr, auf einem alten Raddampfer, das Flüßchen Kessine, dem Kessin selbst seinen Namen verdankte, hinunter; am 1. Oktober aber stellte der ⌜»Phönix«, von dem seit lange vergeblich gewünscht wurde, daß er in einer passagierfreien Stunde sich seines Namens entsinnen und verbrennen möge⌝, regelmäßig seine Fahrten ein, weshalb denn auch Innstetten bereits von Stettin aus an seinen Kutscher Kruse telegraphiert hatte: »Fünf Uhr Bahnhof Klein-Tantow. Bei gutem Wetter offener Wagen.«

Und nun *war* gutes Wetter, und Kruse hielt in offenem Gefährt am Bahnhof und begrüßte die Ankommenden mit
dem vorschriftsmäßigen Anstand eines herrschaftlichen
Kutschers.

5 »Nun, Kruse, alles in Ordnung?«

»Zu Befehl, Herr Landrat.«

»Dann, Effi, bitte, steig ein.«

Und während Effi dem nachkam und einer von den Bahn-
hofsleuten einen kleinen Handkoffer vorn beim Kutscher

10 unterbrachte, gab Innstetten Weisung, den Rest des Ge-
päcks mit dem Omnibus nachzuschicken. Gleich danach
nahm auch er seinen Platz, bat, sich populär machend*, ei- | sich
nen der Umstehenden um Feuer und rief Kruse zu: »Nun | volkstümlich
vorwärts, Kruse.« Und über die Schienen weg, die vielglei- | gebend

15 sig an der Übergangsstelle lagen, ging es in Schräglinie den
Bahndamm hinunter und gleich danach an einem schon an
der Chaussee gelegenen Gasthause vorüber, das den Namen »Zum Fürsten Bismarck« führte. Denn an eben dieser
Stelle gabelte der Weg und zweigte, wie rechts nach Kessin,

20 so links nach ⌈Varzin⌉ hin ab. Vor dem Gasthofe stand ein
mittelgroßer breitschultriger Mann in Pelz und Pelzmütze,
welch letztere er, als der Herr Landrat vorüberfuhr, mit
vieler Würde vom Haupte nahm. »Wer war denn das?«
sagte Effi, die durch alles, was sie sah, aufs höchste inter-

25 essiert und schon deshalb bei bester Laune war. »Er sah ja
aus wie ein Starost*, wobei ich freilich bekennen muß, nie | (poln.) Dorf-
einen Starosten gesehen zu haben.« | vorsteher

»Was auch nicht schadet, Effi. Du hast es trotzdem sehr gut
getroffen. Er sieht wirklich aus wie ein Starost und ist auch

30 so was. Er ist nämlich ein halber Pole, heißt Golchowski,
und wenn wir hier Wahl haben oder eine Jagd, dann ist er
obenauf. Eigentlich ein ganz unsicherer Passagier, dem ich
nicht über den Weg traue und der wohl viel auf dem Ge-
wissen hat. Er spielt sich aber auf den Loyalen* hin aus, | Herrschafts-

35 und wenn die Varziner Herrschaften hier vorüberkommen, | treuen

möcht' er sich am liebsten vor den Wagen werfen. Ich weiß,

Fürst Otto von Bismarck

daß er dem Fürsten* auch widerlich ist. Aber was hilft's? Wir dürfen es nicht mit ihm verderben, weil wir ihn brauchen. Er hat hier die ganze Gegend in der Tasche und ver-

Wahlkampf-organisation

steht die Wahlmache* wie kein anderer, gilt auch für wohl- 5 habend. Dabei leiht er auf Wucher, was sonst die Polen nicht tun; in der Regel das Gegenteil.«

»Er sah aber gut aus.«

»Ja, gut aussehen tut er. Gut aussehen tun die meisten hier. Ein hübscher Schlag Menschen. Aber das ist auch das Be- 10 ste, was man von ihnen sagen kann. Eure märkischen Leute sehen unscheinbarer aus und verdrießlicher, und in ihrer Haltung sind sie weniger respektvoll, eigentlich gar nicht,

Vgl. Matt. 5,37

aber ihr Ja ist Ja und Nein ist Nein*, und man kann sich auf sie verlassen. Hier ist alles unsicher.« 15

»Warum sagst du mir das? Ich muß nun doch hier mit ihnen leben.«

»Du nicht, du wirst nicht viel von ihnen hören und sehen. Denn Stadt und Land hier sind sehr verschieden, und du wirst nur unsere Städter kennenlernen, unsere guten Kes- 20 siner.«

»Unsere guten Kessiner. Ist es Spott, oder sind sie wirklich so gut?«

»Daß sie wirklich gut sind, will ich nicht gerade behaupten, aber sie sind doch anders als die andern; ja, sie haben gar 25 keine Ähnlichkeit mit der Landbevölkerung hier.«

»Und wie kommt das?«

»Weil es eben ganz andere Menschen sind, ihrer Abstammung nach und ihren Beziehungen nach. Was du hier land-

Slaw. Volks-stamm an der unteren Weichsel

einwärts findest, das sind sogenannte Kaschuben*, von de- 30 nen du vielleicht gehört hast, slawische Leute, die hier schon tausend Jahre sitzen und wahrscheinlich noch viel länger. Alles aber, was hier an der Küste hin in den kleinen See- und Handelsstädten wohnt, das sind von weither Eingewanderte, die sich um das kaschubische Hinterland we- 35

nig kümmern, weil sie wenig davon haben und auf etwas ganz anderes angewiesen sind. Worauf sie angewiesen sind, das sind die Gegenden, mit denen sie Handel treiben, und da sie das mit aller Welt tun und mit aller Welt in Verbin-
5 dung stehen, so findest du zwischen ihnen auch Menschen aus aller Welt Ecken und Enden. Auch in unserem guten Kessin, trotzdem es eigentlich nur ein Nest ist.«

»Aber das ist ja entzückend, Geert. Du sprichst immer von Nest, und nun finde ich, wenn du nicht übertrieben hast,
10 eine ganz neue Welt hier. Allerlei Exotisches. Nicht wahr, so was Ähnliches meintest du doch?« Er nickt.

»Eine ganz neue Welt, sag' ich, vielleicht einen Neger oder einen Türken, oder vielleicht sogar einen Chinesen.«

»Auch einen Chinesen. Wie gut du raten kannst. Es ist
15 möglich, daß wir wirklich noch einen haben, aber jedenfalls haben wir einen gehabt; jetzt ist er tot und auf einem kleinen eingegitterten Stück Erde begraben, dicht neben dem Kirchhof. Wenn du nicht furchtsam bist, will ich dir bei Gelegenheit mal sein Grab zeigen; es liegt zwischen den
20 Dünen, bloß Strandhafer drum rum und dann und wann ein paar ⌐Immortellen⌐, und immer hört man das Meer. Es ist sehr schön und sehr schauerlich.«

»Ja, schauerlich, und ich möchte wohl mehr davon wissen. Aber doch lieber nicht, ich habe dann immer gleich Visio-
25 nen und Träume und möchte doch nicht, wenn ich diese Nacht hoffentlich gut schlafe, gleich einen Chinesen an mein Bett treten sehen.«

»Das wird er auch nicht.«

»Das wird er auch nicht. Höre, das klingt ja sonderbar, als
30 ob es doch möglich wäre. Du willst mir Kessin interessant machen, aber du gehst darin ein bißchen weit. Und solche fremde Leute habt ihr viele in Kessin?«

»Sehr viele. Die ganze Stadt besteht aus solchen Fremden, aus Menschen, deren Eltern oder Großeltern noch ganz
35 woanders saßen.«

»Höchst merkwürdig. Bitte, sage mir mehr davon. Aber nicht wieder was Gruseliges. Ein Chinese, find' ich, hat immer was Gruseliges.«

»Ja, das hat er«, lachte Geert. »Aber der Rest ist, Gott sei Dank, von ganz anderer Art, lauter manierliche Leute, vielleicht ein bißchen zu sehr Kaufmann, ein bißchen zu sehr auf ihren Vorteil bedacht, und mit Wechseln von zweifelhaftem Wert immer bei der Hand. Ja, man muß sich vorsehen mit ihnen. Aber sonst ganz gemütlich. Und damit du siehst, daß ich dir nichts vorgemacht habe, will ich dir nur so eine kleine Probe geben, so eine Art Register oder Personenverzeichnis.«

»Ja, Geert, das tu.«

»Da haben wir beispielsweise keine fünfzig Schritt von uns und unsere Gärten stoßen sogar zusammen, den Maschinen- und Baggermeister Macpherson, einen richtigen Schotten und Hochländer.«

»Und trägt sich auch noch so?«

»Nein, Gott sei Dank nicht, denn es ist ein verhutzeltes Männchen, auf das weder sein Clan* noch ⌐Walter Scott⌐ besonders stolz sein würden. Und dann haben wir in demselben Hause, wo dieser Macpherson wohnt, auch noch einen alten Wundarzt, Beza mit Namen, eigentlich bloß Barbier*; der stammt aus Lissabon, gerade daher, wo auch der berühmte ⌐General de Meza⌐ herstammt, – Meza, Beza, du hörst die Landesverwandtschaft heraus. Und dann haben wir flußaufwärts am Bollwerk – das ist nämlich der Kai, wo die Schiffe liegen – einen Goldschmied namens Stedingk, der aus einer alten schwedischen Familie stammt; ja, ich glaube, es gibt sogar Reichsgrafen, die so heißen, und des weiteren, und damit will ich dann vorläufig abschließen, haben wir den guten alten Doktor Hannemann, der natürlich ein Däne ist und lange in Island war und sogar ein kleines Buch geschrieben hat über den letzten Ausbruch des Hekla oder Krabla*.«

Schott.
Sippenverband

(franz.) Friseur

Isländ.
Vulkane

»Das ist ja aber großartig, Geert. Das ist ja wie sechs Romane, damit kann man ja gar nicht fertig werden. Es klingt erst spießbürgerlich und ist doch hinterher ganz apart. Und dann müßt ihr ja doch auch Menschen haben, schon weil es eine Seestadt ist, die nicht bloß Chirurgen* oder Barbiere sind oder sonst dergleichen. Ihr müßt doch auch Kapitäne haben, irgendeinen ⌐fliegenden Holländer¬ oder . . .«

Hier: Wundarzt

»Da hast du ganz recht. Wir haben sogar einen Kapitän, der war Seeräuber unter den ⌐Schwarzflaggen¬.«

»Kenn' ich nicht. Was sind Schwarzflaggen?«

»Das sind Leute weit dahinten in Tonkin und an der Südsee . . . Seit er aber wieder unter Menschen ist, hat er auch wieder die besten Formen und ist ganz unterhaltlich.«

»Ich würde mich aber doch vor ihm fürchten.«

»Was du nicht nötig hast, zu keiner Zeit, und auch dann nicht, wenn ich über Land bin oder zum Tee beim Fürsten, denn zu allem anderen, was wir haben, haben wir ja Gott sei Dank auch Rollo . . .«

»Rollo?«

»Ja, Rollo. Du denkst dabei, vorausgesetzt, daß du bei Niemeyer oder Jahnke von dergleichen gehört hast, an den ⌐Normannenherzog¬, und unserer hat auch so was. Es ist aber bloß ein Neufundländer*, ein wunderschönes Tier, das mich liebt und dich auch lieben wird. Denn Rollo ist ein Kenner. Und solange du den um dich hast, so lange bist du sicher und kann nichts an dich heran, kein Lebendiger und kein Toter. Aber sieh mal den Mond da drüben. Ist es nicht schön?«

Hunderasse

Effi, die, still in sich versunken, jedes Wort halb ängstlich, halb begierig eingesogen hatte, richtete sich jetzt auf und sah nach rechts hinüber, wo der Mond, unter weißem, aber rasch hinschwindendem Gewölk, eben aufgegangen war. Kupferfarben stand die große Scheibe hinter einem Erlengehölz und warf ihr Licht auf eine breite Wasserfläche, die die Kessine hier bildete. Oder vielleicht war es auch schon ein Haff*, an dem das Meer draußen seinen Anteil hatte.

Ein vom offenen Meer abgetrenntes Gewässer an einer Flachküste

Effi war wie benommen. »Ja, du hast recht, Geert, wie schön; aber es hat zugleich so was Unheimliches. In Italien habe ich nie solchen Eindruck gehabt, auch nicht als wir von Mestre nach Venedig hinüberfuhren. Da war auch Wasser und Sumpf und Mondschein, und ich dachte, die Brücke würde brechen; aber es war nicht so gespenstig. Woran liegt es nur? Ist es doch das Nördliche?«

Innstetten lachte. »Wir sind hier fünfzehn Meilen nördlicher als in Hohen-Cremmen, und eh der erste Eisbär kommt, mußt du noch eine Weile warten. Ich glaube, du bist nervös von der langen Reise und dazu das St. Privat-Panorama und die Geschichte von dem Chinesen.«

»Du hast mir ja gar keine erzählt.«

»Nein, ich hab' ihn nur eben genannt. Aber ein Chinese ist schon an und für sich eine Geschichte . . .«

»Ja«, lachte sie.

»Und jedenfalls hast du's bald überstanden. Siehst du da vor dir das kleine Haus mit dem Licht? Es ist eine Schmiede. Da biegt der Weg. Und wenn wir die Biegung gemacht haben, dann siehst du schon den Turm von Kessin oder richtiger beide . . .«

»Hat es denn zwei?«

bessert sich »Ja, Kessin nimmt sich auf*. Es hat jetzt auch eine katholische Kirche.«

Eine halbe Stunde später hielt der Wagen an der ganz am entgegengesetzten Ende der Stadt gelegenen landrätlichen Wohnung, einem einfachen, etwas altmodischen Fachwerkhause, das mit seiner Front auf die nach den Seebädern hinausführende Hauptstraße, mit seinem Giebel aber auf ein zwischen der Stadt und den Dünen liegendes Wäldchen, das die »Plantage« hieß, herniederblickte. Dies altmodische Fachwerkhaus war übrigens nur Innstettens Privatwohnung, nicht das eigentliche Landratsamt, welches letztere, schräg gegenüber, an der anderen Seite der Straße lag.

Kruse hatte nicht nötig, durch einen dreimaligen Peit- Peitschenknall
schenknips* die Ankunft zu vermelden; längst hatte man
von Tür und Fenstern aus nach den Herrschaften ausgeschaut, und ehe noch der Wagen heran war, waren bereits
5 alle Hausinsassen auf dem die ganze Breite des Bürgerstei-
ges einnehmenden Schwellstein versammelt, vorauf Rollo,
der im selben Augenblicke, wo der Wagen hielt, diesen zu
umkreisen begann. Innstetten war zunächst seiner jungen
Frau beim Aussteigen behilflich und ging dann, dieser den
10 Arm reichend; unter freundlichem Gruß an der Dienerschaft vorüber, die nun dem jungen Paare in den mit prächtigen alten Wandschränken umstandenen Hausflur folgte.
Das Hausmädchen, eine hübsche, nicht mehr ganz jugendliche Person, der ihre stattliche Fülle fast ebenso gut klei-
15 dete wie das zierliche Mützchen auf dem blonden Haar,
war der gnädigen Frau beim Ablegen von Muff und Mantel
behilflich und bückte sich eben, um ihr auch die mit Pelz
gefütterten Gummistiefel auszuziehen. Aber ehe sie noch
dazu kommen konnte, sagte Innstetten: »Es wird das beste
20 sein, ich stelle dir gleich hier unsere gesamte Hausgenos- Hausbewohner
senschaft* vor, mit Ausnahme der Frau Kruse, die sich – ich
vermute sie wieder bei ihrem unvermeidlichen schwarzen
Huhn – nicht gerne sehen läßt.« Alles lächelte. »Aber lassen wir Frau Kruse . . . Dies hier ist mein alter Friedrich, der
25 schon mit mir auf der Universität war . . . Nicht wahr,
Friedrich, gute Zeiten damals . . . und dies hier ist Johanna,
märkische Landsmännin von dir, wenn du, was aus Pase-
walker Gegend stammt, noch für voll gelten lassen willst,
und dies ist Christel, der wir mittags und abends unser
30 leibliches Wohl anvertrauen, und die zu kochen versteht,
das kann ich dir versichern. Und dies hier ist Rollo. Nun,
Rollo, wie geht's?«
Rollo schien nur auf diese spezielle Ansprache gewartet zu
haben, denn im selben Augenblicke, wo er seinen Namen
35 hörte, gab er einen Freudenblaff, richtete sich auf und legte
die Pfoten auf seines Herrn Schulter.

»Schon gut, Rollo, schon gut. Aber sieh da, das ist die Frau; ich hab' ihr von dir erzählt und ihr gesagt, daß du ein schönes Tier seiest und sie schützen würdest.« Und nun ließ Rollo ab und setzte sich vor Innstetten nieder, zugleich neugierig zu der jungen Frau aufblickend. Und als diese ihm die Hand hinhielt, umschmeichelte er sie.

Effi hatte während dieser Vorstellungsszene Zeit gefunden, sich umzuschauen. Sie war wie gebannt von allem, was sie sah, und dabei geblendet von der Fülle von Licht. In der vorderen Flurhälfte brannten vier, fünf Wandleuchter, die Leuchter selbst sehr primitiv, von bloßem Weißblech, was aber den Glanz und die Helle nur noch steigerte. Zwei mit roten Schleiern bedeckte ⌈Astrallampen⌉, Hochzeitsgeschenk von Niemeyer, standen auf einem zwischen zwei Eichenschränken angebrachten Klapptisch, in Front davon das Teezeug, dessen Lämpchen unter dem Kessel schon angezündet war. Aber noch viel, viel anderes und zum Teil sehr Sonderbares kam zu dem allen hinzu. Quer über den Flur fort liefen drei, die Flurdecke in ebenso viele Felder teilende Balken; an dem vordersten hing ein Schiff mit vollen Segeln, hohem Hinterdeck und Kanonenluken, während weiterhin ein riesiger Fisch in der Luft zu schwimmen schien. Effi nahm ihren Schirm, den sie noch in Händen hielt, und stieß leis an das Ungetüm an, so daß es sich in eine langsam schaukelnde Bewegung setzte.

»Was ist das, Geert?« fragte sie.

»Das ist ein Haifisch.«

»Und ganz dahinten das, was aussieht wie eine große Zigarre vor einem Tabaksladen?«

»Das ist ein junges Krokodil. Aber das kannst du dir alles morgen viel besser und genauer ansehen; jetzt komm und laß uns eine Tasse Tee nehmen. Denn trotz aller Plaids* und Decken wirst du gefroren haben. Es war zuletzt empfindlich kalt.«

Er bot nun Effi den Arm, und während sich die beiden

(engl.) Wollene, karierte Reisedecke

Mädchen zurückzogen und nur Friedrich und Rollo folgten, trat man, nach links hin, in des Hausherrn Wohn- und Arbeitszimmer ein. Effi war hier ähnlich überrascht wie draußen im Flur; aber ehe sie sich darüber äußern konnte, schlug Innstetten eine Portiere* zurück, hinter der ein zweites, etwas größeres Zimmer, mit Blick auf Hof und Garten, gelegen war. »Das, Effi, ist nun also dein. Friedrich und Johanna haben es, so gut es ging, nach meinen Anordnungen herrichten müssen. Ich finde es ganz erträglich und würde mich freuen, wenn es dir auch gefiele.«

Sie nahm ihren Arm aus dem seinigen und hob sich auf die Fußspitzen, um ihm einen herzlichen Kuß zu geben.

»Ich armes kleines Ding, wie du mich verwöhnst. Dieser Flügel und dieser Teppich, ich glaube gar, es ist ein türkischer, und das Bassin mit den Fischchen und dazu der Blumentisch. Verwöhnung, wohin ich sehe.«

»Ja, meine liebe Effi, das mußt du dir nun schon gefallen lassen, dafür ist man jung und hübsch und liebenswürdig, was die Kessiner wohl auch schon erfahren haben werden, Gott weiß woher. Denn an dem Blumentisch wenigstens bin ich unschuldig. Friedrich, wo kommt der Blumentisch her?« »Apotheker Gieshübler . . . Es liegt auch eine Karte bei.«

»Ah, Gieshübler, Alonzo Gieshübler«, sagte Innstetten und reichte lachend und in beinahe ausgelassener Laune die Karte mit dem etwas fremdartig klingenden Vornamen zu Effi hinüber. »Gieshübler, von dem hab' ich dir zu erzählen vergessen – beiläufig, er führt auch den Doktortitel, hat's aber nicht gern, wenn man ihn dabei nennt, das ärgere, so meint er, die richtigen Doktors bloß, und darin wird er wohl recht haben. Nun, ich denke, du wirst ihn kennenlernen, und zwar bald; er ist unsere beste Nummer hier, Schöngeist und Original und vor allem Seele von Mensch, was doch immer die Hauptsache bleibt. Aber lassen wir das alles und setzen uns und nehmen unsern Tee.

Schwerer
Türvorhang

Wo soll es sein? Hier bei dir oder drin bei mir? Denn eine weitere Wahl gibt es nicht. Eng und klein ist meine Hütte.«

Sie setzte sich ohne Besinnen auf ein kleines Ecksofa. »Heute bleiben wir hier, heute bist du bei mir zu Gast. Oder lieber so: den Tee regelmäßig bei mir, das Frühstück bei dir; dann kommt jeder zu seinem Recht, und ich bin neugierig, wo mir's am besten gefallen wird.«

»Das ist eine Morgen- und Abendfrage.«

»Gewiß. Aber wie sie sich stellt, oder richtiger, wie wir uns dazu stellen, das ist es eben.«

Und sie lachte und schmiegte sich an ihn und wollte ihm die Hand küssen.

»Nein, Effi, um Himmels willen nicht, nicht so. Mir liegt nicht daran, die Respektsperson zu sein, das bin ich für die Kessiner. Für dich bin ich . . .«

»Nun was?«

»Ach laß. Ich werde mich hüten, es zu sagen.«

Siebentes Kapitel

Es war schon heller Tag, als Effi am andern Morgen erwachte. Sie hatte Mühe, sich zurechtzufinden. Wo war sie? Richtig, in Kessin, im Hause des Landrats von Innstetten, und sie war seine Frau, Baronin Innstetten. Und sich aufrichtend, sah sie sich neugierig um; am Abend vorher war sie zu müde gewesen, um alles, was sie da halb fremdartig, halb altmodisch umgab, genauer in Augenschein zu nehmen. Zwei Säulen stützten den Deckenbalken, und grüne Vorhänge schlossen den alkovenartigen* Schlafraum, in welchem die Betten standen, von dem Rest des Zimmers ab; nur in der Mitte fehlte der Vorhang oder war zurückgeschlagen, was ihr von ihrem Bette aus eine bequeme

Einem Alkoven entsprechend, d.h. ein kleiner, abgetrennter Nebenraum ohne Fenster

Orientierung gestattete. Da, zwischen den zwei Fenstern, stand der schmale, bis hoch hinaufreichende Trumeau*, während rechts daneben, und schon an der Flurwand hin, der große schwarze Kachelofen aufragte, der noch (soviel hatte sie schon am Abend vorher bemerkt) nach alter Sitte von außen her geheizt wurde. Sie fühlte jetzt, wie seine Wärme herüberströmte. Wie schön es doch war, im eigenen Hause zu sein; soviel Behagen hatte sie während der ganzen Reise nicht empfunden, nicht einmal in Sorrent.

Aber wo war Innstetten? Alles still um sie her, niemand da. Sie hörte nur den Ticktackschlag einer kleinen Pendule* und dann und wann einen dumpfen Ton im Ofen, woraus sie schloß, daß vom Flur her ein paar neue Scheite nachgeschoben würden. Allmählich entsann sie sich auch, daß Geert am Abend vorher von einer elektrischen Klingel gesprochen hatte, nach der sie denn auch nicht lange mehr zu suchen brauchte; dicht neben ihrem Kissen war der kleine weiße Elfenbeinknopf, auf den sie nun leise drückte.

Gleich danach erschien Johanna. »Gnädige Frau haben befohlen.«

»Ach, Johanna, ich glaube, ich habe mich verschlafen. Es muß schon spät sein.«

»Eben neun.«

»Und der Herr . . .«, es wollte ihr nicht glücken, so ohne weiteres von ihrem »Manne« zu sprechen, ». . . der Herr, er muß sehr leise gemacht haben; ich habe nichts gehört.«

»Das hat er gewiß. Und gnäd'ge Frau werden fest geschlafen haben. Nach der langen Reise . . .«

»Ja, das hab' ich. Und der Herr, ist er immer so früh auf?«

»Immer, gnäd'ge Frau. Darin ist er streng; er kann das lange Schlafen nicht leiden, und wenn er drüben in sein Zimmer tritt, da muß der Ofen warm sein, und der Kaffee darf auch nicht auf sich warten lassen.«

»Da hat er also schon gefrühstückt?«

»Oh, nicht doch, gnäd'ge Frau . . . der gnäd'ge Herr . . .«

Hoher, bis auf den Boden reichender Wandspiegel

Pendeluhr

Effi fühlte, daß sie die Frage nicht hätte tun und die Vermutung, Innstetten könne nicht auf sie gewartet haben, lieber nicht hätte aussprechen sollen. Es lag ihr denn auch daran, diesen Fehler so gut es ging wieder auszugleichen, und als sie sich erhoben und vor dem Trumeau Platz genommen hatte, nahm sie das Gespräch wieder auf und sagte: »Der Herr hat übrigens ganz recht. Immer früh auf, das war auch Regel in meiner Eltern Hause. Wo die Leute den Morgen verschlafen, da gibt es den ganzen Tag keine Ordnung mehr. Aber der Herr wird es so streng mit mir nicht nehmen; eine ganze Weile hab' ich diese Nacht nicht schlafen können und habe mich sogar ein wenig geängstigt.«

»Was ich hören muß, gnäd'ge Frau! Was war es denn?«

»Es war über mir ein ganz sonderbarer Ton, nicht laut, aber doch sehr eindringlich. Erst klang es, wie wenn lange Schleppenkleider* über die Diele hinschleiften, und in meiner Erregung war es mir ein paarmal, als ob ich kleine weiße Atlasschuhe* sähe. Es war, als tanze man oben, aber ganz leise.«

Johanna, während das Gespräch so ging, sah über die Schulter der jungen Frau fort in den hohen schmalen Spiegel hinein, um die Mienen Effis besser beobachten zu können. Dann sagte sie: »Ja, das ist oben im Saal. Früher hörten wir es in der Küche auch. Aber jetzt hören wir es nicht mehr; wir haben uns daran gewöhnt.«

»Ist es denn etwas Besonderes damit?«

»O Gott bewahre, nicht im geringsten. Eine Weile wußte man nicht recht, woher es käme, und der Herr Prediger machte ein verlegenes Gesicht, trotzdem Doktor Gieshübler immer nur darüber lachte. Nun aber wissen wir, daß es die Gardinen sind. Der Saal ist etwas multrig* und stockig und deshalb stehen immer die Fenster auf, wenn nicht gerade Sturm ist. Und da ist denn fast immer ein starker Zug oben und fegt die alten, weißen Gardinen, die außerdem viel zu lang sind, über die Dielen hin und her. Das klingt dann so wie seidne Kleider, oder auch wie Atlasschuhe, wie die gnäd'ge Frau eben bemerkten.«

»Natürlich ist es das. Aber ich begreife nur nicht, warum dann die Gardinen nicht abgenommen werden. Oder man könnte sie ja kürzer machen. Es ist ein so sonderbares Geräusch, das einem auf die Nerven fällt. Und nun, Johanna, bitte, geben Sie mir noch das kleine Tuch und tupfen Sie mir die Stirn. Oder nehmen Sie lieber den Rafraichisseur* aus meiner Reisetasche ... Ach, das ist schön und erfrischt mich. Nun werde ich hinübergehen. Er ist doch noch da, oder war er schon aus?«

»Der gnäd'ge Herr war schon aus, ich glaube drüben auf dem Amt. Aber seit einer Viertelstunde ist er zurück. Ich werde Friedrich sagen, daß er das Frühstück bringt.«

Und damit verließ Johanna das Zimmer; während Effi noch einen Blick in den Spiegel tat und dann über den Flur fort, der bei der Tagesbeleuchtung viel von seinem Zauber vom Abend vorher eingebüßt hatte, bei Geert eintrat. Dieser saß an seinem Schreibtisch, einem etwas schwerfälligen Zylinderbureau*, das er aber, als Erbstück aus dem elterlichen Hause, nicht missen mochte. Effi stand hinter ihm und umarmte und küßte ihn, noch ehe er sich von seinem Platz erheben konnte.

»Schon?«

»Schon, sagst du. Natürlich um mich zu verspotten.«
Innstetten schüttelte den Kopf. »Wie werd' ich das?« Effi fand aber ein Gefallen daran, sich anzuklagen, und wollte von den Versicherungen ihres Mannes, daß sein »schon« ganz aufrichtig gemeint gewesen sei, nichts hören. »Du mußt noch von der Reise her wissen, daß ich morgens nie habe warten lassen. Im Laufe des Tages, nun ja, da ist es etwas anderes. Es ist wahr, ich bin nicht sehr pünktlich, aber ich bin keine Langschläferin. Darin, denk' ich, haben mich die Eltern gut erzogen.«

»Darin? In allem, meine süße Effi.«

(franz.)
(Parfüm-)
Zerstäuber

Mit einer
Rollklappe
verschließbarer
Schreibtisch

»Das sagst du so, weil wir noch in den Flitterwochen sind, aber nein, wir sind ja schon heraus. Ums Himmels willen, Geert, daran habe ich noch gar nicht gedacht, wir sind ja schon über sechs Wochen verheiratet, sechs Wochen und einen Tag. Ja, das ist etwas anderes; da nehme ich es nicht mehr als Schmeichelei, da nehme ich es als Wahrheit.«

In diesem Augenblick trat Friedrich ein und brachte den Kaffee. Der Frühstückstisch stand in Schräglinie vor einem kleinen rechtwinkligen Sofa, das gerade die eine Ecke des Wohnzimmers ausfüllte. Hier setzten sich beide.

»Der Kaffee ist ja vorzüglich«, sagte Effi, während sie zugleich das Zimmer und seine Einrichtung musterte. »Das ist noch Hotelkaffee oder wie der bei Bottegone* . . . erinnerst du dich noch, in Florenz, mit dem Blick auf den Dom. Davon muß ich der Mama schreiben, solchen Kaffee haben wir in Hohen-Cremmen nicht. Überhaupt, Geert, ich sehe nun erst, wie vornehm ich mich verheiratet habe. Bei uns konnte alles nur so gerade passieren.«

»Torheit, Effi. Ich habe nie eine bessere Hausführung gesehen als bei euch.«

»Und dann, wie du wohnst. Als Papa sich den neuen Gewehrschrank angeschafft und über seinem Schreibtisch einen Büffelkopf und dicht darunter den alten ⌜Wrangel⌝ angebracht hatte (er war nämlich mal Adjutant* bei dem Alten), da dacht' er, wunder was er getan; aber wenn ich mich hier umsehe, daneben ist unsere ganze Hohen-Cremmener Herrlichkeit ja bloß dürftig und alltäglich. Ich weiß gar nicht, womit ich das alles vergleichen soll; schon gestern abend, als ich nur so flüchtig darüber hinsah, kamen mir allerhand Gedanken.«

»Und welche, wenn ich fragen darf?«

»Ja, welche. Du darfst aber nicht darüber lachen. Ich habe mal ein Bilderbuch gehabt, wo ein persischer oder indischer Fürst (denn er trug einen Turban) mit untergeschlagenen Beinen auf einem roten Seidenkissen saß, und in sei-

nem Rücken war außerdem noch eine große rote Seiden-
rolle, die links und rechts ganz bauschig zum Vorschein
kam, und die Wand hinter dem indischen Fürsten starrte
von Schwertern und Dolchen und Parderfellen* und Schil-
den und langen türkischen Flinten: Und sieh, ganz so sieht
es bei dir aus, und wenn du noch die Beine unterschlägst, ist
die Ähnlichkeit vollkommen.«

Leoparden-
fellen

»Effi, du bist ein entzückendes, liebes Geschöpf. Du weißt
gar nicht, wie sehr ich's finde und wie gern ich dir in jedem
Augenblicke zeigen möchte, daß ich's finde.«

»Nun, dazu ist ja noch vollauf Zeit; ich bin ja erst siebzehn
und habe noch nicht vor zu sterben.«

»Wenigstens nicht vor mir. Freilich, wenn ich dann stürbe,
nähme ich dich am liebsten mit. Ich will dich keinem andern lassen; was meinst du dazu?«

»Das muß ich mir doch noch überlegen. Oder lieber, lassen
wir's überhaupt. Ich spreche nicht gern von Tod, ich bin für
Leben. Und nun sage mir, wie leben wir hier? Du hast mir
unterwegs allerlei Sonderbares von Stadt und Land erzählt,
aber wie wir selber hier leben werden, davon kein Wort.
Daß hier alles anders ist als in Hohen-Cremmen und
Schwantikow, das seh' ich wohl, aber wir müssen doch in
dem ›guten Kessin‹, wie du's immer nennst, auch etwas wie
Umgang und Gesellschaft haben können. Habt ihr denn
Leute von Familie in der Stadt?«

»Nein, meine liebe Effi; nach dieser Seite hin gehst du großen Enttäuschungen entgegen. In der Nähe haben wir ein
paar Adlige, die du kennenlernen wirst, aber hier in der
Stadt ist gar nichts.«

»Gar nichts? Das kann ich nicht glauben. Ihr seid doch bis
zu dreitausend Menschen, und unter dreitausend Menschen muß es doch außer so kleinen Leuten wie Barbier
Beza (so hieß er ja wohl) doch auch noch eine Elite geben,
Honoratioren* oder dergleichen.«

Angesehene
Bürger

Innstetten lachte. »Ja, Honoratioren, die gibt es. Aber bei

Lichte besehen, ist es nicht viel damit. Natürlich haben wir einen Prediger und einen Amtsrichter und einen Rektor und einen Lotsenkommandeur, und von solchen beamteten Leuten findet sich schließlich wohl ein ganzes Dutzend zusammen, aber die meisten davon: ⌜gute Menschen und schlechte Musikanten⌝. Und was dann noch bleibt, das sind bloß ⌜Konsuln⌝.«

»Bloß Konsuln. Ich bitte dich, Geert, wie kannst du nur sagen ›bloß Konsuln‹. Das ist doch etwas sehr Hohes und Großes und ich möcht' beinah sagen Furchtbares. Konsuln, das sind doch die mit dem Rutenbündel, draus, glaub' ich, ein Beil heraussah.«

»Nicht ganz, Effi. Die heißen ⌜Liktoren⌝.«

»Richtig, die heißen Liktoren. Aber Konsuln ist doch auch etwas sehr Vornehmes und Hochgesetzliches. ⌜Brutus⌝ war doch ein Konsul.«

»Ja, Brutus war ein Konsul. Aber unsere sind ihm nicht sehr ähnlich und begnügen sich damit, mit Zucker und Kaffee zu handeln oder eine Kiste mit Apfelsinen aufzubrechen und verkaufen dir dann das Stück pro zehn Pfennige.«

»Nicht möglich.«

»Sogar gewiß. Es sind kleine, pfiffige Kaufleute, die, wenn fremdländische Schiffe hier einlaufen und in irgendeiner Geschäftsfrage nicht recht aus noch ein wissen, die dann mit ihrem Rate zur Hand sind, und wenn sie diesen Rat gegeben und irgendeinem holländischen oder portugiesischen Schiff einen Dienst geleistet haben, so werden sie zuletzt zu beglaubigten Vertretern solcher fremder Staaten, und gerade so viele Botschafter und Gesandte, wie wir in Berlin haben, so viele Konsuln haben wir auch in Kessin, und wenn irgendein Festtag ist, und es gibt hier viel Festtage, dann werden alle Wimpel gehißt, und haben wir gerad eine grelle Morgensonne, so siehst du an solchem Tage ganz Europa von unsern Dächern flaggen und das Sternenbanner und den chinesischen Drachen dazu.«

»Du bist in einer spöttischen Laune, Geert, und magst auch wohl recht haben. Aber ich, für meine kleine Person, muß dir gestehen, daß ich dies alles entzückend finde und daß unsere havelländischen Städte daneben verschwinden. Wenn sie da Kaisers Geburtstag* feiern, so flaggt es immer bloß ⌐schwarz und weiß und allenfalls ein bißchen rot dazwischen⌐, aber das kann sich doch nicht vergleichen mit der Welt von Flaggen, von der du sprichst. Überhaupt, wie ich dir schon sagte, ich finde immer wieder und wieder, es hat alles so was Fremdländisches hier, und ich habe noch nichts gehört und gesehen, was mich nicht in eine gewisse Verwunderung gesetzt hätte, gleich gestern abend das merkwürdige Schiff draußen im Flur und dahinter der Haifisch und das Krokodil und hier dein eigenes Zimmer. Alles so orientalisch, und ich muß es wiederholen, alles wie bei einem indischen Fürsten . . .«

»Meinetwegen. Ich gratuliere, Fürstin . . .«

»Und dann oben der Saal mit seinen langen Gardinen, die über die Diele hinfegen.«

»Aber was weißt du denn von dem Saal, Effi?«

»Nichts, als was ich dir eben gesagt habe. Wohl eine Stunde lang, als ich in der Nacht aufwachte, war es mir, als ob ich Schuhe auf der Erde schleifen hörte und als würde getanzt und fast auch wie Musik. Aber alles ganz leise. Und das hab' ich dann heute früh an Johanna erzählt, bloß um mich zu entschuldigen, daß ich hinterher so lange geschlafen. Und da sagte sie mir, das sei von den langen Gardinen oben im Saal. Ich denke, wir machen kurzen Prozeß damit und schneiden die Gardinen etwas ab oder schließen wenigstens die Fenster; es wird ohnehin bald stürmisch genug werden. Mitte November ist ja die Zeit.«

Innstetten sah in einer kleinen Verlegenheit vor sich hin und schien schwankend, ob er auf all das antworten solle. Schließlich entschied er sich für Schweigen. »Du hast ganz recht, Effi, wir wollen die langen Gardinen oben kürzer

Wilhelms I., *22.3.1797

machen. Aber es eilt nicht damit, um so weniger, als es
nicht sicher ist, ob es hilft. Es kann auch was anderes sein,
im Rauchfang, oder der Wurm im Holz oder ein Iltis. Wir
haben nämlich hier Iltisse. Jedenfalls aber, eh wir Ände-
rungen vornehmen, mußt du dich in unserem Hauswesen 5
erst umsehen, natürlich unter meiner Führung; in einer
Viertelstunde zwingen wir's. Und dann machst du Toilette,
nur ein ganz klein wenig, denn eigentlich bist du so am
reizendsten – Toilette für unseren Freund Gieshübler; es ist
jetzt zehn vorüber, und ich müßte mich sehr in ihm irren, 10
wenn er nicht um elf oder doch spätestens um die Mittags-
stunde hier antreten und dir seinen Respekt devotest* zu
Füßen legen sollte. Das ist nämlich die Sprache, drin er sich
ergeht. Übrigens, wie ich dir schon sagte, ein kapitaler*
Mann, der dein Freund werden wird, wenn ich ihn und 15
dich recht kenne.«

unterwürfigst

vorzüglicher,
beachtlicher

Achtes Kapitel

Elf war es längst vorüber; aber Gieshübler hatte sich noch
immer nicht sehen lassen. »Ich kann nicht länger warten«,
hatte Geert gesagt, den der Dienst abrief. »Wenn Gieshüb- 20
ler noch erscheint, so sei möglichst entgegenkommend,
dann wird es vorzüglich gehen; er darf nicht verlegen werden; ist er befangen, so kann er kein Wort finden oder sagt
die sonderbarsten Dinge; weißt du ihn aber in Zutrauen
und gute Laune zu bringen, dann redet er wie ein Buch. 25
Nun, du wirst es schon machen. Erwarte mich nicht vor
drei; es gibt drüben allerlei zu tun. Und das mit dem Saal
oben wollen wir noch überlegen; es wird aber wohl am
besten sein, wir lassen es beim alten.«
Damit ging Innstetten und ließ seine junge Frau allein. Die- 30
se saß, etwas zurückgelehnt, in einem lauschigen Winkel

am Fenster und stützte sich, während sie hinaussah, mit ihrem linken Arm auf ein kleines Seitenbrett, das aus dem Zylinderbureau herausgezogen war. Die Straße war die Hauptverkehrsstraße nach dem Strande hin, weshalb denn auch in Sommerzeit ein reges Leben hier herrschte, jetzt aber, um Mitte November, war alles leer und still, und nur ein paar arme Kinder, deren Eltern in etlichen ganz am äußersten Rande der »Plantage« gelegenen Strohdachhäusern wohnten, klappten in ihren Holzpantinen* an dem Innstettenschen Hause vorüber. Effi empfand aber nichts von dieser Einsamkeit, denn ihre Phantasie war noch immer bei den wunderlichen Dingen, die sie, kurz vorher, während ihrer Umschau haltenden Musterung im Hause gesehen hatte. Die Musterung hatte mit der Küche begonnen, deren Herd eine moderne Konstruktion aufwies, während an der Decke hin, und zwar bis in die Mädchenstube hinein, ein elektrischer Draht lief – beides vor kurzem erst hergerichtet. Effi war erfreut gewesen, als ihr Innstetten davon erzählt hatte, dann aber waren sie von der Küche wieder in den Flur zurück- und von diesem in den Hof hinausgetreten, der in seiner ersten Hälfte nicht viel mehr als ein zwischen zwei Seitenflügeln hinlaufender ziemlich schmaler Gang war. In diesen Flügeln war alles untergebracht, was sonst noch zu Haushalt und Wirtschaftsführung gehörte, rechts Mädchenstube, Bedientenstube, Rollkammer*, links eine zwischen Pferdestall und Wagenremise* gelegene, von der Familie Kruse bewohnte Kutscherwohnung. Über dieser, in einem Verschlage, waren die Hühner einlogiert, und eine Dachklappe über dem Pferdestall bildete den Aus- und Einschlupf für die Tauben. All dies hatte sich Effi mit vielem Interesse angesehen, aber dies Interesse sah sich doch weit überholt, als sie, nach ihrer Rückkehr vom Hof ins Vorderhaus, unter Innstettens Führung die nach oben führende Treppe hinaufgestiegen war. Diese war schief, baufällig, dunkel; der Flur dagegen,

Holzpantoffeln

Kammer für die Wäschemangel
Wagenschuppen

auf den sie mündete, wirkte beinah heiter, weil er viel Licht und einen guten landschaftlichen Ausblick hatte: nach der einen Seite hin, über die Dächer des Stadtrandes und die »Plantage« fort, auf eine hoch auf einer Düne stehende holländische Windmühle, nach der anderen Seite hin auf die Kessine, die hier, unmittelbar vor ihrer Einmündung, ziemlich breit war und einen stattlichen Eindruck machte. Diesem Eindruck konnte man sich unmöglich entziehen, und Effi hatte denn auch nicht gesäumt, ihrer Freude lebhaften Ausdruck zu geben. »Ja, sehr schön, sehr malerisch«, hatte Innstetten, ohne weiter darauf einzugehen, geantwortet und dann eine mit ihren Flügeln etwas schief hängende Doppeltür geöffnet, die nach rechts hin in den sogenannten Saal führte. Dieser lief durch die ganze Etage; Vorder- und Hinterfenster standen auf, und die mehrerwähnten langen Gardinen bewegten sich in dem starken Luftzuge hin und her. In der Mitte der einen Längswand sprang ein Kamin vor mit einer großen Steinplatte, während an der Wand gegenüber ein paar blecherne Leuchter hingen, jeder mit zwei Lichtöffnungen, ganz so wie unten im Flur, aber alles stumpf und ungepflegt. Effi war einigermaßen enttäuscht, sprach es auch aus und erklärte, statt des öden und ärmlichen Saales doch lieber die Zimmer an der gegenüberliegenden Flurseite sehen zu wollen. »Da ist nun eigentlich vollends nichts«, hatte Innstetten geantwortet, aber doch die Türen geöffnet. Es befanden sich hier vier einfenstrige Zimmer, alle gelb getüncht, gerade wie der Saal, und ebenfalls ganz leer. Nur in einem standen drei Binsenstühle, die durchgesessen waren, und an die Lehne des einen war ein kleines, nur einen halben Finger langes Bildchen geklebt, das einen ⌈Chinesen⌉ darstellte, blauer Rock mit gelben Pluderhosen* und einen flachen Hut auf dem Kopf. Effi sah es und sagte: »Was soll der Chinese?« Innstetten selber schien von dem Bildchen überrascht und versicherte, daß er es nicht wisse. »Das hat Christel ange-

Weite, bauschige Hose mit einem Bund unter den Knien

Effi Briest

klebt oder Johanna. Spielerei. Du kannst sehen, es ist aus einer Fibel* herausgeschnitten.« Effi fand es auch und war nur verwundert, daß Innstetten alles so ernsthaft nahm, als ob es doch etwas sei. Dann hatte sie noch einmal einen Blick in den Saal getan und sich dabei dahin geäußert, wie es doch eigentlich schade sei, daß das alles leerstehe. »Wir haben unten ja nur drei Zimmer und wenn uns wer besucht, so wissen wir nicht aus, noch ein. Meinst du nicht, daß man aus dem Saal zwei hübsche Fremdenzimmer machen könnte? Das wäre so was für die Mama; nach hinten heraus könnte sie schlafen und hätte den Blick auf den Fluß und die beiden Molen*, und vorn hätte sie die Stadt und die holländische Windmühle. In Hohen-Cremmen haben wir noch immer bloß eine ⌐Bockmühle⌐. Nun sage, was meinst du dazu? Nächsten Mai wird doch die Mama wohl kommen.«

Innstetten war mit allem einverstanden gewesen und hatte nur zum Schlusse gesagt: »Alles ganz gut. Aber es ist doch am Ende besser, wir logieren die Mama drüben ein, auf dem Landratsamt; die ganze erste Etage steht da leer, gerade so wie hier, und sie ist da noch mehr für sich.«

Das war so das Resultat des ersten Umgangs im Hause gewesen; dann hatte Effi drüben ihre Toilette gemacht, nicht ganz so schnell wie Innstetten angenommen, und nun saß sie in ihres Gatten Zimmer und beschäftigte sich in ihren Gedanken abwechselnd mit dem kleinen Chinesen oben und mit Gieshübler, der noch immer nicht kam. Vor einer Viertelstunde war freilich ein kleiner, schiefschultriger und fast schon so gut wie verwachsener Herr in einem kurzen eleganten Pelzrock und einem hohen, sehr glatt gebürsteten Zylinder an der anderen Seite der Straße vorbeigegangen und hatte nach ihrem Fenster hinübergesehen. Aber das konnte Gieshübler wohl nicht gewesen sein! Nein, dieser schiefschultrige Herr, der zugleich etwas so

Buch zum Lesen und Schreiben lernen

Dämme in den See oder das Meer hinein; sie dienen als Wellenbrecher und Schiffsanleger

Vornehmes Distinguiertes* hatte, das müßte der Herr Gerichtspräsi-
dent gewesen sein, und sie entsann sich auch wirklich, in
einer Gesellschaft bei Tante Therese, mal einen solchen gesehen zu haben, bis ihr mit einem Male einfiel, daß Kessin
bloß einen Amtsrichter habe.   5
Während sie diesen Betrachtungen noch nachhing, wurde
der Gegenstand derselben, der augenscheinlich erst eine
Morgen- oder vielleicht auch eine Ermutigungspromenade
um die Plantage herum gemacht hatte, wieder sichtbar,
und eine Minute später erschien Friedrich, um Apotheker 10
Gieshübler anzumelden.
»Ich lasse sehr bitten.«
Der armen jungen Frau schlug das Herz, weil es das erste-
mal war, daß sie sich als Hausfrau und noch dazu als erste
Frau der Stadt zu zeigen hatte.   15
Friedrich half Gieshübler den Pelzrock ablegen und öffnete
dann wieder die Tür.
Effi reichte dem verlegen Eintretenden die Hand, die dieser
mit einem gewissen Ungestüm küßte. Die junge Frau schien
sofort einen großen Eindruck auf ihn gemacht zu haben.   20
»Mein Mann hat mir bereits gesagt . . . Aber ich empfange
Sie hier in meines Mannes Zimmer . . . er ist drüben auf
dem Amt und kann jeden Augenblick zurück sein . . . Darf
ich Sie bitten, bei mir eintreten zu wollen?«
Gieshübler folgte der voranschreitenden Effi ins Neben-   25
(franz.) Lehn-
sessel zimmer, wo diese auf einen der Fauteuils* wies, während
sie sich selbst ins Sofa setzte. »Daß ich Ihnen sagen könnte,
welche Freude Sie mir gestern durch die schönen Blumen
und Ihre Karte gemacht haben. Ich hörte sofort auf, mich
hier als eine Fremde zu fühlen, und als ich dies Innstetten 30
aussprach, sagte er mir, wir würden überhaupt gute Freunde sein.«
»Sagte er so? Der gute Herr Landrat. Ja, der Herr Landrat
und Sie, meine gnädigste Frau, da sind, das bitte ich sagen
zu dürfen, zwei liebe Menschen zueinander gekommen.   35

Denn wie Ihr Herr Gemahl ist, das weiß ich, und wie Sie sind, meine gnädigste Frau, das sehe ich.«

»Wenn Sie nur nicht mit zu freundlichen Augen sehen. Ich bin so sehr jung. Und Jugend . . .«

5 »Ach, meine gnädigste Frau, sagen Sie nichts gegen die Jugend. Die Jugend, auch in ihren Fehlern ist sie noch schön und liebenswürdig, und das Alter, auch in seinen Tugenden taugt es nicht viel. Persönlich kann ich in dieser Frage freilich nicht mitsprechen, vom Alter wohl, aber von der Ju-
10 gend nicht, denn ich bin eigentlich nie jung gewesen. Personen meines Schlages sind nie jung. Ich darf wohl sagen, das ist das traurigste von der Sache. Man hat keinen rechten Mut, man hat kein Vertrauen zu sich selbst, man wagt kaum, eine Dame zum Tanz aufzufordern, weil man ihr
15 eine Verlegenheit ersparen will, und so gehen die Jahre hin, und man wird alt, und das Leben war arm und leer.«

Effi gab ihm die Hand. »Ach, Sie dürfen so was nicht sagen. Wir Frauen sind gar nicht so schlecht.«

»O nein, gewiß nicht . . .«

20 »Und wenn ich mir so zurückrufe«, fuhr Effi fort, »was ich alles erlebt habe . . . viel ist es nicht, denn ich bin wenig herausgekommen und habe fast immer auf dem Lande gelebt . . . aber wenn ich es mir zurückrufe, so finde ich doch, daß wir immer das lieben, was liebenswert ist. Und dann
25 sehe ich doch auch gleich, daß Sie anders sind als andere, dafür haben wir Frauen ein scharfes Auge. Vielleicht ist es auch der Name, der in Ihrem Falle mitwirkt. Das war immer eine Lieblingsbehauptung unseres alten Pastors Niemeyer; der Name, so liebte er zu sagen, besonders der Tauf-
30 name, habe was geheimnisvoll Bestimmendes, und Alonzo Gieshübler, so mein' ich, schließt eine ganz neue Welt vor einem auf, ja fast möcht' ich sagen dürfen, Alonzo ist ein romantischer Name, ein ⌜Preziosaname⌝.«

Gieshübler lächelte mit einem ganz ungemeinen Behagen
35 und fand den Mut, seinen für seine Verhältnisse viel zu

hohen Zylinder, den er bis dahin in der Hand gedreht hatte, beiseitezustellen. »Ja, meine gnädigste Frau, da treffen
Sie's.«

»Oh, ich verstehe. Ich habe von den Konsuln gehört, deren
Kessin so viele haben soll, und in dem Hause des spani- 5
schen Konsuls hat Ihr Herr Vater mutmaßlich die Tochter
eines seemännischen Capitanos* kennengelernt, wie ich
annehme irgendeine schöne Andalusierin*. Andalusierin-
nen sind immer schön.«

»Ganz wie Sie vermuten, meine Gnädigste. Und meine 10
Mutter war wirklich eine schöne Frau, so schlecht es mir
persönlich zusteht, die Beweisführung zu übernehmen.
Aber als Ihr Herr Gemahl vor drei Jahren hierher kam,
lebte sie noch und hatte noch ganz die Feueraugen. Er wird
es mir bestätigen. Ich persönlich bin mehr ins Gieshübler- 15
sche geschlagen, Leute von wenig Exterieur*, aber sonst
leidlich im Stande. Wir sitzen hier schon in der vierten Generation, volle hundert Jahre, und wenn es einen Apothe-
keradel gäbe . . .«

»So würden Sie ihn beanspruchen dürfen. Und ich meiner- 20
seits nehme ihn für bewiesen an und sogar für bewiesen
ohne jede Einschränkung. Uns, aus den alten Familien,
wird das am leichtesten, weil wir, so wenigstens bin ich von
meinem Vater und auch von meiner Mutter her erzogen,
jede gute Gesinnung, sie komme woher sie wolle, mit Freu- 25
digkeit gelten lassen. Ich bin eine geborene Briest und stam-
me von dem Briest ab, der, am Tage vor der ⌐Fehrbelliner
Schlacht⌐, den ⌐Überfall von Rathenow⌐ ausführte, wovon
Sie vielleicht einmal gehört haben . . .«

»O gewiß, meine Gnädigste, das ist ja meine Spezialität.« 30
»Eine Briest also. Und mein Vater, da reichen keine hundert Male, daß er zu mir gesagt hat: Effi (so heiße ich nämlich), Effi, *hier* sitzt es, bloß hier, und als ⌐Froben⌐ das Pferd
tauschte, da war er von Adel, und als ⌐Luther⌐ sagte ›hier
stehe ich‹, da war er erst recht von Adel. Und ich denke, 35

(ital.) Haupt-
manns

Frau aus der
südspan.
Region
Andalusien

(franz.) äußere
Erscheinung

Effi Briest

Herr Gieshübler, Innstetten hatte ganz recht, als er mir versicherte, wir würden gute Freundschaft halten.«

Gieshübler hätte nun am liebsten gleich eine Liebeserklärung gemacht und gebeten, daß er als ⌐Cid oder irgend sonst ein Campeador⌐ für sie kämpfen und sterben könne. Da dies alles aber nicht ging und sein Herz es nicht mehr aushalten konnte, so stand er auf, suchte nach seinem Hut, den er auch glücklicherweise gleich fand, und zog sich, nach wiederholtem Handkuß, rasch zurück, ohne weiter ein Wort gesagt zu haben.

Neuntes Kapitel

So war Effis erster Tag in Kessin gewesen. Innstetten gab ihr noch eine halbe Woche Zeit, sich einzurichten und die verschiedensten Briefe nach Hohen-Cremmen zu schreiben, an die Mama, an Hulda und die Zwillinge; dann aber hatten die Stadtbesuche begonnen, die zum Teil (es regnete gerade so, daß man sich diese Ungewöhnlichkeit schon gestatten konnte) in einer geschlossenen Kutsche gemacht wurden. Als man damit fertig war, kam der Landadel an die Reihe. Das dauerte länger, da sich, bei den meist großen Entfernungen, an jedem Tage nur eine Visite machen ließ. Zuerst war man bei den Borckes in Rothenmoor, dann ging es nach Morgnitz, Dabergotz und Kroschentin, wo man bei den Ahlemanns, den Jatzkows und den Grasenabbs den pflichtschuldigen Besuch abstattete. Noch ein paar andere folgten, unter denen auch der alte Baron von Güldenklee auf Papenhagen war. Der Eindruck, den Effi empfing, war überall derselbe: mittelmäßige Menschen, von meist zweifelhafter Liebenswürdigkeit, die, während sie vorgaben, über Bismarck und die ⌐Kronprinzessin⌐ zu sprechen, eigentlich nur Effis Toilette musterten, die von

anmaßend,
selbstgefällig

einigen als zu prätentiös* für eine so jugendliche Dame,
von andern als zu wenig dezent für eine Dame von gesellschaftlicher Stellung befunden wurde. Man merke doch an
allem die Berliner Schule: Sinn für Äußerliches und eine
merkwürdige Verlegenheit und Unsicherheit bei Berüh- 5
rung großer Fragen. In Rothenmoor bei den Borckes und

Der Vernunft
verpflichtetes
Denken

dann auch bei den Familien in Morgnitz und Dabergotz
war sie für »rationalistisch* angekränkelt«, bei den Gra-

Anhängerin
einer Weltan-
schauung, die
die Existenz
Gottes leugnet

senabbs in Kroschentin aber rundweg für eine »Atheistin*«
erklärt worden. Allerdings hatte die alte Frau von Grase- 10
nabb, eine Süddeutsche (geborene Stiefel von Stiefelstein),
einen schwachen Versuch gemacht, Effi wenigstens für den
⌜Deismus⌝ zu retten; Sidonie von Grasenabb aber, eine
dreiundvierzigjährige alte Jungfer, war barsch dazwi-
schengefahren: »Ich sage dir, Mutter, einfach Atheistin, 15
kein Zoll breit weniger, und dabei bleibt es«, worauf die
Alte, die sich vor ihrer eigenen Tochter fürchtete, kläglich
geschwiegen hatte.

Hier:
Rundreise

Diese ganze Tournee* hatte so ziemlich zwei Wochen gedauert, und es war am 2. Dezember, als man, zu schon 20
später Stunde, von dem letzten dieser Besuche nach Kessin
zurückkehrte.

Dieser letzte Besuch hatte den Güldenklees auf Papenhagen gegolten, bei welcher Gelegenheit Innstetten dem
Schicksal nicht entgangen war, mit dem alten Güldenklee 25
politisieren zu müssen. »Ja, teuerster Landrat, wenn ich so
den Wechsel der Zeiten bedenke! Heute vor einem Men-
schenalter oder ungefähr so lange, ja, ⌜da war auch ein 2.
Dezember⌝ und der gute Louis und Napoleonsneffe – *wenn*

schoss mit
Artillerie-
Schrot-
geschossen

er so was war und nicht eigentlich ganz woanders her- 30
stammte –, der kartätschte* damals auf die Pariser Kanail-

Gesindel, Pack

le*. Na, das mag ihm verziehen sein, für so was war er der
rechte Mann, und ich halte zu dem Satze: ›Jeder hat es
gerade so gut und so schlecht, wie er's verdient.‹ Aber daß

Dt.-franz.
Krieg 1870/71

er nachher alle Schätzung verlor und anno 70* so mir 35

nichts, dir nichts auch mit *uns* anbinden wollte, sehen Sie, Baron, das war, ja wie sag' ich, das war eine Insolenz*. Es ist ihm aber auch heimgezahlt worden. Unser Alter* da oben läßt sich nicht spotten, *der* steht zu uns.«

Frechheit, Unverschämt-heit

Hier: Bismarck

5 »Ja«, sagte Innstetten, der klug genug war, auf solche Phi-listereien* anscheinend ernsthaft einzugehen: »Der ⌈Held und Eroberer von Saarbrücken⌉ wußte nicht, was er tat. Aber Sie dürfen nicht zu streng mit ihm persönlich abrech-nen. Wer ist am Ende Herr in seinem Hause? Niemand. Ich
10 richte mich auch schon darauf ein, die Zügel der Regierung in andere Hände zu legen, und Louis Napoleon, nun, der war vollends ein Stück Wachs in den Händen seiner ⌈ka-tholischen Frau⌉, oder sagen wir lieber, seiner jesuitischen Frau.«

Spießige Ansichten

15 »Wachs in den Händen seiner Frau, die ihm dann eine Nase drehte. Natürlich Innstetten, *das* war er. Aber damit wol-len Sie diese Puppe doch nicht etwa retten? Er ist und bleibt gerichtet. An und für sich ist es übrigens noch gar nicht mal erwiesen«, und sein Blick suchte bei diesen Worten etwas
20 ängstlich nach dem Auge seiner Ehehälfte, »ob nicht Frauenherrschaft eigentlich als ein Vorzug gelten kann; nur freilich, die Frau muß danach sein. Aber wer war diese Frau? Sie war überhaupt keine Frau, im günstigsten Falle war sie eine Dame, das sagt alles; ›Dame‹ hat beinah immer
25 einen Beigeschmack. Diese ⌈Eugenie – über deren Verhält-nis zu dem jüdischen Bankier⌉ ich hier gern hingehe, denn ich hasse Tugendhochmut – hatte was vom Café chantant*, und wenn die Stadt, in der sie lebte, das Babel war, so war sie das Weib von Babel. Ich mag mich nicht deutlicher aus-
30 drücken, denn ich weiß«, und er verneigte sich gegen Effi, »was ich deutschen Frauen schuldig bin. Um Vergebung, meine Gnädigste, daß ich diese Dinge vor Ihren Ohren überhaupt berührt habe.«

(franz.) Café, in dem Sänge-rinnen, Tänze-rinnen und Kabarettisten auftreten

So war die Unterhaltung gegangen, nachdem man vorher
35 von ⌈Wahl, Nobiling⌉ und Raps gesprochen hatte, und nun

saßen Innstetten und Effi wieder daheim und plauderten
noch eine halbe Stunde.

Die beiden Mädchen im Hause waren schon zu Bett, denn
es war nah an Mitternacht.

Schuhe aus feinem, weichem Ziegenleder

Innstetten, in kurzem Hausrock und Saffianschuhen*, ging 5
auf und ab; Effi war noch in ihrer Gesellschaftstoilette;
Fächer und Handschuhe lagen neben ihr.

»Ja«, sagte Innstetten, während er sein Auf- und Abschreiten im Zimmer unterbrach, »diesen Tag müßten wir
nun wohl eigentlich feiern, und ich weiß nur noch nicht 10
womit. Soll ich dir einen Siegesmarsch vorspielen oder den
Haifisch draußen in Bewegung setzen oder dich im Triumph über den Flur tragen? Etwas muß doch geschehen,
denn du mußt wissen, das war nun heute die letzte Visite.« 15

»Gott sei Dank, war sie's«, sagte Effi. »Aber das Gefühl,
daß wir nun Ruhe haben, ist, denk' ich, gerade Feier genug.
Nur einen Kuß könntest du mir geben. Aber daran denkst
du nicht. Auf dem ganzen weiten Wege nicht gerührt, fro-
stig wie ein Schneemann. Und immer nur die Zigarre.« 20

»Laß, ich werde mich schon bessern und will vorläufig nur
wissen, wie stehst du zu dieser ganzen Umgangs- und Ver-
kehrsfrage? Fühlst du dich zu dem einen oder anderen hin-
gezogen? Haben die Borckes die Grasenabbs geschlagen,
oder umgekehrt, oder hältst du's mit dem alten Gülden- 25
klee? Was er da über die Eugenie sagte, machte doch einen
sehr edlen und reinen Eindruck.«

sarkastisch, boshaft

»Ei, sieh, Herr von Innstetten, auch medisant*! Ich lerne Sie
von einer ganz neuen Seite kennen.«

»Und wenn's unser Adel nicht tut«, fuhr Innstetten fort, 30
ohne sich stören zu lassen, »wie stehst du zu den Kessiner

Hier: Club, im Sinne einer geschlossenen Gesellschaft

Stadthonoratioren? Wie stehst du zur Ressource*? Daran
hängt doch am Ende Leben und Sterben. Ich habe dich da
neulich mit unserem reserveleutnantlichen Amtsrichter
sprechen sehen, einem zierlichen Männchen, mit dem sich 35

vielleicht durchkommen ließe, wenn er nur endlich von der Vorstellung los könnte, die Wiedereroberung von ⌈Le Bourget⌉ durch sein Erscheinen in der Flanke zustande gebracht zu haben. Und seine Frau! Sie gilt als die beste Bostonspielerin* und hat auch die hübschesten Anlegemarken*. Also nochmals, Effi, wie wird es werden in Kessin? Wirst du dich einleben? Wirst du populär werden und mir die Majorität sichern, wenn ich in den Reichstag will? Oder bist du für Einsiedlertum, für Abschluß von der Kessiner Menschheit, so Stadt wie Land?«

»Ich werde mich wohl für Einsiedlertum entschließen, wenn mich die Mohrenapotheke nicht herausreißt. Bei Sidonie werd' ich dadurch freilich noch etwas tiefer sinken, aber darauf muß ich es ankommen lassen; dieser Kampf muß eben gekämpft werden. Ich steh' und falle mit Gieshübler. Es klingt etwas komisch, aber er ist wirklich der einzige, mit dem sich ein Wort reden läßt, der einzige richtige Mensch hier.«

»Das ist er«, sagte Innstetten. »Wie gut du zu wählen verstehst.«

»Hätte ich sonst *dich*?« sagte Effi und hing sich an seinen Arm.

Das war am 2. Dezember. Eine Woche später war Bismarck in Varzin, und nun wußte Innstetten, daß bis Weihnachten, und vielleicht noch drüber hinaus, an ruhige Tage für ihn gar nicht mehr zu denken sei. Der Fürst hatte noch ⌈von Versailles her⌉ eine Vorliebe für ihn und lud ihn, wenn Besuch da war, häufig zu Tisch, aber auch allein, denn der jugendliche, durch Haltung und Klugheit gleich ausgezeichnete Landrat stand ebenso in Gunst bei der Fürstin*. Zum 14. erfolgte die erste Einladung. Es lag Schnee, weshalb Innstetten die fast zweistündige Fahrt bis an den Bahnhof, von wo noch eine Stunde Eisenbahn war, im Schlitten zu machen vorhatte. »Warte nicht auf mich, Effi.

Boston: ein dem Bridge verwandtes Kartenspiel für vier Personen

Hier: Spielmarken

Johanna von Bismarck, geb. von Puttkamer (1824–1894)

Vor Mitternacht kann ich nicht zurück sein; wahrscheinlich wird es zwei oder noch später. Ich störe dich aber nicht. Gehab dich wohl und auf Wiedersehen morgen früh.« Und damit stieg er ein, und die beiden isabellfarbenen Graditzer* jagten im Fluge durch die Stadt hin und dann landeinwärts auf den Bahnhof zu.

Gelb-bräunliche Pferde aus dem preuß. Staatsgestüt Graditz bei Torgau

Das war die erste lange Trennung, fast auf zwölf Stunden. Arme Effi. Wie sollte sie den Abend verbringen? Früh zu Bett, das war gefährlich, dann wachte sie auf und konnte nicht wieder einschlafen und horchte auf alles. Nein, erst recht müde werden und dann ein fester Schlaf, das war das beste. Sie schrieb einen Brief an die Mama und ging dann zu der Frau Kruse, deren gemütskranker Zustand – sie hatte das schwarze Huhn oft bis in die Nacht hinein auf ihrem Schoß – ihr Teilnahme einflößte. Die Freundlichkeit indessen, die sich darin aussprach, wurde von der in ihrer überheizten Stube sitzenden und nur still und stumm vor sich hinbrütenden Frau keinen Augenblick erwidert, weshalb Effi, als sie wahrnahm, daß ihr Besuch mehr als Störung wie als Freude empfunden wurde, wieder ging und nur noch fragte, ob die Kranke etwas haben wolle. Diese lehnte aber alles ab.

Inzwischen war es Abend geworden, und die Lampe brannte schon. Effi stellte sich ans Fenster ihres Zimmers und sah auf das Wäldchen hinaus, auf dessen Zweigen der glitzernde Schnee lag. Sie war von dem Bilde ganz in Anspruch genommen und kümmerte sich nicht um das, was hinter ihr in dem Zimmer vorging. Als sie sich wieder umsah, bemerkte sie, daß Friedrich still und geräuschlos ein Kuvert* gelegt und ein Kabarett* auf den Sofatisch gestellt hatte. »Ja so, Abendbrot . . . Da werd' ich mich nun wohl setzen müssen.« Aber es wollte nicht schmecken, und so stand sie wieder auf und las den an die Mama geschriebenen Brief noch einmal durch. Hatte sie schon vorher ein Gefühl der Einsamkeit gehabt, so jetzt doppelt. Was hätte

Hier: Gedeck

Hier: Platte mit kleinen Schüsseln für Salat oder Dessert

Effi Briest

sie darum gegeben, wenn die beiden Jahnkeschen Rotköpfe jetzt eingetreten wären oder selbst Hulda. Die war freilich immer so sentimental und beschäftigte sich meist nur mit ihren Triumphen, aber so zweifelhaft und anfechtbar diese Triumphe waren, sie hätte sich in diesem Augenblicke doch gern davon erzählen lassen. Schließlich klappte sie den Flügel auf, um zu spielen; aber es ging nicht. »Nein, dabei werd' ich vollends melancholisch; lieber lesen.« Und so suchte sie nach einem Buche. Das erste, was ihr zu Händen kam, war ein dickes, rotes Reisehandbuch*, alter Jahrgang, vielleicht schon aus Innstettens Leutnantstagen her. »Ja, darin will ich lesen; es gibt nichts Beruhigenderes als solche Bücher. Das Gefährliche sind bloß immer die Karten; aber vor diesem Augenpulver, das ich hasse, werd' ich mich schon hüten.« Und so schlug sie denn auf gut Glück auf: Seite 153. Nebenan hörte sie das Ticktack der Uhr und draußen Rollo, der, seit es dunkel war, seinen Platz in der Remise* aufgegeben und sich, wie jeden Abend, so auch heute wieder, auf die große geflochtene Matte, die vor dem Schlafzimmer lag, ausgestreckt hatte. Das Bewußtsein seiner Nähe minderte das Gefühl ihrer Verlassenheit, ja, sie kam fast in Stimmung, und so begann sie denn auch unverzüglich zu lesen. Auf der gerade vor ihr aufgeschlagenen Seite war von der »Eremitage*«, dem bekannten markgräflichen Lustschloß in der Nähe von Bayreuth, die Rede; das lockte sie, Bayreuth, Richard Wagner, und so las sie denn: »Unter den Bildern in der Eremitage nennen wir noch eins, das nicht durch seine Schönheit, wohl aber durch sein Alter und durch die Person, die es darstellt, ein Interesse beansprucht. Es ist dies ein stark nachgedunkeltes Frauenporträt, kleiner Kopf, mit herben, etwas unheimlichen Gesichtszügen und einer Halskrause, die den Kopf zu tragen scheint. Einige meinen, es sei eine alte Markgräfin aus dem Ende des fünfzehnten Jahrhunderts, andere sind der Ansicht, es sei die ⌐Gräfin von Orlamünde⌐; darin aber

Hier:
Baedeker
Süddeutschland und
Österreich
(1879[18])

Vgl. 69,26–27.

Das Lustschloss
»Eremitage«
ließ der
Markgraf
Georg
Wilhelm von
Bayern 1718
erbauen.

sind beide einig, daß es das Bildnis der Dame sei, die seither in der Geschichte der Hohenzollern unter dem Namen der ›weißen Frau‹ eine gewisse Berühmtheit erlangt hat.«

»Das hab' ich gut getroffen«, sagte Effi, während sie das Buch beiseite schob; »ich will mir die Nerven beruhigen, und das erste, was ich lese, ist die Geschichte von der ›weißen Frau‹, vor der ich mich gefürchtet habe, solange ich denken kann. Aber da nun das Gruseln mal da ist, will ich doch auch zu Ende lesen.«

Und sie schlug wieder auf und las weiter: ». . . Eben dies alte Porträt (dessen *Original* in der Hohenzollernschen Familiengeschichte solche Rolle spielt) spielt als *Bild* auch eine Rolle in der Spezialgeschichte des Schlosses Eremitage, was wohl damit zusammenhängt, daß es an einer dem Fremden unsichtbaren Tapetentür hängt, hinter der sich eine vom Souterrain* her hinaufführende Treppe befindet. Es heißt, daß, als Napoleon hier übernachtete, die ›weiße Frau‹ aus dem Rahmen herausgetreten und auf sein Bett zugeschritten sei. Der Kaiser, entsetzt auffahrend, habe nach seinem Adjutanten gerufen und bis an sein Lebensende mit Entrüstung von diesem ›maudit château*‹ gesprochen.«

»Ich muß es aufgeben, mich durch Lektüre beruhigen zu wollen«, sagte Effi. »Lese ich weiter, so komm' ich gewiß noch ⌈nach einem Kellergewölbe⌉, wo der Teufel auf einem Weinfaß davongeritten ist. Es gibt, glaub' ich, in Deutschland viel dergleichen, und in einem Reisehandbuch muß es sich natürlich alles zusammenfinden. Ich will also lieber wieder die Augen schließen und mir, so gut es geht, meinen Polterabend vorstellen: die Zwillinge, wie sie vor Tränen nicht weiterkonnten, und dazu den Vetter Briest, der, als sich alles verlegen anblickte, mit erstaunlicher Würde behauptete, solche Tränen öffneten einem das Paradies. Er war wirklich charmant und immer so übermütig . . . Und nun ich! Und gerade hier. Ach, ich tauge doch gar nicht für

Keller-
wohnung

(franz.)
Verfluchtes
Schloss

eine große Dame. Die Mama, ja, die hätte hierher gepaßt, die hätte, wie's einer Landrätin zukommt, den Ton angegeben, und Sidonie Grasenabb wäre ganz Huldigung gegen sie gewesen und hätte sich über ihren Glauben oder Un-
5 glauben nicht groß beunruhigt. Aber ich ... ⌈ich bin ein Kind⌉ und werd' es auch wohl bleiben. Einmal hab' ich gehört, das sei ein Glück. Aber ich weiß doch nicht, ob das wahr ist. Man muß doch immer dahin passen, wohin man nun mal gestellt ist.«

10 In diesem Augenblicke kam Friedrich, um den Tisch abzuräumen.

»Wie spät ist es, Friedrich?«

»Es geht auf neun, gnäd'ge Frau.«

»Nun, das läßt sich hören. Schicken Sie mir Johanna.«

15 »Gnäd'ge Frau haben befohlen.«

»Ja, Johanna. Ich will zu Bett gehen. Es ist eigentlich noch früh. Aber ich bin so allein. Bitte, tun Sie den Brief erst ein, und wenn Sie wieder da sind, nun, dann wird es wohl Zeit sein. Und wenn auch nicht.«

20 Effi nahm die Lampe und ging in ihr Schlafzimmer hinüber. Richtig, auf der Binsenmatte lag Rollo. Als er Effi kommen sah, erhob er sich, um den Platz freizugeben, und strich mit seinem Behang* an ihrer Hand hin. Dann legte er sich wieder nieder.   Hier: Ohren

25 Johanna war inzwischen nach dem Landratsamt hinübergegangen, um da den Brief einzustecken. Sie hatte sich drüben nicht sonderlich beeilt, vielmehr vorgezogen, mit der Frau Paaschen, des Amtsdieners Frau, ein Gespräch zu führen. Natürlich über die junge Frau.

30 »Wie ist sie denn?« fragte die Paaschen.

»Sehr jung ist sie.«

»Nun, das ist kein Unglück, eher umgekehrt. Die Jungen, und das ist eben das Gute, stehen immer bloß vorm Spiegel und zupfen und stecken sich was vor und sehen nicht viel

und hören nicht viel, und sind noch nicht so, daß sie draußen immer die Lichtstümpfe* zählen und einem nicht gönnen, daß man einen Kuß kriegt, bloß weil sie selber keinen
mehr kriegen.«

»Ja«, sagte Johanna, »so war meine vorige Madam, und
ganz ohne Not. Aber davon hat unsere Gnäd'ge nichts.«

»Ist er denn sehr zärtlich?«

»Oh, sehr. Das können Sie doch wohl denken.«

»Aber daß er sie so allein läßt . . .«

»Ja, liebe Paaschen, Sie dürfen nicht vergessen . . . der
Fürst. Und dann, er ist ja doch am Ende Landrat. Und
vielleicht will er auch noch höher.«

»Gewiß, will er. Und er wird auch noch. Er hat so was.
Paaschen sagt es auch immer, und der kennt seine Leute.«

Während dieses Ganges drüben nach dem Amt hinüber
war wohl eine Viertelstunde vergangen, und als Johanna
wieder zurück war, saß Effi schon vor dem Trumeau* und
wartete.

»Sie sind lange geblieben, Johanna.«

»Ja, gnäd'ge Frau . . . Gnäd'ge Frau wollen entschuldigen . . . Ich traf drüben die Frau Paaschen, und da hab' ich
mich ein wenig verweilt. Es ist so still hier. Man ist immer
froh, wenn man einen Menschen trifft, mit dem man ein
Wort sprechen kann. Christel ist eine sehr gute Person, aber
sie spricht nicht, und Friedrich ist so dusig* und auch so
vorsichtig und will mit der Sprache nie recht heraus. Gewiß, man muß auch schweigen können, und die Paaschen,
die so neugierig und so ganz gewöhnlich ist, ist eigentlich
gar nicht nach meinem Geschmack; aber man hat es doch
gern, wenn man mal was hört und sieht.«

Effi seufzte. »Ja, Johanna, das ist auch das beste . . .«

»Gnäd'ge Frau haben so schönes Haar, so lang und so
seidenweich.«

»Ja, es ist sehr weich. Aber das ist nicht gut, Johanna. Wie
das Haar ist, ist der Charakter.«

Vgl. 61,2.

Lichter

schlafmützig,
benommen

84

»Gewiß, gnäd'ge Frau. Und ein weicher Charakter ist doch besser als ein harter. Ich habe auch weiches Haar.«

»Ja, Johanna. Und Sie haben auch blondes. Das haben die Männer am liebsten.«

»Ach, das ist doch sehr verschieden, gnäd'ge Frau. Manche sind doch auch für das schwarze.«

»Freilich«, lachte Effi, »das habe ich auch schon gefunden. Es wird wohl an was ganz anderem liegen. Aber die, die blond sind, die haben auch immer einen weißen Teint, Sie auch, Johanna, und ich möchte mich wohl verwetten, daß Sie viel Nachstellung haben. Ich bin noch sehr jung, aber das weiß ich doch auch. Und dann habe ich eine Freundin, die war auch so blond, ganz flachsblond, noch blonder als Sie, und war eine Predigerstochter . . .«

»Ja, denn . . .«

»Aber ich bitte Sie, Johanna, was meinen Sie mit ›ja denn‹. Das klingt ja ganz anzüglich und sonderbar, und Sie werden doch nichts gegen Predigerstöchter haben . . . Es war ein sehr hübsches Mädchen, was selbst unsere Offiziere – wir hatten nämlich Offiziere, noch dazu rote Husaren – auch immer fanden, und verstand sich dabei sehr gut auf Toilette, schwarzes Sammetmieder und eine Blume, Rose oder auch Heliotrop, und wenn sie nicht so vorstehende große Augen gehabt hätte . . . ach, die hätten Sie sehen sollen, Johanna, wenigstens so groß« (und Effi zog unter Lachen an ihrem rechten Augenlid), »so wäre sie geradezu eine Schönheit gewesen. Sie hieß Hulda, Hulda Niemeyer, und wir waren nicht einmal so ganz intim; aber wenn ich sie jetzt hier hätte und sie da säße, da in der kleinen Sofaecke, so wollte ich bis Mitternacht mit ihr plaudern oder noch länger. Ich habe solche Sehnsucht und . . .«, und dabei zog sie Johannas Kopf dicht an sich heran, ». . . ich habe solche Angst.«

»Ach, das gibt sich, gnäd'ge Frau, die hatten wir alle.«

»Die hattet ihr alle? Was soll das heißen, Johanna?«

»... Und wenn die gnäd'ge Frau wirklich solche Angst haben, so kann ich mir ja ein Lager hier machen. Ich nehme die Strohmatte und kehre einen Stuhl um, daß ich eine Kopflehne habe, und dann schlafe ich hier bis morgen früh oder bis der gnäd'ge Herr wieder da ist.« 5

»Er will mich nicht stören. Das hat er mir eigens versprochen.«

»Oder ich setze mich bloß in die Sofaecke.«

»Ja, das ginge vielleicht. Aber nein, es geht auch nicht. Der Herr darf nicht wissen, daß ich mich ängstige, das liebt er 10 nicht. Er will immer, daß ich tapfer und entschlossen bin, so wie er. Und das kann ich nicht; ich war immer etwas anfällig ... Aber freilich, ich sehe wohl ein, ich muß mich bezwingen und ihm in solchen Stücken und überhaupt zu Willen sein ... Und dann habe ich ja auch Rollo. Der liegt 15 ja vor der Türschwelle.«

Johanna nickte zu jedem Wort und zündete dann das Licht an, das auf Effis Nachttisch stand. Dann nahm sie die Lampe. »Befehlen gnäd'ge Frau noch etwas?«

»Nein, Johanna. Die Läden sind doch fest geschlossen?« 20

»Bloß angelegt, gnäd'ge Frau. Es ist sonst so dunkel und so stickig.«

»Gut, gut.«

Und nun entfernte sich Johanna; Effi aber ging auf ihr Bett zu und wickelte sich in ihre Decken. Sie ließ das Licht bren- 25 nen, weil sie gewillt war, nicht gleich einzuschlafen, vielmehr vorhatte, wie vorhin ihren Polterabend, so jetzt ihre Hochzeitsreise zu rekapitulieren und alles an sich vorüberziehen zu lassen. Aber es kam anders, wie sie gedacht, und als sie bis Verona war und nach dem Hause der Julia Ca- 30 pulet* suchte, fielen ihr schon die Augen zu. Das Stümpfchen Licht in dem kleinen Silberleuchter brannte allmählich nieder, und nun flackerte es noch einmal auf und erlosch.

Effi schlief eine Weile ganz fest. Aber mit einem Male fuhr 35

Titelfigur aus Shakespeares Tragödie *Romeo und Julia* (1597), die in Verona spielt

sie mit einem lauten Schrei aus ihrem Schlafe auf, ja, sie hörte selber noch den Aufschrei und auch wie Rollo draußen anschlug; – »wau, wau« klang es den Flur entlang, dumpf und selber beinah ängstlich. Ihr war, als ob ihr das Herz stillstände; sie konnte nicht rufen, und in diesem Augenblicke huschte was an ihr vorbei, und die nach dem Flur hinausführende Tür sprang auf. Aber eben dieser Moment höchster Angst war auch der ihrer Befreiung, denn statt etwas Schrecklichem kam jetzt Rollo auf sie zu, suchte mit seinem Kopf nach ihrer Hand und legte sich, als er diese gefunden, auf den vor ihrem Bett ausgebreiteten Teppich nieder. Effi selber aber hatte mit der andern Hand dreimal auf den Knopf der Klingel gedrückt, und keine halbe Minute, so war Johanna da, barfüßig, den Rock über dem Arm und ein großes, kariertes Tuch über Kopf und Schulter geschlagen.

»Gott sei Dank, Johanna, daß Sie da sind.«

»Was war denn, gnäd'ge Frau? Gnäd'ge Frau haben geträumt.«

»Ja, geträumt. Es muß so was gewesen sein ... aber es war doch auch noch was anderes.«

»Was denn, gnäd'ge Frau?«

»Ich schlief ganz fest, und mit einem Male fuhr ich auf und schrie ... vielleicht, daß es ein Alpdruck* war ... Alpdruck ist in unserer Familie, mein Papa hat es auch und ängstigt uns damit, und nur die Mama sagt immer, er soll sich nicht so gehen lassen; aber das ist leicht gesagt ... ich fuhr also auf aus dem Schlaf und schrie, und als ich mich umsah, so gut es eben ging in dem Dunkel, da strich was an meinem Bett vorbei, gerade da, wo Sie jetzt stehen, Johanna, und dann war es weg. Und wenn ich mich recht frage, was es war ...«

»Nun was denn, gnäd'ge Frau?«

»Und wenn ich mich recht frage ... ich mag es nicht sagen, Johanna ... aber ich glaube der Chinese.«

Drückendes Gefühl der Angst im Halbschlaf

»Der von oben?« und Johanna versuchte zu lachen, »unser kleiner Chinese, den wir an die Stuhllehne geklebt haben, Christel und ich. Ach, gnäd'ge Frau haben geträumt, und wenn Sie schon wach waren, so war es doch alles noch aus dem Traum.« 5

»Ich würd' es glauben. Aber es war genau derselbe Augenblick, wo Rollo draußen anschlug, der muß es also auch gesehen haben, und dann flog die Tür auf, und das gute, treue Tier sprang auf mich los, als ob es mich zu retten käme. Ach, meine liebe Johanna, es war entsetzlich. Und 10 ich so allein, und so jung. Ach, wenn ich doch wen hier hätte, bei dem ich weinen könnte. Aber so weit von Hause . . . Ach, von Hause . . .«

»Der Herr kann jede Stunde kommen.«

»Nein, er soll nicht kommen; er soll mich so nicht sehen. Er 15 würde mich vielleicht auslachen, und das könnt' ich ihm nie verzeihen. Denn es war so furchtbar, Johanna . . . Sie müssen nun hier bleiben . . . Aber lassen Sie Christel schlafen und Friedrich auch. Es soll es keiner wissen.«

»Oder vielleicht kann ich auch Frau Kruse holen; die 20 schläft doch nicht, die sitzt die ganze Nacht da.«

»Nein, nein, die ist selber so was. Das mit dem schwarzen Huhn, das ist auch so was; die darf nicht kommen. Nein, Johanna, Sie bleiben allein hier. Und wie gut, daß Sie die Läden nur angelegt. Stoßen Sie sie auf, recht laut, daß ich 25 einen Ton höre, einen menschlichen Ton . . . ich muß es so nennen, wenn es auch sonderbar klingt . . . und dann machen Sie das Fenster ein wenig auf, daß ich Luft und Licht habe.« Johanna tat, wie ihr geheißen, und Effi fiel in ihre Kissen zurück und bald danach in einen lethargischen* 30 Schlaf.

Im Sinne von: stumpfen, bleiernen

Zehntes Kapitel

Innstetten war erst sechs Uhr früh von Varzin zurückge-
kommen und hatte sich, Rollos Liebkosungen abwehrend,
so leise wie möglich in sein Zimmer zurückgezogen. Er
5 machte sich's hier bequem und duldete nur, daß ihn Friedrich mit einer Reisedecke zudeckte. »Wecke mich um
neun!« Und um diese Stunde war er denn auch geweckt
worden. Er stand rasch auf und sagte: »Bringe das Frühstück!«
10 »Die gnädige Frau schläft noch.«
»Aber es ist ja schon spät. Ist etwas passiert?«
»Ich weiß es nicht; ich weiß nur, Johanna hat die Nacht
über im Zimmer der gnädigen Frau schlafen müssen.«
»Nun, dann schicke Johanna.«
15 Diese kam denn auch. Sie hatte denselben rosigen Teint wie
immer, schien sich also die Vorgänge der Nacht nicht sonderlich zu Gemüte genommen zu haben.
»Was ist das mit der gnäd'gen Frau? Friedrich sagt mir, es
sei was passiert und Sie hätten drüben geschlafen.«
20 »Ja, Herr Baron. Gnäd'ge Frau klingelte dreimal ganz
rasch hintereinander, daß ich gleich dachte, es bedeutet
was. Und so war es auch. Sie hat wohl geträumt oder vielleicht war es auch das andere.«
»Welches andere?«
25 »Ach, der gnäd'ge Herr wissen ja.«
»Ich weiß nichts. Jedenfalls muß ein Ende damit gemacht
werden. Und wie fanden Sie die Frau?«
»Sie war wie außer sich und hielt das Halsband von Rollo,
der neben dem Bett der gnäd'gen Frau stand, fest umklam-
30 mert, und das Tier ängstigte sich auch.«
»Und was hatte sie geträumt oder, meinetwegen auch, was
hatte sie gehört oder gesehen? Was sagte sie?«
»Es sei so hingeschlichen, dicht an ihr vorbei.«
»Was? Wer?«

»Der von oben. Der aus dem Saal oder aus der kleinen Kammer.«

»Unsinn, sag' ich. Immer wieder das alberne Zeug; ich mag davon nicht mehr hören. Und dann blieben Sie bei der Frau?«

»Ja, gnäd'ger Herr. Ich machte mir ein Lager an der Erde dicht neben ihr. Und ich mußte ihre Hand halten, und dann schlief sie ein.«

»Und sie schläft noch?«

»Ganz fest.«

»Das ist mir ängstlich, Johanna. Man kann sich gesund schlafen, aber auch krank. Wir müssen sie wecken, natürlich vorsichtig, daß sie nicht wieder erschrickt. Und Friedrich soll das Frühstück nicht bringen; ich will warten, bis die gnäd'ge Frau da ist. Und machen Sie's geschickt.«

Eine halbe Stunde später kam Effi. Sie sah reizend aus, ganz blaß, und stützte sich auf Johanna. Als sie aber Innstettens ansichtig wurde, stürzte sie auf ihn zu und umarmte und küßte ihn. Und dabei liefen ihr die Tränen übers Gesicht.

»Ach, Geert, Gott sei Dank, daß du da bist. Nun ist alles wieder gut. Du darfst nicht wieder fort, du darfst mich nicht wieder allein lassen.«

»Meine liebe Effi . . . stellen Sie hin, Friedrich, ich werde schon alles zurechtmachen . . . meine liebe Effi, ich lasse dich ja nicht allein aus Rücksichtslosigkeit oder Laune, sondern weil es so sein muß; ich habe keine Wahl, ich bin ein Mann im Dienst, ich kann zum Fürsten oder auch zur Fürstin nicht sagen: Durchlaucht, ich kann nicht kommen, meine Frau ist so allein oder meine Frau fürchtet sich. Wenn ich das sagte, würden wir in einem ziemlich komischen Lichte dastehen, ich gewiß, und du auch. Aber nimm erst eine Tasse Kaffee.«

Effi trank, was sie sichtlich belebte. Dann ergriff sie wieder ihres Mannes Hand und sagte: »Du sollst recht haben; ich sehe ein, das geht nicht. Und dann wollen wir ja auch höher hinauf. Ich sage wir, denn ich bin eigentlich begieriger danach als du . . .«

»So sind alle Frauen«, lachte Innstetten.

»Also abgemacht; du nimmst die Einladungen an nach wie vor, und ich bleibe hier und warte auf meinen ›hohen Herrn‹, wobei mir Hulda unterm Holunderbaum* einfällt. Vgl. 47,21. Wie's ihr wohl gehen mag?«

»Damen wie Hulda geht es immer gut. Aber was wolltest du noch sagen?«

»Ich wollte sagen, ich bleibe hier und auch allein, wenn es sein muß. Aber nicht in diesem Hause. Laß uns die Wohnung wechseln. Es gibt so hübsche Häuser am Bollwerk, eins zwischen Konsul Martens und Konsul Grützmacher und eins am Markt, gerade gegenüber von Gieshübler; warum können wir da nicht wohnen? Warum gerade hier? Ich habe, wenn wir Freunde und Verwandte zum Besuch hatten, oft gehört, daß in Berlin Familien ausziehen wegen Klavierspiel oder wegen Schaben oder wegen einer unfreundlichen Portiersfrau; wenn das um solcher Kleinigkeit willen geschieht . . .«

»Kleinigkeiten? Portiersfrau? Das sage nicht . . .«

»Wenn das um solcher Dinge willen möglich ist, so muß es doch auch hier möglich sein, wo du Landrat bist und die Leute dir zu Willen sind und viele selbst zu Dank verpflichtet. Gieshübler würde uns gewiß dabei behülflich sein, wenn auch nur um meinetwegen, denn er wird Mitleid mit mir haben. Und nun sage, Geert, wollen wir dies verwunschene Haus aufgeben, dies Haus mit dem . . .«

». . . Chinesen willst du sagen. Du siehst, Effi, man kann das furchtbare Wort aussprechen, ohne daß er erscheint. Was du da gesehen hast oder was da, wie du meinst, an deinem Bett vorüberschlich, das war der kleine Chinese, den die Mädchen oben an die Stuhllehne geklebt haben; ich wette, daß er einen blauen Rock anhatte und einen ganz flachen Deckelhut mit einem blanken Knopf oben.«

Sie nickte.

»Nun siehst du, Traum, Sinnestäuschung. Und dann wird dir Johanna wohl gestern abend was erzählt haben, von der Hochzeit hier oben . . .«

»Nein.«

»Desto besser.«

»Kein Wort hat sie mir erzählt. Aber ich sehe doch aus dem allen, daß es hier etwas Sonderbares gibt. Und dann das Krokodil; es ist alles so unheimlich hier.«

»Den ersten Abend, als du das Krokodil sahst, fandest du's märchenhaft . . .«

»Ja, damals . . .«

». . . Und dann, Effi, kann ich hier nicht gut fort, auch wenn es möglich wäre, das Haus zu verkaufen oder einen Tausch zu machen. Es ist damit ganz wie mit einer Absage nach Varzin hin. Ich kann hier in der Stadt die Leute nicht sagen lassen, Landrat Innstetten verkauft sein Haus, weil seine Frau den aufgeklebten Chinesen als Spuk an ihrem Bette gesehen hat. Dann bin ich verloren, Effi. Von solcher Lächerlichkeit kann man sich nie wieder erholen.«

»Ja, Geert, bist du denn so sicher, daß es so was nicht gibt?«

»Will ich nicht behaupten. Es ist eine Sache, die man glauben und noch besser nicht glauben kann. Aber angenommen, es gäbe dergleichen, was schadet es? Daß in der Luft Bazillen herumfliegen, von denen du gehört haben wirst, ist viel schlimmer und gefährlicher als diese ganze Geistertummelage*. Vorausgesetzt, daß sie sich tummeln, daß so was wirklich existiert. Und dann bin ich überrascht, solcher Furcht und Abneigung gerade bei *dir* zu begegnen, ⌈bei einer Briest⌉. Das ist ja, wie wenn du aus einem kleinen Bürgerhaus stammtest. Spuk ist ein Vorzug, wie Stammbaum und dergleichen, und ich kenne Familien, die sich ebensogern ihr Wappen nehmen ließen als ihre ›weiße Frau‹, die natürlich auch eine schwarze sein kann.«

Geisterbewegungen

5

10

15

20

25

30

35

Effi schwieg.

»Nun, Effi. Keine Antwort?«

»Was soll ich antworten? Ich habe dir nachgegeben und mich willig gezeigt, aber ich finde doch, daß du deinerseits teilnahmsvoller sein könntest. Wenn du wüßtest, wie mir gerade danach verlangt. Ich habe sehr gelitten, wirklich sehr, und als ich dich sah, da dacht' ich, nun würd' ich frei werden von meiner Angst. Aber du sagst mir bloß, daß du nicht Lust hättest, dich lächerlich zu machen, nicht vor dem Fürsten und auch nicht vor der Stadt. Das ist ein geringer Trost. Ich finde es wenig und um so weniger, als du dir schließlich auch noch widersprichst und nicht bloß persönlich an diese Dinge zu glauben scheinst, sondern auch noch einen adligen Spukstolz von mir forderst. Nun, den hab' ich nicht. Und wenn du von Familien sprichst, denen ihr Spuk so viel wert sei wie ihr Wappen, so ist das Geschmackssache; mir gilt mein Wappen mehr. Gott sei Dank haben wir Briests keinen Spuk. Die Briests waren immer sehr gute Leute, und damit hängt es wohl zusammen.«

Der Streit hätte wohl noch angedauert und vielleicht zu einer ersten ernstlichen Verstimmung geführt, wenn Friedrich nicht eingetreten wäre, um der gnädigen Frau einen Brief zu überreichen. »Von Herrn Gieshübler. Der Bote wartet auf Antwort.«

Aller Unmut auf Effis Antlitz war sofort verschwunden; schon bloß Gieshüblers Namen zu hören, tat Effi wohl, und ihr Wohlgefühl steigerte sich, als sie jetzt den Brief musterte. Zunächst war es gar kein Brief, sondern ein Billet*, die Adresse »Frau Baronin von Innstetten, geb. von Briest« in wundervoller Kanzleihandschrift, und statt des Siegels ein aufgeklebtes Bildchen, eine Lyra*, darin ein Stab steckte. Dieser Stab konnte aber auch ein Pfeil sein. Sie reichte das Billet ihrem Manne, der es ebenfalls bewunderte.

(franz.) Briefchen

Antikes Zupfinstrument

»Nun lies aber.«

Hier: Siegel-blättchen

Und nun löste Effi die Oblate* und las: »Hochverehrteste Frau, gnädigste Frau Baronin! Gestatten Sie mir, meinem respektvollsten Vormittagsgruß eine ganz gehorsamste Bitte hinzufügen zu dürfen. Mit dem Mittagszuge wird eine vieljährige liebe Freundin von mir, eine Tochter unserer guten Stadt Kessin, Fräulein ⌈Marietta Trippelli⌉, hier eintreffen und bis morgen früh unter uns weilen. Am 17. will sie in Petersburg sein, um daselbst bis Mitte Januar zu konzertieren. Fürst Kotschukoff öffnet ihr auch diesmal wieder sein gastliches Haus. In ihrer immer gleichen Güte gegen mich hat die Trippelli mir zugesagt, den heutigen Abend bei mir zubringen und einige Lieder ganz nach meiner Wahl (denn sie kennt keine Schwierigkeiten) vortragen zu wollen. Könnten sich Frau Baronin dazu verstehen, diesem Musikabende beizuwohnen? Sieben Uhr. Ihr Herr Gemahl, auf dessen Erscheinen ich mit Sicherheit rechne, wird meine gehorsamste Bitte unterstützen. Anwesend nur Pastor Lindequist (der begleitet) und natürlich die verwitwete Frau Pastorin Trippel. In vorzüglicher Ergebenheit A. Gieshübler.«

»Nun –«, sagte Innstetten, »ja oder nein?«

»Natürlich ja. Das wird mich herausreißen. Und dann kann ich doch meinem lieben Gieshübler nicht gleich bei seiner ersten Einladung einen Korb geben.«

»Einverstanden. Also Friedrich, sagen Sie Mirambo, der doch wohl das Billet gebracht haben wird, wir würden die Ehre haben.«

Friedrich ging. Als er fort war, fragte Effi: »Wer ist Mirambo?«

»Der echte Mirambo ist Räuberhauptmann in Afrika ... Tanganjika-See, wenn deine Geographie so weit reicht ... unserer aber ist bloß Gieshüblers ⌈Kohlenprovisor⌉ und

Vgl. Erl. zu 17,1–2.

Faktotum* und wird heute abend in Frack und baumwollenen Handschuhen sehr wahrscheinlich aufwarten.«

Es war ganz ersichtlich, daß der kleine Zwischenfall auf
Effi günstig eingewirkt und ihr ein gut Teil ihrer Leichtle-
bigkeit zurückgegeben hatte, Innstetten aber wollte das seine tun, diese Rekonvaleszenz* zu steigern. »Ich freue mich,

Zeit der
Genesung

5 daß du ja gesagt hast und so rasch und ohne Besinnen, und
nun möcht' ich dir noch einen Vorschlag machen, um dich
ganz wieder in Ordnung zu bringen. Ich sehe wohl, es
schleicht dir noch von der Nacht her etwas nach, das zu
meiner Effi nicht paßt, das durchaus wieder fort muß, und
10 dazu gibt es nichts Besseres als frische Luft. Das Wetter ist
prachtvoll, frisch und milde zugleich, kaum daß ein Lüft-
chen geht; was meinst du, wenn wir eine Spazierfahrt
machten, aber eine lange, nicht bloß so durch die Plantage
hin, und natürlich im Schlitten, und das Geläut auf und die
15 weißen Schneedecken, und wenn wir dann um vier zurück
sind, dann ruhst du dich aus, und um sieben sind wir bei
Gieshübler und hören die Trippelli.«
Effi nahm seine Hand. »Wie gut du bist, Geert, und wie
nachsichtig. Denn ich muß dir ja kindisch oder doch we-
20 nigstens sehr kindlich vorgekommen sein; erst das mit meiner Angst und dann hinterher, daß ich dir einen Hausver-
kauf, und was noch schlimmer ist, das mit dem Fürsten
ansinne. Du sollst ihm den Stuhl vor die Tür setzen – es ist
zum Lachen. Denn schließlich ist er doch der Mann, der
25 über uns entscheidet. Auch über mich. Du glaubst gar
nicht, wie ehrgeizig ich bin. Ich habe dich eigentlich bloß
aus Ehrgeiz geheiratet. Aber du mußt nicht solch ernstes
Gesicht dabei machen. Ich liebe dich ja ... wie heißt es
doch, wenn man einen Zweig abbricht und die Blätter ab-
30 reißt? Von Herzen, mit Schmerzen, über alle Maßen.«
Und sie lachte hell auf. »Und nun sage mir«, fuhr sie fort,
als Innstetten noch immer schwieg, »wo soll es hingehen?«
»Ich habe mir gedacht, nach der Bahnstation, aber auf ei-
35 nem Umwege, und dann auf der Chaussee zurück. Und auf

der Station essen wir oder noch besser bei Golchowski, in dem Gasthofe ›Zum Fürsten Bismarck‹, dran wir, wenn du dich vielleicht erinnerst, am Tage unserer Ankunft vorüberkamen. Solch Vorsprechen wirkt immer gut, und ich habe dann mit dem Starosten* von Effis Gnaden ein Wahlgespräch, und wenn er auch persönlich nicht viel taugt, seine Wirtschaft hält er in Ordnung und seine Küche noch besser. Auf Essen und Trinken verstehen sich die Leute hier.«

Vgl. 51,26.

Es war gegen elf, daß sie dies Gespräch führten. Um zwölf hielt Kruse mit dem Schlitten vor der Tür, und Effi stieg ein. Johanna wollte Fußsack und Pelze bringen, aber Effi hatte nach allem, was noch auf ihr lag, so sehr das Bedürfnis nach frischer Luft, daß sie alles zurückwies und nur eine doppelte Decke nahm. Innstetten aber sagte zu Kruse: »Kruse, wir wollen nun also nach dem Bahnhof, wo wir zwei beide heute früh schon mal waren. Die Leute werden sich wundern, aber es schadet nichts. Ich denke, wir fahren hier an der Plantage lang und dann links auf den Kroschentiner Kirchturm zu. Lassen Sie die Pferde laufen. Um eins müssen wir am Bahnhof sein.«

Und so ging die Fahrt. Über den weißen Dächern der Stadt stand der Rauch, denn die Luftbewegung war gering. Auch Utpatels Mühle drehte sich nur langsam, und im Fluge fuhren sie daran vorüber, dicht am Kirchhofe hin, dessen Berberitzensträucher* über das Gitter hinauswuchsen und mit ihren Spitzen Effi streiften, so daß der Schnee auf ihre Reisedecke fiel. An der anderen Seite des Wegs war ein eingefriedeter Platz, nicht viel größer als ein Gartenbeet, und innerhalb nichts sichtbar als eine junge Kiefer, die mitten daraus hervorragte.

Dorniger Strauch mit roten, säuerlich schmeckenden Beeren

»Liegt da auch wer begraben?« fragte Effi.

»Ja. Der Chinese.«

Effi fuhr zusammen; es war ihr wie ein Stich. Aber sie hatte doch Kraft genug, sich zu beherrschen, und fragte mit anscheinender Ruhe: »Unserer?«

»Ja, unserer. Auf dem Gemeindekirchhof war er natürlich nicht unterzubringen, und da hat denn Kapitän Thomsen, der so was wie sein Freund war, diese Stelle gekauft und ihn hier begraben lassen. Es ist auch ein Stein da mit Inschrift. Alles vor meiner Zeit. Aber es wird noch immer davon gesprochen.«

»Also es ist doch was damit. Eine Geschichte. Du sagtest schon heute früh so was. Und es wird am Ende das beste sein, ich höre, was es ist. Solang ich es nicht weiß, bin ich, trotz aller guten Vorsätze, doch immer ein Opfer meiner Vorstellungen. Erzähle mir das Wirkliche. Die Wirklichkeit kann mich nicht so quälen, wie meine Phantasie.«

»Bravo, Effi. Ich wollte nicht davon sprechen. Aber nun macht es sich so von selbst, und das ist gut. Übrigens ist es eigentlich gar nichts.«

»Mir gleich; gar nichts oder viel oder wenig. Fange nur an.«

»Ja, das ist leicht gesagt. Der Anfang ist immer das schwerste, auch bei Geschichten. Nun, ich denke, ich beginne mit Kapitän Thomsen.«

»Gut, gut.«

»Also Thomsen, den ich dir schon genannt habe, war viele Jahre lang ein sogenannter Chinafahrer, immer mit Reisfracht zwischen Schanghai und Singapur, und mochte wohl schon sechzig sein, als er hier ankam. Ich weiß nicht, ob er hier geboren war oder ob er andere Beziehungen hier hatte. Kurz und gut, er war nun da und verkaufte sein Schiff, einen alten Kasten, draus er nicht viel herausschlug, und kaufte sich ein Haus, dasselbe, drin wir jetzt wohnen. Denn er war draußen in der Welt ein vermögender Mann geworden. Und von daher schreibt sich auch das Krokodil und der Haifisch und natürlich auch das Schiff ... Also Thomsen war nun da, ein sehr adretter* Mann (so wenigstens hat man mir gesagt) und wohlgelitten. Auch beim Bürgermeister Kirstein, und vor allem bei dem damaligen

* gewandter, schmucker, anständiger

Pastor in Kessin, einem Berliner, der kurz vor Thomsen auch hierher gekommen war und viel Anfeindung hatte.«

»Glaub' ich. Ich merke das auch; sie sind hier so streng und selbstgerecht. Ich glaube, das ist pommersch.«

»Ja und nein, je nachdem. Es gibt auch Gegenden, wo sie gar nicht streng sind und wo's drunter und drüber geht . . . Aber sieh nur, Effi, da haben wir gerade den Kroschentiner Kirchturm dicht vor uns. Wollen wir nicht den Bahnhof aufgeben und lieber bei der alten Frau von Grasenabb vorfahren? Sidonie, wenn ich recht berichtet bin, ist nicht zu Hause. Wir könnten es also wagen . . .«

»Ich bitte dich, Geert, wo denkst du hin? Es ist ja himmlisch, so hinzufliegen, und ich fühle ordentlich, wie mir so frei wird und wie alle Angst von mir abfällt. Und nun soll ich das alles aufgeben, bloß um den alten Leuten eine Stippvisite zu machen und ihnen sehr wahrscheinlich eine Verlegenheit zu schaffen. Um Gottes willen nicht. Und dann will ich vor allem auch die Geschichte hören. Also wir waren bei Kapitän Thomsen, den ich mir als einen Dänen oder Engländer denke, sehr sauber, mit weißen ⌐Vatermördern⌐ und ganz weißer Wäsche . . .«

»Ganz richtig. So soll er gewesen sein. Und mit ihm war eine junge Person von etwa zwanzig, von der einige sagen, sie sei seine Nichte gewesen, aber die meisten sagen seine Enkelin, was übrigens den Jahren nach kaum möglich. Und außer der Enkelin oder der Nichte war da auch noch ein Chinese, derselbe, der da zwischen den Dünen liegt und an dessen Grab wir eben vorübergekommen sind.«

»Gut, gut.«

»Also dieser Chinese war Diener bei Thomsen, und Thomsen hielt so große Stücke auf ihn, daß er eigentlich mehr Freund als Diener war. Und das ging so Jahr und Tag. Da mit einem Mal hieß es, Thomsens Enkelin, die, glaub' ich, Nina hieß, solle sich, nach des Alten Wunsche, verheiraten, auch mit einem Kapitän. Und richtig, so war es auch. Es

gab eine große Hochzeit im Hause, der Berliner Pastor tat
sie zusammen, und Müller Urpatel, der ein Konventikler* ^(Angehöriger
war, und Gieshübler, dem man in der Stadt in kirchlichen ^(einer reli-
Dingen auch nicht recht traute, waren geladen, und vor ^(giösen Sekte)
5 allem viele Kapitäne mit ihren Frauen und Töchtern. Und
wie man sich denken kann, es ging hoch her. Am Abend
aber war Tanz, und die Braut tanzte mit jedem und zuletzt
auch mit dem Chinesen. Da mit einem Mal hieß es, sie sei
fort, die Braut nämlich. Und sie war auch wirklich fort,
10 irgendwohin, und niemand weiß, was da vorgefallen. Und
nach vierzehn Tagen starb der Chinese; Thomsen kaufte
die Stelle, die ich dir gezeigt habe, und da wurd' er begraben. Der Berliner Pastor aber soll gesagt haben: Man hätte
ihn auch ruhig auf dem christlichen Kirchhof begraben
15 können, denn der Chinese sei ein sehr guter Mensch gewesen und geradesogut wie die anderen. Wen er mit den
›anderen‹ eigentlich gemeint hat, sagte mir Gieshübler, das
wisse man nicht recht.«

»Aber ich bin in dieser Sache doch ganz und gar gegen den
20 Pastor; so was darf man nicht aussprechen, weil es gewagt
und unpassend ist. Das würde selbst Niemeyer nicht gesagt
haben.«

»Und ist auch dem armen Pastor, der übrigens Trippel
hieß, sehr verdacht worden, so daß es eigentlich ein Glück
25 war, daß er drüber hinstarb, sonst hätte er seine Stelle verloren. Denn die Stadt, trotzdem sie ihn gewählt, war doch
auch gegen ihn, gerade so wie du, und das Konsistorium* ^(Hier: ev.
natürlich erst recht.« ^(Kirchen-
^(behörde)

»Trippel sagst du? Dann hängt er am Ende mit der Frau
30 Pastor Trippel zusammen, die wir heute abend sehen sollen?«

»Natürlich hängt er mit der zusammen. Er war ihr Mann
und ist der Vater von der Trippelli.«

Effi lachte. »Von der Trippelli! Nun sehe ich erst klar in
35 allem. Daß sie in Kessin geboren, schrieb ja schon Gies-

hübler; aber ich dachte, sie sei die Tochter von einem italienischen Konsul. Wir haben ja so viele fremdländische Namen hier. Und nun ist sie gut deutsch und stammt von Trippel. Ist sie denn so vorzüglich, daß sie wagen konnte, sich so zu italienisieren*?«

sich italienisch machen

»Dem Mutigen gehört die Welt. Übrigens ist sie ganz tüchtig. Sie war ein paar Jahr lang in Paris bei der berühmten Viardot*, wo sie auch den russischen Fürsten kennenlernte, denn die russischen Fürsten sind sehr aufgeklärt, über kleine Standesvorurteile weg, und Kotschukoff und Gieshübler – den sie übrigens ›Onkel‹ nennt, und man kann fast von ihm sagen, er sei der geborne Onkel –, diese beiden sind es recht eigentlich, die die kleine Marie Trippel zu dem gemacht haben, was sie jetzt ist. Gieshübler war es, durch den sie nach Paris kam, und Kotschukoff hat sie dann in die Trippelli transponiert.«

Pauline Viardot-Garcia (1821–1910), franz. Opernsängerin und Pianistin

»Ach, Geert, wie reizend ist das alles und welch Alltagsleben habe ich doch in Hohen-Cremmen geführt! Nie was Apartes*.«

Vgl. Erl. zu 28,26.

Innstetten nahm ihre Hand und sagte: »So darfst du nicht sprechen, Effi. Spuk, dazu kann man sich stellen, wie man will. Aber hüte dich vor dem Aparten oder was man so das Aparte nennt. Was dir so verlockend erscheint – und ich rechne auch ein Leben dahin, wie's die Trippelli führt –, das bezahlt man in der Regel mit seinem Glück. Ich weiß wohl, wie sehr du dein Hohen-Cremmen liebst und daran hängst, aber du spottest doch auch oft darüber und hast keine Ahnung davon, was stille Tage, wie die Hohen-Cremmner, bedeuten.«

»Doch, doch«, sagte sie. »Ich weiß es wohl. Ich höre nur gern einmal von etwas anderem, und dann wandelt mich die Lust an, mit dabei zu sein. Aber du hast ganz recht. Und eigentlich hab' ich doch eine Sehnsucht nach Ruh' und Frieden.«

Innstetten drohte ihr mit dem Finger. »Meine einzig liebe

Effi, das denkst du dir nun auch wieder so aus. Immer Phantasien, mal so, mal so.«

Elftes Kapitel

Die Fahrt verlief ganz wie geplant. Um ein Uhr hielt der Schlitten unten am Bahndamm vor dem Gasthause »Zum Fürsten Bismarck«, und Golchowski, glücklich, den Landrat bei sich zu sehen, war beflissen, ein vorzügliches ⌈Dejeuner⌉ herzurichten. Als zuletzt das Dessert und der Ungarwein* aufgetragen wurden, rief Innstetten den von Zeit zu Zeit erscheinenden und nach der Ordnung sehenden Wirt heran und bat ihn, sich mit an den Tisch zu setzen und ihnen was zu erzählen. Dazu war Golchowski denn auch der rechte Mann; auf zwei Meilen in der Runde wurde kein Ei gelegt, von dem er nicht wußte. Das zeigte sich auch heute wieder. Sidonie Grasenabb, Innstetten hatte recht vermutet, war, wie vorige Weihnachten, so auch diesmal wieder auf vier Wochen zu »Hofpredigers« gereist; Frau von Palleske, so hieß es weiter, habe ihre Jungfer wegen einer fatalen Geschichte Knall und Fall entlassen müssen, und mit dem alten Fraude steh' es schlecht – es werde zwar in Kurs gesetzt*, er sei bloß ausgeglitten, aber es sei ein Schlaganfall gewesen, und der Sohn, der in Lissa* bei den Husaren stehe, werde jede Stunde erwartet. Nach diesem Geplänkel war man dann, zu Ernsthafterem übergehend, auf Varzin gekommen. »Ja«, sagte Golchowski, »wenn man sich den Fürsten so als ⌈Papiermüller⌉ denkt! Es ist doch alles sehr merkwürdig; eigentlich kann er die Schreiberei nicht leiden, und das bedruckte Papier erst recht nicht, und nun legt er doch selber eine Papiermühle an.« »Schon recht, lieber Golchowski«, sagte Innstetten, »aber aus solchen Widersprüchen kommt man im Leben nicht heraus. Und da hilft auch kein Fürst und keine Größe.«

Dessertwein

gesagt
Garnisonsstadt, in dem ein Teil des Leibhusaren-Regiments Kaiserin Nr. 2 stationiert war

»Nein, nein, da hilft keine Größe.«

Wahrscheinlich, daß sich dies Gespräch über den Fürsten noch fortgesetzt hätte, wenn nicht in eben diesem Augenblicke die von der Bahn her herüberklingende Signalglocke einen bald eintreffenden Zug angemeldet hätte. Innstetten sah nach der Uhr.

»Welcher Zug ist das, Golchowski?«

»Das ist der Danziger Schnellzug; er hält hier nicht, aber ich gehe doch immer hinauf und zähle die Wagen, und mitunter steht auch einer am Fenster, den ich kenne. Hier gleich hinter meinem Hofe führt eine Treppe den Damm hinauf, Wärterhaus 417 . . .«

»Oh, das wollen wir uns zunutze machen«, sagte Effi. »Ich sehe so gern Züge . . .«

»Dann ist es die höchste Zeit, gnäd'ge Frau.«

Und so machten sich denn alle drei auf den Weg und stellten sich, als sie oben waren, in einem neben dem Wärterhause gelegenen Gartenstreifen auf, der jetzt freilich unter Schnee lag, aber doch eine freigeschaufelte Stelle hatte. Der Bahnwärter stand schon da, die Fahne in der Hand. Und jetzt jagte der Zug über das Bahnhofsgeleise hin und im nächsten Augenblick an dem Häuschen und an dem Gartenstreifen vorüber. Effi war so erregt, daß sie nichts sah und nur dem letzten Wagen, auf dessen Höhe ein Bremser saß, ganz wie benommen nachblickte.

»Sechs Uhr fünfzig ist er in Berlin«, sagte Innstetten, »und noch eine Stunde später, so können ihn die Hohen-Cremmner, wenn der Wind so steht, in der Ferne vorbeiklappern hören. Möchtest du mit, Effi?«

Sie sagte nichts. Als er aber zu ihr hinüberblickte, sah er, daß eine Träne in ihrem Auge stand.

Effi war, als der Zug vorbeijagte, von einer herzlichen Sehnsucht erfaßt worden. So gut es ihr ging, sie fühlte sich trotzdem wie in einer fremden Welt. Wenn sie sich eben

noch an dem einen oder andern entzückt hatte, so kam ihr
doch gleich nachher zum Bewußtsein, was ihr fehlte. Da
drüben lag Varzin, und da nach der anderen Seite hin blitzte der Kroschentiner Kirchturm auf, und weit hin der Mor-
genitzer, und da saßen die Grasenabbs und die Borckes,
nicht die Bellings und *nicht* die Briests. »Ja, *die*!« Innstetten
hatte ganz recht gehabt mit dem raschen Wechsel ihrer
Stimmung, und sie sah jetzt wieder alles, was zurücklag,
wie in einer Verklärung. Aber so gewiß sie voll Sehnsucht
dem Zuge nachgesehen, sie war doch andererseits viel zu
beweglichen Gemüts, um lange dabei zu verweilen, und
schon auf der Heimfahrt, als der rote Ball der niedergehen-
den Sonne seinen Schimmer über den Schnee ausgoß, fühlte sie sich wieder freier; alles erschien ihr schön und frisch,
und als sie, nach Kessin zurückgekehrt, fast mit dem Glok-
kenschlage sieben in den Gieshüblerschen Flur eintrat, war
ihr nicht bloß behaglich, sondern beinah übermütig zu
Sinn, wozu die das Haus durchziehende ⌐Baldrian- und
Veilchenwurzelluft⌐ das ihrige beitragen mochte.

Pünktlich waren Innstetten und Frau erschienen, aber trotz
dieser Pünktlichkeit immer noch hinter den anderen Ge-
ladenen zurückgeblieben; Pastor Lindequist, die alte Frau
Trippel und die Trippelli selbst waren schon da. Gieshübler – im blauen Frack mit mattgoldenen Knöpfen, dazu
Pincenez* an einem breiten, schwarzen Bande, das wie ein
Ordensband auf der blendendweißen Piquéweste* lag –
Gieshübler konnte seiner Erregung nur mit Mühe Herr
werden. »Darf ich die Herrschaften miteinander bekannt
machen; Baron und Baronin Innstetten, Frau Pastor Trippel, Fräulein Marietta Trippelli.« Pastor Lindequist, den
alle kannten, stand lächelnd beiseite.

Die Trippelli, Anfang der Dreißig, stark männlich und von
ausgesprochen humoristischem Typus, hatte bis zu dem
Momente der Vorstellung den Sofa-Ehrenplatz innege-
habt. Nach der Vorstellung aber sagte sie, während sie auf

Bügellose
Brille, Zwicker

Baumwoll-
weste

einen in der Nähe stehenden Stuhl mit hoher Lehne zuschritt: »Ich bitte Sie nunmehro, gnäd'ge Frau, die Bürden und Fährlichkeiten Ihres Amtes auf sich nehmen zu wollen. Denn von ›Fährlichkeiten‹« – und sie wies auf das Sofa – »wird sich in diesem Falle wohl sprechen lassen. Ich habe Gieshübler schon vor Jahr und Tag darauf aufmerksam gemacht, aber leider vergeblich; so gut er ist, so eigensinnig ist er auch.«

»Aber Marietta . . .«

»Dies Sofa nämlich, dessen Geburt um wenigstens fünfzig Jahre zurückliegt, ist noch nach einem altmodischen Versenkungsprinzip gebaut, und wer sich ihm anvertraut, ohne vorher einen Kissenturm untergeschoben zu haben, sinkt ins Bodenlose, jedenfalls aber gerade tief genug, um die Knie wie ein Monument aufragen zu lassen.« All dies wurde seitens der Trippelli mit ebensoviel Bonhommie wie Sicherheit hingesprochen, in einem Tone, der ausdrücken sollte: »Du bist die Baronin Innstetten, ich bin die Trippelli.«

Gieshübler liebte seine Künstlerfreundin enthusiastisch und dachte hoch von ihren Talenten; aber all seine Begeisterung konnte ihn doch nicht blind gegen die Tatsache machen, daß ihr von gesellschaftlicher Feinheit nur ein bescheidenes Maß zuteil geworden war. Und diese Feinheit war gerade das, was er persönlich kultivierte. »Liebe Marietta«, nahm er das Wort, »Sie haben eine so reizend heitere Behandlung solcher Fragen; aber was mein Sofa betrifft, so haben Sie wirklich unrecht, und jeder Sachverständige mag zwischen uns entscheiden. Selbst ein Mann wie Fürst Kotschukoff . . .«

»Ach, ich bitte Sie, Gieshübler, lassen Sie doch *den*. Immer Kotschukoff. Sie werden mich bei der gnäd'gen Frau hier noch in den Verdacht bringen, als ob ich bei diesem Fürsten – der übrigens nur zu den kleineren zählt und nicht mehr als tausend Seelen* hat, das heißt *hatte* (früher*, wo

Einwohner

Zeit vor der Aufhebung der Leibeigenschaft in Rußland 1861

die Rechnung noch nach Seelen ging) –, als ob ich stolz wäre, seine ⌜tausendundeinste⌝ Seele zu sein. Nein, es liegt wirklich anders; ›immer freiweg‹, Sie kennen meine Devise, Gieshübler. Kotschukoff ist ein guter Kamerad und mein Freund, aber von Kunst und ähnlichen Sachen versteht er gar nichts, von Musik gewiß nicht, wiewohl er Messen und Oratorien komponiert – die meisten russischen Fürsten, wenn sie Kunst treiben, fallen ein bißchen nach der geistlichen oder orthodoxen Seite hin –, und zu den vielen Dingen, von denen er nichts versteht, gehören auch unbedingt Einrichtungs- und Tapezierfragen. Er ist gerade vornehm genug, um sich alles als schön aufreden zu lassen, was bunt aussieht und viel Geld kostet.«

Innstetten amüsierte sich, und Pastor Lindequist war in einem allersichtlichsten Behagen. Die gute alte Trippel aber geriet über den ungenierten Ton ihrer Tochter aus einer Verlegenheit in die andere, während Gieshübler es für angezeigt hielt, eine so schwierig werdende Unterhaltung zu kupieren*. Dazu waren etliche Gesangspiecen* das beste. Daß Marietta Lieder von anfechtbarem Inhalt wählen würde, war nicht anzunehmen, und selbst wenn dies sein sollte, so war ihre Vortragskunst so groß, daß der Inhalt dadurch geadelt wurde. »Liebe Marietta«, nahm er also das Wort, »ich habe unser kleines Mahl zu acht Uhr bestellt. Wir hätten also noch drei Viertelstunden, wenn Sie nicht vielleicht vorziehen, während Tisch ein heitres Lied zu singen oder vielleicht erst, wenn wir von Tisch aufgestanden sind . . .«

»Ich bitte Sie, Gieshübler! Sie, der Mann der Ästhetik*. Es gibt nichts Unästhetischeres als einen Gesangsvortrag mit vollem Magen. Außerdem – und ich weiß, Sie sind ein Mann der ausgesuchten Küche, ja, Gourmand* –, außerdem schmeckt es besser, wenn man die Sache hinter sich hat. Erst Kunst und dann Nußeis, das ist die richtige Reihenfolge.«

Hier: abzubrechen

Gesangsstücke

Freund der schönen Künste

(franz.) Schlemmer

»Also ich darf Ihnen die Noten bringen, Marietta?«

»Noten bringen. Ja, was heißt das, Gieshübler? Wie ich Sie kenne, werden Sie ganze Schränke voll Noten haben, und

Bekannte Berliner Musikalien- handlung

ich kann Ihnen doch nicht den ganzen Bock und Bote* vorspielen. Noten! *Was* für Noten, Gieshübler, darauf kommt 5 es an. Und dann, daß es richtig liegt, Altstimme . . .«

»Nun, ich werde schon bringen.«

Und er machte sich an einem Schranke zu schaffen, ein Fach nach dem andern herausziehend, während die Trippelli ihren Stuhl weiter links um den Tisch herum schob, so 10 daß sie nun dicht neben Effi saß.

»Ich bin neugierig, was er bringen wird«, sagte sie. Effi geriet dabei in eine kleine Verlegenheit.

»Ich möchte annehmen«, antwortete sie befangen, »etwas

Christoph Willibald Gluck (1714–1787), Komponist

von Gluck*, etwas ausgesprochen Dramatisches . . . Über- 15 haupt, mein gnädigstes Fräulein, wenn ich mir die Bemerkung erlauben darf, ich bin überrascht zu hören, daß Sie lediglich Konzertsängerin sind. Ich dächte, daß Sie, wie wenige, für die Bühne berufen sein müßten. Ihre Erscheinung, Ihre Kraft, Ihr Organ . . . ich habe noch so wenig 20 derart kennengelernt, immer nur auf kurzen Besuchen in Berlin . . . und dann war ich noch ein halbes Kind. Aber ich dachte ⌜›Orpheus‹ oder ›Chrimhild‹ oder die ›Vestalin‹⌝.«

Die Trippelli wiegte den Kopf und sah in Abgründe, kam aber zu keiner Entgegnung, weil eben jetzt Gieshübler wie- 25 der erschien und ein halbes Dutzend Notenhefte vorlegte, die seine Freundin in rascher Reihenfolge durch die Hand gleiten ließ. » ⌜›Erlkönig‹⌝ . . . ah, bah; ⌜›Bächlein, laß dein Rauschen sein . . .‹⌝ Aber Gieshübler, ich bitte Sie, Sie sind ein Murmeltier*, Sie haben sieben Jahre lang geschla- 30

Hier: Hinter- wäldler

fen . . . Und hier ⌜Löwesche Balladen⌝; auch nicht gerade das Neueste. ⌜›Glocken von Speier‹⌝ . . . Ach, dies ewige Bim-Bam, das beinah einer Kulissenreißerei gleichkommt, ist geschmacklos und abgestanden. Aber hier ⌜›Ritter Olaf‹⌝ . . . nun, das geht.« 35

Und sie stand auf, und während der Pastor begleitete, sang sie den ›Olaf‹ mit großer Sicherheit und Bravour und erntete allgemeinen Beifall.

Es wurde dann noch ähnlich Romantisches gefunden, einiges aus dem ⌐›Fliegenden Holländer‹¬ und aus ⌐›Zampa‹¬, dann der ⌐›Heideknabe‹¬, lauter Sachen, die sie mit ebensoviel Virtuosität* wie Seelenruhe vortrug, während Effi von Text und Komposition wie benommen war.

Künstlerisches Können

Als die Trippelli mit dem ›Heideknaben‹ fertig war, sagte sie: »Nun ist es genug«, eine Erklärung, die so bestimmt von ihr abgegeben wurde, daß weder Gieshübler noch ein anderer den Mut hatte, mit weiteren Bitten in sie zu dringen. Am wenigsten Effi. Diese sagte nur, als Gieshüblers Freundin wieder neben ihr saß: »Daß ich Ihnen doch sagen könnte, mein gnädigstes Fräulein, wie dankbar ich Ihnen bin! Alles so schön, so sicher, so gewandt. Aber eines, wenn Sie mir verzeihen, bewundere ich fast noch mehr, das ist die Ruhe, womit Sie diese Sachen vorzutragen wissen. Ich bin so leicht Eindrücken hingegeben, und wenn ich die kleinste Gespenstergeschichte höre, so zittere ich und kann mich kaum wieder zurechtfinden. Und Sie tragen das so mächtig und erschütternd vor und sind selbst ganz heiter und guter Dinge.«

»Ja, meine gnädigste Frau, das ist in der Kunst nicht anders. Und nun gar erst auf dem Theater, vor dem ich übrigens glücklicherweise bewahrt geblieben bin. Denn so gewiß ich mich persönlich gegen seine Versuchungen gefeit fühle – es verdirbt den Ruf, also das Beste, was man hat. Im übrigen stumpft man ab, wie mir Kolleginnen hundertfach versichert haben. Da wird vergiftet und erstochen, und ⌐der toten Julia flüstert Romeo¬ einen Kalauer* ins Ohr oder wohl auch eine Malice*, oder er drückt ihr einen kleinen Liebesbrief in die Hand.«

Witz mit Wortspielen

(franz.) Bosheit

»Es ist mir unbegreiflich. Und um bei dem stehenzubleiben, was ich Ihnen diesen Abend verdanke, beispielsweise bei dem Gespenstischen im ›Olaf‹, ich versichere Ihnen, wenn ich einen ängstlichen Traum habe, oder wenn ich glaube, über mir hörte ich ein leises Tanzen oder Musizieren, während doch niemand da ist, oder es schleicht wer an meinem Bette vorbei, so bin ich außer mir und kann es tagelang nicht vergessen.«

»Ja, meine gnädigste Frau, was Sie da schildern und beschreiben, das ist auch etwas anderes, das ist ja wirklich oder kann wenigstens etwas Wirkliches sein. Ein Gespenst, das durch die Ballade geht, da graule ich mich gar nicht, aber ein Gespenst, das durch meine Stube geht, ist mir, geradeso wie andern, sehr unangenehm. Darin empfinden wir also ganz gleich.«

»Haben Sie denn dergleichen auch einmal erlebt?«

»Gewiß. Und noch dazu bei Kotschukoff. Und ich habe mir auch ausbedungen, daß ich diesmal anders schlafe, vielleicht mit der englischen Gouvernante zusammen. Das ist nämlich eine ⌐Quäkerin⌐, und da ist man sicher.«

»Und Sie halten dergleichen für möglich?«

»Meine gnädigste Frau, wenn man so alt ist wie ich und viel rumgestoßen wurde und in Rußland war und sogar auch ein halbes Jahr in Rumänien, da hält man alles für möglich. Es gibt so viel schlechte Menschen, und das andere findet sich dann auch, das gehört dann sozusagen mit dazu.«

Effi horchte auf.

»Ich bin«, fuhr die Trippelli fort, »aus einer sehr aufgeklärten Familie (bloß mit Mutter war es immer nicht so recht), und doch sagte mir mein Vater, als das mit dem ⌐Psychographen⌐ aufkam: ›Höre Marie, das ist was.‹ Und er hat recht gehabt, es ist auch was damit. Überhaupt, man ist links und rechts umlauert, hinten und vorn. Sie werden das noch kennenlernen.«

In diesem Augenblicke trat Gieshübler heran und bot Effi den Arm, Innstetten führte Marietta, dann folgte Pastor Lindequist und die verwitwete Trippel. So ging man zu Tisch.

Zwölftes Kapitel

Es war spät, als man aufbrach. Schon bald nach zehn hatte Effi zu Gieshübler gesagt: »es sei nun wohl Zeit; Fräulein Trippelli, die den Zug nicht versäumen dürfe, müsse ja
5 schon um sechs von Kessin aufbrechen«, die daneben stehende Trippelli aber, die diese Worte gehört, hatte mit der ihr eigenen ungenierten Beredsamkeit gegen solche zarte Rücksichtsnahme protestiert. »Ach, meine gnädigste Frau, Sie glauben, daß unsereins einen regelmäßigen Schlaf
10 braucht, das trifft aber nicht zu; was wir regelmäßig brauchen, heißt Beifall und hohe Preise. Ja, lachen Sie nur. Außerdem (so was lernt man) kann ich auch im Kupee* schlafen, in jeder Situation und sogar auf der linken Seite und brauche nicht einmal das Kleid aufzumachen. Freilich bin
15 ich auch nie eingepreßt; Brust und Lunge müssen immer frei sein, und vor allem das Herz. Ja, meine gnädigste Frau, das ist die Hauptsache. Und dann das Kapitel Schlaf überhaupt – die Menge tut es nicht, was entscheidet, ist die Qualität; ein guter Nicker* von fünf Minuten ist besser als
20 fünf Stunden unruhige Rumdreherei, mal links, mal rechts. Übrigens schläft man in Rußland wundervoll, trotz des starken Tees. Es muß die Luft machen oder das späte Diner oder weil man so verwöhnt wird. Sorgen gibt es in Rußland nicht; darin – im Geldpunkt sind beide gleich – ist Rußland
25 noch besser als Amerika.«
Nach dieser Erklärung der Trippelli hatte Effi von allen Mahnungen zum Aufbruch Abstand genommen, und so war Mitternacht herangekommen. Man trennte sich heiter und herzlich und mit einer gewissen Vertraulichkeit. Der
30 Weg von der Mohrenapotheke bis zur landrätlichen Wohnung war ziemlich weit; er kürzte sich aber dadurch, daß Pastor Lindequist bat, Innstetten und Frau eine Strecke begleiten zu dürfen; ein Spaziergang unterm Sternenhimmel sei das beste, um über Gieshüblers Rheinwein hinwegzu-

Eisenbahnabteil

Kurzes Schläfchen

kommen. Unterwegs wurde man natürlich nicht müde, die
verschiedensten Trippelliana* heranzuziehen; Effi begann
mit dem, was ihr in Erinnerung geblieben, und gleich nach
ihr kam der Pastor an die Reihe. Dieser, ein ⌈Ironikus⌉,
hatte die Trippelli, wie nach vielem sehr Weltlichem, so
schließlich auch nach ihrer kirchlichen Richtung gefragt
und dabei von ihr in Erfahrung gebracht, daß sie nur *eine*
Richtung kenne, die orthodoxe*. Ihr Vater sei freilich ein
Rationalist gewesen, fast schon ein ⌈Freigeist⌉, weshalb er
auch den Chinesen am liebsten auf dem Gemeindekirchhof
gehabt hätte; sie ihrerseits sei aber ganz entgegengesetzter
Ansicht, trotzdem sie persönlich des großen Vorzugs ge-
nieße, gar nichts zu glauben. Aber sie sei sich in ihrem entschiedenen Nichtglauben doch auch jeden Augenblick bewußt, daß das ein Spezialluxus sei, den man sich nur als
Privatperson gestatten könne. Staatlich höre der Spaß auf,
und wenn ihr das Kultusministerium oder gar ein Konsi-
storialregiment* unterstünde, so würde sie mit unnachsich-
tiger Strenge vorgehen. »Ich fühle so was von einem ⌈Tor-
quemada⌉ in mir.«
Innstetten war sehr erheitert und erzählte seinerseits, daß
er etwas so Heikles, wie das Dogmatische*, geflissentlich
vermieden, aber dafür das Moralische desto mehr in den
Vordergrund gestellt habe. Hauptthema sei das Verführerische gewesen, das beständige Gefährdetsein, das in allem
öffentlichen Auftreten liege, worauf die Trippelli leichthin
und nur mit Betonung der zweiten Satzhälfte geantwortet
habe: »Ja, beständig gefährdet; am meisten die Stimme.«
Unter solchem Geplauder war, ehe man sich trennte, der
Trippelli-Abend noch einmal an ihnen vorübergezogen,
und erst drei Tage später hatte sich Gieshüblers Freundin
durch ein von Petersburg aus an Effi gerichtetes Telegramm noch einmal in Erinnerung gebracht. Es lautete:
⌈Madame la Baronne d'Innstetten, née de Briest. Bien ar-
rivée. Prince K. à la gare. Plus épris de moi que jamais.

Aussprüche
von Marietta
Trippelli; vgl.
Erl. zu 94,7.

strenggläubige

Vgl. 99,27.

Religiöse
Glaubenssätze

Mille fois merci de votre bon accueil. Compliments empressés à Monsieur le Baron. Marietta Trippelli.⌐

Innstetten war entzückt und gab diesem Entzücken lebhafteren Ausdruck, als Effi begreifen konnte.

5 »Ich verstehe dich nicht, Geert.«

»Weil du die Trippelli nicht verstehst. Mich entzückt die Echtheit; alles da, bis auf das Pünktchen überm i.«

»Du nimmst also alles als eine Komödie?«

»Aber als was sonst? Alles berechnet für dort und für hier,
10 für Kotschukoff und für Gieshübler. Gieshübler wird wohl eine Stiftung machen, vielleicht auch bloß ein Legat* für die Trippelli.«

Vermächtnis

Die musikalische Soiree* bei Gieshübler hatte Mitte Dezember stattgefunden, gleich danach begannen die Vor-
15 bereitungen für Weihnachten, und Effi, die sonst schwer über diese Tage hinweggekommen wäre, segnete es, daß sie selber einen Hausstand hatte, dessen Ansprüche befriedigt werden mußten. Es galt nachsinnen, fragen, anschaffen, und das alles ließ trübe Gedanken nicht aufkommen. Am
20 Tage vor Heiligabend trafen Geschenke von den Eltern aus Hohen-Cremmen ein, und mit in die Kiste waren allerhand Kleinigkeiten aus dem Kantorhause gepackt: wunderschöne Reinetten* von einem Baum, den Effi und Jahnke vor mehreren Jahren gemeinschaftlich okuliert* hatten,
25 und dazu braune Puls- und Kniewärmer von Bertha und Hertha. Hulda schrieb nur wenige Zeilen, weil sie, wie sie sich entschuldigte, für X. noch eine Reisedecke zu stricken habe. »Was einfach nicht wahr ist«, sagte Effi. »Ich wette, X. existiert gar nicht. Daß sie nicht davon lassen kann, sich
30 mit Anbetern zu umgeben, die nicht da sind!«

Abendgesellschaft

Apfelsorte
veredelt

Und so kam Heiligabend heran.

Innstetten selbst baute auf für seine junge Frau, der Baum brannte, und ein kleiner Engel schwebte oben in Lüften. Auch eine Krippe war da mit hübschen Transparenten und
35 Inschriften, deren eine sich in leiser Andeutung auf ein dem

Innstettenschen Hause für nächstes Jahr bevorstehendes Ereignis bezog. Effi las es und errötete. Dann ging sie auf Innstetten zu, um ihm zu danken, aber eh sie dies konnte, flog, nach altpommerschem Weihnachtsbrauch, ein ⌈Jul-klapp⌉ in den Hausflur: eine große Kiste, drin eine Welt von Dingen steckte. Zuletzt fand man die Hauptsache, ein zier-liches, mit allerlei japanischen Bildchen überklebtes Mor-sellenkästchen*, dessen eigentlichem Inhalt auch noch ein Zettelchen beigegeben war. Es hieß da:

Mit Mandel- und Zuckerge-bäck gefülltes Kästchen

Drei Könige kamen zum Heiligenchrist,   10
Mohrenkönig einer gewesen ist; –
Ein Mohrenapothekerlein
Erscheinet heute mit Spezerein,
Doch statt Weihrauch und Myrrhen, die nicht zur
                                                Stelle,   15
Bringt er Pistazien- und Mandel-Morselle.

Effi las es zwei-, dreimal und freute sich darüber. »Die Huldigungen eines guten Menschen haben doch etwas be-sonders Wohltuendes. Meinst du nicht auch, Geert?«
»Gewiß meine ich das. Es ist eigentlich das einzige, was   20
einem Freude macht oder wenigstens Freude machen soll-te. Denn jeder steckt noch so nebenher in allerhand dum-mem Zeuge drin. Ich auch. Aber freilich, man ist, wie man ist.«
Der erste Feiertag war Kirchtag, am zweiten war man bei   25
Borckes draußen, alles zugegen, mit Ausnahme von Gra-senabbs, die nicht kommen wollten, »weil Sidonie nicht da sei«, was man als Entschuldigung allseitig ziemlich son-derbar fand. Einige tuschelten sogar: »Umgekehrt; gerade deshalb hätten sie kommen sollen.« Am Silvester war Res-   30
sourcenball, auf dem Effi nicht fehlen durfte und auch nicht wollte, denn der Ball gab ihr Gelegenheit, endlich einmal die ganze ⌈Stadtflora⌉ beisammen zu sehen. Johan-

na hatte mit den Vorbereitungen zum Ballstaate für ihre Gnädige vollauf zu tun, Gieshübler, der, wie alles, so auch ein Treibhaus hatte, schickte Kamelien*, und Innstetten, so knapp bemessen die Zeit für ihn war, fuhr am Nachmittage noch über Land nach Papenhagen, wo drei Scheunen abgebrannt waren.

Es war ganz still im Hause. Christel, beschäftigungslos, hatte sich schläfrig eine Fußbank an den Herd gerückt, und Effi zog sich in ihr Schlafzimmer zurück, wo sie sich, zwischen Spiegel und Sofa, an einen kleinen, eigens zu diesem Zweck zurechtgemachten Schreibtisch setzte, um von hier aus an die Mama zu schreiben, der sie für Weihnachtsbrief und Weihnachtsgeschenke bis dahin bloß in einer Karte gedankt, sonst aber seit Wochen keine Nachricht gegeben hatte.

»Kessin, 31. Dezember. Meine liebe Mama! Das wird nun wohl ein langer Schreibebrief werden, denn ich habe – die Karte rechnet nicht –, lange nichts von mir hören lassen. Als ich das letztemal schrieb, steckte ich noch in den Weihnachtsvorbereitungen, jetzt liegen die Weihnachtstage schon zurück. Innstetten und mein guter Freund Gieshübler hatten alles aufgeboten, mir den Heiligen Abend so angenehm wie möglich zu machen, aber ich fühlte mich doch ein wenig einsam und bangte mich nach Euch. Überhaupt, so viel Ursache ich habe, zu danken und froh und glücklich zu sein, ich kann ein Gefühl des Alleinseins nicht ganz loswerden, und wenn ich mich früher, vielleicht mehr als nötig, über Huldas ewige Gefühlsträne mokiert* habe, so werde ich jetzt dafür bestraft und habe selber mit dieser Träne zu kämpfen. Denn Innstetten darf es nicht sehen. Ich bin aber sicher, daß das alles besser werden wird, wenn unser Hausstand sich mehr belebt, und das wird der Fall sein, meine liebe Mama. Was ich neulich andeutete, das ist nun Gewißheit, und Innstetten bezeugt mir täglich seine

Pflanze mit immergrünen Blättern und großen roten Blüten

gespottet

Freude darüber. Wie glücklich ich selber im Hinblick darauf bin, brauche ich nicht erst zu versichern, schon weil ich dann Leben und Zerstreuung um mich her haben werde oder, wie Geert sich ausdrückt, ein ›liebes Spielzeug‹. Mit diesem Worte wird er wohl recht haben, aber er sollte es lieber nicht gebrauchen, weil es mir immer einen kleinen Stich gibt und mich daran erinnert, wie jung ich bin, und daß ich noch halb in die Kinderstube gehöre. Diese Vorstellung verläßt mich nicht (Geert meint, es sei krankhaft) und bringt es zuwege, daß das, was mein höchstes Glück sein sollte, doch fast noch mehr eine beständige Verlegenheit für mich ist. Ja, meine liebe Mama, als die guten Flemmingschen Damen sich neulich nach allem möglichen erkundigten, war mir zumute, als stünd' ich schlecht vorbereitet in einem Examen, und ich glaube auch, daß ich recht dumm geantwortet habe. Verdrießlich war ich auch. Denn manches, was wie Teilnahme aussieht, ist doch bloß Neugier und wirkt um so zudringlicher, als ich ja noch lange, bis in den Sommer hinein, auf das frohe Ereignis zu warten habe. Ich denke, die ersten Julitage. Dann mußt Du kommen, oder noch besser, sobald ich einigermaßen wieder bei Wege bin, komme *ich*, nehme hier Urlaub und mache mich auf nach Hohen-Cremmen. Ach, wie ich mich darauf freue, und auf die havelländische Luft – hier ist es fast immer rauh und kalt – und dann jeden Tag eine Fahrt ins Luch*, alles rot und gelb, und ich sehe schon, wie das Kind die Hände danach streckt, denn es wird doch wohl fühlen, daß es eigentlich da zu Hause ist. Aber das schreibe ich nur Dir, Innstetten darf nicht davon wissen, und auch Dir gegenüber muß ich mich wie entschuldigen, daß ich mit dem Kinde nach Hohen-Cremmen will und mich heute schon anmelde, statt Dich, meine liebe Mama, dringend und herzlich nach Kessin hin einzuladen, das ja doch jeden Sommer fünfzehnhundert Badegäste hat und Schiffe mit allen möglichen Flaggen und sogar ein Dünenhotel. Aber

Vgl. 29,26.

Effi Briest

daß ich so wenig Gastlichkeit zeige, das macht nicht, daß ich ungastlich wäre, so sehr bin ich nicht aus der Art geschlagen, das macht einfach unser landrätliches Haus, das, soviel Hübsches und Apartes es hat, doch eigentlich gar kein richtiges Haus ist, sondern nur eine Wohnung für zwei Menschen, und auch das kaum, denn wir haben nicht einmal ein Eßzimmer, was doch genant* ist, wenn ein paar Vgl. 24,32. Personen zu Besuch sich einstellen. Wir haben freilich noch Räumlichkeiten im ersten Stock, einen großen Saal und vier kleine Zimmer, aber sie haben alle etwas wenig Einladendes, und ich würde sie Rumpelkammer nennen, wenn sich etwas Gerümpel darin vorfände; sie sind aber ganz leer, ein paar Binsenstühle abgerechnet, und machen, das mindeste zu sagen, einen sehr sonderbaren Eindruck. Nun wirst Du wohl meinen, das alles sei ja leicht zu ändern. Aber es ist nicht zu ändern; denn das Haus, das wir bewohnen, ist . . . ist ein Spukhaus; da ist es heraus. Ich beschwöre Dich übrigens, mir auf diese meine Mitteilung nicht zu antworten, denn ich zeige Innstetten immer Eure Briefe, und er wäre außer sich, wenn er erführe, daß ich Dir das geschrieben. Ich hätte es auch nicht getan, und zwar um so weniger, als ich seit vielen Wochen in Ruhe geblieben bin und aufgehört habe, mich zu ängstigen; aber Johanna sagt mir, es käme immer mal wieder, namentlich wenn wer Neues im Hause erschiene. Und ich kann Dich doch einer solchen Gefahr oder, wenn das zu viel gesagt ist, einer solchen eigentümlichen und unbequemen Störung nicht aussetzen! Mit der Sache selber will ich Dich heute nicht behelligen, jedenfalls nicht ausführlich. Es ist eine Geschichte von einem alten Kapitän, einem sogenannten Chinafahrer, und seiner Enkelin, die mit einem hiesigen jungen Kapitän eine kurze Zeit verlobt war und an ihrem Hochzeitstage plötzlich verschwand. Das möchte hingehen. Aber was wichtiger ist, ein junger Chinese, den ihr Vater aus China mit zurückgebracht hatte und der erst der Diener und dann der Freund des Alten war, der starb kurze Zeit danach und ist an einer einsamen Stelle neben dem Kirchhof begraben worden. Ich bin neulich da vorübergefahren, wandte mich aber rasch ab und sah nach der andern Seite, weil ich glaube, ich hätte ihn sonst auf dem Grabe sitzen sehen. Denn ach, meine liebe Mama, ich habe ihn einmal wirklich gesehen, oder es ist mir wenigstens so vorgekommen, als ich fest schlief und Innstetten auf Besuch beim Fürsten war. Es war schrecklich; ich möchte so was nicht wieder erleben. Und in ein solches Haus, so hübsch es sonst ist (es ist sonderbarerweise gemütlich und unheimlich zugleich), kann ich Dich doch nicht gut einladen. Und Innstetten, trotzdem ich ihm schließlich in vielen Stücken zustimmte, hat sich dabei, soviel möcht' ich sagen dürfen, auch nicht ganz richtig benommen. Er verlangte von mir, ich solle das alles als Alten-Weiberunsinn ansehn und darüber lachen, aber mit einemmal schien er doch auch wieder selber daran zu glauben und stellte mir zugleich die sonderbare Zumutung, einen solchen Hausspuk als etwas Vornehmes und Altadliges anzusehen. Das kann ich aber nicht und will es auch nicht. Er ist in diesem Punkte, so gütig er sonst ist, nicht gütig und nachsichtig genug gegen mich. Denn daß es etwas damit ist, das weiß ich von Johanna und weiß es auch von unserer Frau Kruse. Das ist nämlich unsere Kutscherfrau, die mit einem schwarzen Huhn beständig in einer überheizten Stube sitzt. Dies allein schon ist ängstlich genug. Und nun weißt Du, warum *ich* kommen will, wenn es erst soweit ist. Ach, wäre es nur erst soweit. Es sind so viele Gründe, warum ich es wünsche. Heute abend haben wir Silvesterball, und Gieshübler – der einzig nette Mensch hier, trotzdem er eine hohe Schulter hat, oder eigentlich schon etwas mehr –, Gieshübler hat mir Kamelien geschickt. Ich werde doch vielleicht tanzen. Unser Arzt sagt, es würde mir nichts schaden, im Gegenteil. Und Innstetten, was mich fast überraschte, hat auch eingewilligt. Und nun grüße und küsse

Effi Briest

Papa und all die andern Lieben. Glückauf zum neuen Jahr.
Deine Effi.«

Dreizehntes Kapitel

Der Silvesterball hatte bis an den frühen Morgen gedauert,
und Effi war ausgiebig bewundert worden, freilich nicht
ganz so anstandslos wie das Kamelienbukett, von dem man
wußte, daß es aus dem Gieshüblerschen Treibhause kam.
Im übrigen blieb auch nach dem Silvesterball alles beim
alten, kaum daß Versuche gesellschaftlicher Annäherung
gemacht worden wären, und so kam es denn, daß der Winter als recht lange dauernd empfunden wurde. Besuche seitens der benachbarten Adelsfamilien fanden nur selten
statt, und dem pflichtschuldigen Gegenbesuche ging in einem halben Trauertone jedesmal die Bemerkung voraus:
»Ja, Geert, wenn es durchaus sein muß, aber ich vergehe
vor Langeweile.« Worte, denen Innstetten nur immer zustimmte. Was an solchen Besuchsnachmittagen über Familie, Kinder, auch Landwirtschaft gesagt wurde, mochte
gehen; wenn dann aber die kirchlichen Fragen an die Reihe
kamen und die mitanwesenden Pastoren wie kleine Päpste
behandelt wurden, oder sich auch wohl selbst als solche
ansahen, dann riß Effi der Faden der Geduld, und sie dachte mit Wehmut an Niemeyer, der immer zurückhaltend und
anspruchslos war, trotzdem es bei jeder größeren Feierlichkeit hieß, er habe das Zeug, an den »Dom*« berufen zu
werden. Mit den Borckes, den Flemmings, den Grasenabbs, so freundlich die Familien, von Sidonie Grasenabb
abgesehen, gesinnt waren – es wollte mit allen nicht so
recht gehen, und es hätte mit Freude, Zerstreuung und
auch nur leidlichem Sich-behaglich-Fühlen manchmal
recht schlimm gestanden, wenn Gieshübler nicht gewesen

Berliner Dom,
die kaiserliche
Hofkirche

wäre. Der sorgte für Effi wie eine kleine Vorsehung, und sie
wußte es ihm auch Dank. Natürlich war er neben allem
andern auch ein eifriger und aufmerksamer Zeitungsleser,
ganz zu geschweigen, daß er an der Spitze des ⌐Journalzir-
kels⌐ stand, und so verging denn fast kein Tag, wo nicht   5
Mirambo ein großes, weißes Kuvert gebracht hätte, mit
allerhand Blättern und Zeitungen, in denen die betreffen-
den Stellen angestrichen waren, meist eine kleine, feine
Bleistiftlinie, mitunter aber auch dick mit Blaustift und ein
Ausrufungs- oder Fragezeichen daneben. Und dabei ließ er   10
es nicht bewenden; er schickte auch Feigen und Datteln,
Schokoladentafeln in Satineepapier und ein rotes Bänd-
chen drum, und wenn etwas besonders Schönes in seinem
Treibhaus blühte, so brachte er es selbst und hatte dann
eine glückliche Plauderstunde mit der ihm so sympathi-   15
schen jungen Frau, für die er alle schönen Liebesgefühle
durch- und nebeneinander hatte, die des Vaters und On-
kels, des Lehrers und Verehrers. Effi war gerührt von dem
allen und schrieb öfters darüber nach Hohen-Cremmen, so
daß die Mama sie mit ihrer »Liebe zum ⌐Alchimisten⌐« zu   20
necken begann; aber diese wohlgemeinten Neckereien verfehlten ihren Zweck, ja berührten sie beinahe schmerzlich,
weil ihr, wenn auch unklar, dabei zum Bewußtsein kam,
was ihr in ihrer Ehe eigentlich fehlte: Huldigungen, Anre-
gungen, kleine Aufmerksamkeiten. Innstetten war lieb und 25
gut, aber ein Liebhaber war er nicht. Er hatte das Gefühl,
Effi zu lieben, und das gute Gewissen, daß es so sei, ließ ihn
von besonderen Anstrengungen absehen. Es war fast zur
Regel geworden, daß er sich, wenn Friedrich die Lampe
brachte, aus seiner Frau Zimmer in sein eigenes zurückzog. 30
»Ich habe da noch eine verzwickte Geschichte zu erledi-
gen.« Und damit ging er. Die Portiere blieb freilich zurückgeschlagen, so daß Effi das Blättern in dem Aktenstück
oder das Kritzeln seiner Feder hören konnte, aber das war
auch alles. Rollo kam dann wohl und legte sich vor sie hin   35

auf den Kaminteppich, als ob er sagen wolle: »Muß nur mal wieder nach dir sehen; ein anderer tut's doch nicht.« Und dann beugte sie sich nieder und sagte leise: »Ja, Rollo, wir sind allein.« Um neun erschien dann Innstetten wieder zum Tee, meist die Zeitung in der Hand, sprach vom Fürsten, der wieder viel Ärger habe, zumal über diesen ⌐Eugen Richter⌐, dessen Haltung und Sprache ganz unqualifizierbar seien, und ging dann die Ernennungen und Ordensverleihungen durch, von denen er die meisten beanstandete. Zuletzt sprach er von den Wahlen*, und daß es ein Glück sei, einem Kreise vorzustehen, in dem es noch Respekt gäbe. War er damit durch, so bat er Effi, daß sie was spiele, aus ⌐Lohengrin oder aus der Walküre⌐, denn er war ein Wagner-Schwärmer. Was ihn zu diesem hinübergeführt hatte, war ungewiß; einige sagten, seine Nerven, denn so nüchtern er schien, eigentlich war er nervös; andere schoben es auf ⌐Wagners Stellung zur Judenfrage⌐. Wahrscheinlich hatten beide recht. Um zehn war Innstetten dann abgespannt und erging sich in ein paar wohlgemeinten, aber etwas müden Zärtlichkeiten, die sich Effi gefallen ließ, ohne sie recht zu erwidern.

So verging der Winter, der April kam, und in dem Garten hinter dem Hofe begann es zu grünen, worüber sich Effi freute; sie konnte gar nicht abwarten, daß der Sommer komme mit seinen Spaziergängen am Strand und seinen Badegästen. Wenn sie so zurückblickte, der Trippelli-Abend bei Gieshübler und dann der Silvesterball, ja, das ging, das war etwas Hübsches gewesen; aber die Monate, die dann gefolgt waren, die hatten doch viel zu wünschen übriggelassen, und vor allem waren sie so monoton gewesen, daß sie sogar mal an die Mama geschrieben hatte: »Kannst Du Dir denken, Mama, daß ich mich mit unsrem Spuk beinah ausgesöhnt habe? Natürlich die schreckliche Nacht, wo Geert drüben beim Fürsten war, die möcht' ich

Wahlen zum Reichstag

nicht noch einmal durchmachen, nein, gewiß nicht; aber immer das Alleinsein und so gar nichts erleben, das hat doch auch sein Schweres, und wenn ich dann in der Nacht aufwache, dann horche ich mitunter hinauf, ob ich nicht die Schuhe schleifen höre, und wenn alles still bleibt, so bin ich fast wie enttäuscht und sage mir: wenn es doch nur wiederkäme, nur nicht zu arg und nicht zu nah.«

Das war im Februar, daß Effi so schrieb, und nun war beinahe Mai. Drüben in der Plantage belebte sich's schon wieder, und man hörte die Finken schlagen. Und in derselben Woche war es auch, daß die Störche kamen, und einer schwebte langsam über ihr Haus hin und ließ sich dann auf einer Scheune nieder, die neben Utpatels Mühle stand. Das war seine alte Raststätte. Auch über dies Ereignis berichtete Effi, die jetzt überhaupt häufiger nach Hohen-Cremmen schrieb, und es war in demselben Brief, daß es am Schlusse hieß: »Etwas, meine liebe Mama, hätte ich beinahe vergessen: den neuen ⌜Landwehrbezirkskommandeur⌝, den wir nun schon beinah vier Wochen hier haben. Ja, haben wir ihn wirklich? Das ist die Frage, und eine Frage von Wichtigkeit dazu, sosehr Du darüber lachen wirst und auch lachen mußt, weil Du den gesellschaftlichen Notstand nicht kennst, in dem wir uns nach wie vor befinden. Oder wenigstens ich, die ich mich mit dem Adel hier nicht gut zurechtfinden kann. Vielleicht meine Schuld. Aber das ist gleich. Tatsache bleibt: Notstand, und deshalb sah ich, durch all diese Winterwochen hin, dem neuen Bezirkskommandeur wie einem Trost- und Rettungsbringer entgegen. Sein Vorgänger war ein Greuel, von schlechten Manieren und noch schlechteren Sitten, und zum Überfluß auch noch immer schlecht bei Kasse. Wir haben all die Zeit über unter ihm gelitten, Innstetten noch mehr als ich, und als wir Anfang April hörten, ⌜Major von Crampas⌝ sei da, das ist nämlich der Name des neuen, da fielen wir uns in die Arme, als könne uns nun nichts Schlimmes mehr in diesem

lieben Kessin passieren. Aber, wie schon kurz erwähnt, es scheint, trotzdem er da ist, wieder nichts werden zu wollen. Crampas ist verheiratet, zwei Kinder von zehn und acht Jahren, die Frau ein Jahr älter als er, also sagen wir fünf-
5 undvierzig. Das würde nun an und für sich nicht viel schaden, warum soll ich mich nicht mit einer mütterlichen Freundin wundervoll unterhalten können? Die Trippelli war auch nahe an Dreißig, und es ging ganz gut. Aber mit der Frau von Crampas, übrigens keine Geborene*, kann es   keine Adlige
10 nichts werden. Sie ist immer verstimmt, beinahe melancholisch (ähnlich wie unsere Frau Kruse, an die sie mich überhaupt erinnert), und das alles aus Eifersucht. Er, Crampas, soll nämlich ein Mann vieler Verhältnisse sein, ein Damenmann, etwas, was mir immer lächerlich ist und
15 mir auch in diesem Falle lächerlich sein würde, wenn er nicht, um eben solcher Dinge willen, ein Duell mit einem Kameraden gehabt hätte. Der linke Arm wurde ihm dicht unter der Schulter zerschmettert, und man sieht es sofort, trotzdem die Operation, wie mir Innstetten erzählt (ich
20 glaube, sie nennen es Resektion*, damals noch von ⌈Wilms⌉   Operative ausgeführt), als ein Meisterstück der Kunst gerühmt wur-   Entfernung de. Beide, Herr und Frau von Crampas, waren vor vierzehn   kranker Tagen bei uns, um uns ihren Besuch zu machen; es war eine   Körperteile sehr peinliche Situation, denn Frau von Crampas beobach-
25 tete ihren Mann so, daß er in eine halbe und ich in eine ganze Verlegenheit kam. Daß er selbst sehr anders sein kann, ausgelassen und übermütig, davon überzeugte ich mich, als er vor drei Tagen mit Innstetten allein war, und ich, von meinem Zimmer her, dem Gang ihrer Unterhal-
30 tung folgen konnte. Nachher sprach auch ich ihn. Vollkommener Kavalier, ungewöhnlich gewandt. Innstetten war während des Krieges in derselben Brigade* mit ihm,   Heereseinheit und sie haben sich im Norden von Paris bei ⌈Graf Gröben⌉ öfter gesehen. Ja, meine liebe Mama, das wäre nun also
35 etwas gewesen, um in Kessin neues Leben beginnen zu kön-

nen; er, der Major, hat auch nicht die pommerschen Vor-
urteile, trotzdem er in ⌐Schwedisch-Pommern⌐ zu Hause
sein soll. Aber die Frau! Ohne sie geht es natürlich nicht,
und mit ihr erst recht nicht.«

Effi hatte ganz recht gehabt, und es kam wirklich zu keiner
weiteren Annäherung mit dem Crampasschen Paare. Man
sah sich mal bei der Borckeschen Familie draußen, ein an-
dermal ganz flüchtig auf dem Bahnhof und wenige Tage
später auf einer Boot- und Vergnügungsfahrt, die nach einem am Breitling gelegenen großen Buchen- und Eichen-
walde, der »der Schnatermann« hieß, gemacht wurde; es
kam aber über kurze Begrüßungen nicht hinaus, und Effi
war froh, als Anfang Juni die Saison sich ankündigte. Freilich fehlte es noch an Badegästen, die vor Johanni* überhaupt nur in Einzelexemplaren einzutreffen pflegten, aber
schon die Vorbereitungen waren eine Zerstreuung. In der
Plantage wurden Karussell und Scheibenstände* hergerichtet, die Schiffersleute kalfaterten* und strichen ihre Boote,
jede kleine Wohnung erhielt neue Gardinen, und die Zimmer, die feucht lagen, also den Schwamm unter der Diele
hatten, wurden ausgeschwefelt und dann gelüftet.
Auch in Effis eigener Wohnung, freilich um eines anderen
Ankömmlings als der Badegäste willen, war alles in einer
gewissen Erregung; selbst Frau Kruse wollte mittun, so gut
es ging. Aber davor erschrak Effi lebhaft und sagte: »Geert,
daß nur die Frau Kruse nichts anfaßt; da kann nichts werden, und ich ängstige mich schon gerade genug.« Innstetten versprach auch alles, Christel und Johanna hätten ja
Zeit genug, und um seiner jungen Frau Gedanken überhaupt in eine andere Richtung zu bringen, ließ er das Thema der Vorbereitungen ganz fallen und fragte statt dessen,
ob sie denn schon bemerkt habe, daß drüben ein Badegast
eingezogen sei, nicht gerade der erste, aber doch einer der
ersten.

24. Juni

Schießstände

Fugen
abdichten

»Ein Herr?«

»Nein, eine Dame, die schon früher hier war, jedesmal in derselben Wohnung. Und sie kommt immer so früh, weil sie's nicht leiden kann, wenn alles schon so voll ist.«

»Das kann ich ihr nicht verdenken. Und wer ist es denn?«

»Die verwitwete Registrator* Rode.«

»Sonderbar. Ich habe mir Registratorwitwen immer arm gedacht.«

»Ja«, lachte Innstetten, »das ist die Regel. Aber hier hast du eine Ausnahme. Jedenfalls hat sie mehr als ihre Witwenpension. Sie kommt immer mit viel Gepäck, unendlich viel mehr, als sie gebraucht, und scheint überhaupt eine ganz eigene Frau, wunderlich, kränklich und namentlich schwach auf den Füßen. Sie mißtraut sich deshalb auch und hat immer eine ältliche Dienerin um sich, die kräftig genug ist, sie zu schützen oder sie zu tragen, wenn ihr was passiert. Diesmal hat sie eine neue. Aber doch auch wieder eine ganz ramassierte* Person, ähnlich wie die Trippelli, nur noch stärker.«

»Oh, die hab' ich schon gesehen. Gute braune Augen, die einen treu und zuversichtlich ansehen. Aber ein klein bißchen dumm.«

»Richtig, das ist sie.«

Das war Mitte Juni, daß Innstetten und Effi dies Gespräch hatten. Von da ab brachte jeder Tag Zuzug, und nach dem Bollwerk hin spazierengehen, um daselbst die Ankunft des Dampfschiffes abzuwarten, wurde, wie immer um diese Zeit, eine Art Tagesbeschäftigung für die Kessiner. Effi freilich, weil Innstetten sie nicht begleiten konnte, mußte darauf verzichten, aber sie hatte doch wenigstens die Freude, die nach dem Strand und dem Strandhotel hinausführende, sonst so menschenleere Straße sich beleben zu sehen, und war denn auch, um immer wieder Zeuge davon zu sein, viel mehr als sonst in ihrem Schlafzimmer, von dessen Fenstern aus sich alles am besten beobachten ließ. Johanna stand dann neben ihr und gab Antwort auf ziemlich alles, was sie wissen wollte; denn da die meisten alljährlich wiederkehrende Gäste waren, so konnte das Mädchen nicht bloß die Namen nennen, sondern mitunter auch eine Geschichte dazu geben.

Das alles war unterhaltlich und erheiternd für Effi. Grade am Johannistage aber traf es sich, daß kurz vor elf Uhr vormittags, wo sonst der Verkehr vom Dampfschiff her am buntesten vorüberflutete, statt der mit Ehepaaren, Kindern und Reisekoffern besetzten Droschken, aus der Mitte der Stadt her ein schwarz verhangener Wagen (dem sich zwei Trauerkutschen anschlossen) die zur Plantage führende Straße herunterkam und vor dem der landrätlichen Wohnung gegenüber gelegenen Hause hielt. Die verwitwete Frau Registrator Rode war nämlich drei Tage vorher gestorben, und nach Eintreffen der in aller Kürze benachrichtigten Berliner Verwandten war seitens eben dieser beschlossen worden, die Tote nicht nach Berlin hin überführen, sondern auf dem Kessiner Dünenkirchhof begraben zu wollen. Effi stand am Fenster und sah neugierig auf die sonderbar feierliche Szene, die sich drüben abspielte. Die zum Begräbnis von Berlin her Eingetroffenen waren zwei Neffen mit ihren Frauen, alle gegen Vierzig, etwas mehr oder weniger, und von beneidenswert gesunder Gesichtsfarbe. Die Neffen, in gutsitzenden Fracks, konnten passieren, und die nüchterne Geschäftsmäßigkeit, die sich in ihrem gesamten Tun ausdrückte, war im Grunde mehr kleidsam als störend. Aber die beiden Frauen! Sie waren ganz ersichtlich bemüht, den Kessinern zu zeigen, was eigentlich Trauer sei, und trugen denn auch lange, bis an die Erde reichende schwarze Kreppschleier, die zugleich ihr Gesicht verhüllten. Und nun wurde der Sarg, auf dem einige Kränze und sogar ein Palmenwedel lagen, auf den Wagen gestellt, und die beiden Ehepaare setzten sich in die Kutschen. In die erste – gemeinschaftlich mit dem einen der beiden leidtragenden Paare – stieg auch Lindequist, hinter der zweiten Kutsche aber ging die Hauswirtin und neben dieser die stattliche Person, die die Verstorbene zur Aushülfe mit nach Kessin gebracht hatte. Letztere war sehr aufgeregt und schien durchaus ehrlich darin, wenn dies Aufgeregtsein auch vielleicht nicht gerade Trauer war; der sehr heftig schluchzenden Hauswirtin aber, einer Witwe, sah man dagegen fast allzu deutlich an, daß sie sich beständig die Möglichkeit eines Extrageschenkes berechnete, trotzdem sie in der bevorzugten und von anderen Wirtinnen auch sehr beneideten Lage war, die für den ganzen Sommer vermietete Wohnung noch einmal vermieten zu können.

Effi, als der Zug sich in Bewegung setzte, ging in ihren hinter dem Hofe gelegenen Garten, um hier, zwischen den Buchsbaumbeeren*, den Eindruck des Lieb- und Leblosen, den die ganze Szene drüben auf sie gemacht hatte, wieder loszuwerden. Als dies aber nicht glücken wollte, kam ihr die Lust, statt ihrer eintönigen Gartenpromenade lieber einen weiteren Spaziergang zu machen, und zwar um so mehr, als ihr der Arzt gesagt hatte, viel Bewegung im Freien sei das beste, was sie, bei dem, was ihr bevorstände, tun könne. Johanna, die mit im Garten war, brachte ihr denn auch Umhang, Hut und Entoutcas*, und mit einem freundlichen »Guten Tag« trat Effi aus dem Hause heraus und ging auf das Wäldchen zu, neben dessen breitem chaussierten* Mittelweg ein schmaler Fußsteig auf die Dünen und das am Strand gelegene Hotel zulief. Unterwegs standen Bänke, von denen sie jede benutzte, denn das Gehen griff sie an, und um so mehr, als inzwischen die heiße Mittagsstunde herangekommen war. Aber wenn sie saß und von ihrem bequemen Platz aus die Wagen und die Damen in Toilette beobachtete, die da hinausfuhren, so belebte sie sich wieder. Denn Heiteres sehen war ihr wie Lebensluft. Als das Wäldchen aufhörte, kam freilich noch eine aller-

> Immergrüne Strauchpflanze

> (franz.) für alle Fälle, hier: Sonnen- oder Regenschirm

> asphaltierten

schlimmste Wegstelle, Sand und wieder Sand, und nirgends eine Spur von Schatten; aber glücklicherweise waren hier Bohlen und Bretter gelegt, und so kam sie, wenn auch erhitzt und müde, doch in guter Laune bei dem Strandhotel an. Drinnen im Saal wurde schon gegessen, aber hier draußen um sie her war alles still und leer, was ihr in diesem Augenblicke denn auch das liebste war. Sie ließ sich ein Glas Sherry und eine Flasche Biliner Wasser* bringen und sah auf das Meer hinaus, das im hellen Sonnenlichte schimmerte, während es am Ufer in kleinen Wellen brandete. »Da drüben liegt Bornholm und dahinter Wisby*, wovon mir Jahnke vor Zeiten immer Wunderdinge vorschwärmte. Wisby ging ihm fast noch über Lübeck und ⌈Wullenweber⌉. Und hinter Wisby kommt Stockholm, wo das ⌈Stockholmer Blutbad⌉ war, und dann kommen die großen Ströme und dann das Nordkap und dann die Mitternachtssonne.« Und im Augenblick erfaßte sie eine Sehnsucht, das alles zu sehen. Aber dann gedachte sie wieder dessen, was ihr so nahe bevorstand, und sie erschrak fast. »Es ist eine Sünde, daß ich so leichtsinnig bin und solche Gedanken habe und mich wegträume, während ich doch an das nächste denken müßte. Vielleicht bestraft es sich auch noch, und alles stirbt hin, das Kind und ich. Und der Wagen und die zwei Kutschen, die halten dann nicht drüben vor dem Hause, die halten dann bei uns . . . Nein, nein, ich mag hier nicht sterben, ich will hier nicht begraben sein, ich will nach Hohen-Cremmen. Und Lindequist, so gut er ist – aber Niemeyer ist mir lieber; er hat mich getauft und eingesegnet und getraut, und Niemeyer soll mich auch begraben.« Und dabei fiel eine Träne auf ihre Hand. Dann aber lachte sie wieder. »Ich lebe ja noch und bin erst siebzehn, und Niemeyer ist siebenundfünfzig.«

In dem Eßsaal hörte sie das Geklapper des Geschirrs. Aber mit einem Male war es ihr, als ob die Stühle geschoben würden; vielleicht stand man schon auf, und sie wollte jede

Mineralwasser aus der Josephsquelle des böhm. Badeortes Bilin

Stadt auf der Insel Gotland

Effi Briest

Begegnung vermeiden. So erhob sie sich auch ihrerseits rasch wieder von ihrem Platz, um auf einem Umweg nach der Stadt zurückzukehren. Dieser Umweg führte sie dicht an dem Dünenkirchhof vorüber, und weil der Torweg des Kirchhofs gerade offenstand, trat sie ein. Alles blühte hier, Schmetterlinge flogen über die Gräber hin, und hoch in den Lüften standen ein paar Möwen. Es war so still und schön, und sie hätte hier gleich bei den ersten Gräbern verweilen mögen; aber weil die Sonne mit jedem Augenblick heißer niederbrannte, ging sie höher hinauf, auf einen schattigen Gang zu, den Hängeweiden und etliche an den Gräbern stehende Traueresche bildeten. Als sie bis an das Ende dieses Ganges gekommen, sah sie zur Rechten einen frisch aufgeworfenen Sandhügel, mit vier, fünf Kränzen darauf, und dicht daneben eine schon außerhalb der Baumreihe stehende Bank, darauf die gute, robuste Person saß, die an der Seite der Hauswirtin dem Sarge der verwitweten Registratorin als letzte Leidtragende gefolgt war. Effi erkannte sie sofort wieder und war in ihrem Herzen bewegt, die gute, treue Person, denn dafür mußte sie sie halten, in sengender Sonnenhitze hier vorzufinden. Seit dem Begräbnis waren wohl an zwei Stunden vergangen.

»Es ist eine heiße Stelle, die Sie sich da ausgesucht haben«, sagte Effi, »viel zu heiß. Und wenn ein Unglück kommen soll, dann haben Sie den Sonnenstich.«

»Das wär' auch das beste.«

»Wie das?«

»Dann wär' ich aus der Welt.«

»Ich meine, das darf man nicht sagen, auch wenn man unglücklich ist oder wenn einem wer gestorben ist, den man liebhatte. Sie hatten sie wohl sehr lieb?«

»Ich? *Die?* I, Gott bewahre.«

»Sie sind aber doch sehr traurig. Das muß doch einen Grund haben.«

»Den hat es auch, gnädigste Frau.«

»Kennen Sie mich?«

»Ja. Sie sind die Frau Landrätin von drüben. Und ich habe mit der Alten immer von Ihnen gesprochen. Zuletzt konnte sie nicht mehr, weil sie keine rechte Luft mehr hatte, denn es saß ihr hier und wird wohl Wasser gewesen sein; aber solange sie noch reden konnte, redete sie immerzu. Es war 'ne richtige Berlinsche* . . .« »Gute Frau?«

»Nein; wenn ich das sagen wollte, müßt' ich lügen. Da liegt sie nun, und man soll von einem Toten nichts Schlimmes sagen, und erst recht nicht, wenn er so kaum seine Ruhe hat. Na, die wird sie ja wohl haben! Aber sie taugte nichts und war zänkisch und geizig, und für mich hat sie auch nicht gesorgt. Und die Verwandtschaft, die da gestern von Berlin gekommen . . . gezankt haben sie sich bis in die sinkende Nacht . . . na, die taugt auch nichts, die taugt erst recht nichts. Lauter schlechtes Volk, happig* und gierig und hartherzig, und haben mir barsch und unfreundlich und mit allerlei Redensarten meinen Lohn ausgezahlt, bloß weil sie mußten und weil es bloß noch sechs Tage sind bis zum Vierteljahrsersten. Sonst hätte ich nichts gekriegt, oder bloß halb oder bloß ein Viertel. Nichts aus freien Stükken. Und einen eingerissenen Fünfmarkschein haben sie mir gegeben, daß ich nach Berlin zurückreisen kann; na, es reicht so gerade für die ⌈vierte Klasse⌉, und ich werde wohl auf meinem Koffer sitzen müssen. Aber ich will auch gar nicht; ich will hier sitzenbleiben und warten, bis ich sterbe . . . Gott, ich dachte nun mal Ruhe zu haben und hätte auch ausgehalten bei der Alten. Und nun ist es wieder nichts und soll mich wieder rumstoßen lassen. Und kattolsch* bin ich auch noch. Ach, ich hab' es satt und läg' am liebsten, wo die Alte liegt, und sie könnte meinetwegen weiterleben . . . Sie hätte gerne noch weitergelebt; solche Menschenschikanierer*, die nich mal Luft haben, die leben immer am liebsten.«

Rollo, der Effi begleitet hatte, hatte sich mittlerweile vor

Berlinerin

gierig

katholisch

Menschen-
schinder

die Person hingesetzt, die Zunge weit heraus, und sah sie an. Als sie jetzt schwieg, erhob er sich, ging einen Schritt vor und legte seinen Kopf auf ihre Knie.

Mit einem Male war die Person wie verwandelt. »Gott, das
5 bedeutet mir was. Da ist ja 'ne Kreatur, die mich leiden kann, die mich freundlich ansieht und ihren Kopf auf meine Knie legt. Gott, das ist lange her, daß ich so was gehabt habe. Nu, mein Alterchen, wie heißt du denn? Du bist ja ein Prachtkerl.«
10 »Rollo«, sagte Effi.

»Rollo; das ist sonderbar. Aber der Name tut nichts. Ich habe auch einen sonderbaren Namen, das heißt Vornamen. Und einen anderen hat unsereins ja nicht.«

»Wie heißen Sie denn?« »Ich heiße Roswitha.«
15 »Ja, das ist selten, das ist ja . . .«

»Ja, ganz recht, gnädige Frau, das ist ein kattolscher Name. Und das kommt auch noch dazu, daß ich eine Kattolsche bin. Aus'n Eichsfeld*. Und das Kattolsche, das macht es einem immer noch schwerer und saurer. Viele wollen keine
20 Kattolsche, weil sie so viel in die Kirche rennen. ›Immer in die Beichte; und die Hauptsache sagen sie doch nich‹ – Gott, wie oft hab' ich das hören müssen, erst als ich in Giebichenstein* im Dienst war und dann in Berlin. Ich bin aber eine schlechte Katholikin und bin ganz davon abge-
25 kommen, und vielleicht geht es mir deshalb so schlecht; ja, man darf nicht von seinem Glauben lassen und muß alles ordentlich mitmachen.«

»Roswitha«, wiederholte Effi den Namen und setzte sich zu ihr auf die Bank. »Was haben Sie nun vor?«
30 »Ach, gnäd'ge Frau, was soll ich vorhaben. Ich habe gar nichts vor. Wahr und wahrhaftig, ich möchte hier sitzen bleiben und warten, bis ich tot umfalle. Das wär' mir das liebste. Und dann würden die Leute noch denken, ich hätte die Alte so geliebt wie ein treuer Hund und hätte von ihrem
35 Grabe nicht weggewollt und wäre da gestorben. Aber das

Kath. Land-
strich inmitten
eines protest.
Gebietes
südwestl. vom
Harz

Ort bei
Halle/Saale

ist falsch, für solche Alte stirbt man nicht; ich will bloß sterben, weil ich nicht leben kann.«

»Ich will Sie was fragen, Roswitha. Sind Sie, was man so ›kinderlieb‹ nennt? Waren Sie schon mal bei kleinen Kindern?« 5

»Gewiß, war ich. Das ist ja mein Bestes und Schönstes. Solche alte Berlinsche – Gott verzeih mir die Sünde, denn sie ist nun tot und steht vor Gottes Thron und kann mich da verklagen –, solche Alte, wie die da, ja, das ist schrecklich, was man da alles tun muß, und steht einem hier vor 10 Brust und Magen, aber solch kleines, liebes Ding, solch Dingelchen wie'ne Puppe, das einen mit seinen Guckäugelchen ansieht, ja, das ist was, da geht einem das Herz auf. Als ich in Halle war, da war ich Amme* bei der Frau Salzdirektorin*, und in Giebichenstein, wo ich nachher 15 hinkam, da hab' ich Zwillinge mit der Flasche großgezogen; ja, gnäd'ge Frau, das versteh' ich, da drin bin ich wie zu Hause.«

»Nun, wissen Sie was, Roswitha, Sie sind eine gute, treue Person, das seh' ich Ihnen an, ein bißchen gradezu, aber das 20 schadet nichts, das sind mitunter die Besten, und ich habe gleich ein Zutrauen zu Ihnen gefaßt. Wollen Sie mit zu mir kommen? Mir ist, als hätte Gott Sie mir geschickt. Ich erwarte nun bald ein Kleines, Gott gebe mir seine Hülfe dazu, und wenn das Kind da ist, dann muß es gepflegt und abge- 25 wartet werden und vielleicht auch gepäppelt. Man kann das ja nicht wissen, wiewohl ich es anders wünsche. Was meinen Sie, wollen Sie mit zu mir kommen? Ich kann mir nicht denken, daß ich mich in Ihnen irre.«

Roswitha war aufgesprungen und hatte die Hand der jun- 30 gen Frau ergriffen und küßte sie mit Ungestüm. »Ach, es ist doch ein Gott im Himmel, und wenn die Not am größten ist, ist die Hülfe am nächsten. Sie sollen sehn, gnäd'ge Frau, es geht; ich bin eine ordentliche Person und habe gute Zeugnisse. Das können Sie sehn, wenn ich Ihnen mein 35

Buch bringe. Gleich den ersten Tag, als ich die gnäd'ge Frau sah, da dacht' ich: ›Ja, wenn du mal solchen Dienst hättest.‹ Und nun soll ich ihn haben. O du lieber Gott, o du heil'ge Jungfrau Maria, wer mir das gesagt hätte, wie wir die Alte
5 hier unter der Erde hatten und die Verwandten machten, daß sie wieder fortkamen und mich hier sitzenließen.«

»Ja, unverhofft kommt oft*, Roswitha, und mitunter auch im Guten. Und nun wollen wir gehen. Rollo wird schon ungeduldig und läuft immer auf das Tor zu.«

Redensart: Es geschehen oft unerwartete Dinge

10 Roswitha war gleich bereit, trat aber noch einmal an das Grab, brummelte was vor sich hin und machte ein Kreuz. Und dann gingen sie den schattigen Gang hinunter und wieder auf das Kirchhofstor zu.

Drüben lag die eingegitterte Stelle, deren weißer Stein in
15 der Nachmittagssonne blinkte und blitzte. Effi konnte jetzt ruhiger hinsehen. Eine Weile noch führte der Weg zwischen Dünen hin, bis sie dicht vor Utpatels Mühle den Außenrand des Wäldchens erreichte. Da bog sie links ein, und unter Benutzung einer schräglaufenden Allee, die die »Ree-
20 perbahn«* hieß, ging sie mit Roswitha auf die landrätliche Wohnung zu.

(norddt.) Seilerbahn

Vierzehntes Kapitel

Keine Viertelstunde, so war die Wohnung erreicht. Als beide hier in den kühlen Flur traten, war Roswitha beim An-
25 blick all des Sonderbaren, das da umherhing, wie befangen; Effi aber ließ sie nicht zu weiteren Betrachtungen kommen und sagte: »Roswitha, nun gehen Sie da hinein. Das ist das Zimmer, wo wir schlafen. Ich will erst zu meinem Manne nach dem Landratsamt hinüber – das große Haus da neben
30 dem kleinen, in dem Sie gewohnt haben – und will ihm sagen, daß ich Sie zur Pflege haben möchte bei dem Kinde.

Er wird wohl mit allem einverstanden sein, aber ich muß doch erst seine Zustimmung haben. Und wenn ich die habe, dann müssen wir ihn ausquartieren, und Sie schlafen mit mir in dem Alkoven*. Ich denke, wir werden uns schon vertragen.«

Vgl. 60,28.

Innstetten, als er erfuhr, um was sich's handle, sagte rasch und in guter Laune: »Das hast du recht gemacht, Effi, und wenn ihr ⌐Gesindebuch⌐ nicht zu schlimme Sachen sagt, so nehmen wir sie auf ihr gutes Gesicht hin. Es ist doch, Gott sei Dank, selten, daß einen das täuscht.«

Effi war sehr glücklich, so wenig Schwierigkeiten zu begegnen, und sagte: »Nun wird es gehen. Ich fürchte mich jetzt nicht mehr.«

»Um was, Effi?«

»Ach, du weißt ja ... Aber Einbildungen sind das schlimmste, mitunter schlimmer als alles.«

Roswitha zog in selbiger Stunde noch mit ihren paar Habseligkeiten in das landrätliche Haus hinüber und richtete sich in dem kleinen Alkoven ein. Als der Tag um war, ging sie früh zu Bett und schlief, ermüdet wie sie war, gleich ein.

Am andern Morgen erkundigte sich Effi – die seit einiger Zeit (denn es war gerade Vollmond) wieder in Ängsten lebte –, wie Roswitha geschlafen und ob sie nichts gehört habe?

»Was?« fragte diese.

»Oh, nichts. Ich meine nur so; so was wie wenn ein Besen fegt oder wie wenn einer über die Diele schlittert.«

Roswitha lachte, was auf ihre junge Herrin einen besonders guten Eindruck machte. Effi war fest protestantisch erzogen und würde sehr erschrocken gewesen sein, wenn man an und in ihr was Katholisches entdeckt hätte; trotzdem glaubte sie, daß der Katholizismus uns gegen solche Dinge »wie da oben« besser schütze; ja, diese Betrachtung hatte bei dem Plane, Roswitha ins Haus zu nehmen, ganz erheblich mitgewirkt.

Man lebte sich schnell ein, denn Effi hatte ganz den liebenswürdigen Zug der meisten märkischen Landfräulein, sich gern allerlei kleine Geschichten erzählen zu lassen, und die verstorbene Frau Registratorin und ihr Geiz und ihre Neffen und deren Frauen boten einen unerschöpflichen Stoff. Auch Johanna hörte dabei gerne zu.

Diese, wenn Effi bei den drastischen* Stellen oft laut lachte, lächelte freilich und verwunderte sich im stillen, daß die gnädige Frau an all dem dummen Zeuge so viel Gefallen finde; diese Verwunderung aber, die mit einem starken Überlegenheitsgefühle Hand in Hand ging, war doch auch wieder ein Glück und sorgte dafür, daß keine Rangstreitigkeiten aufkommen konnten. Roswitha war einfach die komische Figur, und Neid gegen sie zu hegen wäre für Johanna nichts anderes gewesen, wie wenn sie Rollo um seine Freundschaftsstellung beneidet hätte.

So verging eine Woche, plauderhaft und beinahe gemütlich, weil Effi dem, was ihr persönlich bevorstand, ungeängstigter als früher entgegensah. Auch glaubte sie nicht, daß es so nahe sei.

Den neunten Tag aber war es mit dem Plaudern und den Gemütlichkeiten vorbei; da gab es ein Laufen und Rennen, Innstetten selbst kam ganz aus seiner gewohnten Reserve* heraus, und am Morgen des 3. Juli stand neben Effis Bett eine Wiege. Doktor Hannemann patschelte der jungen Frau die Hand und sagte: »Wir haben heute den ⌐Tag von Königgrätz⌐; schade, daß es ein Mädchen ist. Aber das andere kann ja nachkommen, und die Preußen haben viele Siegestage.« Roswitha mochte wohl Ähnliches denken, freute sich indessen vorläufig ganz uneingeschränkt über das, was da war, und nannte das Kind ohne weiteres »Lütt-Annie*«, was der jungen Mutter als ein Zeichen galt. »Es müsse doch wohl eine Eingebung gewesen sein, daß Ros-

derben, deftigen

Zurückhaltung

(norddt.) Klein-Annie

witha gerade auf diesen Namen gekommen sei.« Selbst
Innstetten wußte nichts dagegen zu sagen, und so wurde
schon von Klein-Annie gesprochen, lange bevor der Tauf-
tag da war. Effi, die von Mitte August an bei den Eltern in
Hohen-Cremmen sein wollte, hätte die Taufe gern bis da- 5
hin verschoben. Aber es ließ sich nicht tun; Innstetten
konnte nicht Urlaub nehmen, und so wurde denn der 15.

Napoleon I.,
*15.8.1769

August, trotzdem es der Napoleonstag* war (was denn
auch von seiten einiger Familien beanstandet wurde), für
diesen Taufakt festgesetzt, natürlich in der Kirche. Das sich 10
anschließende Festmahl, weil das landrätliche Haus keinen

Vgl. 78,32.

Saal hatte, fand in dem großen Ressourcen-Hotel* am Bollwerk statt, und der gesamte Nachbaradel war geladen und
auch erschienen. Pastor Lindequist ließ Mutter und Kind in
einem liebenswürdigen und allseitig bewunderten Toaste 15
leben, bei welcher Gelegenheit Sidonie von Grasenabb zu
ihrem Nachbar, einem adligen Assessor von der strengen

Reden zu
besonderen
kirchlichen
Anlässen, wie
etwa Taufe
oder Begräbnis

Richtung, bemerkte: »Ja, seine Kasualreden*, das geht.
Aber seine Predigten kann er vor Gott und Menschen nicht
verantworten; er ist ein Halber, einer von denen, die ver- 20
worfen sind, weil sie lau sind. Ich mag das ⌜Bibelwort⌝ hier
nicht wörtlich zitieren.« Gleich danach nahm auch der alte
Herr von Borcke das Wort, um Innstetten leben zu lassen.
»Meine Herrschaften, es sind schwere Zeiten, in denen wir
leben, Auflehnung, Trotz, Indisziplin, wohin wir blicken. 25
Aber solange wir noch Männer haben, und ich darf hinzusetzen, Frauen und Mütter (und hierbei verbeugte er sich
mit einer eleganten Handbewegung gegen Effi) . . . solange
wir noch Männer haben wie Baron Innstetten, den ich stolz
bin meinen Freund nennen zu dürfen, so lange geht es 30
noch, so lange hält unser altes Preußen noch. Ja, meine
Freunde, Pommern und Brandenburg, damit zwingen wir's
und zertreten dem Drachen der Revolution das giftige
Haupt. Fest und treu, so siegen wir. Die Katholiken, unsere
Brüder, die wir, auch wenn wir sie bekämpfen, achten müs- 35

sen, haben den ⌐>Felsen Petri⌐, wir aber haben den ⌐>Rocher de bronce⌐. Baron Innstetten, er lebe hoch!« Innstetten dankte ganz kurz. Effi sagte zu dem neben ihr sitzenden Major von Crampas: Das mit dem »Felsen Petri« sei wahr-
5 scheinlich eine Huldigung gegen Roswitha gewesen; sie werde nachher an den alten Justizrat Gadebusch heran- treten und ihn fragen, ob er nicht ihrer Meinung sei. Cram- pas nahm diese Bemerkung unerklärlicherweise für Ernst und riet vor einer Anfrage bei dem Justizrat ab, was Effi
10 ungemein erheiterte. »Ich habe Sie doch für einen besseren Seelenleser gehalten.«

»Ach, meine Gnädigste, bei schönen, jungen Frauen, die noch nicht achtzehn sind, scheitert alle Lesekunst.«

»Sie verderben sich vollends, Major. Sie können mich eine
15 Großmutter nennen, aber Anspielungen darauf, daß ich noch nicht achtzehn bin, das kann Ihnen nie verziehen wer- den.«

Als man von Tisch aufgestanden war, kam der Spätnach- mittagsdampfer die Kessine herunter und legte an der Lan-
20 dungsbrücke, gegenüber dem Hotel, an. Effi saß mit Cram- pas und Gieshübler beim Kaffee, alle Fenster auf, und sah dem Schauspiel drüben zu.

»Morgen früh um neun führt mich dasselbe Schiff den Fluß hinauf, und zu Mittag bin ich in Berlin, und am Abend bin
25 ich in Hohen-Cremmen, und Roswitha geht neben mir und hält das Kind auf dem Arme. Hoffentlich schreit es nicht. Ach, wie mir schon heute zumute ist! Lieber Gieshübler, sind Sie auch mal so froh gewesen, Ihr elterliches Haus wiederzusehen?«
30 »Ja, ich kenne das auch, gnädigste Frau. Nur bloß, ich brachte kein Anniechen mit, weil ich keins hatte.«

»Kommt noch«, sagte Crampas. »Stoßen Sie an, Gieshüb- ler; Sie sind der einzige vernünftige Mensch hier.«

»Aber, Herr Major, wir haben ja bloß noch den Cognac.«
35 »Desto besser.«

Fünfzehntes Kapitel

Mitte August war Effi abgereist, Ende September war sie wieder in Kessin. Manchmal in den zwischenliegenden sechs Wochen hatte sie's zurückverlangt; als sie aber wieder da war und in den dunklen Flur eintrat, auf den nur von der Treppenstiege her ein etwas fahles Licht fiel, wurde ihr mit einemmal wieder bang, und sie sagte leise: »Solch fahles, ⌐gelbes Licht⌐ gibt es in Hohen-Cremmen gar nicht.« Ja, ein paarmal, während ihrer Hohen-Cremmer Tage, hatte sie Sehnsucht nach dem »verwunschenen Hause« gehabt, alles in allem aber war ihr doch das Leben daheim voller Glück und Zufriedenheit gewesen. Mit Hulda freilich, die's nicht verwinden konnte, noch immer auf Mann oder Bräutigam warten zu müssen, hatte sie sich nicht recht stellen können, desto besser dagegen mit den Zwillingen, und mehr als einmal, wenn sie mit ihnen Ball oder Krocket* gespielt hatte, war ihr's ganz aus dem Sinn gekommen, überhaupt verheiratet zu sein. Das waren dann glückliche Viertelstunden gewesen. Am liebsten aber hatte sie wie früher auf dem durch die Luft fliegenden Schaukelbrett gestanden und in dem Gefühle: ›jetzt stürz' ich‹, etwas eigentümlich Prickelndes, einen Schauer süßer Gefahr empfunden. Sprang sie dann schließlich von der Schaukel ab, so begleitete sie die beiden Mädchen bis an die Bank vor dem Schulhause und erzählte, wenn sie dasaßen, dem alsbald hinzukommenden alten Jahnke von ihrem Leben in Kessin, das halb hanseatisch und halb skandinavisch und jedenfalls sehr anders als in Schwantikow und Hohen-Cremmen sei.

Das waren so die täglichen kleinen Zerstreuungen, an die sich gelegentlich auch Fahrten in das sommerliche Luch schlossen, meist im Jagdwagen; allem voran aber standen für Effi doch die Plaudereien, die sie beinahe jeden Morgen mit der Mama hatte. Sie saßen dann oben in der luftigen,

Engl. Rasen-
spiel

großen Stube, Roswitha wiegte das Kind und sang in einem thüringischen Platt* allerlei Wiegenlieder, die niemand recht verstand, vielleicht sie selber nicht; Effi und Frau von Briest aber rückten ans offene Fenster und sahen, während

5 sie sprachen, auf den Park hinunter, auf die Sonnenuhr oder auf die Libellen, die beinahe regungslos über dem Teich standen, oder auch auf den Fliesengang, wo Herr von Briest neben dem Treppenvorbau saß und die Zeitungen las. Immer wenn er umschlug, nahm er zuvor den Kneifer*

10 ab und grüßte zu Frau und Tochter hinauf. Kam dann das letzte Blatt an die Reihe, das in der Regel der »Anzeiger fürs Havelland*« war, so ging Effi hinunter, um sich entweder zu ihm zu setzen oder um mit ihm durch Garten und Park zu schlendern. Einmal, bei solcher Gelegenheit, traten sie,

15 von dem Kieswege her, an ein kleines, zur Seite stehendes Denkmal heran, das schon Briests Großvater zur Erinnerung an die ⌈Schlacht von Waterloo⌉ hatte aufrichten lassen, eine verrostete Pyramide mit einem gegossenen Blücher in Front und einem dito* Wellington auf der Rücksei-

20 te.

»Hast du nun solche Spaziergänge auch in Kessin«, sagte Briest, »und begleitet dich Innstetten auch und erzählt dir allerlei?«

»Nein, Papa, solche Spaziergänge habe ich nicht. Das ist

25 ausgeschlossen, denn wir haben bloß einen kleinen Garten hinter dem Hause, der eigentlich kaum ein Garten ist, bloß ein paar Buchsbaumrabatten* und Gemüsebeete mit drei, vier Obstbäumen drin. Innstetten hat keinen Sinn dafür und denkt wohl auch nicht sehr lange mehr in Kessin zu

30 bleiben.«

»Aber Kind, du mußt doch Bewegung haben und frische Luft, daran bist du doch gewöhnt.«

»Hab' ich auch. Unser Haus liegt an einem Wäldchen, das sie die Plantage nennen. Und da geh' ich denn viel spazieren

35 und Rollo mit mir.«

»Immer Rollo«, lachte Briest. »Wenn man's nicht anders
wüßte, so sollte man beinah glauben, Rollo sei dir mehr ans
Herz gewachsen als Mann und Kind.«

»Ach, Papa, das wäre ja schrecklich, wenn's auch freilich –
soviel muß ich zugeben – eine Zeit gegeben hat, wo's ohne 5
Rollo gar nicht gegangen wäre. Das war damals . . . nun,
du weißt schon . . . Da hat er mich so gut wie gerettet, oder
ich habe mir's wenigstens eingebildet, und seitdem ist er
mein guter Freund und mein ganz besonderer Verlaß. Aber
er ist doch bloß ein Hund. Und erst kommen doch natür- 10
lich die Menschen.«

»Ja, das sagt man immer, aber ich habe da doch so meine
Zweifel. Das mit der Kreatur, damit hat's doch seine eigene
Bewandtnis, und was da das Richtige ist, darüber sind die
Akten noch nicht geschlossen. Glaube mir, Effi, das ist 15
auch ein weites Feld. Wenn ich mir so denke, da verunglückt einer auf dem Wasser oder gar auf dem schülbrigen*
Eis, und solch ein Hund, sagen wir so einer wie dein Rollo,
ist dabei, ja, der ruht nicht eher, als bis er den Verunglück-
ten wieder an Land hat. Und wenn der Verunglückte schon 20
tot ist, dann legt er sich neben den Toten hin und blafft und
winselt so lange, bis wer kommt, und wenn keiner kommt,
dann bleibt er bei dem Toten liegen, bis er selber tot ist. Und
das tut solch Tier immer. Und nun nimm dagegen die
Menschheit! Gott, vergib mir die Sünde, aber mitunter ist 25
mir's doch, als ob die Kreatur besser wäre als der
Mensch.«

»Aber, Papa, wenn ich das Innstetten wieder erzählte . . .«

»Nein, das tu lieber nicht, Effi . . .« 30

»Rollo würde mich ja natürlich retten, aber Innstetten
würde mich auch retten. Er ist ja ein Mann von Ehre.«

»Das ist er.«

»Und liebt mich.«

»Versteht sich, versteht sich. Und wo Liebe ist, da ist auch 35

brüchigen

Gegenliebe. Das ist nun mal so. Mich wundert nur, daß er nicht mal Urlaub genommen hat und rübergeflitzt ist. Wenn man eine so junge Frau hat . . .«

Effi errötete, weil sie geradeso dachte. Sie mochte es aber nicht einräumen. »Innstetten ist so gewissenhaft und will, glaub' ich, gut angeschrieben sein, und hat so seine Pläne für die Zukunft; Kessin ist doch bloß eine Station. Und dann am Ende, ich lauf' ihm ja nicht fort. Er hat mich ja. Wenn man zu zärtlich ist . . . und dazu der Unterschied der Jahre . . . da lächeln die Leute bloß.«

»Ja, das tun sie, Effi. Aber darauf muß man's ankommen lassen. Übrigens sage nichts darüber, auch nicht zu Mama. Es ist so schwer, was man tun und lassen soll. Das ist auch ein weites Feld.«

Gespräche wie diese waren während Effis Besuch im elterlichen Hause mehr als einmal geführt worden, hatten aber glücklicherweise nicht lange nachgewirkt, und ebenso war auch der etwas melancholische Eindruck rasch verflogen, den das erste Wiederbetreten ihres Kessiner Hauses auf Effi gemacht hatte. Innstetten zeigte sich voll kleiner Aufmerksamkeiten, und als der Tee genommen und alle Stadt- und Liebesgeschichten in heiterster Stimmung durchgesprochen waren, hing sich Effi zärtlich an seinen Arm, um drüben ihre Plaudereien mit ihm fortzusetzen und noch einige Anekdoten von der Trippelli zu hören, die neuerdings wieder mit Gieshübler in einer lebhaften Korrespondenz gestanden hatte, was immer gleichbedeutend mit einer neuen Belastung ihres nie ausgeglichenen Kontos war. Effi war bei diesem Gespräch sehr ausgelassen, fühlte sich ganz als junge Frau und war froh, die nach der Gesindestube hin ausquartierte Roswitha auf unbestimmte Zeit los zu sein.

Am andern Morgen sagte sie: »Das Wetter ist schön und mild, und ich hoffe, die Veranda nach der Plantage hinaus ist noch in gutem Stande, und wir können uns ins Freie setzen und da das Frühstück nehmen. In unsere Zimmer kommen wir ohnehin noch früh genug, und der Kessiner Winter ist wirklich um vier Wochen zu lang.«

Innstetten war sehr einverstanden. Die Veranda, von der Effi gesprochen, und die vielleicht richtiger ein Zelt genannt worden wäre, war schon im Sommer hergerichtet worden, drei, vier Wochen vor Effis Abreise nach Hohen-Cremmen, und bestand aus einem großen, gedielten Podium, vorn offen, mit einer mächtigen Markise* zu Häupten, während links und rechts breite Leinwandvorhänge waren, die sich mit Hülfe von Ringen an einer Eisenstange hin- und herschieben ließen. Es war ein reizender Platz, den ganzen Sommer über von allen Badegästen, die hier vorüber mußten, bewundert.

Effi hatte sich in einen Schaukelstuhl gelehnt und sagte, während sie das Kaffeebrett von der Seite her ihrem Manne zuschob: »Geert, du könntest heute den liebenswürdigen Wirt machen; ich für mein Teil find' es so schön in diesem Schaukelstuhl, daß ich nicht aufstehen mag. Also strenge dich an, und wenn du dich recht freust, mich wieder hier zu haben, so werd' ich mich auch zu revanchieren wissen.« Und dabei zupfte sie die weiße Damastdecke zurecht und legte ihre Hand darauf, die Innstetten nahm und küßte.

»Wie bist du nur eigentlich ohne mich fertig geworden?«

»Schlecht genug, Effi.«

»Das sagst du so hin und machst ein betrübtes Gesicht, und ist doch eigentlich alles nicht wahr.«

»Aber Effi . . .«

»Was ich dir beweisen will. Denn wenn du ein bißchen Sehnsucht nach deinem Kinde gehabt hättest – von mir selber will ich nicht sprechen, was ist man am Ende solchem hohen Herrn, der so lange Junggeselle war und es nicht eilig hatte . . .«

»Nun?«

»Ja, Geert, wenn du nur ein bißchen Sehnsucht gehabt hät-

Aufrollbares
Sonnendach

Effi Briest

test, so hättest du mich nicht sechs Wochen mutterwindal- ganz allein
lein* in Hohen-Cremmen sitzen lassen wie eine Witwe, und
nichts da als Niemeyer und Jahnke und mal die Schwantikower. Und von den Rathenowern ist niemand gekom-
5 men, als ob sie sich vor mir gefürchtet hätten oder als ob ich
zu alt geworden sei.«

»Ach, Effi, wie du nur sprichst. Weißt du, daß du eine klei- Eitle Frau
ne Kokette* bist?«

»Gott sei Dank, daß du das sagst. Das ist für euch das
10 Beste, was man sein kann. Und du bist nichts anderes als
die anderen, wenn du auch so feierlich und ehrsam tust. Ich
weiß es recht gut, Geert . . . Eigentlich bist du . . .«

»Nun, was?«

»Nun, ich will es lieber nicht sagen. Aber ich kenne dich
15 recht gut; du bist eigentlich, wie der Schwantikower Onkel Planet Venus, der in der Astrologie für die Liebe steht
mal sagte, ein Zärtlichkeitsmensch und unterm Liebes-
stern* geboren, und Onkel Belling hatte ganz recht, als er
das sagte. Du willst es bloß nicht zeigen und denkst, es
schickt sich nicht und verdirbt einem die Karriere. Hab’
20 ich’s getroffen?«

Innstetten lachte. »Ein bißchen getroffen hast du’s. Weißt
du was, Effi, du kommst mir ganz anders vor. Bis Anniechen da war, warst du ein Kind. Aber mit einemmal . . .«

»Nun?«

25 »Mit einemmal bist du wie vertauscht. Aber es steht dir, du
gefällst mir sehr, Effi. Weißt du was?«

»Nun?«

»Du hast was Verführerisches.«

»Ach, mein einziger Geert, das ist ja herrlich, was du da
30 sagst; nun wird mir erst recht wohl ums Herz . . . Gib mir
noch eine halbe Tasse . . . Weißt du denn, daß ich mir das
immer gewünscht habe? Wir müssen verführerisch sein,
sonst sind wir gar nichts . . .«

»Hast du das aus dir?«

35 »Ich könnt’ es wohl auch aus mir haben. Aber ich hab’ es
von Niemeyer . . .«

»Von Niemeyer! O du himmlischer Vater, ist *das* ein Pastor. Nein, solche gibt es hier nicht. Aber wie kam denn *der* dazu? Das ist ja, als ob es irgendein Don Juan* oder Herzensbrecher gesprochen hätte.«

Frauenheld

»Ja, wer weiß«, lachte Effi ... »Aber kommt da nicht   5
Crampas? Und vom Strand her. Er wird doch nicht gebadet
haben? Am 27. September ...«

Prahlerei

»Er macht öfter solche Sachen. Reine Renommisterei*.«
Derweilen war Crampas bis in nächste Nähe gekommen
und grüßte.   10

»Guten Morgen«, rief Innstetten ihm zu. »Nur näher, nur
näher.«

Crampas trat heran. Er war in Zivil und küßte der in ihrem
Schaukelstuhl sich weiter wiegenden Effi die Hand. »Entschuldigen Sie mich, Major, daß ich so schlecht die Hon-   15
neurs des Hauses mache*; aber die Veranda ist kein Haus
und zehn Uhr früh ist eigentlich gar keine Zeit. Da wird
man formlos oder, wenn Sie wollen, intim. Und nun setzen
Sie sich und geben Sie Rechenschaft von Ihrem Tun. Denn
an Ihrem Haar (ich wünschte Ihnen, daß es mehr wäre)   20
sieht man deutlich, daß Sie gebadet haben.«
Er nickte.

(franz.)
die Gäste
willkommen
heißen

»Unverantwortlich«, sagte Innstetten, halb ernst-, halb
scherzhaft. »Da haben Sie nun selber vor vier Wochen die
Geschichte mit dem Bankier Heinersdorf erlebt, der auch   25
dachte, das Meer und der grandiose Wellenschlag würden
ihn um seiner Millionen willen respektieren. Aber die Götter sind eifersüchtig untereinander, und Neptun* stellte
sich ohne weiteres gegen Pluto* oder doch wenigstens gegen Heinersdorf.«   30

Röm. Gott
des Meeres
Röm. Gott
der Unterwelt

Crampas lachte. »Ja, eine Million Mark! Lieber Innstetten,
wenn ich *die* hätte, da hätt' ich es am Ende nicht gewagt;
denn so schön das Wetter ist, das Wasser hatte nur neun
Grad. Aber unsereins mit seiner Million Unterbilanz, gestatten Sie mir diese kleine Renommage*, unsereins kann   35

(franz.)
Prahlerei

sich so was ohne Furcht vor der Götter Eifersucht erlauben. Und dann muß einen das Sprichwort trösten: ›Wer für den Strick geboren ist, kann im Wasser nicht umkommen.‹«

»Aber, Major, Sie werden sich doch nicht etwas so Urprosaisches, ich möchte beinah sagen an den Hals reden wollen. Allerdings glauben manche, daß . . . ich meine *das*, wovon Sie eben gesprochen haben . . . daß ihn jeder mehr oder weniger verdiene. Trotzdem, Major . . . für einen Major . . .«

». . . Ist es keine herkömmliche Todesart. Zugegeben, meine Gnädigste. Nicht herkömmlich und in meinem Falle auch nicht einmal sehr wahrscheinlich – also alles bloß Zitat oder noch richtiger façon de parler*. Und doch steckt etwas Aufrichtiggemeintes dahinter, wenn ich da eben sagte, die See werde mir nichts anhaben. Es steht mir nämlich fest, daß ich einen richtigen und hoffentlich ehrlichen Soldatentod sterben werde. Zunächst bloß Zigeunerprophezeiung, aber mit Resonanz im eigenen Gewissen.«

Innstetten lachte. »Das wird seine Schwierigkeiten haben, Crampas, wenn Sie nicht vorhaben, ⌈beim Großtürken oder unterm chinesischen Drachen⌉ Dienste zu nehmen. Da schlägt man sich jetzt herum. Hier ist die Geschichte, glauben Sie mir, auf dreißig Jahre vorbei, und wer seinen Soldatentod sterben will . . .«

». . . Der muß sich erst bei Bismarck einen Krieg bestellen. Weiß ich alles, Innstetten. Aber das ist doch für Sie eine Kleinigkeit. Jetzt haben wir Ende September; in zehn Wochen spätestens ist der Fürst wieder in Varzin, und da er ein liking* für Sie hat – mit der ⌈volkstümlicheren Wendung⌉ will ich zurückhalten, um nicht direkt vor Ihren Pistolenlauf zu kommen –, so werden Sie einem alten Kameraden von Vionville* her doch wohl ein bißchen Krieg besorgen können. Der Fürst ist auch nur ein Mensch, und Zureden hilft.«

(franz.)
Redensart

(engl.)
Gefallen,
Vorliebe

Bei Vionville
besiegten am
16.8.1870 die
dt. Truppen
die franz.
Rheinarmee.

Effi hatte während dieses Gesprächs einige Brotkügelchen gedreht, würfelte damit und legte sie zu Figuren zusammen, um so anzuzeigen, daß ihr ein Wechsel des Themas wünschenswert wäre. Trotzdem schien Innstetten auf Crampas' scherzhafte Bemerkungen antworten zu wollen, was denn Effi bestimmte, lieber direkt einzugreifen.

»Ich sehe nicht ein, Major, warum wir uns mit Ihrer Todesart beschäftigen sollen; das Leben ist uns näher und zunächst auch eine viel ernstere Sache.«

Crampas nickte.

»Das ist recht, daß Sie mir recht geben. Wie soll man hier leben? *Das* ist vorläufig die Frage, *das* ist wichtiger als alles andere. Gieshübler hat mir darüber geschrieben, und wenn es nicht indiskret und eitel wäre, denn es steht noch allerlei nebenher darin, so zeigte ich Ihnen den Brief . . . Innstetten braucht ihn nicht zu lesen, der hat keinen Sinn für dergleichen . . . beiläufig eine Handschrift wie gestochen und Ausdrucksformen, als wäre unser Freund statt am Kessiner Alten Markt an einem altfranzösischen Hofe erzogen. Und daß er verwachsen ist und weiße ⌐Jabots⌐ trägt wie kein anderer Mensch mehr – ich weiß nur nicht, wo er die Plätterin* hernimmt –, das paßt alles so vorzüglich. Nun, also Gieshübler hat mir von Plänen für die Ressourcenabende geschrieben und von einem Entrepreneur*, namens Crampas. Sehen Sie, Major, das gefällt mir besser als der Soldatentod oder gar der andere.«

»Mir persönlich nicht minder. Und es muß ein Prachtwinter werden, wenn wir uns der Unterstützung der gnädigen Frau versichert halten dürften. Die Trippelli kommt . . .«

»Die Trippelli? Dann bin ich überflüssig.«

»Mitnichten, gnädigste Frau. Die Trippelli kann nicht von Sonntag bis wieder Sonntag singen, es wäre zuviel für sie und für uns; Abwechslung ist des Lebens Reiz, eine Wahrheit, die freilich jede glückliche Ehe zu widerlegen scheint.«

(norddt.) Büglerin

(franz.) Veranstalter

»Wenn es glückliche Ehen gibt, die meinige ausgenommen . . .«, und sie reichte Innstetten die Hand.

»Abwechslung also«, fuhr Crampas fort. »Und diese für uns und unsere Ressource zu gewinnen, deren Vizevorstand zu sein ich zurzeit die Ehre habe, dazu braucht es aller bewährten Kräfte. Wenn wir uns zusammentun, so müssen wir das ganze Nest auf den Kopf stellen. Die Theaterstücke sind schon ausgesucht: ⌐›Krieg im Frieden‹¬, ⌐›Monsieur Herkules‹¬, ›Jugendliebe‹ von Wilbrandt, vielleicht auch ⌐›Euphrosyne‹¬ von Gensichen. Sie die Euphrosine, ich der alte Goethe. Sie sollen staunen, wie gut ich den Dichterfürsten tragiere* . . . wenn ›tragieren‹ das richtige Wort ist.«

Eine Rolle
tragisch
spielen

»Kein Zweifel. Hab' ich doch inzwischen aus dem Briefe meines alchimistischen Geheimkorrespondenten erfahren, daß Sie neben vielem anderen gelegentlich auch Dichter sind. Anfangs habe ich mich gewundert . . .«

»Denn Sie haben es mir nicht angesehen.«

»Nein. Aber seit ich weiß, daß Sie bei neun Grad baden, bin ich anderen Sinnes geworden . . . neun Grad Ostsee, das geht über den ⌐kastalischen Quell¬ . . .«

»Dessen Temperatur unbekannt ist.«

»Nicht für mich; wenigstens wird mich niemand widerlegen. Aber nun muß ich aufstehen. Da kommt ja Roswitha mit Lütt-Annie.«

Und sie erhob sich rasch und ging auf Roswitha zu, nahm ihr das Kind aus dem Arm und hielt es stolz und glücklich in die Höhe.

Sechzehntes Kapitel

Die Tage waren schön und blieben es bis in den Oktober hinein. Eine Folge davon war, daß die halbzeltartige Veranda draußen zu ihrem Rechte kam, so sehr, daß sich wenigstens die Vormittagsstunden regelmäßig darin abspielten. Gegen elf kam dann wohl der Major, um sich zunächst nach dem Befinden der gnädigen Frau zu erkundigen und mit ihr ein wenig zu medisieren*, was er wundervoll verstand, danach aber mit Innstetten einen Ausritt zu verabreden, oft landeinwärts, die Kessine hinauf bis an den Breitling, noch häufiger auf die Molen* zu. Effi, wenn die Herren fort waren, spielte mit dem Kind oder durchblätterte die von Gieshübler nach wie vor ihr zugeschickten Zeitungen und Journale, schrieb auch wohl einen Brief an die Mama oder sagte: »Roswitha, wir wollen mit Annie spazierenfahren«, und dann spannte sich Roswitha vor den Korbwagen und fuhr, während Effi hinterherging, ein paar hundert Schritt in das Wäldchen hinein, auf eine Stelle zu, wo Kastanien ausgestreut lagen, die man nun auflas, um sie dem Kinde als Spielzeug zu geben. In die Stadt kam Effi wenig; es war niemand recht da, mit dem sie hätte plaudern können, nachdem ein Versuch, mit der Frau von Crampas auf einen Umgangsfuß zu kommen, aufs neue gescheitert war. Die Majorin war und blieb menschenscheu.

Das ging so wochenlang, bis Effi plötzlich den Wunsch äußerte, mit ausreiten zu dürfen; sie habe nun mal die Passion*, und es sei doch zu viel verlangt, bloß um des Geredes der Kessiner willen, auf etwas zu verzichten, das einem so viel wert sei. Der Major fand die Sache kapital*, und Innstetten, dem es augenscheinlich weniger paßte – so wenig, daß er immer wieder hervorhob, es werde sich kein Damenpferd finden lassen –, Innstetten mußte nachgeben, als Crampas versicherte, »das solle seine Sorge sein«. Und

lästern

Vgl. Erl.
zu 71.12.

Leidenschaft

großartig

richtig, was man wünschte, fand sich auch, und Effi war
selig, am Strande hinjagen zu können, jetzt wo ⌈»Damenbad« und »Herrenbad«⌉ keine scheidenden Schreckens-
worte mehr waren. Meist war auch Rollo mit von der Partie, und weil es sich ein paarmal ereignet hatte, daß man am
Strande zu rasten oder auch eine Strecke Wegs zu Fuß zu
machen wünschte, so kam man überein, sich von entspre-
chender Dienerschaft begleiten zu lassen, zu welchem Be-
hufe* des Majors Bursche, ein alter Treptower Ulan*, der
Knut hieß, und Innstettens Kutscher Kruse zu Reitknech-
ten umgewandelt wurden, allerdings ziemlich unvollkom-
men, indem sie, zu Effis Leidwesen, in eine Phantasielivree*
gesteckt wurden, darin der eigentliche Beruf beider noch
nachspukte.

Mitte Oktober war schon heran, als man, so herausstaf-
fiert, zum erstenmal in voller Kavalkade* aufbrach, in
Front Innstetten und Crampas, Effi zwischen ihnen, dann
Kruse und Knut und zuletzt Rollo, der aber bald, weil ihm
das Nachtrotten mißfiel, allen vorauf war. Als man das
jetzt öde Strandhotel passiert und bald danach, sich rechts
haltend, auf dem von einer mäßigen Brandung über-
schäumten Strandwege den diesseitigen Molendamm erreicht hatte, verspürte man Lust, abzusteigen und einen
Spaziergang bis an den Kopf der Mole zu machen. Effi war
die erste aus dem Sattel. Zwischen den beiden Steindäm-
men floß die Kessine breit und ruhig dem Meere zu, das wie
eine sonnenbeschienene Fläche, darauf nur hier und da
eine leichte Welle kräuselte, vor ihnen lag.

Effi war noch nie hier draußen gewesen, denn als sie vori-
gen November in Kessin eintraf, war schon Sturmzeit, und
als der Sommer kam, war sie nicht mehr imstande, weite
Gänge zu machen. Sie war jetzt entzückt, fand alles groß
und herrlich, erging sich in kränkenden Vergleichen zwischen dem Luch und dem Meer und ergriff, sooft die Gelegenheit dazu sich bot, ein Stück angeschwemmtes Holz,

zu diesem
Zweck

(türk./poln.)
Lanzenreiter

Phantasie-
uniform

Prachtvoller
Reiteraufzug

um es nach links hin in die See oder nach rechts hin in die Kessine zu werfen. Rollo war immer glücklich, im Dienste seiner Herrin sich nachstürzen zu können; mit einem Male aber wurde seine Aufmerksamkeit nach einer ganz anderen Seite hin abgezogen, und sich vorsichtig, ja beinahe ängstlich vorwärts schleichend, sprang er plötzlich auf einen in Front sichtbar werdenden Gegenstand zu, freilich vergeblich, denn im selben Augenblicke glitt von einem sonnenbeschienenen und mit grünem Tang überwachsenen Stein eine Robbe glatt und geräuschlos in das nur etwa fünf Schritt entfernte Meer hinunter. Eine kurze Weile noch sah man den Kopf, dann tauchte auch dieser unter.

Alle waren erregt, und Crampas phantasierte von Robbenjagd, und daß man das nächste Mal die Büchse mitnehmen müsse, »denn die Dinger haben ein festes Fell«.

»Geht nicht«, sagte Innstetten; »Hafenpolizei.«

»Wenn ich so was höre«, lachte der Major. »Hafenpolizei! Die drei Behörden, die wir hier haben, werden doch wohl untereinander die Augen zudrücken können. Muß denn alles so furchtbar gesetzlich sein? Alle Gesetzlichkeiten sind langweilig.«

Effi klatschte in die Hände.

»Ja, Crampas, Sie kleidet das, und Effi, wie Sie sehen, klatscht Ihnen Beifall. Natürlich; die Weiber schreien sofort nach einem Schutzmann, aber von Gesetz wollen sie nichts wissen.«

»Das ist so Frauenrecht von alter Zeit her, und wir werden's nicht ändern, Innstetten.«

»Nein«, lachte dieser, »und ich will es auch nicht. Auf Mohrenwäsche* lasse ich mich nicht ein. Aber einer wie Sie, Crampas, der unter der Fahne der Disziplin großgeworden ist und recht gut weiß, daß es ohne Zucht und Ordnung nicht geht, ein Mann wie Sie, der sollte doch eigentlich so was nicht reden, auch nicht einmal im Spaß. Indessen, ich weiß schon, Sie haben einen himmlischen

Versuch, einen offensichtlich Schuldigen durch Scheinbeweise reinzuwaschen

Effi Briest

Kehrmichnichtdran* und denken, der Himmel wird nicht gleich einstürzen. Nein, gleich nicht. Aber mal kommt es.«

Crampas wurde einen Augenblick verlegen, weil er glaub-
5 te, das alles sei mit einer gewissen Absicht gesprochen, was aber nicht der Fall war. Innstetten hielt nur einen seiner kleinen moralischen Vorträge, zu denen er überhaupt hin-neigte. »Da lob' ich mir Gieshübler«, sagte er einlenkend, »immer Kavalier und dabei doch Grundsätze.«
10 Der Major hatte sich mittlerweile wieder zurechtgefunden und sagte in seinem alten Ton: »Ja, Gieshübler; der beste Kerl von der Welt und, wenn möglich, noch bessere Grund-sätze. Aber am Ende woher? warum? Weil er einen ›Ver-druß*‹ hat. Wer gerade gewachsen ist, ist für Leichtsinn.
15 Überhaupt ohne Leichtsinn ist das ganze Leben keinen Schuß Pulver wert.«
»Nun hören Sie, Crampas, geradeso viel kommt mitunter dabei heraus.« Und dabei sah er auf des Majors linken, etwas verkürzten Arm.
20 Effi hatte von diesem Gespräch wenig gehört. Sie war dicht an die Stelle getreten, wo die Robbe gelegen, und Rollo stand neben ihr. Dann sahen beide, von dem Stein weg, auf das Meer und warteten, ob die »Seejungfrau*« noch ein-mal sichtbar werden würde.

25 Ende Oktober begann die Wahlkampagne, was Innstetten hinderte, sich ferner an den Ausflügen zu beteiligen, und auch Crampas und Effi hätten jetzt um der lieben Kessiner willen wohl verzichten müssen, wenn nicht Knut und Kru-se als eine Art Ehrengarde gewesen wären. So kam es, daß
30 sich die Spazierritte bis in den November hinein fortsetz-ten.
Ein Wetterumschlag war freilich eingetreten, ein andauern-der Nordwest trieb Wolkenmassen heran, und das Meer schäumte mächtig, aber Regen und Kälte fehlten noch, und

Gemeint ist, dass sich Crampas nicht daran stört

Hier: Buckel

Metapher für die zuvor erwähnte Robbe

so waren diese Ausflüge bei grauem Himmel und lärmender Brandung fast noch schöner, als sie vorher bei Sonnenschein und stiller See gewesen waren. Rollo jagte voraus, dann und wann von dem Gischt überspritzt, und der Schleier von Effis Reithut flatterte im Winde. Dabei zu sprechen war fast unmöglich; wenn man dann aber, vom Meere fort, in die schutzgebenden Dünen oder noch besser in den weiter zurückgelegenen Kiefernwald einlenkte, so wurd' es still, Effis Schleier flatterte nicht mehr, und die Enge des Weges zwang die beiden Reiter dicht nebeneinander. Das war dann die Zeit, wo man – schon um der Knorren und Wurzeln willen im Schritt reitend – die Gespräche, die der Brandungslärm unterbrochen hatte, wieder aufnehmen konnte. Crampas, ein guter Causeur*, erzählte dann Kriegs- und Regimentsgeschichten, auch Anekdoten und kleine Charakterzüge von Innstetten, »der mit seinem Ernst und seiner Zugeknöpftheit in den übermütigen Kreis der Kameraden nie recht hineingepaßt habe, so daß er eigentlich immer mehr respektiert als geliebt worden sei«.

»Das kann ich mir denken«, sagte Effi, »ein Glück nur, daß der Respekt die Hauptsache ist.«

»Ja, zu seiner Zeit. Aber er paßt doch nicht immer. Und zu dem allen kam noch seine mystische* Richtung, die mitunter Anstoß gab, einmal weil Soldaten überhaupt nicht sehr für derlei Dinge sind, und dann weil wir die Vorstellung unterhielten, vielleicht mit Unrecht, daß er doch nicht ganz so dazu stände, wie er's uns einreden wollte.«

»Mystische Richtung?« sagte Effi. »Ja, Major, was verstehen Sie darunter? Er kann doch keine Konventikel* abgehalten und den Propheten gespielt haben. Auch nicht einmal den ⌐aus der Oper⌐ . . . ich habe seinen Namen vergessen.«

»Nein, so weit ging er nicht. Aber es ist vielleicht besser, davon abzubrechen. Ich möchte nicht hinter seinem Rükken etwas sagen, was falsch ausgelegt werden könnte. Zu-

dem sind es Dinge, die sich sehr gut auch in seiner Gegenwart verhandeln lassen, Dinge, die nur, man mag wollen
oder nicht, zu was Sonderbarem aufgebauscht werden,
wenn er nicht dabei ist und nicht jeden Augenblick eingreifen und uns widerlegen oder meinetwegen auch auslachen kann.«

»Aber das ist ja grausam, Major. Wie können Sie meine
Neugier so auf die Folter spannen. Erst ist es was, und dann
ist es wieder nichts. Und ⌈Mystik⌉! Ist er denn ein ⌈Geister-
seher⌉?«

»Ein Geisterseher! Das will ich nicht gerade sagen. Aber er
hatte eine Vorliebe, uns Spukgeschichten zu erzählen. Und
wenn er uns dann in große Aufregung versetzt und manchen auch wohl geängstigt hatte, dann war es mit einem
Male wieder, als habe er sich über alle die Leichtgläubigen
bloß mokieren wollen. Und kurz und gut, einmal kam es,
daß ich ihm auf den Kopf zusagte: ›Ach was, Innstetten,
das ist ja alles bloß Komödie. Mich täuschen Sie nicht. Sie
treiben Ihr Spiel mit uns. Eigentlich glauben Sie's gradso-
wenig wie wir, aber Sie wollen sich interessant machen und
haben eine Vorstellung davon, daß Ungewöhnlichkeiten
nach oben hin besser empfehlen. In höheren Karrieren will
man keine Alltagsmenschen. Und da Sie so was vorhaben,
so haben Sie sich was Apartes ausgesucht und sind bei der
Gelegenheit auf den Spuk gefallen.‹«
Effi sagte kein Wort, was dem Major zuletzt bedrücklich
wurde. »Sie schweigen, gnädigste Frau.«
»Ja.«
»Darf ich fragen warum? Hab' ich Anstoß gegeben? Oder
finden Sie's unritterlich, einen abwesenden Freund, ich
muß das trotz aller Verwahrungen einräumen, ein klein
wenig zu hecheln*? Aber da tun Sie mir trotz alledem un-   lästern
recht. Das alles soll ganz ungeniert seine Fortsetzung vor
seinen Ohren haben, und ich will ihm dabei jedes Wort
wiederholen, was ich jetzt eben gesagt habe.«

»Glaub' es.« Und nun brach Effi ihr Schweigen und erzählte, was sie alles in ihrem Hause erlebt und wie sonderbar sich Innstetten damals dazu gestellt habe. »Er sagte nicht ja und nicht nein, und ich bin nicht klug aus ihm geworden.«

»Also ganz der alte«, lachte Crampas. »So war er damals auch schon, als wir in Liancourt und dann später in Beauvais mit ihm in Quartier lagen. Er wohnte da in einem alten bischöflichen Palast – beiläufig, was Sie vielleicht interessieren wird, war es ein ⌈Bischof von Beauvais⌉, glücklicherweise ⌈›Cochon‹⌉ mit Namen, der die ⌈Jungfrau von Orleans⌉ zum Feuertod verurteilte –, und da verging denn kein Tag, das heißt keine Nacht, wo Innstetten nicht Unglaubliches erlebt hatte. Freilich immer nur so halb. Es konnte auch nichts sein. Und nach diesem Prinzip arbeitet er noch, wie ich sehe.«

»Gut, gut. Und nun ein ernstes Wort, Crampas, auf das ich mir eine ernste Antwort erbitte: wie erklären Sie sich dies alles?«

»Ja, meine gnädigste Frau . . .«

»Keine Ausweichungen, Major. Dies alles ist sehr wichtig für mich. Er ist Ihr Freund, und ich bin Ihre Freundin. Ich will wissen, wie hängt dies zusammen? Was denkt er sich dabei?«

»Ja, meine gnädigste Frau, Gott sieht ins Herz, aber ein Major vom Landwehrbezirkskommando, der sieht in gar nichts. Wie soll ich solche psychologischen Rätsel lösen? Ich bin ein einfacher Mann.«

»Ach, Crampas, reden Sie nicht so töricht. Ich bin zu jung, um eine große Menschenkennerin zu sein; aber ich müßte noch vor der Einsegnung* und beinah vor der Taufe stehen, um Sie für einen einfachen Mann zu halten. Sie sind das Gegenteil davon, Sie sind gefährlich . . .«

»Das Schmeichelhafteste, was einem guten Vierziger mit einem a. D.* auf der Karte gesagt werden kann. Und nun also, was sich Innstetten dabei denkt . . .«

Konfirmation

außer Dienst

Effi nickte.

»Ja, wenn ich durchaus sprechen soll, er denkt sich dabei, daß ein Mann wie Landrat Baron Innstetten, der jeden Tag Ministerialdirektor oder dergleichen werden kann (denn glauben Sie mir, er ist hoch hinaus), daß ein Mann wie Baron Innstetten nicht in einem gewöhnlichen Hause wohnen kann, nicht in einer solchen Kate* wie die landrätliche Wohnung, ich bitte um Vergebung, gnädigste Frau, doch eigentlich ist. Da hilft er denn nach. Ein Spukhaus ist nie was Gewöhnliches . . . Das ist das eine.«

(norddt.)
Kleines
Bauernhaus

»Das eine? Mein Gott, haben Sie noch etwas?«

»Ja.«

»Nun denn, ich bin ganz Ohr. Aber wenn es sein kann, lassen Sie's was Gutes sein.«

»Dessen bin ich nicht ganz sicher. Es ist etwas Heikles, beinah Gewagtes, und ganz besonders vor Ihren Ohren, gnädigste Frau.«

»Das macht mich nur um so neugieriger.«

»Gut denn. Also Innstetten, meine gnädigste Frau, hat außer seinem brennenden Verlangen, es koste, was es wolle, ja, wenn es sein muß unter Heranziehung eines Spuks, seine Karriere zu machen, noch eine zweite Passion: er operiert nämlich immer erzieherisch, ist der geborene Pädagog, und hätte, links ⌈Basedow und rechts Pestalozzi⌉ (aber doch kirchlicher als beide) eigentlich nach ⌈Schnepfenthal oder Bunzlau⌉ hingepaßt.«

»Und will er mich auch erziehen? Erziehung durch Spuk?«

»Erziehen ist vielleicht nicht das richtige Wort. Aber doch erziehen auf einem Umweg.«

»Ich verstehe Sie nicht.«

»Eine junge Frau ist eine junge Frau, und ein Landrat ist ein Landrat. Er kutschiert oft im Kreise umher, und dann ist das Haus allein und unbewohnt. Aber solch Spuk ist wie ein ⌈Cherub mit dem Schwert⌉ . . .«

»Ah, da sind wir wieder aus dem Walde heraus«, sagte Effi. »Und da ist Utpatels Mühle. Wir müssen nur noch an dem Kirchhof vorüber.«

Gleich danach passierten sie den Hohlweg zwischen dem Kirchhof und der eingegitterten Stelle, und Effi sah nach dem Stein und der Tanne hinüber, wo der Chinese lag.

Siebzehntes Kapitel

Es schlug zwei Uhr, als man zurück war. Crampas verabschiedete sich und ritt in die Stadt hinein, bis er vor seiner am Marktplatz gelegenen Wohnung hielt. Effi ihrerseits kleidete sich um und versuchte zu schlafen; es wollte aber nicht glücken, denn ihre Verstimmung war noch größer als ihre Müdigkeit. Daß Innstetten sich seinen Spuk parat hielt, um ein nicht ganz gewöhnliches Haus zu bewohnen, das mochte hingehen, das stimmte zu seinem Hange, sich von der großen Menge zu unterscheiden; aber das andere, daß er den Spuk als Erziehungsmittel brauchte, das war doch arg und beinahe beleidigend. Und »Erziehungsmittel«, darüber war sie sich klar, sagte nur die kleinere Hälfte; was Crampas gemeint hatte, war viel, viel mehr, war eine Art Angstapparat aus Kalkül[*]. Es fehlte jede Herzensgüte darin und grenzte schon fast an Grausamkeit. Das Blut stieg ihr zu Kopf, und sie ballte ihre kleine Hand und wollte Pläne schmieden; aber mit einem Male mußte sie wieder lachen. »Ich Kindskopf! Wer bürgt mir denn dafür, daß Crampas recht hat! Crampas ist unterhaltlich, weil er medisant[*] ist, aber er ist unzuverlässig, und ein bloßer Haselant[*], der schließlich Innstetten nicht das Wasser reicht.«

In diesem Augenblick fuhr Innstetten vor, der heute früher zurückkam als gewöhnlich. Effi sprang auf, um ihn schon

Berechnung

Vgl. 78,28.
Spaßvogel, Prahlhans

im Flur zu begrüßen, und war um so zärtlicher, je mehr sie das Gefühl hatte, etwas gutmachen zu müssen. Aber ganz konnte sie das, was Crampas gesagt hatte, doch nicht verwinden, und inmitten ihrer Zärtlichkeiten, und während sie mit anscheinendem Interesse zuhörte, klang es in ihr immer wieder: »Also Spuk aus Berechnung, Spuk, um dich in Ordnung zu halten.« Zuletzt indessen vergaß sie's und ließ sich unbefangen von ihm erzählen.

Inzwischen war Mitte November herangekommen, und der bis zum Sturm sich steigernde Nordwester stand anderthalb Tag lang so hart auf die Molen, daß die mehr und mehr zurückgestaute Kessine das Bollwerk überstieg und in die Straßen trat. Aber nachdem sich's ausgetobt, legte sich das Unwetter, und es kamen noch ein paar sonnige Spätherbsttage. »Wer weiß, wie lange sie dauern«, sagte Effi zu Crampas, und so beschloß man, am nächsten Vormittage noch einmal auszureiten; auch Innstetten, der einen freien Tag hatte, wollte mit. Es sollte zunächst wieder bis an die Mole gehen; da wollte man dann absteigen, ein wenig am Strande promenieren und schließlich im Schutze der Dünen, wo's windstill war, ein Frühstück nehmen.
Um die festgesetzte Stunde ritt Crampas vor dem landrätlichen Hause vor; Kruse hielt schon das Pferd der gnädigen Frau, die sich rasch in den Sattel hob und noch im Aufsteigen Innstetten entschuldigte, der nun doch verhindert sei: letzte Nacht wieder großes Feuer in Morgenitz – das dritte seit drei Wochen, also angelegt –, da habe er hingemußt, sehr zu seinem Leidwesen, denn er habe sich auf diesen Ausritt, der wohl der letzte in diesem Herbste sein werde, wirklich gefreut.
Crampas sprach sein Bedauern aus, vielleicht nur, um was zu sagen, vielleicht aber auch aufrichtig, denn so rücksichtslos er im Punkte chevaleresker* Liebesabenteuer war, so sehr war er auch wieder guter Kamerad. Natürlich, alles

ritterlicher

ganz oberflächlich. Einem Freunde helfen und fünf Minuten später ihn zu betrügen, waren Dinge, die sich mit seinem Ehrbegriffe sehr wohl vertrugen. Er tat das eine und das andere mit unglaublicher Bonhommie.

Der Ritt ging wie gewöhnlich durch die Plantage hin. Rollo war wieder vorauf, dann kamen Crampas und Effi, dann Kruse. Knut fehlte.

»Wo haben Sie Knut gelassen?«

»Er hat einen Ziegenpeter*.«

Kinderkrank-
heit Mumps

»Merkwürdig«, lachte Effi. »Eigentlich sah er schon immer so aus.«

»Sehr richtig. Aber Sie sollten ihn jetzt sehen! Oder doch lieber nicht. Denn Ziegenpeter ist ansteckend, schon bloß durch Anblick.«

»Glaub' ich nicht.«

»Junge Frauen glauben vieles nicht.«

»Und dann glauben sie wieder vieles, was sie besser nicht glaubten.«

»An meine Adresse?«

»Nein.«

»Schade.«

»Wie dies ›schade‹ Sie kleidet. Ich glaube wirklich, Major, Sie hielten es für ganz in der Ordnung, wenn ich Ihnen eine Liebeserklärung machte.«

»So weit will ich nicht gehen. Aber ich möchte den sehen, der sich dergleichen nicht wünschte. Gedanken und Wünsche sind zollfrei.«

»Das fragt sich. Und dann ist doch immer noch ein Unterschied zwischen Gedanken und Wünschen. Gedanken sind in der Regel etwas, das noch im Hintergrunde liegt, Wünsche aber liegen meist schon auf der Lippe.«

»Nur nicht gerade *diesen* Vergleich.«

»Ach, Crampas, Sie sind . . . Sie sind . . .«

»Ein Narr.«

»Nein. Auch darin übertreiben Sie wieder. Aber Sie sind

etwas anderes. In Hohen-Cremmen sagten wir immer, und ich mit, das Eitelste, was es gäbe, das sei ein ⌜Husarenfähnrich von achtzehn⌝ . . .«

»Und jetzt?«

»Und jetzt sag' ich, das Eitelste, was es gibt, ist ein Landwehrbezirksmajor von zweiundvierzig.«

». . . Wobei die zwei Jahre, die Sie mir gnädigst erlassen, alles wieder gutmachen, – küss' die Hand.«

»Ja, küss' die Hand. Das ist so recht das Wort, das für Sie paßt. Das ist wienerisch. Und die Wiener, die hab' ich kennengelernt in Karlsbad, vor vier Jahren, wo sie mir vierzehnjährigem Dinge den Hof machten. Was ich da alles gehört habe!«

»Gewiß nicht mehr als recht war.«

»Wenn das zuträfe, wäre das, was mir schmeicheln soll, ziemlich ungezogen . . . Aber sehen Sie da die Bojen, wie die schwimmen und tanzen. Die kleinen roten Fahnen sind eingezogen. Immer, wenn ich diesen Sommer, die paar Mal, wo ich mich bis an den Strand hinauswagte, die roten Fahnen sah, sagt ich mir: da liegt ⌜Vineta⌝, da *muß* es liegen, das sind die Turmspitzen . . .«

»Das macht, weil Sie das ⌜Heinesche Gedicht⌝ kennen.«

»Welches?«

»Nun, das von Vineta.«

»Nein, das kenne ich nicht; ich kenne überhaupt nur wenig. Leider.«

»Und haben doch Gieshübler und den Journalzirkel! Übrigens hat Heine dem Gedicht einen anderen Namen gegeben, ich glaube ›Seegespenst‹ oder so ähnlich. Aber Vineta hat er gemeint. Und er selber – verzeihen Sie, wenn ich Ihnen so ohne weiteres den Inhalt hier wiedergebe –, der Dichter also, während er die Stelle passiert, liegt auf einem Schiffsdeck und sieht hinunter und sieht da schmale, mittelalterliche Straßen und trippelnde Frauen in Kapotthüten*, und alle haben ein Gesangbuch in Händen und wollen

Hochsitzende Damenhüte, die mit Bändern unter dem Kinn festgehalten werden

zur Kirche, und alle Glocken läuten. Und als er das hört, da faßt ihn eine Sehnsucht, auch mit in die Kirche zu gehen, wenn auch bloß um der Kapotthüte willen, und vor Verlangen schreit er auf und will sich hinunterstürzen. Aber im selben Augenblicke packt ihn der Kapitän am Bein und ruft ihm zu: ›Doktor, sind Sie des Teufels?‹«

»Das ist ja allerliebst. Das möcht' ich lesen. Ist es lang?«

»Nein, es ist eigentlich kurz, etwas länger als ⌜›Du hast Diamanten und Perlen‹ oder ›Deine weichen Lilienfinger‹⌝ . . .«, und er berührte leise ihre Hand. »Aber lang oder kurz, welche Schilderungskraft, welche Anschaulichkeit! Er ist mein Lieblingsdichter, und ich kann ihn auswendig, sowenig ich mir sonst, trotz gelegentlich eigener Versündigungen, aus der Dichterei mache. Bei Heine liegt es aber anders: alles ist Leben, und vor allem versteht er sich auf die Liebe, die doch die Hauptsache bleibt. Er ist übrigens nicht einseitig darin . . .«

»Wie meinen Sie das?«

»Ich meine, er ist nicht bloß für die Liebe . . .«

»Nun, wenn er diese Einseitigkeit auch hätte, das wäre am Ende noch nicht das schlimmste. Wofür ist er denn sonst noch?«

»Er ist auch sehr für das Romantische, was freilich gleich nach der Liebe kommt und nach Meinung einiger sogar damit zusammenfällt. Was ich aber nicht glaube. Denn in ⌜seinen späteren Gedichten⌝, die man denn auch die ›romantischen‹ genannt hat, oder eigentlich hat er es selber getan, in diesen romantischen Dichtungen wird in einem fort hingerichtet, allerdings vielfach aus Liebe. Aber doch meist aus anderen, gröberen Motiven, wohin ich in erster Reihe die Politik, die fast immer gröblich ist, rechne. ⌜Karl Stuart⌝ zum Beispiel trägt in einer dieser Romanzen seinen Kopf unterm Arm, und noch fataler ist die Geschichte vom Vitzliputzli* . . .«

»Von wem?«

Heines Gedicht bezieht sich auf den Kriegs- und Sonnengott Huitzilopochtli aus der aztek. Mythologie.

»Vom Vitzliputzli. Vitzliputzli ist nämlich ein mexikanischer Gott, und als die Mexikaner zwanzig oder dreißig Spanier gefangengenommen hatten, mußten diese zwanzig oder dreißig dem Vitzliputzli geopfert werden. Das war da nicht anders, Landessitte, Kultus, und ging auch alles im Handumdrehen, Bauch auf, Herz raus . . .«

»Nein, Crampas, so dürfen Sie nicht weitersprechen. Das ist indezent* und degoutant* zugleich. Und das alles so ziemlich in demselben Augenblicke, wo wir frühstücken wollen.«

taktlos
ekelhaft

»Ich für meine Person sehe mich dadurch unbeeinflußt und stelle meinen Appetit überhaupt nur in Abhängigkeit vom Menu.«

Während dieser Worte waren sie, ganz wie's das Programm wollte, vom Strand her bis an eine schon halb im Schutze der Dünen aufgeschlagene Bank, mit einem äußerst primitiven Tisch davor, gekommen, zwei Pfosten mit einem Brett darüber. Kruse, der voraufgeritten, hatte hier bereits serviert; Teebrötchen und Aufschnitt von kaltem Braten, dazu Rotwein und neben der Flasche zwei hübsche, zierliche Trinkgläser, klein und mit Goldrand, wie man sie in Badeörtern kauft oder von Glashütten als Erinnerung mitbringt.

Und nun stieg man ab. Kruse, der die Zügel seines eigenen Pferdes um eine Krüppelkiefer geschlungen hatte, ging mit den beiden anderen Pferden auf und ab, während sich Crampas und Effi, die durch eine schmale Dünenöffnung einen freien Blick auf Strand und Mole hatten, vor dem gedeckten Tische niederließen.

Über das von den Sturmtagen her noch bewegte Meer goß die schon halb winterliche Novembersonne ihr fahles Licht aus, und die Brandung ging hoch. Dann und wann kam ein Windzug und trieb den Schaum bis dicht an sie heran. Strandhafer stand umher, und das helle Gelb der Immortellen hob sich, trotz der Farbenverwandtschaft, von dem

gelben Sande, darauf sie wuchsen, scharf ab. Effi machte
die Wirtin. »Es tut mir leid, Major, Ihnen diese Brötchen in
einem Korbdeckel präsentieren zu müssen.

⌐»Ein Korbdeckel ist kein Korb . . .«⌐

». . . Indessen Kruse hat es so gewollt. Und da bist du ja 5
auch, Rollo. Auf dich ist unser Vorrat aber nicht eingerichtet. Was machen wir mit Rollo?«

»Ich denke, wir geben ihm alles; ich meinerseits schon aus
Dankbarkeit. Denn sehen Sie, teuerste Effi . . .«

Effi sah ihn an. 10

». . . Denn sehen Sie, gnädigste Frau, Rollo erinnert mich
wieder an das, was ich Ihnen noch als Fortsetzung oder

anzüglicher   Seitenstück zum Vitzliputzli erzählen wollte, – nur viel pi-
kanter*, weil Liebesgeschichte. Haben Sie mal von einem
gewissen ⌐Pedro dem Grausamen⌐ gehört?« 15

»So dunkel.«

»Eine Art ⌐Blaubartskönig⌐.«

»Das ist gut. Von so einem hört man immer am liebsten,
und ich weiß noch, daß wir von meiner Freundin Hulda
Niemeyer, deren Namen Sie ja kennen, immer behaupte- 20
ten: sie wisse nichts von Geschichte, mit Ausnahme der
⌐sechs Frauen von Heinrich dem Achten⌐, diesem englischen Blaubart, wenn das Wort für ihn reicht. Und wirklich, diese sechs kannte sie auswendig. Und dabei hätten Sie
hören sollen, wie sie die Namen aussprach, namentlich den 25
von der ⌐Mutter der Elisabeth⌐, – so schrecklich verlegen,
als wäre *sie* nun an der Reihe . . . Aber nun bitte, die Geschichte von Don Pedro . . .«

»Nun also, an Don Pedros Hofe war ein schöner, schwarzer spanischer Ritter, der das ⌐Kreuz von Kalatrava⌐ – was 30
ungefähr so viel bedeutet wie ⌐Schwarzer Adler und Pour le
mérite⌐ zusammengenommen – auf seiner Brust trug. Dies
Kreuz gehörte mit dazu, das mußten sie immer tragen, und
dieser Kalatravaritter, den die Königin natürlich heimlich
liebte . . .« 35

»Warum natürlich?«

»Weil wir in Spanien sind.«

»Ach so.«

»Und dieser Kalatravaritter, sag' ich, hatte einen wunderschönen Hund, einen Neufundländer, wiewohl es die noch
gar nicht gab, denn es war grade hundert Jahre vor der
Entdeckung von Amerika. Einen wunderschönen Hund
also, sagen wir wie Rollo . . .«

Rollo schlug an, als er seinen Namen hörte, und wedelte
mit dem Schweif.

»Das ging so manchen Tag. Aber das mit der heimlichen
Liebe, die wohl nicht ganz heimlich blieb, das wurde dem
König doch zu viel, und weil er den schönen Kalatravaritter überhaupt nicht recht leiden mochte – denn er war nicht
bloß grausam, er war auch ein Neidhammel, oder wenn
das Wort für einen König und noch mehr für meine liebenswürdige Zuhörerin, Frau Effi, nicht recht passen sollte,
wenigstens ein Neidling –, so beschloß er, den Kalatravaritter für die heimliche Liebe heimlich hinrichten zu lassen.«

»Kann ich ihm nicht verdenken.«

»Ich weiß doch nicht, meine Gnädigste. Hören Sie nur weiter. Etwas geht schon, aber es war zu viel, der König, find'
ich, ging um ein Erkleckliches zu weit. Er heuchelte nämlich, daß er dem Ritter wegen seiner Kriegs- und Helden-
taten ein Fest veranstalten wolle, und da gab es denn eine
lange, lange Tafel, und alle Granden* des Reichs saßen an
dieser Tafel, und in der Mitte saß der König, und ihm gegenüber war der Platz für *den*, dem dies alles galt, also für
den Kalatravaritter, für den an diesem Tage zu Feiernden.
Und weil der, trotzdem man schon eine ganze Weile seiner
gewartet hatte, noch immer nicht kommen wollte, so mußte schließlich die Festlichkeit ohne ihn begonnen werden,
und es blieb ein leerer Platz – ein leerer Platz gerade gegenüber dem König.«

* Angehörige des span. Hochadels

»Und nun?«

»Und nun denken Sie, meine gnädigste Frau, wie der König, dieser Pedro, sich eben erheben will, um gleisnerisch*
sein Bedauern auszusprechen, daß sein ›lieber Gast‹ noch
immer fehle, da hört man auf der Treppe draußen einen 5
Aufschrei der entsetzten Dienerschaften, und ehe noch ir-
gendwer weiß, was geschehen ist, jagt etwas an der langen
Festestafel entlang, und nun springt es auf den Stuhl und
setzt ein abgeschlagenes Haupt auf den leergebliebenen
Platz, und über eben dieses Haupt hinweg starrt Rollo auf 10
sein Gegenüber, den König. Rollo hatte seinen Herrn auf
seinem letzten Gange begleitet und im selben Augenblicke,
wo das Beil fiel, hatte das treue Tier das fallende Haupt
gepackt, und da war er nun, unser Freund Rollo, an der
langen Festestafel und verklagte den königlichen Mör- 15
der.«

Effi war ganz still geworden. Endlich sagte sie: »Crampas,
das ist in seiner Art sehr schön, und weil es sehr schön ist,
will ich es Ihnen verzeihen. Aber Sie könnten doch Beßres
und zugleich mir Lieberes tun, wenn Sie mir andere Ge- 20
schichten erzählten. Auch von Heine. Heine wird doch
nicht bloß von Vitzliputzli und Don Pedro und *Ihrem* Rollo – denn meiner hätte so was nicht getan – gedichtet haben. Komm, Rollo! Armes Tier, ich kann dich gar nicht
mehr ansehen, ohne an den Kalatravaritter zu denken, den 25
die Königin heimlich liebte . . . Rufen Sie, bitte, Kruse, daß
er die Sachen hier wieder in die Halfter steckt, und wenn
wir zurückreiten, müssen Sie mir was anderes erzählen,
ganz was anderes.«

Kruse kam. Als er aber die Gläser nehmen wollte, sagte 30
Crampas: »Kruse, das eine Glas, *das* da, das lassen Sie stehen. Das werde ich selber nehmen.«

»Zu Befehl, Herr Major.«

Effi, die dies mit angehört hatte, schüttelte den Kopf. Dann
lachte sie. »Crampas, was fällt Ihnen nur eigentlich ein? 35

heuchlerisch

Kruse ist dumm genug, über die Sache nicht weiter nachzudenken, und wenn er darüber nachdenkt, so findet er glücklicherweise nichts. Aber das berechtigt Sie doch nicht, dies Glas ... dies Dreißigpfennigglas aus der Josefinenhütte* ...«

Glashütte im Riesengebirge

»Daß Sie so spöttisch den Preis nennen, läßt mich seinen Wert um so tiefer empfinden.«

»Immer derselbe. Sie haben so viel von einem Humoristen, aber doch von ganz sonderbarer Art. Wenn ich Sie recht verstehe, so haben Sie vor – es ist zum Lachen, und ich geniere mich fast, es auszusprechen –, so haben Sie vor, sich vor der Zeit auf den ⌈König von Thule⌉ hin auszuspielen.«

Er nickte mit einem Anfluge von Schelmerei.

»Nun denn, meinetwegen. Jeder trägt seine Kappe; Sie wissen, welche. Nur das muß ich Ihnen doch sagen dürfen, die Rolle, die Sie *mir* dabei zudiktieren, ist mir zu wenig schmeichelhaft. Ich mag nicht als ⌈Reimwort⌉ auf Ihren König von Thule herumlaufen. Behalten Sie das Glas, aber bitte, ziehen Sie nicht Schlüsse daraus, die mich kompromittieren*. Ich werde Innstetten davon erzählen.«

bloßstellen

»Das werden Sie nicht tun, meine gnädigste Frau.«

»Warum nicht?«

»Innstetten ist nicht der Mann, solche Dinge *so* zu sehen, wie sie gesehen sein wollen.«

Sie sah ihn einen Augenblick scharf an. Dann aber schlug sie verwirrt und fast verlegen die Augen nieder.

Achtzehntes Kapitel

Effi war unzufrieden mit sich und freute sich, daß es nunmehr feststand, diese gemeinschaftlichen Ausflüge für die ganze Winterdauer auf sich beruhen zu lassen. Überlegte sie, was während all dieser Wochen und Tage gesprochen,

berührt und angedeutet war, so fand sie nichts, um dessent-
willen sie sich direkte Vorwürfe zu machen gehabt hätte.
Crampas war ein kluger Mann, welterfahren, humori-
stisch, frei, frei auch im Guten, und es wäre kleinlich und
kümmerlich gewesen, wenn sie sich ihm gegenüber aufge-
steift und jeden Augenblick die Regeln strengen Anstandes
befolgt hätte. Nein, sie konnte sich nicht tadeln, auf seinen
Ton eingegangen zu sein, und doch hatte sie ganz leise das
Gefühl einer überstandenen Gefahr und beglückwünschte
sich, daß das alles nun mutmaßlich hinter ihr läge. Denn an
ein häufigeres Sichsehen en famille* war nicht wohl zu denken, das war durch die Crampasschen Hauszustände so
gut wie ausgeschlossen, und Begegnungen bei den benachbarten adligen Familien, die freilich für den Winter in Sicht
standen, konnten immer nur sehr vereinzelt und sehr flüch-
tige sein. Effi rechnete sich dies alles mit wachsender Befriedigung heraus und fand schließlich, daß ihr der Verzicht auf das, was sie dem Verkehr mit dem Major verdankte, nicht allzu schwer ankommen würde. Dazu kam noch,
daß Innstetten ihr mitteilte, seine Fahrten nach Varzin würden in diesem Jahre fortfallen: der Fürst gehe nach ⌜Fried-
richsruh⌝, das ihm immer lieber zu werden scheine; nach
der einen Seite hin bedaure er das, nach der anderen sei es
ihm lieb – er könne sich nun ganz seinem Hause widmen,
und wenn es ihr recht wäre, so wollten sie die italienische
Reise, an der Hand seiner Aufzeichnungen, noch einmal
durchmachen. Eine solche Rekapitulation sei eigentlich die
Hauptsache, dadurch mache man sich alles erst dauernd zu
eigen, und selbst Dinge, die man nur flüchtig gesehen und
von denen man kaum wisse, daß man sie in seiner Seele
beherberge, kämen einem durch solche nachträglichen Studien erst voll zu Bewußtsein und Besitz. Er führte das noch
weiter aus und fügte hinzu, daß ihn Gieshübler, der den
ganzen »italienischen Stiefel« bis Palermo kenne, gebeten
habe, mit dabei sein zu dürfen. Effi, der ein ganz gewöhn-

(franz.) im
engsten
Familienkreis

licher Plauderabend ohne den »italienischen Stiefel« (es
sollten sogar Photographien herumgereicht werden) viel,
viel lieber gewesen wäre, antwortete mit einer gewissen
Gezwungenheit; Innstetten indessen, ganz erfüllt von seinem Plane, merkte nichts und fuhr fort: »Natürlich ist
nicht bloß Gieshübler zugegen, auch Roswitha und Annie
müssen dabei sein, und wenn ich mir dann denke, daß wir
den Canal grande hinauffahren und hören dabei ganz in
der Ferne die Gondoliere singen, während drei Schritte von
uns Roswitha sich über Annie beugt und ⌐›Buhküken von
Halberstadt⌐ oder so was Ähnliches zum Besten gibt, so
können das schöne Winterabende werden, und du sitzest
dabei und strickst mir eine große Winterkappe. Was meinst
du dazu, Effi?«

Solche Abende wurden nicht bloß geplant, sie nahmen
auch ihren Anfang, und sie würden sich, aller Wahrscheinlichkeit nach, über viele Wochen hin ausgedehnt haben,
wenn nicht der unschuldige, harmlose Gieshübler trotz
größter Abgeneigtheit gegen zweideutiges Handeln, dennoch im Dienste zweier Herren gestanden hätte. Der eine,
dem er diente, war Innstetten, der andere war Crampas,
und wenn er der Innstettenschen Aufforderung zu den italienischen Abenden, schon um Effis willen, auch mit auf-
richtigster Freude Folge leistete, so war die Freude, mit der
er Crampas gehorchte, doch noch eine größere. Nach einem Crampasschen Plane nämlich sollte noch vor Weihnachten ⌐»Ein Schritt vom Wege«⌐ aufgeführt werden, und
als man vor dem dritten italienischen Abend stand, nahm
Gieshübler die Gelegenheit wahr, mit Effi, die die Rolle der
Ella spielen sollte, darüber zu sprechen.

Effi war wie elektrisiert*; was wollten Padua, Vicenza daneben bedeuten! Effi war nicht für Aufgewärmtheiten; Fri-
sches war es, wonach sie sich sehnte, Wechsel der Dinge.
Aber als ob eine Stimme ihr zugerufen hätte: »Sieh dich
vor!« so fragte sie doch, inmitten ihrer freudigen Erregung:
»Ist es der Major, der den Plan aufgebracht hat?«

*aufgeschreckt

»Ja. Sie wissen, gnädigste Frau, daß er einstimmig in das Vergnügungskomitee gewählt wurde. Wir dürfen uns endlich einen hübschen Winter in der Ressource versprechen. Er ist ja wie geschaffen dazu.«

»Und wird er auch mitspielen?«

»Nein, das hat er abgelehnt. Ich muß sagen, leider. Denn er kann ja alles und würde den Arthur von Schmettwitz* ganz vorzüglich geben. Er hat nur die Regie übernommen.«

»Desto schlimmer.«

»Desto schlimmer?« wiederholte Gieshübler.

»Oh, Sie dürfen das nicht so feierlich nehmen; das ist nur so eine Redensart, die eigentlich das Gegenteil bedeutet. Auf der anderen Seite freilich, der Major hat so was Gewaltsames, er nimmt einem die Dinge gern über den Kopf fort. Und man muß dann spielen, wie er will, und nicht wie man selber will.«

Sie sprach so noch weiter und verwickelte sich immer mehr in Widersprüche.

Der »Schritt vom Wege« kam wirklich zustande, und gerade weil man nur noch gute vierzehn Tage hatte (die letzte Woche vor Weihnachten war ausgeschlossen), so strengte sich alles an, und es ging vorzüglich; die Mitspielenden, vor allem Effi, ernteten reichen Beifall. Crampas hatte sich wirklich mit der Regie begnügt, und so streng er gegen alle anderen war, so wenig hatte er auf den Proben in Effis Spiel hineingeredet. Entweder waren ihm von seiten Gieshüblers Mitteilungen über das mit Effi gehabte Gespräch gemacht worden, oder er hatte es auch aus sich selber bemerkt, daß Effi beflissen war, sich von ihm zurückzuziehen. Und er war klug und Frauenkenner genug, um den natürlichen Entwicklungsgang, den er nach seinen Erfahrungen nur zu gut kannte, nicht zu stören.

Am Theaterabend in der Ressource trennte man sich spät, und Mitternacht war vorüber, als Innstetten und Effi wie-

Ehemann der Hauptfigur Ella des Stücks *Ein Schritt vom Wege*

Effi Briest

der zu Hause bei sich eintrafen. Johanna war noch auf, um behülflich zu sein, und Innstetten, der auf seine junge Frau nicht wenig eitel war, erzählte Johanna, wie reizend die gnädige Frau ausgesehen und wie gut sie gespielt habe.

5 Schade, daß er nicht vorher daran gedacht, Christel und sie selber und auch die alte Unke*, die Kruse, hätten von der Musikgalerie her sehr gut zusehen können; es seien viele dagewesen.

Schwarz-
seherin

Dann ging Johanna, und Effi, die müde war, legte sich nie-
10 der. Innstetten aber, der noch plaudern wollte, schob einen Stuhl heran und setzte sich an das Bett seiner Frau, diese freundlich ansehend und ihre Hand in der seinen haltend.

»Ja, Effi, das war ein hübscher Abend. Ich habe mich amüsiert über das hübsche Stück. Und denke dir, ⌐der Dichter
15 ist ein Kammergerichtsrat⌐, eigentlich kaum zu glauben. Und ⌐noch dazu aus Königsberg⌐. Aber worüber ich mich am meisten gefreut, das war doch meine entzückende kleine Frau, die allen die Köpfe verdreht hat.«

»Ach, Geert, sprich nicht so. Ich bin schon gerade eitel
20 genug.«

»Eitel genug, das wird wohl richtig sein. Aber doch lange nicht so eitel wie die anderen. Und das ist zu deinen sieben Schönheiten . . .«

»Sieben Schönheiten haben alle.«

25 ». . . Ich habe mich auch bloß versprochen; du kannst die Zahl gut mit sich selbst multiplizieren.«

»Wie galant du bist, Geert. Wenn ich dich nicht kennte, könnt' ich mich fürchten. Oder lauert wirklich was dahinter?«

30 »Hast du ein schlechtes Gewissen? Selber hinter der Tür gestanden?«

»Ach, Geert, ich ängstige mich wirklich.« Und sie richtete sich im Bett in die Höh' und sah ihn starr an. »Soll ich noch nach Johanna klingeln, daß sie uns Tee bringt? Du hast es
35 so gern vor dem Schlafengehen.«

Er küßte ihr die Hand. »Nein, Effi. Nach Mitternacht kann auch der Kaiser keine Tasse Tee mehr verlangen, und du weißt, ich mag die Leute nicht mehr in Anspruch nehmen als nötig. Nein, ich will nichts, als dich ansehen und mich freuen, daß ich dich habe. So manchmal empfindet man's 5
doch stärker, welchen Schatz man hat. Du könntest ja auch so sein wie die arme Frau Crampas; das ist eine schreckliche Frau, gegen keinen freundlich, und dich hätte sie vom Erdboden vertilgen mögen.«

»Ach, ich bitte dich, Geert, das bildest du dir wieder ein. 10
Die arme Frau! Mir ist nichts aufgefallen.«

»Weil du für derlei keine Augen hast. Aber es war so, wie ich dir sage, und der arme Crampas war wie befangen dadurch und mied dich immer und sah dich kaum an. Was doch ganz unnatürlich ist; denn erstens ist er überhaupt ein 15
Damenmann, und nun gar Damen wie du, das ist seine besondere Passion. Und ich wette auch, daß es keiner besser weiß als meine kleine Frau selber. Wenn ich daran denke, wie, Pardon, das Geschnatter hin und her ging, wenn er morgens in die Veranda kam, oder wenn wir am Strande 20
ritten oder auf der Mole spazierengingen. Es ist, wie ich dir sage, er traute sich heute nicht, er fürchtete sich vor seiner Frau. Und ich kann es ihm nicht verdenken. Die Majorin ist so etwas wie unsere Frau Kruse, und wenn ich zwischen beiden wählen müßte, ich wüßte nicht wen.« 25

»Ich wüßt' es schon; es ist doch ein Unterschied zwischen den beiden. Die arme Majorin ist unglücklich, die Kruse ist unheimlich.«

»Und da bist du doch mehr für das Unglückliche?«

»Ganz entschieden.« 30

»Nun höre, das ist Geschmacksache. Man merkt, daß du noch nicht unglücklich warst. Übrigens hat Crampas ein Talent, die arme Frau zu eskamotieren*. Er erfindet immer etwas, sie zu Hause zu lassen.«

»Aber heute war sie doch da.« 35

verschwinden
lassen,
verbergen

»Ja, heute. Da ging es nicht anders. Aber ich habe mit ihm
eine Partie zu Oberförster Ring verabredet, er, Gieshübler
und der Pastor, auf dem dritten Feiertag, und da hättest du
sehen sollen, mit welcher Geschicklichkeit er bewies, daß
sie, die Frau, zu Hause bleiben müsse.«

»Sind es denn nur Herren?«

»O bewahre. Da würd' ich mich auch bedanken. Du bist
mit dabei und noch zwei, drei andere Damen, die von den
Gütern ungerechnet.«

»Aber dann ist es doch auch häßlich von ihm, ich meine
von Crampas, und so was bestraft sich immer.«

»Ja, mal kommt es. Aber ich glaube, unser Freund hält zu
denen, die sich über das, was kommt, keine grauen Haare
wachsen lassen.«

»Hältst du ihn für schlecht?«

»Nein, für schlecht nicht. Beinah im Gegenteil, jedenfalls
hat er gute Seiten. Aber er ist so'n halber Pole, kein rechter
Verlaß, eigentlich in nichts, am wenigsten mit Frauen. Eine
Spielernatur. Er spielt nicht am Spieltisch, aber er hasar-
diert* im Leben in einem fort, und man muß ihm auf die
Finger sehen.« ^{setzt alles aufs Spiel}

»Es ist mir doch lieb, daß du mir das sagst. Ich werde mich
vorsehen mit ihm.«

»Das tu. Aber nicht zu sehr, dann hilft es nichts. Unbefan-
genheit ist immer das beste, und natürlich das allerbeste ist
Charakter und Festigkeit und, wenn ich solch steifleinenes
Wort brauchen darf, eine reine Seele.«

Sie sah ihn groß an. Dann sagte sie: »Ja, gewiß. Aber nun
sprich nicht mehr, und noch dazu lauter Dinge, die mich
nicht recht frohmachen können. Weißt du, mir ist, als hörte
ich oben das Tanzen. Sonderbar, daß es immer wieder
kommt. Ich dachte, du hättest mit dem allen nur so ge-
spaßt.« »Das will ich doch nicht sagen, Effi. Aber so oder
so, man muß nur in Ordnung sein und sich nicht zu fürchten brauchen.«

Effi nickte und dachte mit einem Male wieder an die Worte, die ihr Crampas über ihren Mann als »Erzieher« gesagt hatte.

Der Heilige Abend kam und verging ähnlich wie das Jahr vorher, aus Hohen-Cremmen kamen Geschenke und Briefe, Gieshübler war wieder mit einem Huldigungsvers zur Stelle, und Vetter Briest sandte eine Karte: Schneelandschaft mit Telegraphenstangen, auf deren Draht geduckt ein Vögelchen saß. Auch für Annie war aufgebaut: ein Baum mit Lichtern, und das Kind griff mit seinen Händchen danach. Innstetten, unbefangen und heiter, schien sich seines häuslichen Glücks zu freuen und beschäftigte sich viel mit dem Kinde. Roswitha war erstaunt, den gnädigen Herrn so zärtlich und zugleich so aufgeräumt zu sehen. Auch Effi sprach viel und lachte viel, es kam ihr aber nicht aus innerster Seele. Sie fühlte sich bedrückt und wußte nur nicht, wen sie dafür verantwortlich machen sollte, Innstetten oder sich selber. Von Crampas war kein Weihnachtsgruß eingetroffen; eigentlich war es ihr lieb, aber auch wieder nicht, seine Huldigungen erfüllten sie mit einem gewissen Bangen, und seine Gleichgültigkeiten verstimmten sie; sie sah ein, es war nicht alles so, wie's sein sollte.

»Du bist so unruhig«, sagte Innstetten nach einer Weile.

»Ja. Alle Welt hat es so gut mit mir gemeint, am meisten du; das bedrückt mich, weil ich fühle, daß ich es nicht verdiene.«

»Damit darf man sich nicht quälen, Effi. Zuletzt ist es doch so: was man empfängt, das hat man auch verdient.«

Effi hörte scharf hin, und ihr schlechtes Gewissen ließ sie sich selber fragen, ob er das absichtlich in so zweideutiger Form gesagt habe.

Spät gegen Abend kam Pastor Lindequist, um zu gratulieren und noch wegen der Partie nach der Oberförsterei

Uvagla hin anzufragen, die natürlich eine Schlittenpartie werden müsse. Crampas habe ihm einen Platz in seinem Schlitten angeboten, aber weder der Major noch sein Bursche, der, wie alles, auch das Kutschieren übernehmen solle, kenne den Weg, und so würde es sich vielleicht empfehlen, die Fahrt gemeinschaftlich zu machen, wobei dann der landrätliche Schlitten die Tête* zu nehmen und der Crampassche zu folgen hätte. Wahrscheinlich auch der Gieshüblersche. Denn mit der Wegkenntnis Mirambos, dem sich unerklärlicherweise Freund Alonzo, der doch sonst so vorsichtig, anvertrauen wolle, stehe es wahrscheinlich noch schlechter als mit der des sommersprossigen Treptower Ulanen. Innstetten, den diese kleinen Verlegenheiten erheiterten, war mit Lindequists Vorschlage durchaus einverstanden und ordnete die Sache dahin, daß er pünktlich um zwei Uhr über den Marktplatz fahren und ohne alles Säumen die Führung des Zuges in die Hand nehmen werde.

Nach diesem Übereinkommen wurde denn auch verfahren, und als Innstetten Punkt zwei Uhr den Marktplatz passierte, grüßte Crampas zunächst von seinem Schlitten aus zu Effi hinüber und schloß sich dann dem Innstettenschen an. Der Pastor saß neben ihm. Gieshüblers Schlitten, mit Gieshübler selbst und Doktor Hannemann, folgte, jener in einem eleganten Büffelrock mit Marderbesatz, dieser in einem Bärenpelz, dem man ansah, daß er wenigstens dreißig Dienstjahre zählte. Hannemann war nämlich in seiner Jugend Schiffschirurgus auf einem Grönlandfahrer* gewesen. Mirambo saß vorn, etwas aufgeregt wegen Unkenntnis im Kutschieren, ganz wie Lindequist vermutet hatte.

Schon nach zwei Minuten war man an Utpatels Mühle vorbei.

Zwischen Kessin und Uvagla (wo, der Sage nach, ein Wendentempel* gestanden) lag ein nur etwa tausend Schritt

(franz.) Anfang, Spitze einer Gruppe

Walfangschiff

Tempel der Wenden, des westslaw. Volksstamms

breiter, aber wohl anderthalb Meilen langer Waldstreifen, der an seiner rechten Längsseite das Meer, an seiner linken, bis weit an den Horizont hin, ein großes, überaus fruchtbares und gut angebautes Stück Land hatte. Hier, an der Binnenseite, flogen jetzt die drei Schlitten hin, in einiger Entfernung ein paar alte Kutschwagen vor sich, in denen, aller Wahrscheinlichkeit nach, andere nach der Oberförsterei hin eingeladene Gäste saßen. Einer dieser Wagen war an seinen altmodisch hohen Rädern deutlich zu erkennen, es war der Papenhagensche. Natürlich. Güldenklee galt als der beste Redner des Kreises (noch besser als Borcke, ja selbst besser als Grasenabb) und durfte bei Festlichkeiten nicht leicht fehlen.

Die Fahrt ging rasch – auch die herrschaftlichen Kutscher strengten sich an und wollten sich nicht überholen lassen –, so daß man schon um drei vor der Oberförsterei hielt. Ring, ein stattlicher, militärisch dreinschauender Herr von Mitte fünfzig, der den ⌈ersten Feldzug in Schleswig⌉ noch unter Wrangel und Bonin mitgemacht und sich bei Erstürmung des ⌈Danewerks⌉ ausgezeichnet hatte, stand in der Tür und empfing seine Gäste, die, nachdem sie abgelegt und die Frau des Hauses begrüßt hatten, zunächst vor einem langgedeckten Kaffeetische Platz nahmen, auf dem kunstvoll aufgeschichtete Kuchenpyramiden standen. Die Oberförsterin, eine von Natur sehr ängstliche, zum mindesten aber sehr befangene Frau, zeigte sich auch als Wirtin so, was den überaus eitlen Oberförster, der für Sicherheit und Schneidigkeit war, ganz augenscheinlich verdroß. Zum Glück kam sein Unmut zu keinem Ausbruch, denn von dem, was seine Frau vermissen ließ, hatten seine Töchter desto mehr, bildhübsche Backfische von vierzehn und dreizehn, die ganz nach dem Vater schlugen. Besonders die ältere, Cora, kokettierte* sofort mit Innstetten und Crampas, und beide gingen auch darauf ein. Effi ärgerte sich darüber und schämte sich dann wieder, daß sie sich ge-

setzte sich in Szene und ließ ihre Reize wirken

ärgert habe. Sie saß neben Sidonie von Grasenabb und sagte: »Sonderbar, so bin ich auch gewesen, als ich vierzehn war.«

Effi rechnete darauf, daß Sidonie dies bestreiten oder doch wenigstens Einschränkungen machen würde. Statt dessen sagte diese: »Das kann ich mir denken.«

»Und wie der Vater sie verzieht«, fuhr Effi halb verlegen, und nur, um doch was zu sagen, fort.

Sidonie nickte. »Da liegt es. Keine Zucht. Das ist die ⌈Signatur unserer Zeit⌉.«

Effi brach nun ab.

Der Kaffee war bald genommen, und man stand auf, um noch einen halbstündigen Spaziergang in den umliegenden Wald zu machen, zunächst auf ein Gehege zu, drin Wild eingezäunt war. Cora öffnete das Gatter, und kaum, daß sie eingetreten, so kamen auch schon die Rehe auf sie zu. Es war eigentlich reizend, ganz wie ein Märchen. Aber die Eitelkeit des jungen Dinges, das sich bewußt war, ein lebendes Bild zu stellen, ließ doch einen reinen Eindruck nicht aufkommen, am wenigsten bei Effi.

»Nein«, sagte sie zu sich selber, »so bin ich doch nicht gewesen. Vielleicht hat es mir auch an Zucht gefehlt, wie diese furchtbare Sidonie mir eben andeutete, vielleicht auch anderes noch. Man war zu Haus zu gütig gegen mich, man liebte mich zu sehr. Aber das darf ich doch wohl sagen, ich habe mich nie geziert. Das war immer Huldas Sache. Darum gefiel sie mir auch nicht, als ich diesen Sommer sie wiedersah.«

Auf dem Rückwege vom Walde nach der Oberförsterei begann es zu schneien. Crampas gesellte sich zu Effi und sprach ihr sein Bedauern aus, daß er noch nicht Gelegenheit gehabt habe, sie zu begrüßen. Zugleich wies er auf die großen schweren Schneeflocken, die fielen, und sagte: »Wenn das so weiter geht, so schneien wir hier ein.«

»Das wäre nicht das Schlimmste. Mit dem Eingeschneitwerden verbinde ich von langer Zeit her eine freundliche Vorstellung, eine Vorstellung von Schutz und Beistand.«

»Das ist mir neu, meine gnädigste Frau.«

»Ja«, fuhr Effi fort und versuchte zu lachen, »mit den Vorstellungen ist es ein eigen Ding, man macht sie sich nicht bloß nach dem, was man persönlich erfahren hat, auch nach dem, was man irgendwo gehört oder ganz zufällig weiß. Sie sind so belesen, Major, aber mit einem Gedichte – freilich keinem Heineschen, keinem ›Seegespenst*‹ und keinem ›Vitzliputzli‹ – bin ich Ihnen, wie mir scheint, doch voraus. Dies Gedicht heißt die ›Gottesmauer*‹, und ich hab' es bei unserm Hohen-Cremmner Pastor vor vielen, vielen Jahren, als ich noch ganz klein war, auswendig gelernt.«

»Gottesmauer«, wiederholte Crampas. »Ein hübscher Titel, und wie verhält es sich damit?«

»Eine kleine Geschichte, nur ganz kurz. Da war irgendwo Krieg, ein Winterfeldzug, und eine alte Witwe, die sich vor dem Feinde mächtig fürchtete, betete zu Gott, er möge doch ›eine Mauer um sie bauen‹, um sie vor dem Landesfeinde zu schützen. Und da ließ Gott das Haus einschneien, und der Feind zog daran vorüber.«

Crampas war sichtlich betroffen und wechselte das Gespräch.

Als es dunkelte, waren alle wieder in der Oberförsterei zurück.

Neunzehntes Kapitel

Gleich nach sieben ging man zu Tisch, und alles freute sich, daß der Weihnachtsbaum, eine mit zahllosen Silberkugeln bedeckte Tanne, noch einmal angesteckt wurde. Crampas, der das Ringsche Haus noch nicht kannte, war helle Be-

Vgl. Erl. zu 157,22.

Gedicht von Clemens von Brentano (1778–1842)

wunderung. Der Damast*, die Weinkühler, das reiche Silbergeschirr, alles wirkte herrschaftlich, weit über oberförsterliche Durchschnittsverhältnisse hinaus, was darin seinen Grund hatte, daß Rings Frau, so scheu und verlegen sie war, aus einem reichen Danziger Kornhändlerhause stammte. Von daher rührten auch die meisten der ringsumher hängenden Bilder: der Kornhändler und seine Frau, der ⌐Marienburger Remter⌐ und eine gute Kopie nach dem berühmten ⌐Memlingschen Altarbilde⌐ in der Danziger Marienkirche. Kloster Oliva war zweimal da, einmal in Öl und einmal in Kork geschnitzt. Außerdem befand sich über dem Büfett ein sehr nachgedunkeltes Porträt des alten ⌐Nettelbeck⌐, das noch aus dem bescheidenen Mobiliar des erst vor anderthalb Jahren verstorbenen Ringschen Amtsvorgängers herrührte. Niemand hatte damals, bei der wie gewöhnlich stattfindenden Auktion, das Bild des Alten haben wollen, bis Innstetten, der sich über diese Mißachtung ärgerte, darauf geboten hatte. Da hatte sich denn auch Ring patriotisch besonnen, und der alte Kolbergverteidiger war der Oberförsterei verblieben.

Das Nettelbeckbild ließ ziemlich viel zu wünschen übrig; sonst aber verriet alles, wie schon angedeutet, eine beinahe an Glanz streifende Wohlhabenheit, und dem entsprach denn auch das Mahl, das aufgetragen wurde. Jeder hatte mehr oder weniger seine Freude daran, mit Ausnahme Sidoniens. Diese saß zwischen Innstetten und Lindequist und sagte, als sie Coras ansichtig wurde: »Da ist ja wieder dies unausstehliche Balg*, diese Cora. Sehen Sie nur, Innstetten, wie sie die kleinen Weingläser präsentiert, ein wahres Kunststück, sie könnte jeden Augenblick Kellnerin werden. Ganz unerträglich. Und dazu die Blicke von Ihrem Freunde Crampas! Das ist so die rechte Saat! Ich frage Sie, was soll dabei herauskommen?«

Innstetten, der ihr eigentlich zustimmte, fand trotzdem den Ton, in dem das alles gesagt wurde, so verletzend herbe,

Edles einfarbiges Seidengewebe mit eingewebtem Muster

Unartiges Kind

daß er spöttisch bemerkte: »Ja, meine Gnädigste, was dabei herauskommen soll? Ich weiß es *auch* nicht« – worauf sich Sidonie von ihm ab- und ihrem Nachbarn zur Linken zuwandte: »Sagen Sie, Pastor, ist diese vierzehnjährige Kokette* schon im Unterricht bei Ihnen?«

Vgl. 172,33.

»Ja, mein gnädigstes Fräulein.«

»Dann müssen Sie mir die Bemerkung verzeihen, daß Sie sie nicht in die richtige Schule genommen haben. Ich weiß wohl, es hält das heutzutage sehr schwer, aber ich weiß auch, daß die, denen die Fürsorge für junge Seelen obliegt, es vielfach an dem rechten Ernste fehlen lassen. Es bleibt dabei, die Hauptschuld tragen die Eltern und Erzieher.«

Lindequist, denselben Ton anschlagend wie Innstetten, antwortete, daß das alles sehr richtig, der Geist der Zeit aber *zu* mächtig sei.

»Geist der Zeit!« sagte Sidonie. »Kommen Sie mir nicht damit. Das kann ich nicht hören, das ist der Ausdruck höchster Schwäche, Bankrotterklärung. Ich kenne das; nie scharf zufassen wollen, immer dem Unbequemen aus dem Wege gehen. Denn Pflicht ist unbequem. Und so wird nur allzuleicht vergessen, daß das uns anvertraute Gut auch mal von uns zurückgefordert wird. Eingreifen, lieber Pastor, Zucht. ⌜Das Fleisch ist schwach⌝, gewiß; aber . . .«

In diesem Augenblicke kam ein englisches Roastbeef, von dem Sidonie ziemlich ausgiebig nahm, ohne Lindequists Lächeln dabei zu bemerken. Und weil sie's nicht bemerkte, so durfte es auch nicht wundernehmen, daß sie mit vieler Unbefangenheit fortfuhr: »Es kann übrigens alles, was Sie hier sehen, nicht wohl anders sein; alles ist schief und verfahren von Anfang an. Ring, Ring – wenn ich nicht irre, hat es drüben in Schweden oder da herum mal einen Sagenkönig* dieses Namens gegeben. Nun sehen Sie, benimmt er sich nicht, als ob er von dem abstamme? Und seine Mutter, die ich noch gekannt habe, war eine Plättfrau* in Köslin.«

»Ich kann darin nichts Schlimmes finden.«

Sigurd Ring, sagenhafter schwed. König um 750 n. Chr.

(norddt.) Bügelfrau

»Schlimmes finden? Ich auch nicht. Und jedenfalls gibt es
Schlimmeres. Aber soviel muß ich doch von Ihnen, als ei-
nem geweihten Diener der Kirche, gewärtigen dürfen, daß
Sie die gesellschaftlichen Ordnungen gelten lassen. Ein
Oberförster ist ein bißchen mehr als ein Förster, und ein
Förster hat nicht solche Weinkühler und solch Silberzeug;
das alles ist ungehörig und zieht dann solche Kinder groß
wie dies Fräulein Cora.«

Sidonie, jedesmal bereit, irgendwas Schreckliches zu pro-
phezeien, wenn sie, ⌜vom Geist überkommen⌝, ⌜die Schalen
ihres Zornes ausschüttete⌝, würde sich auch heute bis zum
⌜Kassandrablick⌝ in die Zukunft gesteigert haben, wenn
nicht in ebendiesem Augenblicke die dampfende Punsch-
bowle – womit die Weihnachtsreunions* bei Ring immer
abschlossen – auf der Tafel erschienen wäre, dazu Kraus-
gebackenes*, das, geschickt übereinandergetürmt, noch
weit über die vor einigen Stunden aufgetragene Kaffee-
kuchenpyramide hinauswuchs. Und nun trat auch Ring
selbst, der sich bis dahin etwas zurückgehalten hatte, mit
einer gewissen strahlenden Feierlichkeit in Aktion und begann die vor ihm stehenden Gläser, große geschliffene Rö-
mer*, in virtuosem Bogensturz zu füllen, ein Einschenke-
kunststück, das die stets schlagfertige Frau von Padden, die
heute leider fehlte, mal als »Ringsche Füllung en cascade*«
bezeichnet hatte. Rotgolden wölbte sich dabei der Strahl,
und kein Tropfen durfte verloren gehen. So war es auch
heute wieder. Zuletzt aber, als jeder, was ihm zukam, in
Händen hielt – auch Cora, die sich mittlerweile mit ihrem
rotblonden Wellenhaar auf »Onkel Crampas'« Schoß gesetzt hatte –, erhob sich der alte Papenhagner, um, wie
herkömmlich bei Festlichkeiten der Art, einen Toast auf
seinen lieben Oberförster auszubringen. »Es gäbe viele
Ringe«, so etwa begann er, »Jahresringe, Gardinenringe,
Trauringe, und was nun gar – denn auch davon dürfe sich
am Ende wohl sprechen lassen – die Verlobungsringe ange-

Weihnachts-
feiern

In Fett ausge-
backener Teig

Weißwein-
kelche

(franz.) im
Sturzguss

he, so sei glücklicherweise die Gewähr gegeben, daß einer davon in kürzester Frist in diesem Hause sichtbar werden und den Ringfinger (und zwar hier in einem *doppelten* Sinne den Ringfinger) eines kleinen hübschen Pätschelchens* zieren werde . . .« »Unerhört«, raunte Sidonie dem Pastor zu.

*Patschhändchens

»Ja, meine Freunde«, fuhr Güldenklee mit gehobener Stimme fort, »viele Ringe gibt es, und es gibt sogar eine Geschichte, die wir alle kennen, die die Geschichte von den ⌈›drei Ringen‹⌉ heißt, eine Judengeschichte, die, wie der ganze liberale Krimskrams, nichts wie Verwirrung und Unheil gestiftet hat und noch stiftet. Gott bessere es. Und nun lassen Sie mich schließen, um Ihre Geduld und Nachsicht nicht über Gebühr in Anspruch zu nehmen. Ich bin *nicht* für diese drei Ringe, meine Lieben, ich bin vielmehr für *einen* Ring, für *einen* Ring, der so recht ein Ring ist, wie er sein soll, ein Ring, der alles Gute, was wir in unserm altpommerschen Kessiner Kreise haben, alles, was noch ⌈mit Gott für König und Vaterland⌉ einsteht – und es sind ihrer noch einige (lauter Jubel) –, an diesem seinem gastlichen Tisch vereinigt sieht. Für *diesen* Ring bin ich. Er lebe hoch!«

Alles stimmte ein und umdrängte Ring, der, solange das dauerte, das Amt des ›Einschenkens en cascade‹ an den ihm gegenübersitzenden Crampas abtreten mußte; der Hauslehrer aber stürzte von seinem Platz am unteren Ende der Tafel an das Klavier und schlug die ersten Takte des ⌈Preußenliedes⌉ an, worauf alles stehend und feierlich einfiel: »Ich bin ein Preuße . . . will ein Preuße sein.«

»Es ist doch etwas Schönes«, sagte gleich nach der ersten Strophe der alte Borcke zu Innstetten, »so was hat man in anderen Ländern nicht.«

»Nein«, antwortete Innstetten, der von solchem Patriotismus nicht viel hielt, »in anderen Ländern hat man was anderes.«

Man sang alle Strophen durch, dann hieß es, die Wagen seien vorgefahren, und gleich darnach erhob sich alles, um die Pferde nicht warten zu lassen. Denn diese Rücksicht »auf die Pferde« ging auch im Kreise Kessin allem anderen vor. Im Hausflur standen zwei hübsche Mägde, Ring hielt auf dergleichen, um den Herrschaften beim Anziehen ihrer Pelze behülflich zu sein. Alles war heiter angeregt, einige mehr als das, und das Einsteigen in die verschiedenen Gefährte schien sich schnell und ohne Störung vollziehen zu sollen, als es mit einemmal hieß, der Gieshüblersche Schlitten sei nicht da. Gieshübler selbst war viel zu artig, um gleich Unruhe zu zeigen oder gar Lärm zu machen; endlich aber, weil doch wer das Wort nehmen mußte, fragte Crampas, »was es denn eigentlich sei«.

»Mirambo kann nicht fahren«, sagte der Hofknecht; »das linke Pferd hat ihm beim Anspannen vor das Schienbein geschlagen. Er liegt im Stall und schreit.«

Nun wurde natürlich nach Doktor Hannemann gerufen, der denn auch hinausging und nach fünf Minuten mit echter Chirurgenruhe versicherte: »Ja, Mirambo müsse zurückbleiben; es sei vorläufig in der Sache nichts zu machen als stilliegen und kühlen. Übrigens von Bedenklichem keine Rede.« Das war nun einigermaßen ein Trost, aber schaffte doch die Verlegenheit, wie der Gieshüblersche Schlitten zurückzufahren sei, nicht aus der Welt, bis Innstetten erklärte, daß er für Mirambo einzutreten und das Zwiegestirn von ⌐Doktor und Apotheker⌐ persönlich glücklich heimzusteuern gedenke. Lachend und unter ziemlich angeheiterten Scherzen gegen den verbindlichsten aller Landräte, der sich, um hülfreich zu sein, sogar von seiner jungen Frau trennen wolle, wurde dem Vorschlage zugestimmt, und Innstetten, mit Gieshübler und dem Doktor im Fond, nahm jetzt wieder die Tête. Crampas und Lindequist folgten unmittelbar. Und als gleich danach auch Kruse mit dem landrätlichen Schlitten vorfuhr, trat

Sidonie lächelnd an Effi heran und bat diese, da ja nun ein Platz frei sei, mit ihr fahren zu dürfen. »In unserer Kutsche ist es immer so stickig; mein Vater liebt das. Und außerdem, ich möchte so gern mit Ihnen plaudern. Aber nur bis Quappendorf. Wo der Morgnitzer Weg abzweigt, steig' ich aus und muß dann wieder in unsern unbequemen Kasten. Und Papa raucht auch noch.«

Effi war wenig erfreut über diese Begleitung und hätte die Fahrt lieber allein gemacht; aber ihr blieb keine Wahl und so stieg denn das Fräulein ein, und kaum daß beide Damen ihre Plätze genommen hatten, so gab Kruse den Pferden auch schon einen Peitschenknips, und von der oberförsterlichen Rampe her, von der man einen prächtigen Ausblick auf das Meer hatte, ging es, die ziemlich steile Düne hinunter, auf den Strandweg zu, der, eine Meile lang, in beinahe gerader Linie bis an das Kessiner Strandhotel, und von dort aus, rechts einbiegend, durch die Plantage hin, in die Stadt führte.

Der Schneefall hatte schon seit ein paar Stunden aufgehört, die Luft war frisch, und auf das weite dunkelnde Meer fiel der matte Schein der Mondsichel. Kruse fuhr hart am Wasser hin, mitunter den Schaum der Brandung durchschneidend, und Effi, die etwas fröstelte, wickelte sich fester in ihren Mantel und schwieg noch immer und mit Absicht. Sie wußte recht gut, daß das mit der »stickigen Kutsche« bloß Vorwand gewesen und daß sich Sidonie nur zu ihr gesetzt hatte, um ihr etwas Unangenehmes zu sagen. Und das kam immer noch früh genug. Zudem war sie wirklich müde, vielleicht von dem Spaziergang im Walde, vielleicht auch von dem oberförsterlichen Punsch, dem sie, auf Zureden der neben ihr sitzenden Frau von Flemming, tapfer zugesprochen hatte. Sie tat denn auch, als ob sie schliefe, schloß die Augen und neigte den Kopf immer mehr nach links.

»Sie sollten sich nicht so sehr nach links beugen, meine gnädigste Frau. Fährt der Schlitten auf einen Stein, so fliegen Sie hinaus. Ihr Schlitten hat ohnehin kein Schutzleder und, wie ich sehe, auch nicht einmal die Haken dazu.«

»Ich kann die Schutzleder nicht leiden; sie haben so was Prosaisches. Und dann, wenn ich hinausflöge, mir wär' es recht, am liebsten gleich in die Brandung. Freilich ein etwas kaltes Bad, aber was tut's . . . Übrigens hören Sie nichts?«

»Nein.«

»Hören Sie nicht etwas wie Musik?«

»Orgel?«

»Nein, nicht Orgel. Da würd' ich denken, es sei das Meer. Aber es ist etwas anderes, ein unendlich feiner Ton, fast wie menschliche Stimme . . .«

»Das sind Sinnestäuschungen«, sagte Sidonie, die jetzt den richtigen Einsetzemoment gekommen glaubte. »Sie sind nervenkrank. Sie hören Stimmen. Gebe Gott, daß Sie auch die richtige Stimme hören.«

»Ich höre . . . nun, gewiß, es ist Torheit, ich weiß, sonst würd' ich mir einbilden, ich hätte die Meerfrauen singen hören . . . Aber, ich bitte Sie, was ist das? Es blitzt ja bis hoch in den Himmel hinauf. Das muß ein Nordlicht sein.«

»Ja«, sagte Sidonie. »Gnädigste Frau tun ja, als ob es ein Weltwunder wäre. Das ist es nicht. Und wenn es dergleichen wäre, wir haben uns vor Naturkultus zu hüten. Übrigens ein wahres Glück, daß wir außer Gefahr sind, unsern Freund Oberförster, diesen eitelsten aller Sterblichen, über dies Nordlicht sprechen zu hören. Ich wette, daß er sich einbilden würde, das tue ihm der Himmel zu Gefallen, um sein Fest noch festlicher zu machen. Er ist ein Narr. Güldenklee konnte Besseres tun, als ihn feiern. Und dabei spielt er sich auf den Kirchlichen aus und hat auch neulich eine Altardecke geschenkt. Vielleicht, daß Cora daran mitgestickt hat. Diese Unechten sind schuld an allem, denn ihre Weltlichkeit liegt immer obenauf und wird denen mit angerechnet, die's ernst mit dem Heil ihrer Seele meinen.«

»Es ist so schwer, ins Herz zu sehen!«

»Ja. Das ist es. Aber bei manchem ist es auch ganz leicht.«
Und dabei sah sie die junge Frau mit beinahe ungezogener
Eindringlichkeit an.

Effi schwieg und wandte sich ungeduldig zur Seite.

»Bei manchem, sag' ich, ist es ganz leicht«, wiederholte
Sidonie, die ihren Zweck erreicht hatte und deshalb ruhig
lächelnd fortfuhr: »und zu diesen leichten Rätseln gehört
unser Oberförster. Wer seine Kinder so erzieht, den beklag'
ich, aber das *eine* Gute hat es, es liegt bei ihm alles klar da.
Und wie bei ihm selbst, so bei den Töchtern. Cora geht
nach Amerika und wird Millionärin oder ⌐Methodisten-
predigerin⌐; in jedem Fall ist sie verloren. Ich habe noch
keine Vierzehnjährige gesehen . . .«

In diesem Augenblicke hielt der Schlitten, und als sich beide Damen umsahen, um in Erfahrung zu bringen, was es
denn eigentlich sei, bemerkten sie, daß rechts von ihnen, in
etwa dreißig Schritt Abstand, auch die beiden anderen
Schlitten hielten – am weitesten nach rechts der von Innstetten geführte, näher heran der Crampassche.

»Was ist?« fragte Effi.

Kruse wandte sich halb herum und sagte: »Der ⌐Schloon⌐,
gnäd'ge Frau.«

»Der Schloon? Was ist das? Ich sehe nichts.«

Kruse wiegte den Kopf hin und her, wie wenn er ausdrük-
ken wollte, daß die Frage leichter gestellt als beantwortet
sei. Worin er auch recht hatte. Denn was der Schloon sei,
das war nicht so mit drei Worten zu sagen. Kruse fand aber
in seiner Verlegenheit alsbald Hülfe bei dem gnädigen
Fräulein, das hier mit allem Bescheid wußte und natürlich
auch mit dem Schloon.

»Ja, meine gnädigste Frau«, sagte Sidonie, »da steht es
schlimm. Für mich hat es nicht viel auf sich, ich komme
bequem durch; denn wenn erst die Wagen heran sind, die
haben hohe Räder, und unsere Pferde sind außerdem daran
gewöhnt. Aber mit solchem Schlitten ist es was anderes; die

versinken im Schloon, und Sie werden wohl oder übel einen Umweg machen müssen.«

»Versinken! Ich bitte Sie, mein gnädigstes Fräulein, ich sehe noch immer nicht klar. Ist denn der Schloon ein Abgrund oder irgendwas, drin man mit Mann und Maus zugrunde gehen muß? Ich kann mir so was hierzulande gar nicht denken.«

»Und doch ist es so was, nur freilich im kleinen; dieser Schloon ist eigentlich bloß ein kümmerliches Rinnsaal, das hier rechts vom Gothener See her herunterkommt und sich durch die Dünen schleicht. Und im Sommer trocknet es mitunter ganz aus, und Sie fahren dann ruhig drüber hin und wissen es nicht einmal.«

»Und im Winter?«

»Ja, im Winter, da ist es was anderes; nicht immer, aber doch oft. Da wird es dann ein Sog.«

»Mein Gott, was sind das nun alles für Namen und Wörter!«

». . . Da wird es ein Sog, und am stärksten immer dann, wenn der Wind nach dem Lande hin steht. Dann drückt der Wind das Meerwasser in das kleine Rinnsal hinein, aber nicht so, daß man es sehen kann. Und das ist das Schlimmste von der Sache, darin steckt die eigentliche Gefahr. Alles geht nämlich unterirdisch vor sich, und der ganze Strandsand ist dann bis tief hinunter mit Wasser durchsetzt und gefüllt. Und wenn man dann über solche Sandstelle weg will, die keine mehr ist, dann sinkt man ein, als ob es ein Sumpf oder ein Moor wäre.«

»Das kenn' ich«, sagte Effi lebhaft. »Das ist wie in unsrem Luch*«, und inmitten all ihrer Ängstlichkeit wurde ihr mit einem Male ganz wehmütig freudig zu Sinn. Vgl. 29,26.

Während das Gespräch noch so ging und sich fortsetzte, war Crampas aus seinem Schlitten ausgestiegen und auf den am äußersten Flügel haltenden Gieshüblerschen zugeschritten, um hier mit Innstetten zu verabreden, was nun wohl eigentlich zu tun sei. Knut, so vermeldete er, wolle die Durchfahrt riskieren, aber Knut sei dumm und verstehe nichts von der Sache; nur solche, die hier zu Hause seien, müßten die Entscheidung treffen. Innstetten – sehr zu Crampas' Überraschung – war auch fürs »Riskieren«, es müsse durchaus noch mal versucht werden ... er wisse schon, die Geschichte wiederhole sich jedesmal: die Leute hier hätten einen Aberglauben und vorweg eine Furcht, während es doch eigentlich wenig zu bedeuten habe. Nicht Knut, der wisse nicht Bescheid, wohl aber Kruse solle noch einmal einen Anlauf nehmen und Crampas derweilen bei den Damen einsteigen (ein kleiner Rücksitz sei ja noch da), um bei der Hand zu sein, wenn der Schlitten umkippe. Das sei doch schließlich das Schlimmste, was geschehen könnte. Mit dieser Innstettenschen Botschaft erschien jetzt Crampas bei den beiden Damen und nahm, als er lachend seinen Auftrag ausgeführt hatte, ganz nach empfangener Ordre* den kleinen Sitzplatz ein, der eigentlich nichts als eine mit Tuch überzogene Leiste war, und rief Kruse zu: »Nun, vorwärts, Kruse.«

Dieser hatte denn auch die Pferde bereits um hundert Schritte zurückgezoppt* und hoffte, scharf anfahrend, den Schlitten glücklich durchbringen zu können; im selben Augenblick aber, wo die Pferde den Schloon auch nur berührten, sanken sie bis über die Knöchel in den Sand ein, so daß sie nur mit Mühe nach Rückwärts wieder heraus konnten.

»Es geht nicht«, sagte Crampas, und Kruse nickte.

Während sich dies abspielte, waren endlich auch die Kutschen herangekommen, die Grasenabbsche vorauf, und als Sidonie, nach kurzem Dank gegen Effi, sich verabschiedet und dem seine türkische Pfeife* rauchenden Vater gegenüber ihren Rückplatz eingenommen hatte, ging es mit dem Wagen ohne weiteres auf den Schloon zu; die Pferde sanken tief ein, aber die Räder ließen alle Gefahr leicht überwin-

(franz.)
Anweisung,
Befehl

(norddt.)
zurückgehen
lassen

Lange gerade
Pfeife mit
kleinem Kopf

den, und ehe eine halbe Minute vorüber war, trabten auch schon die Grasenabbs drüben weiter. Die andern Kutschen folgten. Effi sah ihnen nicht ohne Neid nach. Indessen nicht lange, denn auch für die Schlittenfahrer war in der zwischenliegenden Zeit Rat geschafft worden, und zwar einfach dadurch, daß sich Innstetten entschlossen hatte, statt aller weiterer Forcierung* das friedlichere Mittel eines Umwegs zu wählen. Also genau das, was Sidonie gleich anfangs in Sicht gestellt hatte. Vom rechten Flügel her klang des Landrats bestimmte Weisung herüber, vorläufig diesseits zu bleiben und ihm durch die Dünen hin bis an eine weiter hinauf gelegene Bohlenbrücke zu folgen. Als beide Kutscher, Knut und Kruse, so verständigt waren, trat der Major, der, um Sidonie zu helfen, gleichzeitig mit dieser ausgestiegen war, wieder an Effi heran und sagte: »Ich kann Sie nicht allein lassen, gnäd'ge Frau.« Effi war einen Augenblick unschlüssig, rückte dann aber rasch von der einen Seite nach der anderen hinüber und Crampas nahm links neben ihr Platz.

All dies hätte vielleicht mißdeutet werden können, Crampas selbst aber war zu sehr Frauenkenner, um es sich bloß in Eitelkeit zurechtzulegen. Er sah deutlich, daß Effi nur tat, was, nach Lage der Sache, das einzig Richtige war. Es war unmöglich für sie, sich seine Gegenwart zu verbitten. Und so ging es denn im Fluge den beiden anderen Schlitten nach, immer dicht an dem Wasserlaufe hin, an dessen anderem Ufer dunkle Waldmassen aufragten. Effi sah hinüber und nahm an, daß schließlich an dem landeinwärts gelegenen Außenrande des Waldes hin die Weiterfahrt gehen würde, genau also *den* Weg entlang, auf dem man in früher Nachmittagsstunde gekommen war. Innstetten aber hatte sich inzwischen einen andern Plan gemacht, und im selben Augenblicke, wo sein Schlitten die Bohlenbrücke passierte, bog er, statt den Außenweg zu wählen, in einen schmaleren Weg ein, der mitten durch die dichte Wald-

erzwungenen Maßnahmen

masse hindurchführte. Effi schrak zusammen. Bis dahin waren Luft und Licht um sie her gewesen, aber jetzt war es damit vorbei, und die dunklen Kronen wölbten sich über ihr. Ein Zittern überkam sie, und sie schob die Finger fest ineinander, um sich einen Halt zu geben. Gedanken und Bilder jagten sich, und eines dieser Bilder war das Mütterchen in dem Gedichte, das die »Gottesmauer*« hieß, und wie das Mütterchen, so betete auch sie jetzt, daß Gott eine Mauer um sie her bauen möge. Zwei, drei Male kam es auch über ihre Lippen, aber mit einemmal fühlte sie, daß es tote Worte waren. Sie fürchtete sich und war doch zugleich wie in einem Zauberbann und wollte auch nicht heraus.

Vgl. 174,11.

»Effi«, klang es jetzt leis an ihr Ohr, und sie hörte, daß seine Stimme zitterte. Dann nahm er ihre Hand und löste die Finger, die sie noch immer geschlossen hielt, und überdeckte sie mit heißen Küssen. Es war ihr, als wandle sie eine Ohnmacht an.

Als sie die Augen wieder öffnete, war man aus dem Walde heraus, und in geringer Entfernung vor sich hörte sie das Geläut der voraufeilenden Schlitten. Immer vernehmlicher klang es, und als man, dicht vor Utpatels Mühle, von den Dünen her in die Stadt einbog, lagen rechts die kleinen Häuser mit ihren Schneedächern neben ihnen.

Effi blickte sich um, und im nächsten Augenblicke hielt der Schlitten vor dem landrätlichen Hause.

Zwanzigstes Kapitel

Innstetten, der Effi, als er sie aus dem Schlitten hob, scharf beobachtet, aber doch ein Sprechen über die sonderbare Fahrt zu zweien vermieden hatte, war am anderen Morgen früh auf und suchte seiner Verstimmung, die noch nachwirkte, so gut es ging Herr zu werden.

»Du hast gut geschlafen?« sagte er, als Effi zum Frühstück kam. »Ja.«

»Wohl dir. Ich kann dasselbe von mir nicht sagen. Ich träumte, daß du mit dem Schlitten im Schloon verunglückt seist, und Crampas mühte sich, dich zu retten; ich muß es so nennen, aber er versank mit dir.«

»Du sprichst das alles so sonderbar, Geert. Es verbirgt sich ein Vorwurf dahinter, und ich ahne weshalb.«

»Sehr merkwürdig.«

»Du bist nicht einverstanden damit, daß Crampas kam und uns seine Hülfe anbot.«

»Uns?«

»Ja, uns. Sidonien und mir. Du mußt durchaus vergessen haben, daß der Major in deinem Auftrage kam. Und als er mir erst gegenüber saß, beiläufig jämmerlich genug auf der elenden schmalen Leiste, sollte ich ihn da ausweisen, als die Grasenabbs kamen und mit einem Male die Fahrt weiter ging? Ich hätte mich lächerlich gemacht, und dagegen bist du doch so empfindlich. Erinnere dich, daß wir unter deiner Zustimmung viele Male gemeinschaftlich spazierengeritten sind, und nun sollte ich nicht gemeinschaftlich mit ihm fahren? Es ist falsch, so hieß es bei uns zu Haus, einem Edelmanne Mißtrauen zu zeigen.«

»Einem Edelmanne«, sagte Innstetten mit Betonung.

»Ist er keiner? Du hast ihn selbst einen Kavalier genannt, sogar einen perfekten Kavalier.«

»Ja«, fuhr Innstetten fort und seine Stimme wurde freundlicher, trotzdem ein leiser Spott noch darin nachklang. »Kavalier, das *ist* er, und ein perfekter Kavalier, das ist er nun schon ganz gewiß. Aber Edelmann! Meine liebe Effi, ein Edelmann sieht anders aus. Hast du schon etwas Edles an ihm bemerkt? Ich nicht.«

Effi sah vor sich hin und schwieg.

»Es scheint, wir sind gleicher Meinung. Im übrigen, wie du schon sagtest, ich bin selber schuld; von einem Fauxpas* (franz.) Taktlosigkeit, Verstoß gegen gesellschaftliche Umgangsformen mag ich nicht sprechen, das ist in diesem Zusammenhange kein gutes Wort. Also selber schuld, und es soll nicht wieder vorkommen, so weit ich's hindern kann. Aber auch du, wenn ich dir raten darf, sei auf deiner Hut. Er ist ein Mann der Rücksichtslosigkeiten und hat so seine Ansichten über junge Frauen. Ich kenne ihn von früher.«

»Ich werde mir deine Worte gesagt sein lassen. Nur soviel, ich glaube, du verkennst ihn.«

»Ich verkenne ihn *nicht*.«

»Oder mich«, sagte sie mit einer Kraftanstrengung und versuchte seinem Blicke zu begegnen.

»Auch *dich* nicht, meine liebe Effi. Du bist eine reizende kleine Frau, aber Festigkeit ist nicht eben deine Spezialität.«

Er erhob sich, um zu gehen. Als er bis an die Tür gegangen war, trat Friedrich ein, um ein Gieshüblersches Billet abzugeben, das natürlich an die gnädige Frau gerichtet war.

Effi nahm es. »Eine Geheimkorrespondenz mit Gieshübler«, sagte sie; »Stoff zu neuer Eifersucht für meinen gestrengen Herrn. Oder nicht?«

»Nein, nicht ganz, meine liebe Effi. Ich begehe die Torheit, zwischen Crampas und Gieshübler einen Unterschied zu machen. Sie sind sozusagen nicht von gleichem Karat; nach Karat berechnet man nämlich den reinen Goldeswert, unter Umständen auch der Menschen. Mir persönlich, um auch das noch zu sagen, ist Gieshüblers weißes Jabot, trotzdem kein Mensch mehr Jabots* trägt, erheblich lieber als Crampas' rotblonder Sappeurbart*. Aber ich bezweifle, daß dies weiblicher Geschmack ist.«

»Du hältst uns für schwächer, als wir sind.«

»Eine Tröstung von praktisch außerordentlicher Geringfügigkeit. Aber lassen wir das. Lies lieber.«

Und Effi las: »Darf ich mich nach der gnäd'gen Frau Befinden erkundigen? Ich weiß nur, daß Sie dem Schloon glücklich entronnen sind: aber es blieb auch durch den Wald

Vgl. Erl. zu 144,20.

Langer Bart

immer noch Fährlichkeit genug. Eben kommt Dr. Hannemann von Uvagla zurück und beruhigt mich über Mirambo; gestern habe er die Sache für bedenklicher angesehen,
als er uns habe sagen wollen, heute nicht mehr. Es war eine
reizende Fahrt. – In drei Tagen feiern wir Silvester. Auf eine
Festlichkeit, wie die vorjährige, müssen wir verzichten;
aber einen Ball haben wir natürlich, und Sie erscheinen zu
sehen würde die Tanzwelt beglücken und nicht am wenigsten Ihren respektvollst ergebenen Alonzo G.«

Effi lachte. »Nun, was sagst du?«

»Nach wie vor nur das eine, daß ich dich lieber mit Gieshübler als mit Crampas sehe.«

»Weil du den Crampas zu schwer und den Gieshübler zu
leicht nimmst.«

Innstetten drohte ihr scherzhaft mit dem Finger.

Drei Tage später war Silvester. Effi erschien in einer reizenden Balltoilette, einem Geschenk, das ihr der Weihnachts-
tisch gebracht hatte; sie tanzte aber nicht, sondern nahm
ihren Platz bei den alten Damen, für die, ganz in der Nähe
der Musikempore, die Fauteuils* gestellt waren. Von den
adligen Familien, mit denen Innstettens vorzugsweise verkehrten, war niemand da, weil kurz vorher ein kleines Zer-
würfnis mit dem städtischen Ressourcenvorstand, der,
namentlich seitens des alten Güldenklee, mal wieder »de-
struktiver Tendenzen*« beschuldigt worden war, stattgefunden hatte; drei, vier andere adlige Familien aber, die
nicht Mitglieder der Ressource, sondern immer nur gela-
dene Gäste waren und deren Güter an der anderen Seite der
Kessine lagen, waren aus zum Teil weiter Entfernung über
das Flußeis gekommen und freuten sich, an dem Feste teil-
nehmen zu können. Effi saß zwischen der alten Ritterschaftsrätin von Padden und einer etwas jüngeren Frau von
Titzewitz. Die Ritterschaftsrätin, eine vorzügliche alte Dame, war in allen Stücken ein Original und suchte das, was

(franz.)
Armstühle,
Lehnsessel

Von Bismarck
gern
gebrauchter
Ausdruck

die Natur, besonders durch starke Backenknochenbil-
dung, nach der ⌜wendisch-heidnischen⌝ Seite hin für sie getan hatte, durch christlich-germanische Glaubensstrenge
wieder in Ausgleich zu bringen. In dieser Strenge ging sie so
weit, daß selbst Sidonie von Grasenabb eine Art esprit fort* 5
neben ihr war, wogegen sie freilich – vielleicht weil sich die
⌜Radegaster und die Swantowiter Linie⌝ des Hauses in ihr
vereinigten – über jenen alten Paddenhumor verfügte, der,
von langer Zeit her, wie ein Segen auf der Familie ruhte und
jeden, der mit derselben in Berührung kam, auch wenn es 10
Gegner in Politik und Kirche waren, herzlich erfreute.

»Nun, Kind«, sagte die Ritterschaftsrätin, »wie geht es Ihnen denn eigentlich?«

»Gut, gnädigste Frau; ich habe einen sehr ausgezeichneten
Mann.« 15

»Weiß ich. Aber das hilft nicht immer. Ich hatte auch einen
ausgezeichneten Mann. Wie steht es hier? Keine Anfech-
tungen?«

Effi erschrak und war zugleich wie gerührt. Es lag etwas
ungemein Erquickliches in dem freien und natürlichen 20
Ton, in dem die alte Dame sprach, und daß es eine so from-
me Frau war, das machte die Sache nur noch erquickli-
cher.

»Ach, gnädigste Frau . . .«

»Da kommt es schon. Ich kenne das. Immer dasselbe. Dar- 25
in ändern die Zeiten nichts. Und vielleicht ist es auch recht
gut so. Denn worauf es ankommt, meine liebe junge Frau,
das ist das Kämpfen. Man muß immer ringen mit dem natürlichen Menschen. Und wenn man sich dann so unter hat
und beinah schreien möchte, weil's weh tut, dann jubeln 30
die lieben Engel!«

»Ach, gnädigste Frau. Es ist oft recht schwer.«

»Freilich ist es schwer. Aber je schwerer, desto besser. Darüber müssen Sie sich freuen. Das mit dem Fleisch, das
bleibt, und ich habe Enkel und Enkelinnen, da seh' ich es 35

(franz.)
Freigeist

Effi Briest

jeden Tag. Aber im Glauben sich unterkriegen, meine liebe
Frau, darauf kommt es an, das ist das Wahre. Das hat uns
unser alter Martin Luther zur Erkenntnis gebracht, der
Gottesmann. Kennen Sie seine ⌜Tischreden⌝?«

5 »Nein, gnädigste Frau.«

»Die werde ich Ihnen schicken.«

In diesem Augenblicke trat Major Crampas an Effi heran
und bat, sich nach ihrem Befinden erkundigen zu dürfen.
Effi war wie mit Blut übergossen, aber ehe sie noch ant-

10 worten konnte, sagte Crampas: »Darf ich Sie bitten, gnädigste Frau, mich den Damen vorstellen zu wollen?«

Effi nannte nun Crampas' Namen, der seinerseits schon
vorher vollkommen orientiert war und in leichtem Geplauder alle Paddens und Titzewitze, von denen er je gehört

15 hatte, Revue passieren ließ. Zugleich entschuldigte er sich,
den Herrschaften jenseits der Kessine noch immer nicht
seinen Besuch gemacht und seine Frau vorgestellt zu haben; »aber es sei sonderbar, welche trennende Macht das
Wasser habe. Es sei dasselbe wie mit dem Canal La Man- (franz.)
                                                          Ärmelkanal
20 che*...«

»Wie?« fragte die alte Titzewitz.

Crampas seinerseits hielt es für unangebracht, Aufklärun-
gen zu geben, die doch zu nichts geführt haben würden,
und fuhr fort: »Auf zwanzig Deutsche, die nach Frankreich

25 gehen, kommt noch nicht einer, der nach England geht.
Das macht das Wasser, ich wiederhole, das Wasser hat eine
scheidende *Kraft*.«

Frau von Padden, die darin mit feinem Instinkt etwas An-
zügliches witterte, wollte für das Wasser eintreten, Cram-

30 pas aber sprach mit immer wachsendem Redefluß weiter
und lenkte die Aufmerksamkeit der Damen auf ein schönes
Fräulein von Stojentin, »das ohne Zweifel die Ballkönigin«
sei, wobei sein Blick übrigens Effi bewundernd streifte.
Dann empfahl er sich rasch unter Verbeugung gegen alle

35 drei.

»Schöner Mann«, sagte die Padden. »Verkehrt er in Ihrem
Hause?«

»Flüchtig.«

»Wirklich«, wiederholte die Padden, »ein schöner Mann.
Ein bißchen zu sicher. Und Hochmut kommt vor dem
Fall ... Aber sehen Sie nur, da tritt er wirklich mit der
Grete Stojentin an. Eigentlich ist er doch zu alt; wenigstens
Mitte vierzig.«

»Er wird vierundvierzig.«

»Ei, ei, Sie scheinen ihn ja gut zu kennen.«

Es kam Effi sehr zupaß, daß das neue Jahr, gleich in seinem
Anfang, allerlei Aufregungen brachte. Seit Silvesternacht
ging ein scharfer Nordost, der sich in den nächsten Tagen
fast bis zum Sturm steigerte, und am 3. Januar nachmittags
hieß es, daß ein Schiff draußen mit der Einfahrt nicht zustande gekommen und hundert Schritt vor der Mole gescheitert sei; es sei ein englisches, von Sunderland* her, und
soweit sich erkennen lasse, sieben Mann an Bord; die Lot-
sen könnten beim Ausfahren, trotz aller Anstrengung,
nicht um die Mole herum, und vom Strande aus ein Boot
abzulassen, daran sei nun vollends nicht zu denken, die
Brandung sei viel zu stark. Das klang traurig genug. Aber
Johanna, die die Nachricht brachte, hatte doch auch Trost
bei der Hand: Konsul Eschrich, mit dem Rettungsapparat
und der Raketenbatterie*, sei schon unterwegs, und es
würde gewiß glücken; die Entfernung sei nicht voll so weit*
wie Anno 75, wo's doch auch gegangen, und sie hätten
damals sogar den Pudel mit gerettet, und es wäre ordentlich rührend gewesen, wie sich das Tier gefreut und die
Kapitänsfrau und das liebe, kleine Kind, nicht viel größer
als Anniechen, immer wieder mit seiner roten Zunge ge-
leckt habe.

»Geert, da muß ich mit hinaus, das muß ich sehen«, hatte
Effi sofort erklärt, und beide waren aufgebrochen, um

Effi Briest

nicht zu spät zu kommen, und hatten denn auch den rechten Moment abgepaßt; denn im Augenblick, als sie, von der Plantage her, den Strand erreichten, fiel der erste Schuß, und sie sahen ganz deutlich, wie die Rakete mit dem Fangseil unter dem Sturmgewölk hinflog und über das Schiff weg jenseits niederfiel. Alle Hände regten sich sofort an Bord, und nun holten sie, mit Hülfe der kleinen Leine, das dickere Tau samt dem Korb heran, und nicht lange, so kam der Korb in einer Art Kreislauf wieder zurück, und einer der Matrosen, ein schlanker, bildhübscher Mensch mit einer wachsleinenen Kappe, war geborgen an Land und wurde neugierig ausgefragt, während der Korb aufs neue seinen Weg machte, zunächst den zweiten und dann den dritten heranzuholen und so fort. Alle wurden gerettet, und Effi hätte sich, als sie nach einer halben Stunde mit ihrem Manne wieder heim ging, in die Dünen werfen und sich ausweinen mögen. Ein schönes Gefühl hatte wieder Platz in ihrem Herzen gefunden, und es beglückte sie unendlich, daß es so war.

Das war am 3. gewesen. Schon am 5. kam ihr eine neue Aufregung, freilich ganz anderer Art. Innstetten hatte Gieshübler, der natürlich auch Stadtrat und Magistratsmitglied war, beim Herauskommen aus dem Rathause getroffen und im Gespräch mit ihm erfahren, daß seitens des Kriegsministeriums angefragt worden sei, wie sich die Stadtbehörden eventuell zur Garnisonsfrage* zu stellen gedächten. Bei nötigem Entgegenkommen, also bei Bereitwilligkeit zu Stall- und Kasernenbauten, könnten ihnen zwei ⌐Schwadronen⌐ Husaren zugesagt werden. »Nun, Effi, was sagst du dazu?« – Effi war wie benommen. All das unschuldige Glück ihrer Kinderjahre stand mit einem Male wieder vor ihrer Seele, und im Augenblick war es ihr, als ob rote Husaren – denn es waren auch rote wie daheim in Hohen-Cremmen – so recht eigentlich die Hüter von Paradies und Unschuld seien. Und dabei schwieg sie noch immer.

Frage nach der Stationierung einer militärischen Einheit an einem Ort

»Du sagst ja nichts, Effi.«

»Ja, sonderbar, Geert. Aber es beglückt mich so, daß ich vor Freude nichts sagen kann. Wird es denn auch sein? Werden sie denn auch kommen?«

»Damit hat's freilich noch gute Wege, ja, Gieshübler meinte sogar, die Väter der Stadt, seine Kollegen, verdienten es gar nicht. Statt einfach über die Ehre, und wenn nicht über die Ehre, so doch wenigstens über den Vorteil einig und glücklich zu sein, wären sie mit allerlei ›Wenns‹ und ›Abers‹ gekommen und hätten geknausert wegen der neuen Bauten; ja, Pfefferküchler* Michelsen habe sogar gesagt, es verderbe die Sitten der Stadt, und wer eine Tochter habe, der möge sich vorsehen und Gitterfenster anschaffen.«

»Es ist nicht zu glauben. Ich habe nie manierlichere* Leute gesehen als unsere Husaren; wirklich, Geert. Nun, du weißt es ja selbst. Und nun will dieser Michelsen alles vergittern. Hat er denn Töchter?«

»Gewiß; sogar drei. Aber sie sind sämtlich hors concours*.«

Effi lachte so herzlich, wie sie seit langem nicht mehr gelacht hatte. Doch es war von keiner Dauer, und als Innstetten ging und sie allein ließ, setzte sie sich an die Wiege des Kindes, und ihre Tränen fielen auf die Kissen. Es brach wieder über sie herein, und sie fühlte, daß sie wie eine Gefangene sei und nicht mehr heraus könne.

Sie litt schwer darunter und wollte sich befreien. Aber wiewohl sie starker Empfindungen fähig war, so war sie doch keine starke Natur; ihr fehlte die Nachhaltigkeit, und alle guten Anwandlungen gingen wieder vorüber. So trieb sie denn weiter, heute, weil sie's nicht ändern konnte, morgen, weil sie's nicht ändern wollte. Das Verbotene, das Geheimnisvolle hatte seine Macht über sie.

So kam es, daß sie sich, von Natur frei und offen, in ein verstecktes Komödienspiel mehr und mehr hineinlebte. Mitunter erschrak sie, wie leicht es ihr wurde. Nur in einem

Vorläufer des Konditors

anständigere

(franz.) außer Konkurrenz

blieb sie sich gleich: sie sah alles klar und beschönigte nichts. Einmal trat sie spät abends vor den Spiegel in ihrer Schlafstube; die Lichter und Schatten flogen hin und her, und Rollo schlug draußen an, und im selben Augenblicke war es ihr, als sähe ihr wer über die Schulter. Aber sie besann sich rasch. »Ich weiß schon, was es ist; es war nicht *der*«, und sie wies mit dem Finger nach dem Spukzimmer oben. »Es war was anderes . . . mein Gewissen . . . Effi, du bist verloren.«

Es ging aber doch weiter so, die Kugel war im Rollen, und was an einem Tage geschah, machte das Tun des andern zur Notwendigkeit.

Um die Mitte des Monats kamen Einladungen aufs Land. Über die dabei innezuhaltende Reihenfolge hatten sich die vier Familien, mit denen Innstettens vorzugsweise verkehrten, geeinigt: die Borckes sollten beginnen, die Flemmings und Grasenabbs folgten, die Güldenklees schlossen ab. Immer eine Woche dazwischen. Alle vier Einladungen kamen am selben Tage; sie sollten ersichtlich den Eindruck des Ordentlichen und Wohlerwogenen machen, auch wohl den einer besonderen freundschaftlichen Zusammengehörigkeit.

»Ich werde nicht dabei sein, Geert, und du mußt mich der Kur halber, in der ich nun seit Wochen stehe, von vornherein entschuldigen.«

Innstetten lachte. »Kur. Ich soll es auf die Kur schieben. Das ist das Vorgebliche; das Eigentliche heißt: du willst nicht.«

»Nein, es ist doch mehr Ehrlichkeit dabei, als du zugeben willst. Du hast selbst gewollt, daß ich den Doktor zu Rate ziehe. Das hab' ich getan, und nun muß ich doch seinem Rate folgen. Der gute Doktor, er hält mich für bleichsüchtig*, sonderbar genug, und du weißt, daß ich jeden Tag von dem Eisenwasser* trinke. Wenn du dir ein Borckesches Diner dazu vorstellst, vielleicht mit Preßkopf und Aal in As-

durch Eisenmangel bedingte Blutarmut bei Frauen

Eisenhaltiges Wasser

pik*, so mußt du den Eindruck haben, es wäre mein Tod. Und so wirst du dich doch zu deiner Effi nicht stellen wollen. Freilich mitunter ist es mir . . .«

»Ich bitte dich, Effi . . .«

». . . Übrigens freu' ich mich, und das ist das einzige Gute dabei, dich jedesmal, wenn du fährst, eine Strecke Wegs begleiten zu können, bis an die Mühle gewiß oder bis an den Kirchhof oder auch bis an die Waldecke, da, wo der Morgnitzer Querweg einmündet. Und dann steig' ich ab und schlendere wieder zurück. In den Dünen ist es immer am schönsten.«

Innstetten war einverstanden, und als drei Tage später der Wagen vorfuhr, stieg Effi mit auf und gab ihrem Manne das Geleit bis an die Waldecke. »Hier laß halten, Geert. Du fährst nun links weiter, ich gehe rechts bis an den Strand und durch die Plantage zurück. Es ist etwas weit, aber doch nicht zu weit. Doktor Hannemann sagt mir jeden Tag, Bewegung sei alles, Bewegung und frische Luft. Und ich glaube beinah, daß er recht hat. Empfiehl mich all den Herrschaften; nur bei Sidonie kannst du schweigen.«

Die Fahrten, auf denen Effi ihren Gatten bis an die Waldecke begleitete, wiederholten sich allwöchentlich; aber auch in der zwischenliegenden Zeit hielt Effi darauf, daß sie der ärztlichen Verordnung streng nachkam. Es verging kein Tag, wo sie nicht ihren vorgeschriebenen Spaziergang gemacht hätte, meist nachmittags, wenn sich Innstetten in seine Zeitungen zu vertiefen begann. Das Wetter war schön, eine milde, frische Luft, der Himmel bedeckt. Sie ging in der Regel allein und sagte zu Roswitha: »Roswitha, ich gehe nun also die Chaussee hinunter und dann rechts an den Platz mit dem Karussell; da will ich auf dich warten, da hole mich ab. Und dann gehen wir durch die Birkenallee oder durch die Reeperbahn wieder zurück. Aber komme nur, wenn Annie schläft. Und wenn sie nicht schläft, so schicke Johanna. Oder laß es lieber ganz; es ist nicht nötig, ich finde mich schon zurecht.«

Den ersten Tag, als es so verabredet war, trafen sie sich auch wirklich. Effi saß auf einer an einem langen Holzschuppen sich hinziehenden Bank und sah nach einem niedrigen Fachwerkhause hinüber, gelb mit schwarzgestrichenen Balken, einer Wirtschaft für kleine Bürger, die hier ihr Glas Bier tranken oder Solo* spielten. Es dunkelte noch kaum, die Fenster aber waren schon hell, und ihr Lichtschimmer fiel auf die Schneemassen und etliche zur Seite stehende Bäume. »Sieh, Roswitha, wie schön das aussieht.«

Ein paar Tage wiederholte sich das. Meist aber, wenn Roswitha bei dem Karussell und dem Holzschuppen ankam, war niemand da, und wenn sie dann zurückkam und in den Hausflur eintrat, kam ihr Effi schon entgegen und sagte: »Wo du nur bleibst, Roswitha, ich bin schon lange wieder hier.«

In dieser Art ging es durch Wochen hin. Das mit den Husaren hatte sich wegen der Schwierigkeiten, die die Bürgerschaft machte, so gut wie zerschlagen; aber da die Verhandlungen noch nicht geradezu abgeschlossen waren und neuerdings durch eine andere Behörde, das Generalkommando, gingen, so war Crampas nach Stettin berufen worden, wo man seine Meinung in dieser Angelegenheit hören wollte. Von dort schrieb er den zweiten Tag an Innstetten: »Pardon, Innstetten, daß ich mich ⌐auf französisch empfohlen⌐. Es kam alles so schnell. Ich werde übrigens die Sache hinauszuspinnen suchen, denn man ist froh, einmal draußen zu sein. Empfehlen Sie mich der gnädigen Frau, meiner liebenswürdigen Gönnerin.«

Er las es Effi vor. Diese blieb ruhig. Endlich sagte sie: »Es ist recht gut so.« »Wie meinst du das?«

»Daß er fort ist. Er sagt eigentlich immer dasselbe. Wenn er wieder da ist, wird er wenigstens vorübergehend was Neues zu sagen haben.«

Innstettens Blick flog scharf über sie hin. Aber er sah

Kartenspiel für vier Personen

nichts, und sein Verdacht beruhigte sich wieder. »Ich will auch fort«, sagte er nach einer Weile, »sogar nach Berlin; vielleicht kann ich dann, wie Crampas, auch mal was Neues mitbringen. Meine liebe Effi will immer gern was Neues hören; sie langweilt sich in unserm guten Kessin. Ich werde gegen acht Tage fort sein, vielleicht noch einen Tag länger. Und ängstige dich nicht . . . es wird ja wohl nicht wiederkommen . . . du weißt schon, das da oben . . . Und wenn doch, du hast ja Rollo und Roswitha.«

Effi lächelte vor sich hin, und es mischte sich etwas von Wehmut mit ein. Sie mußte des Tages gedenken, wo Crampas ihr zum ersten Male gesagt hatte, daß er mit dem Spuk und ihrer Furcht eine Komödie spiele. Der große Erzieher! Aber hatte er nicht recht? War die Komödie nicht am Platz? Und allerhand Widerstreitendes, Gutes und Böses, ging ihr durch den Kopf.

Den dritten Tag reiste Innstetten ab.

Über das, was er in Berlin vorhabe, hatte er nichts gesagt.

Einundzwanzigstes Kapitel

Innstetten war erst vier Tage fort, als Crampas von Stettin wieder eintraf und die Nachricht brachte, man hätte höheren Orts die Absicht, zwei Schwadronen nach Kessin zu legen, endgültig fallen lassen; es gäbe so viele kleine Städte, die sich um eine Kavalleriegarnison, und nun gar um ⌐Blüchersche Husaren⌐, bewürben, daß man gewohnt sei, bei solchem Anerbieten einem herzlichen Entgegenkommen, aber nicht einem zögernden zu begegnen. Als Crampas dies mitteilte, machte der Magistrat ein ziemlich verlegenes Gesicht; nur Gieshübler, weil er der Philisterei* seiner Kollegen eine Niederlage gönnte, triumphierte. Seitens der kleinen Leute griff beim Bekanntwerden der Nachricht eine

Kleinbürgerliches, engstirniges Verhalten

gewisse Verstimmung Platz, ja selbst einige Konsuls mit Töchtern waren momentan unzufrieden; im ganzen aber kam man rasch über die Sache hin, vielleicht weil die nebenherlaufende Frage, »was Innstetten in Berlin vorhabe«, die Kessiner Bevölkerung oder doch wenigstens die Honoratiorenschaft der Stadt mehr interessierte. Diese wollte den überaus wohl gelittenen Landrat nicht gern verlieren, und doch gingen darüber ganz ausschweifende Gerüchte, die von Gieshübler, wenn er nicht ihr Erfinder war, wenigstens genährt und weiterverbreitet wurden. Unter anderem hieß es, Innstetten würde als Führer einer Gesandtschaft nach Marokko* gehen, und zwar mit Geschenken, unter denen nicht bloß die herkömmliche ⌐Vase mit Sanssouci und dem Neuen Palais⌐, sondern vor allem auch eine große Eismaschine sei. Das letztere erschien, mit Rücksicht auf die marokkanischen Temperaturverhältnisse, so wahrscheinlich, daß das Ganze geglaubt wurde.

Effi hörte auch davon. Die Tage, wo sie sich darüber erheitert hätte, lagen noch nicht allzuweit zurück; aber in der Seelenstimmung, in der sie sich seit Schluß des Jahres befand, war sie nicht mehr fähig, unbefangen und ausgelassen über derlei Dinge zu lachen. Ihre Gesichtszüge hatten einen ganz anderen Ausdruck angenommen, und das halb rührend, halb schelmisch Kindliche, was sie noch als Frau gehabt hatte, war hin. Die Spaziergänge nach dem Strand und der Plantage, die sie, während Crampas in Stettin war, aufgegeben hatte, nahm sie nach seiner Rückkehr wieder auf und ließ sich auch durch ungünstige Witterung nicht davon abhalten. Es wurde wie früher bestimmt, daß ihr Roswitha bis an den Ausgang der Reeperbahn* oder bis in die Nähe des Kirchhofs entgegenkommen solle, sie verfehlten sich aber noch häufiger als früher. »Ich könnte dich schelten, Roswitha, daß du mich nie findest. Aber es hat nichts auf sich; ich ängstige mich nicht mehr, auch nicht einmal am Kirchhof, und im Walde bin ich noch keiner Menschenseele begegnet.«

Seit 1873 gab es ein dt. Konsulat in Tanger.

Vgl. 131,19–20.

Es war am Tage vor Innstettens Rückkehr von Berlin, daß Effi das sagte. Roswitha machte nicht viel davon und beschäftigte sich lieber damit, Girlanden über den Türen anzubringen; auch der Haifisch bekam einen Fichtenzweig und sah noch merkwürdiger aus als gewöhnlich. Effi sagte: »Das ist recht, Roswitha; er wird sich freuen über all das Grün, wenn er morgen wieder da ist. Ob ich heute wohl noch gehe? Doktor Hannemann besteht darauf und meint in einem fort, ich nähme es nicht ernst genug, sonst müßte ich besser aussehen; ich habe aber keine rechte Lust heut', es nieselt und der Himmel ist so grau.«

»Ich werde der gnäd'gen Frau den Regenmantel bringen.«

»Das tu! Aber komme heute nicht nach, wir treffen uns ja doch nicht«, und sie lachte. »Wirklich, du bist gar nicht findig, Roswitha. Und ich mag nicht, daß du dich erkältest und alles um nichts.«

Roswitha blieb denn auch zu Haus, und weil Annie schlief, ging sie zu Kruses, um mit der Frau zu plaudern. »Liebe Frau Kruse«, sagte sie, »Sie wollten mir ja das mit dem Chinesen noch erzählen. Gestern kam die Johanna dazwischen, die tut immer so vornehm, für die ist so was nicht. Ich glaube aber doch, daß es was gewesen ist, ich meine mit dem Chinesen und mit Thomsens Nichte, wenn es nicht seine Enkelin war.«

Die Kruse nickte.

»Entweder«, fuhr Roswitha fort, »war es eine unglückliche Liebe« (die Kruse nickte wieder), »oder es kann auch eine glückliche gewesen sein und der Chinese konnte es bloß nicht aushalten, daß es alles mit einem Mal so wieder vorbei sein sollte. Denn die Chinesen sind doch auch Menschen, und es wird wohl alles ebenso mit ihnen sein wie mit uns.«

»Alles«, versicherte die Kruse und wollte dies eben durch ihre Geschichte bestätigen, als ihr Mann eintrat und sagte:

»Mutter, du könntest mir die Flasche mit dem Lederlack geben, ich muß doch das Sielenzeug* blank haben, wenn der Herr morgen wieder da ist; der sieht alles, und wenn er auch nichts sagt, so merkt man doch, daß er's gesehen hat.«

Pferdegeschirr

»Ich bring' es Ihnen raus, Kruse«, sagte Roswitha. »Ihre Frau will mir bloß noch was erzählen; aber es is gleich aus, und dann komm' ich und bring' es.«

Roswitha, die Flasche mit dem Lack in der Hand, kam denn auch ein paar Minuten danach auf den Hof hinaus und stellte sich neben das Sielenzeug, das Kruse eben über den Gartenzaun gelegt hatte. »Gott«, sagte er, während er ihr die Flasche aus der Hand nahm, »viel hilft es ja nicht, es nieselt in einem weg, und die Blänke vergeht doch wieder. Aber ich denke, alles muß seine Ordnung haben.«

»⌈Das muß es.⌉ Und dann, Kruse, es ist ja doch auch ein richtiger Lack, das kann ich gleich sehen, und was ein richtiger Lack ist, der klebt nicht lange, der muß gleich trocknen. Und wenn es dann morgen nebelt oder naß fällt, dann schadet es nich mehr. Aber das muß ich doch sagen, das mit dem Chinesen is eine merkwürdige Geschichte.«

Kruse lachte. »Unsinn is es, Roswitha. Und meine Frau, statt aufs Richtige zu sehen, erzählt immer so was, un wenn ich ein reines Hemd anziehen will, fehlt ein Knopp. Un so is es nu schon, solange wir hier sind. Sie hat immer bloß solche Geschichten in ihrem Kopp und dazu das schwarze Huhn. Un das schwarze Huhn legt nich mal Eier. Un am Ende, wovon soll es auch Eier legen? Es kommt ja nich raus und vons bloße Kikeriki kann doch so was nich kommen. Das is von keinem Huhn nich zu verlangen.«

»Hören Sie, Kruse, das werde ich Ihrer Frau wieder erzählen. Ich habe Sie immer für einen anständigen Menschen gehalten, und nun sagen Sie so was wie das da von Kikeriki. Die Mannsleute sind doch immer noch schlimmer, als man denkt. Un eigentlich müßt' ich nu gleich den Pinsel hier nehmen und Ihnen einen schwarzen Schnurrbart anmalen.«

Nun »Nu* von Ihnen, Roswitha, kann man sich das schon gefallen lassen«, und Kruse, der meist den Würdigen spielte,
scherzhaften schien in einen mehr und mehr schäkrigen* Ton übergehen 5
zu wollen, als er plötzlich der gnädigen Frau ansichtig wurde, die heute von der anderen Seite der Plantage herkam
und in ebendiesem Augenblicke den Gartenzaun passierte.

»Guten Tag, Roswitha, du bist ja so ausgelassen. Was 10
macht denn Annie?«

»Sie schläft, gnäd'ge Frau.«

Aber Roswitha, als sie das sagte, war doch rot geworden
und ging, rasch abbrechend, auf das Haus zu, um der gnädigen Frau beim Umkleiden behülflich zu sein. Denn ob 15
Johanna da war, das war die Frage. Die steckte jetzt viel auf
dem »Amt« drüben, weil es zu Haus weniger zu tun gab,
und Friedrich und Christel waren ihr zu langweilig und
wußten nie was.

Annie schlief noch. Effi beugte sich über die Wiege, ließ 20
sich dann Hut und Regenmantel abnehmen und setzte sich
auf das kleine Sofa in ihrer Schlafstube. Das feuchte Haar
strich sie langsam zurück, legte die Füße auf einen niedrigen Stuhl, den Roswitha herangeschoben, und sagte, während sie sichtlich das Ruhebehagen nach einem ziemlich 25
langen Spaziergange genoß: »Ich muß dich darauf aufmerksam machen, Roswitha, daß Kruse verheiratet ist.«

»Ich weiß, gnäd'ge Frau.«

»Ja, was weiß man nicht alles und handelt doch, als ob man
es *nicht* wüßte. Das kann nie was werden.« 30

»Es soll ja auch nichts werden, gnäd'ge Frau . . .«

»Denn wenn du denkst, sie sei krank, da machst du die
Rechnung ohne den Wirt. Die Kranken leben am längsten.
Und dann hat sie das schwarze Huhn. Vor dem hüte dich,
das weiß alles und plaudert alles aus. Ich weiß nicht, ich 35

habe einen Schauder davor. Und ich wette, daß das alles da oben mit dem Huhn zusammenhängt.«

»Ach, das glaub' ich nicht. Aber schrecklich ist es doch. Und Kruse, der immer gegen seine Frau ist, kann es mir nicht ausreden.« »Was sagt der?«

»Er sagte, es seien bloß Mäuse.«

»Nun, Mäuse, das ist auch gerade schlimm genug. Ich kann keine Mäuse leiden. Aber ich sah ja deutlich, wie du mit dem Kruse schwatztest und vertraulich tatest, und ich glaube sogar, du wolltest ihm einen Schnurrbart anmalen. Das ist doch schon sehr viel. Und nachher sitzest du da. Du bist ja noch eine schmucke Person und hast so was. Aber sieh dich vor, soviel kann ich dir bloß sagen. Wie war es denn eigentlich das erstemal mit dir? Ist es so, daß du mir's erzählen kannst?«

»Ach, ich kann schon. Aber schrecklich war es. Und weil es so schrecklich war, drum können gnäd'ge Frau auch ganz ruhig sein, von wegen dem Kruse. Wem es so gegangen ist wie mir, der hat genug davon und paßt auf. Mitunter träume ich noch davon, und dann bin ich den andern Tag wie zerschlagen. Solche grausame Angst . . .«

Effi hatte sich aufgerichtet und stützte den Kopf auf ihren Arm. »Nun erzähle. Wie kann es denn gewesen sein? Es ist ja mit euch, das weiß ich noch von Hause her, immer dieselbe Geschichte . . .«

»Ja, zuerst is es wohl immer dasselbe, und ich will mir auch nicht einbilden, daß es mit mir was Besonderes war, ganz und gar nicht. Aber wie sie's mir dann auf den Kopf zusagten und ich mit einem Male sagen mußte: ›ja, es ist so‹, ja, das war schrecklich. Die Mutter, na, das ging noch, aber der Vater, der die Dorfschmiede hatte, der war streng und wütend, und als er's hörte, da kam er mit einer Stange auf mich los, die er eben aus dem Feuer genommen hatte, und wollte mich umbringen. Und ich schrie laut auf und lief auf den Boden und versteckte mich, und da lag ich und zitterte und kam erst wieder nach unten, als sie mich riefen und sagten, ich solle nur kommen. Und dann hatte ich noch eine jüngere Schwester, die wies immer auf mich hin und sagte ›Pfui‹. Und dann, wie das Kind kommen sollte, ging ich in eine Scheune nebenan, weil ich mir's bei uns nicht getraute. Da fanden mich fremde Leute halb tot und trugen mich ins Haus und in mein Bett. Und den dritten Tag nahmen sie mir das Kind fort, und als ich nachher fragte, wo es sei, da hieß es, es sei gut aufgehoben. Ach, gnädigste Frau, die Heil'ge Mutter Gottes bewahre Sie vor solchem Elend.«

Effi fuhr auf und sah Roswitha mit großen Augen an. Aber sie war doch mehr erschrocken als empört.

»Was du nur sprichst! Ich bin ja doch eine verheiratete Frau. So was darfst du nicht sagen, das ist ungehörig, das paßt sich nicht.«

»Ach, gnädigste Frau . . .«

»Erzähle mir lieber, was aus dir wurde. Das Kind hatten sie dir genommen. Soweit warst du . . .«

»Und dann, nach ein paar Tagen, da kam wer aus Erfurt, der fuhr bei dem Schulzen* vor und fragte: ›ob da nicht eine Amme sei‹. Da sagte der Schulze ›ja‹. Gott lohne es ihm, und der fremde Herr nahm mich gleich mit, und von da an hab' ich beßre Tage gehabt; selbst bei der Registratorin war es doch immer noch zum Aushalten, und zuletzt bin ich zu Ihnen gekommen, gnädige Frau. Und das war das Beste, das Allerbeste.«

Und als sie das sagte, trat sie an das Sofa heran und küßte Effi die Hand.

»Roswitha, du mußt mir nicht immer die Hand küssen, ich mag das nicht. Und nimm dich nur in acht mit dem Kruse. Du bist doch sonst eine so gute und verständige Person . . . Mit einem Ehemanne . . . das tut nie gut.«

»Ach, gnäd'ge Frau, Gott und seine Heiligen führen uns wunderbar, und das Unglück, das uns trifft, das hat doch

Gemeinde-
vorsteher

auch sein Glück. Und wen es nicht bessert, dem is nich zu helfen ... Ich kann eigentlich die Mannsleute gut leiden ...«

»Siehst du, Roswitha, siehst du.«

5 »Aber wenn es mal wieder so über mich käme, mit dem Kruse, das is ja nichts, und ich könnte nicht mehr anders, da lief ich gleich ins Wasser. Es war zu schrecklich. Alles. Und was nur aus dem armen Wurm geworden is? Ich glaube nicht, daß es noch lebt; sie haben es umkommen lassen,
10 aber ich bin doch schuld.« Und sie warf sich vor Annies Wiege nieder und wiegte das Kind hin und her und sang in einem fort ihr »Buhküken von Halberstadt*«.

Vgl. Erl. zu 165,27.

»Laß«, sagte Effi. »Singe nicht mehr; ich habe Kopfweh. Aber bringe mir die Zeitungen. Oder hat Gieshübler viel-
15 leicht die Journale geschickt?«

»Das hat er. Und die Modezeitung lag obenauf. Da haben wir drin geblättert, ich und Johanna, eh sie rüberging. Johanna ärgert sich immer, daß sie so was nicht haben kann. Soll ich die Modezeitung bringen?«

20 »Ja, die bringe und bring auch die Lampe.«

Roswitha ging, und Effi, als sie allein war, sagte: »Womit man sich nicht alles hilft? Eine hübsche Dame mit einem Muff und eine mit einem Halbschleier; Modepuppen. Aber es ist das Beste, mich auf andre Gedanken zu bringen.«

25 Im Laufe des andern Vormittags kam ein Telegramm von Innstetten, worin er mitteilte, daß er erst mit dem zweiten Zug kommen, also nicht vor Abend in Kessin eintreffen werde. Der Tag verging in ewiger Unruhe; glücklicherweise kam Gieshübler im Laufe des Nachmittags und half über
30 eine Stunde weg. Endlich um sieben Uhr fuhr der Wagen vor, Effi trat hinaus, und man begrüßte sich. Innstetten war in einer ihm sonst fremden Erregung, und so kam es, daß er die Verlegenheit nicht sah, die sich in Effis Herzlichkeit mischte. Drinnen im Flur brannten die Lampen und Lich-

ter, und das Teezeug, das Friedrich schon auf einen der zwischen den Schränken stehenden Tische gestellt hatte, reflektierte den Lichterglanz.

»Das sieht ja ganz so aus wie damals, als wir hier ankamen. Weißt du noch, Effi?«

Sie nickte.

»Nur der Haifisch mit seinem Fichtenzweig verhält sich heute ruhiger, und auch Rollo spielt den Zurückhaltenden und legt mir nicht mehr die Pfoten auf die Schulter. Was ist das mit dir, Rollo?«

Rollo strich an seinem Herrn vorbei und wedelte.

»Der ist nicht recht zufrieden, entweder mit mir nicht oder mit andern. Nun, ich will annehmen, mit mir. Jedenfalls laß uns eintreten.« Und er trat in sein Zimmer und bat Effi, während er sich aufs Sofa niederließ, neben ihm Platz zu nehmen. »Es war so hübsch in Berlin, über Erwarten; aber in all meiner Freude habe ich mich immer zurückgesehnt. Und wie gut du aussiehst! Ein bißchen blaß und auch ein bißchen verändert, aber es kleidet dich.«

Effi wurde rot.

»Und nun wirst du auch noch rot. Aber es ist, wie ich dir sage, du hattest so was von einem verwöhnten Kind, mit einem Mal siehst du aus wie eine Frau.«

»Das hör' ich gern, Geert, aber ich glaube, du sagst es nur so.«

»Nein, nein, du kannst es dir gutschreiben, wenn es etwas Gutes ist . . .«

»Ich dächte doch.«

»Und nun rate, von wem ich dir Grüße bringe.«

»Das ist nicht schwer, Geert. Außerdem, wir Frauen, zu denen ich mich, seitdem du wieder da bist, ja rechnen darf« (und sie reichte ihm die Hand und lachte), »wir Frauen, wir raten leicht. Wir sind nicht so schwerfällig wie ihr.«

»Nun von wem?«

»Nun natürlich von Vetter Briest. Er ist ja der einzige, den

ich in Berlin kenne, die Tanten abgerechnet, die du nicht
aufgesucht haben wirst und die viel zu neidisch sind, um
mich grüßen zu lassen. Hast du nicht auch gefunden, alle
alten Tanten sind neidisch?«

»Ja, Effi, das ist wahr. Und daß du das sagst, das ist ganz
meine alte Effi wieder. Denn du mußt wissen, die alte Effi,
die noch aussah wie ein Kind, nun, die war auch nach meinem Geschmack. Grad so wie die jetzige gnäd'ge Frau.«

»Meinst du? Und wenn du dich zwischen beiden entscheiden solltest . . .«

»Das ist eine Doktorfrage*, darauf lasse ich mich nicht ein.
Aber da bringt Friedrich den Tee. Wie hat's mich nach dieser Stunde verlangt! Und hab' es auch ausgesprochen, sogar zu deinem Vetter Briest, als wir bei Dressel* saßen und
in Champagner dein Wohl tranken . . . Die Ohren müssen
dir geklungen haben . . . Und weißt du, was dein Vetter
dabei sagte?«

»Gewiß etwas Albernes. Darin ist er groß.«

»Das ist der schwärzeste Undank, den ich all mein Lebtag
erlebt habe. ›Lassen wir Effi leben‹, sagte er, ›meine schöne
Cousine . . . Wissen Sie, Innstetten, daß ich Sie am liebsten
fordern und totschießen möchte? Denn Effi ist ein Engel,
und Sie haben mich um diesen Engel gebracht.‹ Und dabei
sah er so ernst und wehmütig aus, daß man's beinah hätte
glauben können.«

»Oh, diese Stimmung kenn' ich an ihm. Bei der wievielten
wart ihr?«

»Ich hab' es nicht mehr gegenwärtig, und vielleicht hätte
ich es auch damals nicht mehr sagen können. Aber das
glaub' ich, daß es ihm ernst war. Und vielleicht wäre es
auch das Richtige gewesen. Glaubst du nicht, daß du mit
ihm hättest leben können?«

»Leben können? Das ist wenig, Geert. Aber beinah möcht'
ich sagen, ich hätte auch nicht einmal mit ihm leben können.«

Schwierige
Frage

Exklusives
Berliner
Restaurant

»Warum nicht? Er ist ein wirklich liebenswürdiger und netter Mensch und auch ganz gescheit.«

»Ja, das ist er . . .«

»Aber . . .«

albern »Aber er ist dalbrig*. Und das ist keine Eigenschaft, die wir 5
Frauen lieben, auch nicht einmal dann, wenn wir noch halbe Kinder sind, wohin du mich immer gerechnet hast und vielleicht, trotz meiner Fortschritte, auch jetzt noch rechnest. Das Dalbrige, das ist nicht unsre Sache. Männer müssen Männer sein.« 10

»Gut, daß du das sagst. Alle Teufel, da muß man sich ja zusammennehmen. Und ich kann von Glück sagen, daß ich von so was, das wie Zusammennehmen aussieht oder wenigstens ein Zusammennehmen in Zukunft fordert, so gut wie direkt herkomme . . . Sage, wie denkst du dir ein Mi- 15
nisterium?«

»Ein Ministerium? Nun, das kann zweierlei sein. Es können Menschen sein, kluge, vornehme Herren, die den Staat regieren, und es kann auch bloß ein Haus sein, ein Palazzo,

Berühmte
Renaissance-
paläste in
Florenz ein Palazzo Strozzi oder Pitti* oder, wenn die nicht passen, 20
irgendein andrer. Du siehst, ich habe meine italienische Reise nicht umsonst gemacht.«

»Und könntest du dich entschließen, in solchem Palazzo zu wohnen? Ich meine in solchem Ministerium?«

»Um Gottes willen, Geert, sie haben dich doch nicht zum 25
Minister gemacht? Gieshübler sagte so was. Und der Fürst kann alles. Gott, der hat es am Ende durchgesetzt, und ich bin erst achtzehn.«

Innstetten lachte. »Nein, Effi, nicht Minister, so weit sind wir noch nicht. Aber vielleicht kommen noch allerhand 30
Gaben in mir heraus, und dann ist es nicht unmöglich.«

»Also jetzt noch nicht, noch nicht Minister?«

»Nein. Und wir werden, die Wahrheit zu sagen, auch nicht einmal in einem Ministerium wohnen, aber ich werde täglich ins Ministerium gehen, wie ich jetzt in unser Landrats- 35

amt gehe, und werde dem Minister Vortrag halten und mit
ihm reisen, wenn er die Provinzialbehörden inspiziert. Und
du wirst eine Ministerialrätin* sein und in Berlin leben, und
in einem halben Jahr wirst du kaum noch wissen, daß du
hier in Kessin gewesen bist und nichts gehabt hast als Gieshübler und die Dünen und die Plantage.«

Frau eines
höheren
Beamten im
Ministerium

Effi sagte kein Wort, und nur ihre Augen wurden immer
größer; um ihre Mundwinkel war ein nervöses Zucken,
und ihr ganzer zarter Körper zitterte. Mit einem Male aber
glitt sie von ihrem Sitze vor Innstetten nieder, umklam-
merte seine Knie und sagte in einem Tone, wie wenn sie
betete: »Gott sei Dank!« Innstetten verfärbte sich. Was war
das? Etwas, was seit Wochen flüchtig, aber doch immer
sich erneuernd über ihn kam, war wieder da und sprach so
deutlich aus seinem Auge, daß Effi davor erschrak. Sie hatte sich durch ein schönes Gefühl, das nicht viel was andres
als ein Bekenntnis ihrer Schuld war, hinreißen lassen und
dabei mehr gesagt, als sie sagen durfte. Sie mußte das wieder ausgleichen, mußte was finden, irgendeinen Ausweg, es
koste, was es wolle.

»Steh auf, Effi. Was hast du?«

Effi erhob sich rasch. Aber sie nahm ihren Platz auf dem
Sofa nicht wieder ein, sondern schob einen Stuhl mit hoher
Lehne heran, augenscheinlich, weil sie nicht Kraft genug
fühlte, sich ohne Stütze zu halten.

»Was hast du?« wiederholte Innstetten. »Ich dachte, du
hättest hier glückliche Tage verlebt. Und nun rufst du ›Gott
sei Dank‹, als ob dir hier alles nur ein Schrecknis gewesen
wäre. War *ich* dir ein Schrecknis? Oder war es was andres?
Sprich.«

»Daß du noch fragen kannst, Geert«, sagte sie, während sie
mit einer äußersten Anstrengung das Zittern ihrer Stimme
zu bezwingen suchte. »Glückliche Tage! Ja, gewiß, glückliche Tage, aber doch auch andre. Nie bin ich die Angst hier
ganz los geworden, nie. Noch keine vierzehn Tage, daß es

mir wieder über die Schulter sah, dasselbe Gesicht, derselbe fahle Teint. Und diese letzten Nächte, wo du fort warst,
war es auch wieder da, nicht das Gesicht, aber es schlurrte*
wieder, und Rollo schlug wieder an, und Roswitha, die's
auch gehört, kam an mein Bett und setzte sich zu mir, und 5
erst, als es schon dämmerte, schliefen wir wieder ein. Es ist
ein Spukhaus, und ich hab' es auch glauben sollen, das mit
dem Spuk, – denn du bist ein Erzieher. Ja, Geert, das bist
du. Aber laß es sein, wie's will, soviel weiß ich, ich habe
mich ein ganzes Jahr lang und länger in diesem Haus ge- 10
fürchtet, und wenn ich von hier fortkomme, so wird es,
denk' ich, von mir abfallen, und ich werde wieder frei
sein.«

(norddt.)
schlurfte, ging
geräuschvoll

Innstetten hatte kein Auge von ihr gelassen und war jedem
Worte gefolgt. Was sollte das heißen: »du bist ein Erzie- 15
her«? und dann das andere, was vorausging: »und ich hab'
es auch glauben sollen, das mit dem Spuk.« Was war das
alles? Wo kam das her? Und er fühlte seinen leisen Arg-
wohn sich wieder regen und fester einnisten. Aber er hatte
lange genug gelebt, um zu wissen, daß alle Zeichen trügen, 20
und daß wir in unsrer Eifersucht, trotz ihrer hundert Augen, oft noch mehr in die Irre gehen als in der Blindheit
unsres Vertrauens. Es konnte ja so sein, wie sie sagte. Und
wenn es so war, warum sollte sie nicht ausrufen: »Gott sei
Dank!« 25
Und so, rasch alle Möglichkeiten ins Auge fassend, wurde
er seines Argwohns wieder Herr und reichte ihr die Hand
über den Tisch hin: »Verzeih mir, Effi, aber ich war so sehr
überrascht von dem allen. Freilich wohl meine Schuld. Ich
bin immer zu sehr mit mir beschäftigt gewesen. Wir Män- 30
ner sind alle Egoisten. Aber das soll nun anders werden.
Ein Gutes hat Berlin gewiß: Spukhäuser gibt es da nicht.
Wo sollen die auch herkommen? Und nun laß uns hinübergehen, daß ich Annie sehe; Roswitha verklagt mich
sonst als einen unzärtlichen Vater.« 35

Effi war unter diesen Worten allmählich ruhiger geworden, und das Gefühl, aus einer selbstgeschaffenen Gefahr sich glücklich befreit zu haben, gab ihr ihre Spannkraft und gute Haltung wieder zurück.

Zweiundzwanzigstes Kapitel

Am andern Morgen nahmen beide gemeinschaftlich ihr etwas verspätetes Frühstück. Innstetten hatte seine Mißstimmung und Schlimmeres überwunden, und Effi lebte so ganz dem Gefühl ihrer Befreiung, daß sie nicht bloß die Fähigkeit einer gewissen erkünstelten guten Laune, sondern fast auch ihre frühere Unbefangenheit wiedergewonnen hatte. Sie war noch in Kessin, und doch war ihr schon zumute, als läge es weit hinter ihr.

»Ich habe mir's überlegt, Effi«, sagte Innstetten, »du hast nicht so ganz unrecht mit allem, was du gegen unser Haus hier gesagt hast. Für Kapitän Thomsen war es gerade gut genug, aber nicht für eine junge verwöhnte Frau; alles altmodisch, kein Platz. Da sollst du's in Berlin besser haben, auch einen Saal, aber einen andern als hier, und auf Flur und Treppe hohe bunte Glasfenster, Kaiser Wilhelm mit Zepter und Krone oder auch was Kirchliches, ⌐heilige Elisabeth⌐ oder Jungfrau Maria. Sagen wir Jungfrau Maria, das sind wir Roswitha schuldig.«

Effi lachte. »So soll es sein. Aber wer sucht uns eine Wohnung? Ich kann doch nicht Vetter Briest auf die Suche schicken. Oder gar die Tanten! Die finden alles gut genug.«

»Ja, das Wohnungsuchen. Das macht einem keiner zu Dank. Ich denke, da mußt du selber hin.«

»Und wann meinst du?« »Mitte März.«

»Oh, das ist viel zu spät, Geert, dann ist ja alles fort. Die guten Wohnungen werden schwerlich auf uns warten!«

»Ist schon recht. Aber ich bin erst seit gestern wieder hier und kann doch nicht sagen ›reise morgen‹. Das würde mich schlecht kleiden und paßte mir auch wenig; ich bin froh, daß ich dich wieder habe.«

»Nein«, sagte sie, während sie das Kaffeegeschirr, um eine aufsteigende Verlegenheit zu verbergen, ziemlich geräuschvoll zusammenrückte, »nein, so soll's auch nicht sein, nicht heut' und nicht morgen, aber doch in den nächsten Tagen. Und wenn ich etwas finde, so bin ich rasch wieder zurück. Aber noch eins, Roswitha und Annie müssen mit. Am schönsten wär' es, du auch. Aber ich sehe ein, das geht nicht. Und ich denke, die Trennung soll nicht lange dauern. Ich weiß auch schon, wo ich miete . . .«

»Nun?«

»Das bleibt mein Geheimnis. Ich will auch ein Geheimnis haben. Damit will ich dich dann überraschen.«

In diesem Augenblick trat Friedrich ein, um die Postsachen abzugeben. Das meiste war Dienstliches und Zeitungen. »Ah, da ist auch ein Brief für dich«, sagte Innstetten. »Und wenn ich nicht irre, die Handschrift der Mama.«

Effi nahm den Brief. »Ja, von der Mama. Aber das ist ja nicht der Friesacker Poststempel; sieh nur, das heißt ja deutlich Berlin.«

»Freilich«, lachte Innstetten. »Du tust, als ob es ein Wunder wäre. Die Mama wird in Berlin sein und hat ihrem Liebling von ihrem Hotel aus einen Brief geschrieben.«

»Ja«, sagte Effi, »so wird es sein. Aber ich ängstige mich doch beinah und kann keinen rechten Trost darin finden, daß Hulda Niemeyer immer sagte: wenn man sich ängstigt, ist es besser, als wenn man hofft. Was meinst du dazu?«

»Für eine Pastorstochter nicht ganz auf der Höhe. Aber nun lies den Brief. Hier ist ein Papiermesser.«

Effi schnitt das Kuvert auf und las: »Meine liebe Effi. Seit 24 Stunden bin ich hier in Berlin; Konsultationen bei ⌜Schweigger⌝. Als er mich sieht, beglückwünscht er mich, und als ich erstaunt ihn frage, wozu, erfahr' ich, daß Ministerialdirektor Wüllersdorf eben bei ihm gewesen und ihm erzählt habe: Innstetten sei ins Ministerium berufen. Ich bin ein wenig ärgerlich, daß man dergleichen von einem Dritten erfahren muß. Aber in meinem Stolz und meiner Freude sei Euch verziehen. Ich habe es übrigens immer gewußt (schon als I. noch bei den Rathenowern war), daß etwas aus ihm werden würde. Nun kommt es *Dir* zugute. Natürlich müßt Ihr eine Wohnung haben und eine andere Einrichtung. Wenn Du, meine liebe Effi, glaubst, meines Rates dabei bedürfen zu können, so komme, so rasch es Dir Deine Zeit erlaubt. Ich bleibe acht Tage hier in Kur, und wenn es nicht anschlägt, vielleicht noch etwas länger; Schweigger drückt sich unbestimmt darüber aus. Ich habe eine Privatwohnung in der ⌜Schadowstraße⌝ genommen; neben dem meinigen sind noch Zimmer frei. Was es mit meinem Auge ist, darüber mündlich; vorläufig beschäftigt mich nur Eure Zukunft. Briest wird unendlich glücklich sein, er tut immer so gleichgültig gegen dergleichen, eigentlich hängt er aber mehr daran als ich. Grüße Innstetten, küsse Annie, die Du vielleichst mitbringst. Wie immer Deine Dich zärtlich liebende Mutter Luise von B.«

Effi legte den Brief aus der Hand und sagte nichts. Was sie zu tun habe, es stand bei ihr fest; aber sie wollte es nicht selber aussprechen, Innstetten sollte damit kommen, und dann wollte sie zögernd ja sagen.

Innstetten ging auch wirklich in die Falle. »Nun, Effi, du bleibst so ruhig.«

»Ach, Geert, es hat alles so seine zwei Seiten. Auf der einen Seite beglückt es mich, die Mama wiederzusehen, und vielleicht sogar schon in wenig Tagen. Aber es spricht auch so vieles dagegen.«

»Was?«

»Die Mama, wie du weißt, ist sehr bestimmt und kennt nur ihren eignen Willen. Dem Papa gegenüber hat sie alles durchsetzen können. Aber ich möchte gern eine Wohnung haben, die nach *meinem* Geschmack ist, und eine neue Einrichtung, die *mir* gefällt.«

Innstetten lachte. »Und das ist alles?«

»Nun, es wäre grade genug. Aber es ist nicht alles.« Und 5
nun nahm sie sich zusammen und sah ihn an und sagte: »Und dann, Geert, ich möchte nicht gleich wieder von dir fort.«

»Schelm, das sagst du so, weil du meine Schwäche kennst. Aber wir sind alle so eitel, und ich will es glauben. Ich will 10
es glauben und doch zugleich auch den Heroischen spielen, den Entsagenden. Reise, sobald du's für nötig hältst und vor deinem Herzen verantworten kannst.«

»So darfst du nicht sprechen, Geert. Was heißt das ›vor meinem Herzen verantworten‹. Damit schiebst du mir, 15
halb gewaltsam, eine Zärtlichkeitsrolle zu, und ich muß dir dann aus reiner Koketterie sagen: ›Ach, Geert, dann reise ich nie.‹ Oder doch so etwas Ähnliches.«

Innstetten drohte ihr mit dem Finger. »Effi, du bist mir zu fein. Ich dachte immer, du wärst ein Kind, und sehe nun, 20
daß du das Maß hast wie alle andern. Aber lassen wir das, oder wie dein Papa immer sagte: ›das ist ein zu weites Feld‹. Sage lieber, wann willst du fort?«

»Heute haben wir Dienstag. Sagen wir also Freitag mittag mit dem Schiff. Dann bin ich am Abend in Berlin.« 25

»Abgemacht. Und wann zurück?«

»Nun, sagen wir Montag abend. Das sind dann drei Tage.«

»Geht nicht. Das ist zu früh. In drei Tagen kannst du's nicht zwingen. Und so rasch läßt dich die Mama auch nicht fort.« 30

Verschwiegen-
heit
»Also auf Diskretion*.«

»Gut.« Und damit erhob sich Innstetten, um nach dem Landratsamte hinüberzugehen.

Die Tage bis zur Abreise vergingen wie im Fluge. Roswitha

war sehr glücklich. »Ach, gnädigste Frau, Kessin, nun ja . . . aber Berlin ist es nicht. Und die ⌐Pferdebahn⌐. Und wenn es dann so klingelt und man nicht weiß, ob man links oder rechts soll, und mitunter ist mir schon gewesen, als
5 ginge alles grad über mich weg. Nein, so was ist hier nicht. Ich glaube, manchen Tag sehen wir keine sechs Menschen. Und immer bloß die Dünen und draußen die See. Und das rauscht und rauscht, aber weiter ist es auch nichts.«

»Ja, Roswitha, du hast recht. Es rauscht und rauscht im-
10 mer, aber es ist kein richtiges Leben. Und dann kommen einem allerhand dumme Gedanken. Das kannst du doch nicht bestreiten, das mit dem Kruse war nicht in der Richtigkeit.«

»Ach, gnädigste Frau . . .«

15 »Nun, ich will nicht weiter nachforschen. Du wirst es natürlich nicht zugeben. Und nimm nur nicht zu wenig Sachen mit. Deine Sachen kannst du eigentlich ganz mitnehmen und Annies auch.«

»Ich denke, wir kommen noch mal wieder.«

20 »Ja, ich. Der Herr wünscht es. Aber ihr könnt vielleicht dableiben, bei meiner Mutter. Sorge nur, daß sie Anniechen nicht zu sehr verwöhnt. Gegen mich war sie mitunter streng, aber ein Enkelkind . . .«

»Und dann ist Anniechen ja auch so zum Anbeißen. Da
25 muß ja jeder zärtlich sein.«

Das war am Donnerstag, am Tage vor der Abreise. Innstetten war über Land gefahren und wurde erst gegen Abend zurückerwartet. Am Nachmittag ging Effi in die Stadt, bis auf den Marktplatz, und trat hier in die Apotheke
30 und bat um eine Flasche Sal volatile*. »Man weiß nie, mit wem man reist«, sagte sie zu dem alten Gehülfen, mit dem sie auf dem Plauderfuße stand und der sie anschwärmte wie Gieshübler selbst.

»Ist der Herr Doktor zu Hause?« fragte sie weiter, als sie
35 das Fläschchen eingesteckt hatte.

Riechsalz, hier als Medikament gegen Schwächezustände

»Gewiß, gnädigste Frau; er ist hier nebenan und liest die Zeitungen.«

»Ich werde ihn doch nicht stören?«

»Oh, nie.«

Und Effi trat ein. Es war eine kleine, hohe Stube, mit Regalen rings herum, auf denen allerlei Kolben und Retorten* standen; nur an der einen Wand befanden sich alphabetisch geordnete, vorn mit einem Eisenringe versehene Kästen, in denen die Rezepte lagen.

Gieshübler war beglückt und verlegen. »Welche Ehre. Hier unter meinen Retorten. Darf ich die gnädige Frau auffordern, einen Augenblick Platz zu nehmen?«

»Gewiß, lieber Gieshübler. Aber auch wirklich nur einen Augenblick. Ich will Ihnen Adieu sagen.«

»Aber meine gnädigste Frau, Sie kommen ja doch wieder. Ich habe gehört, nur auf drei, vier Tage . . .«

»Ja, lieber Freund, ich soll wiederkommen, und es ist sogar verabredet, daß ich spätestens in einer Woche wieder in Kessin bin. Aber ich könnte doch auch *nicht* wiederkommen. Muß ich Ihnen sagen, welche tausend Möglichkeiten es gibt . . . Ich sehe, Sie wollen mir sagen, daß ich noch zu jung sei . . ., auch Junge können sterben. Und dann so vieles andere noch. Und da will ich doch lieber Abschied nehmen von Ihnen, als wär' es für immer.«

»Aber meine gnädigste Frau . . .«

»Als wär' es für immer. Und ich will Ihnen danken, lieber Gieshübler. Denn Sie waren das Beste hier; natürlich, weil Sie der Beste waren. Und wenn ich hundert Jahr alt würde, so werde ich Sie nicht vergessen. Ich habe mich hier mitunter einsam gefühlt, und mitunter war mir so schwer ums Herz, schwerer, als Sie wissen können; ich habe es nicht immer richtig eingerichtet; aber wenn ich Sie gesehen habe, vom ersten Tage an, dann habe ich mich immer wohler gefühlt und auch besser.«

»Aber meine gnädigste Frau.«

Glaskolben

»Und dafür wollte ich Ihnen danken. Ich habe mir eben ein Fläschchen mit Sal volatile gekauft; im Kupee sind mitunter so merkwürdige Menschen und wollen einem nicht mal erlauben, daß man ein Fenster aufmacht; und wenn mir dann vielleicht – denn es steigt einem ja ordentlich zu Kopf, ich meine das Salz – die Augen übergehen, dann will ich an Sie denken. Adieu, lieber Freund, und grüßen Sie Ihre Freundin, die Trippelli. Ich habe in den letzten Wochen öfter an sie gedacht und an Fürst Kotschukoff. Ein eigentümliches Verhältnis bleibt es doch. Aber ich kann mich hineinfinden ... Und lassen Sie einmal von sich hören. Oder ich werde schreiben.«

Damit ging Effi. Gieshübler begleitete sie bis auf den Platz hinaus. Er war wie benommen, so sehr, daß er über manches Rätselhafte, was sie gesprochen, ganz hinwegsah.

Effi ging wieder nach Haus. »Bringen Sie mir die Lampe, Johanna«, sagte sie, »aber in mein Schlafzimmer. Und dann eine Tasse Tee. Ich hab' es so kalt und kann nicht warten, bis der Herr wieder da ist.«

Beides kam. Effi saß schon an ihrem kleinen Schreibtisch, einen Briefbogen vor sich, die Feder in der Hand. »Bitte, Johanna, den Tee auf den Tisch da.«

Als Johanna das Zimmer wieder verlassen hatte, schloß Effi sich ein, sah einen Augenblick in den Spiegel und setzte sich dann wieder. Und nun schrieb sie: »Ich reise morgen mit dem Schiff, und dies sind Abschiedszeilen. Innstetten erwartet mich in wenig Tagen zurück, aber ich komme *nicht* wieder ... Warum ich nicht wiederkomme, Sie wissen es ... Es wäre das beste gewesen, ich hätte dies Stück Erde nie gesehen. Ich beschwöre Sie, dies nicht als einen Vorwurf zu fassen; alle Schuld ist bei mir. Blick' ich auf Ihr Haus ..., *Ihr* Tun mag entschuldbar sein, nicht das meine. Meine Schuld ist sehr schwer. Aber vielleicht kann ich noch heraus. Daß wir hier abberufen wurden, ist mir wie ein

Zeichen, daß ich noch zu Gnaden angenommen werden kann. Vergessen Sie das Geschehene, vergessen Sie mich. Ihre Effi.«

Sie überflog die Zeilen noch einmal, am fremdesten war ihr das »Sie«; aber auch das mußte sein; es sollte ausdrücken, daß keine Brücke mehr da sei. Und nun schob sie die Zeilen in ein Kuvert und ging auf ein Haus zu, zwischen dem Kirchhof und der Waldecke. Ein dünner Rauch stieg aus dem halb eingefallenen Schornstein. Da gab sie die Zeilen ab.

Als sie wieder zurück war, war Innstetten schon da, und sie setzte sich zu ihm und erzählte ihm von Gieshübler und dem Sal volatile.

Innstetten lachte. »Wo hast du nur dein Latein her, Effi?«

Das Schiff, ein leichtes Segelschiff (die Dampfboote gingen nur sommers), fuhr um zwölf. Schon eine Viertelstunde vorher waren Effi und Innstetten an Bord; auch Roswitha und Annie.

Das Gepäck war größer, als es für einen auf so wenig Tage geplanten Ausflug geboten erschien. Innstetten sprach mit dem Kapitän; Effi, in einem Regenmantel und hellgrauen Reisehut, stand auf dem Hinterdeck, nahe am Steuer, und musterte von hier aus das Bollwerk und die hübsche Häuserreihe, die dem Zuge des Bollwerks folgte. Gerade der Landungsbrücke gegenüber lag Hoppensacks Hotel, ein drei Stock hohes Gebäude, von dessen Giebeldach eine gelbe Flagge, mit Kreuz und Krone darin, schlaff in der stillen, etwas nebeligen Luft herniederhing. Effi sah eine Weile nach der Flagge hinauf, ließ dann aber ihr Auge wieder abwärts gleiten und verweilte zuletzt auf einer Anzahl von Personen, die neugierig am Bollwerk umherstanden. In diesem Augenblicke wurde geläutet. Effi war ganz eigen zumut, das Schiff setzte sich langsam in Bewegung, und als sie die Landungsbrücke noch einmal musterte, sah sie, daß

Crampas in vorderster Reihe stand. Sie erschrak bei seinem Anblick und freute sich doch auch. Er seinerseits, in seiner ganzen Haltung verändert, war sichtlich bewegt und grüßte ernst zu ihr hinüber, ein Gruß, den sie ebenso, aber doch zugleich in großer Freundlichkeit, erwiderte; dabei lag etwas Bittendes in ihrem Auge. Dann ging sie rasch auf die Kajüte zu, wo sich Roswitha mit Annie schon eingerichtet hatte. Hier, in dem etwas stickigen Raume, blieb sie, bis man aus dem Fluß in die weite Bucht des Breitling eingefahren war; da kam Innstetten und rief sie nach oben, daß sie sich an dem herrlichen Anblick erfreue, den die Landschaft gerade an dieser Stelle bot. Sie ging dann auch hinauf. Über dem Wasserspiegel hingen graue Wolken, und nur dann und wann schoß ein halb umschleierter Sonnenblick aus dem Gewölk hervor. Effi gedachte des Tages, wo sie, vor jetzt gerade Fünfvierteljahren, im offenen Wagen am Ufer eben dieses Breitlings hin entlanggefahren war. Eine kurze Spanne Zeit, und das Leben oft so still und einsam. Und doch, was war alles seitdem geschehen!

So fuhr man die Wasserstraße hinauf und war um zwei an der Station oder doch ganz in Nähe derselben. Als man gleich danach das Gasthaus des »Fürsten Bismarck« passierte, stand auch Golchowski wieder in der Tür und versäumte nicht, den Herrn Landrat und die gnädige Frau bis an die Stufen der Böschung zu geleiten. Oben war der Zug noch nicht angemeldet, und Effi und Innstetten schritten auf dem Bahnsteig auf und ab. Ihr Gespräch drehte sich um die Wohnungsfrage; man war einig über den Stadtteil, und daß es zwischen dem Tiergarten und dem Zoologischen Garten sein müsse. »Ich will den Finkenschlag hören und die Papageien auch«, sagte Innstetten, und Effi stimmte ihm zu.

Nun aber hörte man das Signal, und der Zug lief ein; der Bahnhofsinspektor war voller Entgegenkommen, und Effi erhielt ein Kupee für sich.

Noch ein Händedruck, ein Wehen mit dem Tuch, und der Zug setzte sich wieder in Bewegung.

Dreiundzwanzigstes Kapitel

Auf dem Friedrichstraßen-Bahnhofe war ein Gedränge; aber trotzdem, Effi hatte schon vom Kupee aus die Mama erkannt und neben ihr den Vetter Briest. Die Freude des Wiedersehens war groß, das Warten in der Gepäckhalle stellte die Geduld auf keine allzu harte Probe, und nach wenig mehr als fünf Minuten rollte die Droschke neben dem Pferdebahngleise hin in die Dorotheenstraße hinein und auf die Schadowstraße zu, an deren nächstgelegener Ecke sich die »Pension« befand. Roswitha war entzückt und freute sich über Annie, die die Händchen nach den Lichtern ausstreckte.

Nun war man da. Effi erhielt ihre zwei Zimmer, die nicht, wie erwartet, neben denen der Frau von Briest, aber doch auf demselben Korridor lagen, und als alles seinen Platz und Stand hatte und Annie in einem Bettchen mit Gitter glücklich untergebracht war, erschien Effi wieder im Zimmer der Mama, einem kleinen Salon mit Kamin, drin ein schwaches Feuer brannte; denn es war mildes, beinah warmes Wetter. Auf dem runden Tische mit grüner Schirmlampe waren drei Kuverts gelegt, und auf einem Nebentischchen stand das Teezeug.

»Du wohnst ja reizend, Mama«, sagte Effi, während sie dem Sofa gegenüber Platz nahm, aber nur um sich gleich danach an dem Teetisch zu schaffen zu machen. »Darf ich wieder die Rolle des Teefräuleins übernehmen?«

»Gewiß, meine liebe Effi. Aber nur für Dagobert und dich selbst. Ich meinerseits muß verzichten, was mir beinah schwer fällt.«

»Ich versteh', deiner Augen halber. Aber nun sage mir, Mama, was ist es damit? In der Droschke, die noch dazu so klapperte, haben wir immer nur von Innstetten und unserer großen Karriere gesprochen, viel zuviel, und das geht
5 nicht so weiter; glaube mir, deine Augen sind mir wichtiger, und in einem finde ich sie, Gott sei Dank, ganz unverändert, du siehst mich immer noch so freundlich an wie früher.« Und sie eilte auf die Mama zu und küßte ihr die Hand.

10 »Effi, du bist so stürmisch. Ganz die alte.«

»Ach nein, Mama. Nicht die alte. Ich wollte, es wäre so. Man ändert sich in der Ehe.«

Vetter Briest lachte. »Cousine, ich merke nicht viel davon; du bist noch hübscher geworden, das ist alles. Und mit dem
15 Stürmischen wird es wohl auch noch nicht vorbei sein.«

»Ganz der Vetter«, versicherte die Mama; Effi selbst aber wollte davon nichts hören und sagte: »Dagobert, du bist alles, nur kein Menschenkenner. Es ist sonderbar. Ihr Offiziere seid keine guten Menschenkenner, die jungen gewiß
20 nicht. Ihr guckt euch immer nur selber an oder eure Rekruten, und die von der Kavallerie haben auch noch ihre Pferde. Die wissen nun vollends nichts.«

»Aber Cousine, wo hast du denn diese ganze Weisheit her? Du kennst ja keine Offiziere. Kessin, so habe ich gelesen,
25 hat ja auf die ihm zugedachten Husaren verzichtet, ein Fall, der übrigens einzig in der Weltgeschichte dasteht. Und willst du von alten Zeiten sprechen? Du warst ja noch ein halbes Kind, als die Rathenower zu euch herüberkamen.«

»Ich könnte dir erwidern, daß Kinder am besten beobach-
30 ten. Aber ich mag nicht, das sind ja alles bloß Allotria*. Ich will wissen, wie's mit Mamas Augen steht.«

Frau von Briest erzählte nun, daß es der Augenarzt für Blutandrang nach dem Gehirn ausgegeben habe. Daher käme das Flimmern. Es müsse mit Diät gezwungen wer-
35 den; Bier, Kaffee, Tee – alles gestrichen und gelegentlich

*Dummheiten

eine lokale Blutentziehung, dann würde es bald besser werden. »Er sprach so von vierzehn Tagen. Aber ich kenne die Doktorangaben; vierzehn Tage heißt sechs Wochen, und ich werde noch hier sein, wenn Innstetten kommt und ihr in eure neue Wohnung einzieht. Ich will auch nicht leugnen, daß das das Beste von der Sache ist und mich über die mutmaßlich lange Kurdauer schon vorweg tröstet. Sucht euch nur recht was Hübsches. Ich habe mir Landgrafen- oder Keithstraße gedacht, elegant und doch nicht allzu teuer. Denn ihr werdet euch einschränken müssen. Innstettens Stellung ist sehr ehrenvoll, aber sie wirft nicht allzuviel ab. Und Briest klagt auch. Die Preise gehen herunter, und er erzählt mir jeden Tag, wenn nicht ⌐Schutzzölle⌐ kämen, so müss' er mit einem Bettelsack von Hohen-Cremmen abziehen. Du weißt, er übertreibt gern. Aber nun lange zu, Dagobert, und wenn es sein kann, erzähle uns was Hübsches. Krankheitsberichte sind immer langweilig, und die liebsten Menschen hören bloß zu, weil es nicht anders geht. Effi wird wohl auch gern eine Geschichte hören, etwas aus den Fliegenden Blättern* oder aus dem ⌐Kladderadatsch⌐. Er soll aber nicht mehr so gut sein.«

»Oh, er ist noch ebensogut wie früher. Sie haben immer noch Strudelwitz und Prudelwitz*, und da macht es sich von selber.«

»Mein Liebling ist Karlchen Mießnick* und ⌐Wippchen von Bernau⌐.«

»Ja, das sind die Besten. Aber Wippchen, der übrigens – Pardon, schöne Cousine – keine Kladderadatschfigur ist, Wippchen hat gegenwärtig nichts zu tun, es ist ja kein Krieg mehr. Leider. Unsereins möchte doch auch mal an die Reihe kommen und hier diese schreckliche Leere«, und er strich vom Knopfloch nach der Achsel hinüber, »endlich loswerden.«

»Ach, das sind ja bloß Eitelkeiten. Erzähle lieber. Was ist denn jetzt dran?«

Vgl. Erl. zu 27,10–11.

Leutnants-
figuren aus
*Kladdera-
datsch*

Figur des
ewigen Quar-
taners aus
*Kladdera-
datsch*

Effi Briest

»Ja, Cousine, das ist ein eigen Ding. Das ist nicht für jedermann. Jetzt haben wir nämlich die Bibelwitze*.«

»Die Bibelwitze? Was soll das heißen? . . . Bibel und Witze gehören nicht zusammen.«

Witze über die Bibel waren damals modern.

5 »Eben deshalb sagte ich, es sei nicht für jedermann. Aber ob zulässig oder nicht, sie stehen jetzt hoch im Preise. Modesache, wie ⌜Kiebitzeier⌝.«

»Nun, wenn es nicht zu toll ist, so gib uns eine Probe. Geht es?«

10 »Gewiß geht es. Und ich möchte sogar hinzusetzen dürfen, du triffst es besonders gut. Was jetzt nämlich kursiert, ist etwas hervorragend Feines, weil es als Kombination auftritt und in die einfache Bibelstelle noch das ⌜dativisch Wrangelsche⌝ mit einmischt. Die Fragestellung – alle diese
15 Witze treten nämlich in Frageform auf – ist übrigens in vorliegendem Falle von großer Simplizität und lautet: ›Wer war der erste Kutscher?‹ Und nun rate.«

»Nun, vielleicht ⌜Apollo⌝.«

»Sehr gut. Du bist doch ein Daus*, Effi. Ich wäre nicht
20 darauf gekommen. Aber trotzdem, du triffst damit nicht ins Schwarze.«

Vgl. 17,16.

»Nun, wer war es denn?«

»Der erste Kutscher war ›Leid‹. Denn schon im Buche Hiob heißt es: ›Leid soll mir nicht widerfahren‹, oder auch ›wie-
25 der fahren‹ in zwei Wörtern und mit einem e.«

Effi wiederholte kopfschüttelnd den Satz, auch die Zubemerkung, konnte sich aber trotz aller Mühe nicht drin zurechtfinden; sie gehörte ganz ausgesprochen zu den Bevorzugten, die für derlei Dinge durchaus kein Organ haben,
30 und so kam denn Vetter Briest in die nicht beneidenswerte Situation, immer erneut erst auf den Gleichklang und dann auch wieder auf den Unterschied von »widerfahren« und »wieder fahren« hinweisen zu müssen.

»Ach, nun versteh' ich. Und du mußt mir verzeihen, daß es
35 so lange gedauert. Aber es ist wirklich *zu* dumm.«

»Ja, dumm ist es«, sagte Dagobert kleinlaut.

»Dumm und unpassend und kann einem Berlin ordentlich verleiden. Da geht man nun aus Kessin fort, um wieder unter Menschen zu sein, und das erste, was man hört, ist ein Bibelwitz. Auch Mama schweigt, und das sagt genug. Ich will dir aber doch den Rückzug erleichtern . . .«

»Das tu, Cousine.«

». . . den Rückzug erleichtern und es ganz ernsthaft als ein gutes Zeichen nehmen, daß mir, als erstes hier, von meinem Vetter Dagobert gesagt wurde: ›Leid soll mir nicht widerfahren‹. Sonderbar, Vetter, so schwach die Sache als Witz ist, ich bin dir doch dankbar dafür.«

Dagobert, kaum aus der Schlinge heraus, versuchte über Effis Feierlichkeit zu spötteln, ließ aber ab davon, als er sah, daß es sie verdroß.

Bald nach zehn Uhr brach er auf und versprach am anderen Tage wiederzukommen, um nach den Befehlen zu fragen. Und gleich nachdem er gegangen, zog sich auch Effi in ihre Zimmer zurück.

Am andern Tage war das schönste Wetter, und Mutter und Tochter brachen früh auf, zunächst nach der Augenklinik, wo Effi im Vorzimmer verblieb und sich mit dem Durchblättern eines Albums beschäftigte. Dann ging es nach dem Tiergarten und bis in die Nähe des »Zoologischen«, um dort herum nach einer Wohnung zu suchen. Es traf sich auch wirklich so, daß man in der Keithstraße, worauf sich ihre Wünsche von Anfang an gerichtet hatten, etwas durchaus Passendes ausfindig machte, nur daß es ein Neubau war, feucht und noch unfertig. »Es wird nicht gehen, liebe Effi«, sagte Frau von Briest, »schon einfach Gesundheitsrücksichten werden es verbieten. Und dann ein Geheimrat ist kein ⌐Trockenwohner⌐.«

Effi, sosehr ihr die Wohnung gefiel, war um so einverstandener mit diesem Bedenken, als ihr an einer raschen Erle-

digung überhaupt nicht lag, ganz im Gegenteil: »Zeit gewonnen, alles gewonnen«, und so war ihr denn ein Hinausschieben der ganzen Angelegenheit eigentlich das Liebste,
was ihr begegnen konnte. »Wir wollen diese Wohnung
aber doch im Auge behalten, Mama, sie liegt so schön und
ist im wesentlichen das, was ich mir gewünscht habe.«
Dann fuhren beide Damen in die Stadt zurück, aßen im
Restaurant, das man ihnen empfohlen, und waren am
Abend in der Oper, wozu der Arzt unter der Bedingung,
daß Frau von Briest mehr hören als sehen wolle, die Erlaubnis gegeben hatte.
Die nächsten Tage nahmen einen ähnlichen Verlauf; man
war aufrichtig erfreut, sich wieder zu haben und nach so
langer Zeit wieder ausgiebig miteinander plaudern zu können. Effi, die sich nicht bloß auf Zuhören und Erzählen,
sondern, wenn ihr am wohlsten war, auch auf Medisieren*   Lästern
ganz vorzüglich verstand, geriet mehr als einmal in ihren
alten Übermut, und die Mama schrieb nach Hause, wie
glücklich sie sei, das »Kind« wieder so heiter und lachlustig
zu finden; es wiederhole sich ihnen allen die schöne Zeit
von vor fast zwei Jahren, wo man die Ausstattung besorgt
habe. Auch Vetter Briest sei ganz der alte. Das war nun
auch wirklich der Fall, nur mit dem Unterschiede, daß er
sich seltener sehen ließ als vordem, und auf die Frage nach
dem »Warum« anscheinend ernsthaft versicherte: »Du bist
mir zu gefährlich, Cousine.« Das gab dann jedesmal ein
Lachen bei Mutter und Tochter, und Effi sagte: »Dagobert,
du bist freilich noch sehr jung, aber zu solcher Form des
Courmachens* doch nicht mehr jung genug.«   Vgl. 11,17–18.
So waren schon beinah vierzehn Tage vergangen. Innstetten schrieb immer dringlicher und wurde ziemlich spitz,
fast auch gegen die Schwiegermama, so daß Effi einsah, ein
weiteres Hinausschieben sei nicht mehr gut möglich, und
es müsse nun wirklich gemietet werden. Aber was dann?
Bis zum Umzuge nach Berlin waren immer noch drei Wo-

chen, und Innstetten drang auf rasche Rückkehr. Es gab also nur ein Mittel: sie mußte wieder eine Komödie spielen, mußte krank werden.

Das kam ihr aus mehr als einem Grunde nicht leicht an; aber es mußte sein, und als ihr das feststand, stand ihr auch fest, wie die Rolle, bis in die kleinsten Einzelheiten hinein, gespielt werden müsse.

»Mama, Innstetten, wie du siehst, wird über mein Ausbleiben empfindlich. Ich denke, wir geben also nach und mieten heute noch. Und morgen reise ich. Ach, es wird mir so schwer, mich vor dir zu trennen.«

Frau von Briest war einverstanden. »Und welche Wohnung wirst du wählen?«

»Natürlich die erste, die in der Keithstraße, die mir von Anfang an so gut gefiel und dir auch. Sie wird wohl noch nicht ganz ausgetrocknet sein, aber es ist ja das Sommerhalbjahr, was einigermaßen ein Trost ist. Und wird es mit der Feuchtigkeit zu arg und kommt ein bißchen Rheumatismus, so hab’ ich ja schließlich immer noch Hohen-Cremmen.«

»Kind, beruf es nicht; ein Rheumatismus ist mitunter da, man weiß nicht wie.«

Diese Worte der Mama kamen Effi sehr zupaß. Sie mietete denselben Vormittag noch und schrieb eine Karte an Innstetten, daß sie den nächsten Tag zurückwolle. Gleich danach wurden auch wirklich die Koffer gepackt und alle Vorbereitungen getroffen. Als dann aber der andere Morgen da war, ließ Effi die Mama an ihr Bett rufen und sagte:

»Mama, ich kann nicht reisen. Ich habe ein solches Reißen und Ziehen, es schmerzt mich über den ganzen Rücken hin, und ich glaube beinah, es ist ein Rheumatismus. Ich hätte nicht gedacht, daß das so schmerzhaft sei.«

»Siehst du, was ich dir gesagt habe; man soll den Teufel nicht an die Wand malen. Gestern hast du noch leichtsinnig darüber gesprochen, und heute ist es schon da. Wenn ich Schweigger sehe, werde ich ihn fragen, was du tun sollst.«

»Nein, nicht Schweigger. Der ist ja ein Spezialist. Das geht nicht, und er könnt' es am Ende übelnehmen, in so was anderem zu Rate gezogen zu werden. Ich denke, das beste ist, wir warten es ab. Es kann ja auch vorübergehen. Ich werde den ganzen Tag über von Tee und Sodawasser leben, und wenn ich dann transpiriere*, komm' ich vielleicht drüber hin.«

schwitze

Frau von Briest drückte ihre Zustimmung aus, bestand aber darauf, daß sie sich gut verpflege. Daß man nichts genießen müsse, wie das früher Mode war, das sei ganz falsch und schwäche bloß; in diesem Punkte stehe sie ganz zu der jungen Schule: tüchtig essen.

Effi sog sich nicht wenig Trost aus diesen Anschauungen, schrieb ein Telegramm an Innstetten, worin sie von dem »leidigen Zwischenfall« und einer ärgerlichen, aber doch nur momentanen Behinderung sprach, und sagte dann zu Roswitha: »Roswitha, du mußt mir nun auch Bücher besorgen; es wird nicht schwer halten, ich will alte, ganz alte.«

»Gewiß, gnäd'ge Frau. Die Leihbibliothek ist ja gleich hier nebenan. Was soll ich besorgen?«

»Ich will es aufschreiben, allerlei zur Auswahl, denn mitunter haben sie nicht das eine, was man grade haben will.«

Roswitha brachte Bleistift und Papier, und Effi schrieb auf: ⌐Walter Scott, Ivanhoe oder Quentin Durward; Cooper, Der Spion; Dickens, David Copperfield; Willibald Alexis, Die Hosen des Herrn von Bredow⌐.

Roswitha las den Zettel durch und schnitt in der anderen Stube die letzte Zeile fort; sie genierte sich ihret- und ihrer Frau wegen, den Zettel in seiner ursprünglichen Gestalt abzugeben.

Ohne besondere Vorkommnisse verging der Tag. Am anderen Morgen war es nicht besser und am dritten auch nicht.

»Effi, das geht so nicht länger. Wenn so was einreißt, dann

wird man's nicht wieder los; wovor die Doktoren am meisten warnen und mit Recht, das sind solche Verschleppungen.«

Effi seufzte. »Ja, Mama, aber wen sollen wir nehmen? Nur keinen jungen; ich weiß nicht, aber es würde mich genieren.«

»Ein junger Doktor ist immer genant, und wenn er es nicht ist, desto schlimmer. Aber du kannst dich beruhigen; ich komme mit einem ganz alten, der mich schon behandelt hat, als ich noch in der Heckerschen Pension* war, also vor etlichen zwanzig Jahren. Und damals war er nah an Fünfzig und hatte schönes graues Haar, ganz kraus. Er war ein Damenmann, aber in den richtigen Grenzen. Ärzte, die das vergessen, gehen unter, und es kann auch nicht anders sein; unsere Frauen, wenigstens die aus der Gesellschaft, haben immer noch einen guten Fond*.«

»Meinst du? ich freue mich immer, so was Gutes zu hören. Denn mitunter hört man doch auch andres. Und schwer mag es wohl oft sein. Und wie heißt denn der alte Geheimrat? Ich nehme an, daß es ein Geheimrat ist.«

»⌜Geheimrat Rummschüttel⌝.«

Effi lachte herzlich.

»Rummschüttel! Und als Arzt für jemanden, der sich nicht rühren kann.«

»Effi, du sprichst so sonderbar. Große Schmerzen kannst du nicht haben.«

»Nein, in diesem Augenblicke nicht; es wechselt beständig.«

Am anderen Morgen erschien Geheimrat Rummschüttel. Frau von Briest empfing ihn, und als er Effi sah, war sein erstes Wort: »Ganz die Mama«.

Diese wollte den Vergleich ablehnen und meinte, zwanzig Jahre und drüber seien doch eine lange Zeit; Rummschüttel blieb aber bei seiner Behauptung, zugleich versichernd:

Internat für Mädchen, benannt nach Johann Julius Hecker (1707–1768)

(franz.) Kern, Basis

nicht jeder Kopf präge sich ihm ein, aber wenn er überhaupt erst einen Eindruck empfangen habe, so bleibe der auch für immer. »Und nun, meine gnädigste Frau von Innstetten, wo fehlt es, wo sollen wir helfen?«

»Ach, Herr Geheimrat, ich komme in Verlegenheit, Ihnen auszudrücken, was es ist. Es wechselt beständig. In diesem Augenblick ist es wie weggeflogen. Anfangs habe ich an Rheumatisches gedacht, aber ich möchte beinah glauben, es sei eine Neuralgie*, Schmerzen den Rücken entlang, und dann kann ich mich nicht aufrichten. Mein Papa leidet an Neuralgie, da hab' ich es früher beobachten können. Vielleicht ein Erbstück von ihm.«

»Sehr wahrscheinlich«, sagte Rummschüttel, der den Puls gefühlt und die Patientin leicht, aber doch scharf beobachtet hatte. »Sehr wahrscheinlich, meine gnädigste Frau.« Was er aber still zu sich selber sagte, das lautete: »Schulkrank und mit Virtuosität gespielt; Evastochter* comme il faut*.« Er ließ jedoch nichts davon merken, sondern sagte mit allem wünschenswerten Ernst: »Ruhe und Wärme sind das Beste, was ich anraten kann. Eine Medizin, übrigens nichts Schlimmes, wird das weitere tun.«

Und er erhob sich, um das Rezept aufzuschreiben: Aqua Amygdalarum amararum* eine halbe Unze, Syrupus forum Aurantii* zwei Unzen. »Hiervon, meine gnädigste Frau, bitte ich Sie, alle zwei Stunden einen halben Teelöffel voll nehmen zu wollen. Es wird Ihre Nerven beruhigen. Und worauf ich noch dringen möchte: keine geistigen Anstrengungen, keine Besuche, keine Lektüre.« Dabei wies er auf das neben ihr liegende Buch. »Es ist Scott*.«

»Oh, dagegen ist nichts einzuwenden. Das beste sind Reisebeschreibungen. Ich spreche morgen wieder vor.«

Effi hatte sich wundervoll gehalten, ihre Rolle gut durchgespielt. Als sie wieder allein war – die Mama begleitete den Geheimrat –; schoß ihr trotzdem das Blut zu Kopf; sie hatte recht gut bemerkt, daß er ihrer Komödie mit einer

Nerven-
schmerz

Vgl. Erl.
zu 39,2.

(franz.) wie
sich's gehört

(lat.) Bitter-
mandelwasser

(lat.) Orangen-
blütensirup

Vgl. Erl.
zu 54,20 u.
227,25–27.

Komödie begegnet war. Er war offenbar ein überaus lebensgewandter Herr, der alles recht gut sah, aber nicht alles sehen wollte, vielleicht weil er wußte, daß dergleichen auch mal zu respektieren sein könne. Denn gab es nicht zu respektierende Komödien, war nicht die, die sie selber spielte, eine solche?

Bald danach kam die Mama zurück, und Mutter und Tochter ergingen sich in Lobeserhebungen über den feinen alten Herrn, der trotz seiner beinah Siebzig noch etwas Jugendliches habe. »Schicke nur gleich Roswitha nach der Apotheke . . . Du sollst aber nur alle drei Stunden nehmen, hat er mir draußen noch eigens gesagt. So war er schon damals, er verschrieb nicht oft und nicht viel; aber immer Energisches, und es half auch gleich.«

Rummschüttel kam den zweiten Tag und dann jeden dritten, weil er sah, welche Verlegenheit sein Kommen der jungen Frau bereitete. Dies nahm ihn für sie ein, und sein Urteil stand ihm nach dem dritten Besuche fest: »Hier liegt etwas vor, was die Frau zwingt, so zu handeln, wie sie handelt.« Über solche Dinge den Empfindlichen zu spielen, lag längst hinter ihm.

Als Rummschüttel seinen vierten Besuch machte, fand er Effi auf, in einem Schaukelstuhl sitzend, ein Buch in der Hand, Annie neben ihr.

»Ah, meine gnädigste Frau! Hocherfreut. Ich schiebe es nicht auf die Arznei; das schöne Wetter, die hellen, frischen Märztage, da fällt die Krankheit ab. Ich beglückwünsche Sie. Und die Frau Mama?«

»Sie ist ausgegangen, Herr Geheimrat, in die Keithstraße, wo wir gemietet haben. Ich erwarte nun innerhalb weniger Tage meinen Mann, den ich mich, wenn in unserer Wohnung erst alles in Ordnung sein wird, herzlich freue Ihnen vorstellen zu können. Denn ich darf doch wohl hoffen, daß Sie auch in Zukunft sich meiner annehmen werden.«

Er verbeugte sich.

»Die neue Wohnung«, fuhr sie fort, »ein Neubau, macht mir freilich Sorge. Glauben Sie, Herr Geheimrat, daß die feuchten Wände . . .«

»Nicht im geringsten, meine gnädigste Frau. Lassen Sie drei, vier Tage lang tüchtig heizen und immer Türen und Fenster auf, da können Sie's wagen, auf meine Verantwortung. Und mit Ihrer Neuralgie, das war nicht von solcher Bedeutung. Aber ich freue mich Ihrer Vorsicht, die mir Gelegenheit gegeben hat, eine alte Bekanntschaft zu erneuern und eine neue zu machen.«

Er wiederholte seine Verbeugung, sah noch Annie freundlich in die Augen und verabschiedete sich unter Empfehlungen an die Mama.

Kaum daß er fort war, setzte sich Effi an den Schreibtisch und schrieb: »Lieber Innstetten! Eben war Rummschüttel hier und hat mich aus der Kur entlassen. Ich könnte nun reisen, morgen etwa; aber heut' ist schon der 24., und am 28. willst Du hier eintreffen. Angegriffen bin ich ohnehin noch. Ich denke, Du wirst einverstanden sein, wenn ich die Reise ganz aufgebe. Die Sachen sind ja ohnehin schon unterwegs und wir würden, wenn ich käme, in Hoppensacks Hotel wie Fremde leben müssen. Auch der Kostenpunkt ist in Betracht zu ziehen, die Ausgaben werden sich ohnehin häufen; unter anderem ist Rummschüttel zu honorieren, wenn er uns auch als Arzt verbleibt. Übrigens ein sehr liebenswürdiger alter Herr. Er gilt ärztlich nicht für ersten Ranges, ›Damendoktor‹ sagen seine Gegner und Neider. Aber dies Wort umschließt doch auch sein Lob; es kann eben nicht jeder mit uns umgehen. Daß ich von den Kessinern nicht persönlich Abschied nehme, hat nicht viel auf sich. Bei Gieshübler war ich. Die Frau Majorin hat sich immer ablehnend gegen mich verhalten, ablehnend bis zur Unart; bleibt nur noch der Pastor und Dr. Hannemann und Crampas. Empfiehl mich letzterem. An die Familien auf dem Lande schicke ich Karten; Güldenklees, wie du mir schreibst, sind in Italien (was sie da wollen, weiß ich nicht), und so bleiben nur die drei andern. Entschuldige mich, so gut es geht. Du bist ja der Mann der Formen und weißt das richtige Wort zu treffen. An Frau von Padden, die mir am Silvesterabend so außerordentlich gut gefiel, schreibe ich vielleicht selber noch und spreche ihr mein Bedauern aus. Laß mich in einem Telegramm wissen, ob Du mit allem einverstanden bist. Wie immer Deine Effi.«

Effi brachte selber den Brief zur Post, als ob sie dadurch die Antwort beschleunigen könne, und am nächsten Vormittage traf denn auch das erbetene Telegramm von Innstetten ein: »Einverstanden mit allem.« Ihr Herz jubelte, sie eilte hinunter und auf den nächsten Droschkenstand zu. »Keithstraße 1 c.« Und erst die Linden und dann die Tiergartenstraße hinunter flog die Droschke, und nun hielt sie vor der neuen Wohnung.

Oben standen die den Tag vorher eingetroffenen Sachen noch bunt durcheinander, aber es störte sie nicht, und als sie auf den breiten, aufgemauerten Balkon hinaustrat, lag jenseits der Kanalbrücke der Tiergarten vor ihr, dessen Bäume schon überall einen grünen Schimmer zeigten. Darüber aber ein klarer blauer Himmel und eine lachende Sonne.

Sie zitterte vor Erregung und atmete hoch auf. Dann trat sie, vom Balkon her, wieder über die Türschwelle zurück, erhob den Blick und faltete die Hände.

»Nun, mit Gott, ein neues Leben! Es soll anders werden.«

Vierundzwanzigstes Kapitel

Drei Tage danach, ziemlich spät, um die neunte Stunde, traf Innstetten in Berlin ein. Alles war am Bahnhof, Effi, die Mama, der Vetter; der Empfang war herzlich, am herz-
5 lichsten von seiten Effis, und man hatte bereits eine Welt von Dingen durchgesprochen, als der Wagen, den man genommen, vor der neuen Wohnung in der Keithstraße hielt. »Ach, da hast du gut gewählt, Effi«, sagte Innstetten, als er in das Vestibul* eintrat, »kein Haifisch, kein Krokodil und   Eingangshalle
10 hoffentlich auch kein Spuk.«
»Nein, Geert, damit ist es nun vorbei. Nun bricht eine andere Zeit an, und ich fürchte mich nicht mehr und will auch besser sein als früher und dir mehr zu Willen leben.« Alles das flüsterte sie ihm zu, während sie die teppichbedeckte
15 Treppe bis in den zweiten Stock hinanstiegen. Der Vetter führte die Mama.
Oben fehlte noch manches, aber für einen wohnlichen Eindruck war doch gesorgt, und Innstetten sprach seine Freude darüber aus. »Effi, du bist doch ein kleines Genie«, aber
20 diese lehnte das Lob ab und zeigte auf die Mama, die habe das eigentliche Verdienst. »Hier muß es stehen«, so hab' es unerbittlich geheißen, und immer habe sie's getroffen, wodurch natürlich viel Zeit gespart und die gute Laune nie gestört worden sei. Zuletzt kam auch Roswitha, um den
25 Herrn zu begrüßen, bei welcher Gelegenheit sie sagte: »Fräulein Annie ließe sich für heute entschuldigen« – ein kleiner Witz, auf den sie stolz war und mit dem sie auch ihren Zweck vollkommen erreichte.
Und nun nahmen sie Platz um den schon gedeckten Tisch,
30 und als Innstetten sich ein Glas Wein eingeschenkt und »auf glückliche Tage« mit allen angestoßen hatte, nahm er Effis Hand und sagte: »Aber Effi, nun erzähle mir, was war das mit deiner Krankheit?«
»Ach, lassen wir doch das, nicht der Rede wert; ein bißchen

schmerzhaft und eine rechte Störung, weil es einen Strich durch unsere Pläne machte. Aber mehr war es nicht, und nun ist es vorbei. Rummschüttel hat sich bewährt, ein feiner, liebenswürdiger alter Herr, wie ich dir, glaub' ich, schon schrieb. In seiner Wissenschaft soll er nicht gerade glänzen, aber Mama sagt, das sei ein Vorzug. Und sie wird wohl recht haben wie in allen Stücken. Unser guter Doktor Hannemann war auch kein Licht und traf es doch immer. Und nun sage, was macht Gieshübler und die anderen alle?«

»Ja, wer sind die anderen alle? Crampas läßt sich der gnäd'gen Frau empfehlen . . .«

»Ah, sehr artig.«

»Und der Pastor will dir desgleichen empfohlen sein; nur die Herrschaften auf dem Lande waren ziemlich nüchtern und schienen auch mich für deinen Abschied ohne Abschied verantwortlich machen zu wollen. Unsere Freundin Sidonie war sogar spitz, und nur die gute Frau von Padden, zu der ich eigens vorgestern noch hinüberfuhr, freute sich aufrichtig über deinen Gruß und deine Liebeserklärung an sie. ›Du seist eine reizende Frau‹, sagte sie, ›aber ich sollte dich gut hüten.‹ Und als ich ihr erwiderte: ›Du fändest schon, daß ich mehr ein ‚Erzieher‘ als ein Ehemann sei‹, sagte sie halblaut und beinahe wie abwesend: ⌐Ein junges Lämmchen weiß wie Schnee.⌐ Und dann brach sie ab.«

Vetter Briest lachte. »›Ein junges Lämmchen weiß wie Schnee . . .‹ Da hörst du's, Cousine.« Und er wollte sie zu necken fortfahren, gab es aber auf, als er sah, daß sie sich verfärbte.

Das Gespräch, das meist zurückliegende Verhältnisse berührte, spann sich noch eine Weile weiter, und Effi erfuhr zuletzt aus diesem und jenem, was Innstetten mitteilte, daß sich von dem ganzen Kessiner Hausstande nur Johanna bereit erklärt habe, die Übersiedelung nach Berlin mitzumachen. Sie sei natürlich noch zurückgeblieben, werde

234   Effi Briest

aber in zwei, drei Tagen mit dem Rest der Sachen eintreffen; er sei froh über ihren Entschluß, denn sie sei immer die Brauchbarste gewesen und von einem ausgesprochenen großstädtischen Chic. Vielleicht ein bißchen zu sehr. Christel und Friedrich hätten sich beide für zu alt erklärt, und mit Kruse zu verhandeln habe sich von vornherein verboten.

»Was soll uns ein Kutscher hier?« schloß Innstetten, »Pferd und Wagen, das sind ⌐tempi passati⌐, mit diesem Luxus ist es in Berlin vorbei. Nicht einmal das schwarze Huhn hätten wir unterbringen können. Oder unterschätz' ich die Wohnung?«

Effi schüttelte den Kopf, und als eine kleine Pause eintrat, erhob sich die Mama; es sei bald elf, und sie habe noch einen weiten Weg, übrigens solle sie niemand begleiten, der Droschkenstand sei ja nah – ein Ansinnen, das Vetter Briest natürlich ablehnte. Bald darauf trennte man sich, nachdem noch Rendezvous für den andern Vormittag verabredet war.

Effi war ziemlich früh auf und hatte – die Luft war beinahe sommerlich warm – den Kaffeetisch bis nahe an die geöffnete Balkontür rücken lassen, und als Innstetten nun auch erschien, trat sie mit ihm auf den Balkon hinaus und sagte: »Nun, was sagst du? Du wolltest den Finkenschlag aus dem Tiergarten hören und die Papageien aus dem Zoologischen. Ich weiß nicht, ob beide dir den Gefallen tun werden, aber möglich ist es. Hörst du wohl? Das kam von drüben, drüben aus dem kleinen Park. Es ist nicht der eigentliche Tiergarten, aber doch beinah.«

Innstetten war entzückt und von einer Dankbarkeit, als ob Effi ihm das alles persönlich herangezaubert habe. Dann setzten sie sich, und nun kam auch Annie. Roswitha verlangte, daß Innstetten eine große Veränderung an dem Kinde finden solle, was er denn auch schließlich tat. Und dann plauderten sie weiter, abwechselnd über die Kessiner und die in Berlin zu machenden Visiten und ganz zuletzt auch über eine Sommerreise. Mitten im Gespräch aber mußten sie abbrechen, um rechtzeitig beim Rendezvous erscheinen zu können.

Berliner Konditorei

Man traf sich, wie verabredet, bei Helms*, gegenüber dem ⌐Roten Schloß⌐, besuchte verschiedene Läden, aß bei Hiller* und war bei guter Zeit wieder zu Haus. Es war ein gelungenes Beisammensein gewesen, Innstetten herzlich froh, das großstädtische Leben wieder mitmachen und auf sich wirken lassen zu können. Tags darauf, am 1. April*, begab er sich in das Kanzlerpalais, um sich einzuschreiben (eine persönliche Gratulation unterließ er aus Rücksicht), und ging dann aufs Ministerium, um sich da zu melden. Er wurde auch angenommen, trotzdem es ein geschäftlich und gesellschaftlich sehr unruhiger Tag war, ja, sah sich seitens seines Chefs durch besonders entgegenkommende Liebenswürdigkeit ausgezeichnet. »Er wisse, was er an ihm habe, und sei sicher, ihr Einvernehmen nie gestört zu sehen.«

Vornehmes Berliner Restaurant

Geburtstag Bismarcks

Auch im Hause gestaltete sich alles zum Guten. Ein aufrichtiges Bedauern war es für Effi, die Mama, nachdem diese, wie gleich anfänglich vermutet, fast sechs Wochen lang in Kur gewesen, nach Hohen-Cremmen zurückkehren zu sehen, ein Bedauern, das nur dadurch einigermaßen gemildert wurde, daß sich Johanna denselben Tag noch in Berlin einstellte. Das war immerhin was, und wenn die hübsche Blondine dem Herzen Effis auch nicht ganz so nahestand wie die ganz selbstsuchtslose und unendlich gutmütige Roswitha, so war sie doch gleichmäßig angesehen, ebenso bei Innstetten wie bei ihrer jungen Herrin, weil sie sehr geschickt und brauchbar und der Männerwelt gegenüber von einer ausgesprochenen und selbstbewußten Reserviertheit war. Einem Kessiner on dit* zufolge ließen sich die Wurzeln ihrer Existenz auf eine längst pensionierte

(franz.) Gerücht

Größe der Garnison Pasewalk* zurückführen, woraus man sich auch ihre vornehme Gesinnung, ihr schönes blondes Haar und die besondere Plastik ihrer Gesamterscheinung erklären wollte. Johanna selbst teilte die Freude, die man allerseits über ihr Eintreffen empfand, und war durchaus einverstanden damit, als Hausmädchen und Jungfer, ganz wie früher, den Dienst bei Effi zu übernehmen, während Roswitha, die der Christel in beinahe Jahresfrist ihre Koch-künste so ziemlich abgelernt hatte, dem Küchendeparte-ment vorstehen sollte. Annies Abwartung und Pflege fiel Effi selber zu, worüber Roswitha freilich lachte. Denn sie kannte die jungen Frauen.

Hier war das pommersche Kürassier-Regi-ment Königin Nr. 2 statio-niert.

Innstetten lebte ganz seinem Dienst und seinem Haus. Er war glücklicher als vordem in Kessin, weil ihm nicht ent-ging, daß Effi sich unbefangener und heiterer gab. Und das konnte sie, weil sie sich freier fühlte. Wohl blickte das Ver-gangene noch in ihr Leben hinein, aber es ängstigte sie nicht mehr, oder doch um vieles seltener und vorüberge-hender, und alles, was davon noch in ihr nachzitterte, gab ihrer Haltung einen eigenen Reiz. In jeglichem, was sie tat, lag etwas Wehmütiges, wie eine Abbitte, und es hätte sie glücklich gemacht, dies alles noch deutlicher zeigen zu können. Aber das verbot sich freilich.

Das gesellschaftliche Leben der großen Stadt war, als sie während der ersten Aprilwochen ihre Besuche machten, noch nicht vorüber, wohl aber im Erlöschen, und so kam es für sie zu keiner rechten Teilnahme mehr daran. In der zweiten Hälfte des Mai starb es dann ganz hin, und mehr noch als vorher war man glücklich, sich in der Mittags-stunde, wenn Innstetten von seinem Ministerium kam, im Tiergarten treffen oder nachmittags einen Spaziergang nach dem Charlottenburger Schloßgarten machen zu kön-nen. Effi sah sich, wenn sie die lange Front zwischen dem Schloß und den Orangeriebäumen auf und ab schritt, im-mer wieder die massenhaft dortstehenden römischen Kaiser an, fand eine merkwürdige Ähnlichkeit zwischen ⌈Nero und Titus⌉, sammelte Tannenäpfel, die von den Trauertannen gefallen waren, und ging dann, Arm in Arm mit ihrem Manne, bis auf das nach der Spree hin einsam gelegene ⌈»Belvedere«⌉ zu.

»Da drin soll es auch einmal gespukt haben«, sagte sie.

»Nein, bloß Geistererscheinungen.«

»Das ist dasselbe.«

»Ja, zuweilen«, sagte Innstetten. »Aber eigentlich ist doch ein Unterschied. Geistererscheinungen werden immer gemacht – wenigstens soll es hier in dem ›Belvedere‹ so gewesen sein, wie mir Vetter Briest erst gestern noch erzählte –, Spuk aber wird nie gemacht, Spuk ist natürlich.«

»Also glaubst du doch dran?«

»Gewiß glaub’ ich dran. Es gibt so was. Nur an das, was wir in Kessin davon hatten, glaub’ ich nicht recht. Hat dir denn Johanna schon ihren Chinesen gezeigt?«

»Welchen?«

»Nun, unsern. Sie hat ihn, eh sie unser altes Haus verließ, oben von der Stuhllehne abgelöst und ihn ins Portemonnaie gelegt. Als ich mir neulich ein Markstück bei ihr wechselte, hab’ ich ihn gesehen. Und sie hat es mir auch verlegen bestätigt.«

»Ach, Geert, das hättest du mir nicht sagen sollen. Nun ist doch wieder so was in unserm Hause.«

»Sag ihr, daß sie ihn verbrennt.«

»Nein, das mag ich auch nicht, und das hilft auch nichts. Aber ich will Roswitha bitten . . .«

»Um was? Ah, ich verstehe schon, ich ahne, was du vorhast. Die soll ein Heiligenbild kaufen und es dann auch ins Portemonnaie tun. Ist es so was?«

Effi nickte.

»Nun, tu, was du willst. Aber sag es niemandem.«

Effi meinte dann schließlich, es lieber doch lassen zu wollen, und unter allerhand kleinem Geplauder, in welchem

die Reisepläne für den Sommer mehr und mehr Platz ge-
wannen, fuhren sie bis an den »Großen Stern« zurück und
gingen dann durch die Korso-Allee und die breite Fried-
rich-Wilhelms-Straße auf ihre Wohnung zu.

5 Sie hatten vor, schon Ende Juli Urlaub zu nehmen und ins
bayerische Gebirge zu gehen, wo gerade in diesem Jahre
wieder die ⌐Oberammergauer Spiele⌐ stattfanden. Es ließ
sich aber nicht tun; Geheimrat von Wüllersdorf, den Innstetten schon von früher her kannte und der jetzt sein Spe-
10 zialkollege war, erkrankte plötzlich, und Innstetten mußte
bleiben und ihn vertreten. Erst Mitte August war alles wieder beglichen und damit die Reisemöglichkeit gegeben; es
war aber nun zu spät geworden, um noch nach Oberammergau zu gehen, und so entschied man sich für einen Auf-
15 enthalt auf Rügen. »Zunächst natürlich Stralsund, mit
⌐Schill⌐, den du kennst, und mit ⌐Scheele⌐, den du nicht
kennst und der den Sauerstoff entdeckte, was man aber
nicht zu wissen braucht. Und dann von Stralsund nach Ber-
gen und dem Rugard, von wo man, wie mir Wüllersdorf
20 sagte, die ganze Insel übersehen kann, und dann zwischen
dem Großen und Kleinen Jasmunder Bodden hin, bis nach
Saßnitz. Denn nach Rügen reisen heißt nach Saßnitz reisen.
Binz ginge vielleicht auch noch, aber da sind – ich muß
Wüllersdorf noch einmal zitieren – so viele kleine Stein-
25 chen und Muschelschalen am Strande, und wir wollen
doch baden.«
Effi war einverstanden mit allem, was von seiten Innstettens geplant wurde, vor allem auch damit, daß der ganze
Hausstand auf vier Wochen aufgelöst werden und Roswi-
30 tha mit Annie nach Hohen-Cremmen, Johanna aber zu ihrem etwas jüngeren Halbbruder reisen sollte, der bei Pasewalk eine Schneidemühle hatte. So war alles gut untergebracht. Mit Beginn der nächsten Woche brach man denn
auch wirklich auf, und am selben Abende noch war man in

Saßnitz. Über dem Gasthause stand ⌜»Hotel Fahrenheit«.
»Die Preise hoffentlich nach Réaumur«⌝, setzte Innstetten,
als er den Namen las, hinzu, und in bester Laune machten
beide noch einen Abendspaziergang an dem Klippenstran-
de hin und sahen von einem Felsenvorsprung aus auf die
stille, vom Mondschein überzitterte Bucht. Effi war entzückt. »Ach, Geert, das ist ja Capri, das ist ja Sorrent*. Ja,
hier bleiben wir. Aber natürlich nicht im Hotel; die Kellner
sind mir zu vornehm, und man geniert sich, um eine Flasche Sodawasser zu bitten ...«

»Ja, lauter Attachés*. Es wird sich aber wohl eine Privatwohnung finden lassen.«

»Denk' ich auch. Und wir wollen gleich morgen danach
aussehen.«

Schön wie der Abend war der Morgen, und man nahm das
Frühstück im Freien. Innstetten empfing etliche Briefe, die
schnell erledigt werden mußten, und so beschloß Effi, die
für sie freigewordene Stunde sofort zur Wohnungssuche zu
benutzen. Sie ging erst an einer eingepferchten Wiese, dann
an Häusergruppen und Haferfeldern vorüber und bog zuletzt in einen Weg ein, der schluchtartig auf das Meer zulief.
Da, wo dieser Schluchtenweg den Strand traf, stand ein
von hohen Buchen überschattetes Gasthaus, nicht so vornehm wie das Fahrenheitsche, mehr ein bloßes Restaurant,
in dem, der frühen Stunde halber, noch alles leer war. Effi
nahm an einem Aussichtspunkte Platz, und kaum daß sie
von dem Sherry, den sie bestellt, genippt hatte, so trat auch
schon der Wirt an sie heran, um halb aus Neugier und halb
aus Artigkeit ein Gespräch mit ihr anzuknüpfen.

»Es gefällt uns sehr gut hier«, sagte sie, »meinem Manne
und mir; welch prächtiger Blick über die Bucht, und wir
sind nur in Sorge wegen einer Wohnung.«

»Ja, gnädigste Frau, das wird schwer halten ...«

»Es ist aber schon spät im Jahr ...«

»Trotzdem. Hier in Saßnitz ist sicherlich nichts zu finden,

Vgl. Erl.
zu 50,2.

(franz.) Untere
Beamte im
diplomatischen
Dienst

dafür möcht' ich mich verbürgen; aber weiterhin am Strand, wo das nächste Dorf anfängt, Sie können die Dächer von hier aus blinken sehen, da möcht' es vielleicht sein.«

5 »Und wie heißt das Dorf?«

»Crampas*.«

Kleiner Badeort bei Saßnitz

Effi glaubte nicht recht gehört zu haben. »Crampas«, wiederholte sie mit Anstrengung. »Ich habe den Namen als Ortsnamen nie gehört . . . Und sonst nichts in der Nähe?«

10 »Nein, gnädigste Frau. Hier herum nichts. Aber höher hinauf, nach Norden zu, da kommen noch wieder Dörfer, und in dem Gasthause, das dicht neben Stubbenkammer liegt, wird man Ihnen gewiß Auskunft geben können. Es werden dort von solchen, die gern noch vermieten wollen, immer

15 Adressen abgegeben.«

Effi war froh, das Gespräch allein geführt zu haben, und als sie bald danach ihrem Manne Bericht erstattet und nur den Namen des an Saßnitz angrenzenden Dorfes verschwiegen hatte, sagte dieser: »Nun, wenn es hier herum nichts gibt,

20 so wird es das beste sein, wir nehmen einen Wagen (wodurch man sich beiläufig einem Hotel immer empfiehlt) und übersiedeln ohne weiteres da höher hinauf, nach Stubbenkammer hin. Irgendwas Idyllisches mit einer Geißblattlaube wird sich da wohl finden lassen, und finden wir

25 nichts, so bleibt uns immer noch das Hotel selbst. Eins ist schließlich wie das andere.«

Effi war einverstanden, und gegen Mittag schon erreichten sie das neben Stubbenkammer gelegene Gasthaus, von dem Innstetten eben gesprochen, und bestellten daselbst einen

30 Imbiß. »Aber erst nach einer halben Stunde; wir haben vor, zunächst noch einen Spaziergang zu machen und uns den Herthasee anzusehen. Ein Führer ist doch wohl da?«

Dies wurde bejaht, und ein Mann von mittleren Jahren trat alsbald an unsere Reisenden heran. Er sah so wichtig und

35 feierlich aus, als ob er mindestens ein Adjunkt* bei dem

Gehilfe

alten ⌐Herthadienst⌐ gewesen wäre.

Der von hohen Bäumen umstandene See lag ganz in der Nähe, Binsen säumten ihn ein, und auf der stillen, schwarzen Wasserfläche schwammen zahlreiche Mummeln*.

Teichrosen

»Es sieht wirklich nach so was aus«, sagte Effi, »nach Herthadienst.«

»Ja, gnäd'ge Frau ... Dessen sind auch noch die Steine Zeugen.«

»Welche Steine?«

»Die Opfersteine.«

Und während sich das Gespräch in dieser Weise fortsetzte, traten alle drei vom See her an eine senkrecht abgestochene Kies- und Lehmwand heran, an die sich etliche glatt polierte Steine lehnten, alle mit einer flachen Höhlung und etlichen nach unten laufenden Rinnen.

»Und was bezwecken *die*?«

»Daß es besser abliefe, gnäd'ge Frau.«

»Laß uns gehen«, sagte Effi, und den Arm ihres Mannes nehmend, ging sie mit ihm wieder auf das Gasthaus zurück, wo nun, an einer Stelle mit weitem Ausblick auf das Meer, das vorher bestellte Frühstück aufgetragen wurde. Die Bucht lag im Sonnenlichte vor ihnen, einzelne Segelboote glitten darüber hin, und um die benachbarten Klippen haschten sich die Möwen. Es war sehr schön, auch Effi fand es, aber wenn sie dann über die glitzernde Fläche hinwegsah, bemerkte sie, nach Süden zu, wieder die hell aufleuchtenden Dächer des langgestreckten Dorfes, dessen Name sie heute früh so sehr erschreckt hatte.

Innstetten, wenn auch ohne Wissen und Ahnung dessen, was in ihr vorging, sah doch deutlich, daß es ihr an aller Lust und Freude gebrach. »Es tut mir leid, Effi, daß du der Sache hier nicht recht froh wirst. Du kannst den Herthasee nicht vergessen und noch weniger die Steine.«

Sie nickte. »Es ist so, wie du sagst. Und ich muß dir bekennen, ich habe nichts in meinem Leben gesehen, was mich so traurig gestimmt hätte. Wir wollen das Wohnungssuchen ganz aufgeben; ich kann hier nicht bleiben.«

»Und gestern war es dir noch der Golf von Neapel und alles mögliche Schöne.«

»Ja, gestern.«

»Und heute? Heute keine Spur mehr von Sorrent?«

5 »Eine Spur noch, aber auch nur eine Spur; es ist Sorrent, als ob es sterben wollte.«

»Gut dann, Effi«, sagte Innstetten und reichte ihr die Hand. »Ich will dich mit Rügen nicht quälen, und so geben wir's denn auf. Abgemacht. Es ist nicht nötig, daß wir uns
10 an Stubbenkammer anklammern oder an Saßnitz oder da weiter hinunter. Aber wohin?«

»Ich denke, wir bleiben noch einen Tag und warten das Dampfschiff ab, das, wenn ich nicht irre, morgen von Stettin kommt und nach Kopenhagen hinüberfährt. Da soll es
15 ja so vergnüglich sein, und ich kann dir gar nicht sagen, wie sehr ich mich nach etwas Vergnüglichem sehne. Hier ist mir, als ob ich in meinem ganzen Leben nicht mehr lachen könnte und überhaupt nie gelacht hätte, und du weißt doch, wie gern ich lache.«

20 Innstetten zeigte sich voll Teilnahme mit ihrem Zustand, und das um so lieber, als er ihr in vielem recht gab. Es war wirklich alles schwermütig, so schön es war. Und so warteten sie denn das Stettiner Schiff ab und trafen am dritten Tage in aller Frühe in Kopenhagen ein, wo sie auf Kongens
25 Nytorv* Wohnung nahmen. Zwei Stunden später waren sie schon im ⌈Thorwaldsen-Museum⌉, und Effi sagte: »Ja, Geert, das ist schön, und ich bin glücklich, daß wir uns hierher auf den Weg gemacht haben.« Bald danach gingen sie zu Tisch und machten an der Table d'hôte* die Bekannt-
30 schaft einer ihnen gegenübersitzenden jütländischen Familie, deren bildschöne Tochter, Thora von Penz, ebenso Innstettens wie Effis beinah bewundernde Aufmerksamkeit sofort in Anspruch nahm. Effi konnte sich nicht satt sehen an den großen, blauen Augen und dem flachsblonden
35 Haar, und als man sich nach anderthalb Stunden von Tisch

Größter Platz in Kopenhagen

Vgl. 27,4.

erhob, wurde seitens der Penzschen Familie – die leider, denselben Tag noch, Kopenhagen wieder verlassen mußte – die Hoffnung ausgesprochen, das junge preußische Paar mit nächstem in Schloß Aggerhuus (eine halbe Meile vom Limfjord) begrüßen zu dürfen, eine Einladung, die von den Innstettens auch ohne langes Zögern angenommen wurde. So vergingen die Stunden im Hotel. Aber damit war es nicht genug des Guten an diesem denkwürdigen Tage, von dem Effi denn auch versicherte, daß er im Kalender rot ange- strichen werden müsse. Der Abend brachte, das Maß des Glücks voll zu machen, eine Vorstellung im ⌐Tivoli-Thea- ter⌐: eine italienische Pantomime*, ⌐Arlequin und Colom- bine⌐. Effi war wie berauscht von den kleinen Schelmereien, und als sie spät am Abend nach ihrem Hotel zurückkehr- ten, sagte sie: »Weißt du, Geert, nun fühl' ich doch, daß ich allmählich wieder zu mir komme. Von der schönen Thora will ich gar nicht erst sprechen; aber wenn ich bedenke, heute vormittag Thorwaldsen und heute abend diese Co- lombine . . .«

»... Die dir im Grunde doch noch lieber war als Thor- waldsen . . .«

»Offen gestanden, ja. Ich habe nun mal den Sinn für der- gleichen. Unser gutes Kessin war ein Unglück für mich. Alles fiel mir da auf die Nerven. Rügen beinah auch. Ich denke, wir bleiben noch ein paar Tage hier in Kopenhagen, natürlich mit Ausflug nach Frederiksborg und Helsingör*, und dann nach Jütland hinüber; ich freue mich aufrichtig, die schöne Thora wiederzusehen, und wenn ich ein Mann wäre, so verliebte ich mich in sie.«

Innstetten lachte. »Du weißt noch nicht, was ich tue.«
»Wär' mir schon recht. Dann gibt es einen Wettstreit, und du sollst sehen, dann hab' ich auch noch meine Kräfte.«
»Das brauchst du mir nicht erst zu versichern.«

So verlief denn auch die Reise. Drüben in Jütland fuhren sie

Effi Briest

den Limfjord hinauf, bis Schloß Aggerhuus, wo sie drei Tage bei der Penzschen Familie verblieben, und kehrten dann mit vielen Stationen und kürzeren und längeren Aufenthalten in Viborg, Flensburg, Kiel, über Hamburg (das ihnen ungemein gefiel) in die Heimat zurück – nicht direkt nach Berlin in die Keithstraße, wohl aber vorher nach Hohen-Cremmen, wo man sich nun einer wohlverdienten Ruhe hingeben wollte. Für Innstetten bedeutete das nur wenige Tage, da sein Urlaub abgelaufen war, Effi blieb aber noch eine Woche länger und sprach es aus, erst zum dritten Oktober, ihrem Hochzeitstage, wieder zu Haus eintreffen zu wollen.

Annie war in der Landluft prächtig gediehen, und was Roswitha geplant hatte, daß sie der Mama in Stiefelchen entgegenlaufen sollte, das gelang auch vollkommen. Briest gab sich als zärtlicher Großvater, warnte vor zuviel Liebe, noch mehr vor zuviel Strenge, und war in allem der alte. Eigentlich aber galt all seine Zärtlichkeit doch nur Effi, mit der er sich in seinem Gemüt immer beschäftigte, zumeist auch, wenn er mit seiner Frau allein war.

»Wie findest du Effi?«

»Lieb und gut wie immer. Wir können Gott nicht genug danken, eine so liebenswürdige Tochter zu haben. Und wie dankbar sie für alles ist und immer so glücklich, wieder unter unserm Dach zu sein.«

»Ja«, sagte Briest, »sie hat von dieser Tugend mehr als mir lieb ist. Eigentlich ist es, als wäre dies hier immer noch ihre Heimstätte. Sie hat doch den Mann und das Kind, und der Mann ist ein Juwel, und das Kind ist ein Engel, aber dabei tut sie, als wäre Hohen-Cremmen immer noch die Hauptsache für sie und Mann und Kind kämen gegen uns beide nicht an. Sie ist eine prächtige Tochter, aber sie ist es mir zu sehr. Es ängstigt mich ein bißchen. Und ist auch ungerecht gegen Innstetten. Wie steht es denn eigentlich damit?«

»Ja, Briest, was meinst du?«

»Nun, ⌐ich meine, was ich meine⌐, und du weißt auch was. Ist sie glücklich? Oder ist da doch irgendwas im Wege? Von Anfang an war mir's so, als ob sie ihn mehr schätze als liebe. Und das ist in meinen Augen ein schlimm Ding. Liebe hält auch nicht immer vor, aber Schätzung gewiß nicht. 5 Eigentlich ärgern sich die Weiber, wenn sie wen schätzen müssen; erst ärgern sie sich, und dann langweilen sie sich, und zuletzt lachen sie.«

»Hast du so was an dir selber erfahren?«

»Das will ich nicht sagen. Dazu stand ich nicht hoch genug 10 in der Schätzung. Aber schrauben wir uns nicht weiter, Luise. Sage, wie steht es?«

»Ja, Briest, du kommst immer auf diese Dinge zurück. Da reicht ja kein dutzendmal, daß wir darüber gesprochen und unsere Meinungen ausgetauscht haben, und immer 15 bist du wieder da mit deinem Alles-wissen-Wollen und fragst dabei so schrecklich naiv, als ob ich in alle Tiefen sähe. Was hast du nur für Vorstellungen von einer jungen Frau und ganz speziell von deiner Tochter? Glaubst du, daß das alles so plan* daliegt? Oder daß ich ein ⌐Orakel 20 bin (ich kann mich nicht gleich auf den Namen der Person⌐ besinnen), oder daß ich die Wahrheit sofort klipp und klar in den Händen halte, wenn mir Effi ihr Herz ausgeschüttet hat? Oder was man wenigstens so nennt. Denn was heißt ausschütten? Das Eigentliche bleibt doch zu- 25 rück. Außerdem, ich weiß nicht, von wem sie's hat, sie ist . . . ja, sie ist eine sehr schlaue kleine Person, und diese Schlauheit an ihr ist um so gefährlicher, weil sie so sehr liebenswürdig ist.«

»Also das gibst du doch zu . . . liebenswürdig. Und auch 30 gut?«

»Auch gut. Das heißt voll Herzensgüte. Wie's sonst steht, da bin ich mir noch nicht sicher; ich glaube, sie hat einen Zug, den lieben Gott einen guten Mann sein zu lassen und sich zu trösten, er werde wohl nicht allzu streng mit ihr 35 sein.«

Hier: offensichtlich, einfach

»Meinst du?«

»Ja, das mein' ich. Übrigens glaube ich, daß sich vieles gebessert hat. Ihr Charakter ist, wie er ist, aber die Verhältnisse liegen seit ihrer Übersiedlung um vieles günstiger, und sie leben sich mehr und mehr ineinander ein. Sie hat mir so was gesagt, und was mir wichtiger ist, ich hab' es auch bestätigt gefunden, ⌜mit Augen gesehen⌝.«

»Nun, was sagte sie?«

»Sie sagte: Mama, es geht jetzt besser. Innstetten war immer ein vortrefflicher Mann, so einer, wie's nicht viele gibt, aber ich konnte nicht recht an ihn heran, er hatte so was Fremdes. Und fremd war er auch in seiner Zärtlichkeit. Ja, dann am meisten; es hat Zeiten gegeben, wo ich mich davor fürchtete.«

»Kenn' ich, kenn' ich.«

»Was soll das heißen, Briest? Soll ich mich gefürchtet haben oder willst du dich gefürchtet haben? Ich finde beides gleich lächerlich . . .«

»Du wolltest von Effi erzählen.«

»Nun also, sie gestand mir, daß dies Gefühl des Fremden sie verlassen habe, was sie sehr glücklich mache. Kessin sei nicht der rechte Platz für sie gewesen, das spukige Haus und die Menschen da, die einen zu fromm, die andern zu platt, aber seit ihrer Übersiedlung nach Berlin fühlte sie sich ganz an ihrem Platz. Er sei der beste Mensch, etwas zu alt für sie und zu gut für sie, aber sie sei nun über den Berg. Sie brauchte diesen Ausdruck, der mir allerdings auffiel.«

»Wieso? Er ist nicht ganz auf der Höhe, ich meine der Ausdruck. Aber . . .«

»Es steckt etwas dahinter. Und sie hat mir das auch andeuten wollen.«

»Meinst du?«

»Ja, Briest; du glaubst immer, sie könne kein Wasser trüben*. Aber darin irrst du. Sie läßt sich gern treiben, und

sei völlig
harmlos

wenn die Welle gut ist, dann ist sie auch selber gut. Kampf und Widerstand sind nicht ihre Sache.«

Roswitha kam mit Annie, und so brach das Gespräch ab.

Dies Gespräch führten Briest und Frau an demselben Tage, wo Innstetten von Hohen-Cremmen nach Berlin hin abgereist war, Effi auf wenigstens noch eine Woche zurücklassend. Er wußte, daß es nichts Schöneres für sie gab, als so sorglos in einer weichen Stimmung hinträumen zu können, immer freundliche Worte zu hören und die Versicherung, wie liebenswürdig sie sei. Ja, das war das, was ihr vor allem wohltat, und sie genoß es auch diesmal wieder in vollen Zügen und aufs dankbarste, trotzdem jede Zerstreuung fehlte; Besuch kam selten, weil es seit ihrer Verheiratung, wenigstens für die junge Welt, an dem rechten Anziehungspunkte gebrach, und selbst die Pfarre und die Schule waren nicht mehr das, was sie noch vor Jahr und Tag gewesen waren. Zumal im Schulhause stand alles halb leer. Die Zwillinge hatten sich im Frühjahr an zwei Lehrer in der Nähe von Genthin verheiratet, große Doppelhochzeit mit Festbericht im »Anzeiger fürs Havelland«, und Hulda war in Friesack zur Pflege einer alten Erbtante, die sich übrigens, wie gewöhnlich in solchen Fällen, um sehr viel langlebiger erwies, als Niemeyers angenommen hatten. Hulda schrieb aber trotzdem immer zufriedene Briefe, nicht weil sie wirklich zufrieden war (im Gegenteil), sondern weil sie den Verdacht nicht aufkommen lassen wollte, daß es einem so ausgezeichneten Wesen anders als sehr gut ergehen könne. Niemeyer, ein schwacher Vater, zeigte die Briefe mit Stolz und Freude, während der ebenfalls ganz in seinen Töchtern lebende Jahnke sich herausgerechnet hatte, daß beide junge Frauen am selben Tage, und zwar am Weihnachtsheiligabend, ihre Niederkunft halten würden. Effi lachte herzlich und drückte dem Großvater in spe* zunächst den Wunsch aus,

(lat.) zukünftig

bei beiden Enkeln zu Gevatter* geladen zu werden, ließ   Taufpate
dann aber die Familienthemata fallen und erzählte von
»Kjöbenhavn« und Helsingör, vom Limfjord und Schloß
Aggerhuus, und vor allem von Thora von Penz, die, wie
5 sie nur sagen könne, »typisch skandinavisch« gewesen sei,
blauäugig, flachsen und immer in einer roten Plüschtaille,
wobei sich Jahnke verklärte und einmal über das andere
sagte: »Ja, so sind sie; rein germanisch, viel deutscher als
die Deutschen.«
10 An ihrem Hochzeitstage, dem dritten Oktober, wollte Effi
wieder in Berlin sein. Nun war es der Abend vorher, und
unter dem Vorgeben, daß sie packen und alles zur Rückreise vorbereiten wolle, hatte sie sich schon verhältnis-
mäßig früh auf ihr Zimmer zurückgezogen. Eigentlich lag
15 ihr aber nur daran, allein zu sein; so gern sie plauderte, so
hatte sie doch auch Stunden, wo sie sich nach Ruhe sehnte.
Die von ihr im Oberstock bewohnten Zimmer lagen nach
dem Garten hinaus; in dem kleineren schlief Roswitha und
20 Annie, die Tür nur angelehnt, in dem größeren, das sie
selber innehatte, ging sie auf und ab; die unteren Fensterflügel waren geöffnet, und die kleinen weißen Gardinen
bauschten sich in dem Zuge, der ging, und fielen dann langsam über die Stuhllehne, bis ein neuer Zugwind kam und
25 sie wieder frei machte. Dabei war es so hell, daß man die
Unterschriften unter den über dem Sofa hängenden und in
schmale Goldleisten eingerahmten Bildern deutlich lesen
konnte: ⌈»Der Sturm auf Düppel, Schanze V«⌉, und dane-
ben: »König Wilhelm und Graf Bismarck auf der Höhe von   Szene aus der
30 Lipa*«. Effi schüttelte den Kopf und lächelte. »Wenn ich   Schlacht bei
wieder hier bin, bitt’ ich mir andere Bilder aus; ich kann so   Königgrätz am
was Kriegerisches nicht leiden.« Und nun schloß sie das   3.7.1866
eine Fenster und setzte sich an das andere, dessen Flügel sie
offen ließ. Wie tat ihr das alles so wohl. Neben dem Kirch-
35 turm stand der Mond und warf sein Licht auf den Rasen-

platz mit der Sonnenuhr und den Heliotropbeeten. Alles schimmerte silbern, und neben den Schattenstreifen lagen weiße Lichtstreifen, so weiß, als läge Leinwand auf der Bleiche. Weiterhin aber standen die hohen Rhabarberstauden wieder, die Blätter herbstlich gelb, und sie mußte des Tages gedenken, nun erst wenig über zwei Jahre, wo sie hier mit Hulda und den Jahnkeschen Mädchen gespielt hatte. Und dann war sie, als der Besuch kam, die kleine Steintreppe neben der Bank hinaufgestiegen, und eine Stunde später war sie Braut.

Sie erhob sich und ging auf die Tür zu und horchte: Roswitha schlief schon und Annie auch.

Und mit einem Male, während sie das Kind so vor sich hatte, traten ungerufen allerlei Bilder aus den Kessiner Tagen wieder vor ihre Seele: das landrätliche Haus mit seinem Giebel und die Veranda mit dem Blick auf die Plantage, und sie saß im Schaukelstuhl und wiegte sich; und nun trat Crampas an sie heran, um sie zu begrüßen, und dann kam Roswitha mit dem Kinde, und sie nahm es und hob es hoch in die Höhe und küßte es.

»Das war der erste Tag; da fing es an.« Und während sie dem nachhing, verließ sie das Zimmer, drin die beiden schliefen, und setzte sich wieder an das offene Fenster und sah in die stille Nacht hinaus.

»Ich kann es nicht loswerden«, sagte sie. »Und was das schlimmste ist und mich ganz irremacht an mir selbst . . .«

In diesem Augenblicke setzte die Turmuhr drüben ein, und Effi zählte die Schläge.

»Zehn . . . Und morgen um diese Stunde bin ich in Berlin. Und wir sprechen davon, daß unser Hochzeitstag sei, und er sagt mir Liebes und Freundliches und vielleicht Zärtliches. Und ich sitze dabei und höre es und habe die Schuld auf meiner Seele.« Und sie stützte den Kopf auf ihre Hand und starrte vor sich hin und schwieg.

»Und habe die Schuld auf meiner Seele«, wiederholte sie. »Ja, da *hab'* ich sie. Aber *lastet* sie auch auf meiner Seele? Nein. Und das ist es, warum ich vor mir selbst erschrecke. Was da lastet, das ist etwas ganz anderes – Angst, Todes-angst, und die ewige Furcht: es kommt doch am Ende noch an den Tag. Und dann außer der Angst ... Scham. Ich schäme mich. Aber wie ich nicht die rechte Reue habe, so hab' ich auch nicht die rechte Scham. Ich schäme mich bloß von wegen dem ewigen Lug und Trug; immer war es mein Stolz, daß ich nicht lügen könne und auch nicht zu lügen brauche, lügen ist so gemein, und nun habe ich doch immer lügen müssen, vor ihm und vor aller Welt, im großen und im kleinen, und Rummschüttel hat es gemerkt und hat die Achseln gezuckt, und wer weiß, was er von mir denkt, je-denfalls nicht das beste. Ja, Angst quält mich und dazu Scham über mein Lügenspiel. Aber Scham über meine Schuld, die hab' ich *nicht* oder doch nicht so recht oder doch nicht genug, und das bringt mich um, daß ich sie nicht habe. Wenn alle Weiber so sind, dann ist es schrecklich, und wenn sie nicht so sind, wie ich hoffe, dann steht es schlecht um mich, dann ist etwas nicht in Ordnung in mei-ner Seele, dann fehlt mir das richtige Gefühl. Und das hat mir der alte Niemeyer in seinen guten Tagen noch, als ich noch ein halbes Kind war, mal gesagt: auf ein richtiges Gefühl, darauf käme es an, und wenn man das habe, dann könne einem das Schlimmste nicht passieren, und wenn man es nicht habe, dann sei man in einer ewigen Gefahr, und das, was man den Teufel nenne, das habe dann eine sichere Macht über uns. Um Gottes Barmherzigkeit willen, steht es so mit mir?«

Und sie legte den Kopf in ihre Arme und weinte bitterlich. Als sie sich wieder aufrichtete, war sie ruhiger geworden und sah wieder in den Garten hinaus. Alles war so still, und ein leiser, feiner Ton, wie wenn es regnete, traf von den Platanen her ihr Ohr.

So verging eine Weile. Herüber von der Dorfstraße klang ein Geplärr: der alte Nachtwächter Kulicke rief die Stunden ab, und als er zuletzt schwieg, vernahm sie von fernher, aber immer näher kommend, das Rasseln des Zuges, der, auf eine halbe Meile Entfernung, an Hohen-Cremmen vorüberfuhr. Dann wurde der Lärm wieder schwächer, endlich erstarb er ganz, und nur der Mondschein lag noch auf dem Grasplatz, und nur auf die Platanen rauschte es nach wie vor wie leiser Regen nieder. Aber es war nur die Nachtluft, die ging.

Fünfundzwanzigstes Kapitel

Am andern Abend war Effi wieder in Berlin, und Innstetten empfing sie am Bahnhof, mit ihm Rollo, der, als sie plaudernd durch den Tiergarten hinfuhren, nebenher trabte.

»Ich dachte schon, du würdest nicht Wort halten.«

»Aber Geert, ich werde doch Wort halten, das ist doch das erste.«

»Sage das nicht. Immer Wort halten ist sehr viel. Und mitunter kann man auch nicht. Denke doch zurück. Ich erwartete dich damals in Kessin, als du die Wohnung mietetest, und wer nicht kam, war Effi.«

»Ja, das war was anderes.«

Sie mochte nicht sagen »ich war krank«, und Innstetten hörte darüber hin. Er hatte seinen Kopf auch voll anderer Dinge, die sich auf sein Amt und seine gesellschaftliche Stellung bezogen. »Eigentlich, Effi, fängt unser Berliner Leben nun erst an. Als wir im April hier einzogen, damals ging es mit der Saison auf die Neige, kaum noch, daß wir unsere Besuche machen konnten, und Wüllersdorf, der einzige, dem wir näherstanden – nun, der ist leider Junggeselle.

Von Juni an schläft dann alles ein, und die heruntergelassenen Rouleaux* verkünden einem schon auf hundert Schritt ›Alles ausgeflogen‹; ob wahr oder nicht, macht keinen Unterschied . . . Ja, was blieb da noch? Mal mit Vetter Briest sprechen, mal bei Hiller essen, das ist kein richtiges Berliner Leben. Aber nun soll es anders werden. Ich habe mir die Namen aller Räte notiert, die noch mobil genug sind, um ein Haus zu machen*. Und wir wollen es *auch*, wollen auch ein Haus machen, und wenn der Winter dann da ist, dann soll es im ganzen Ministerium heißen: ›Ja, die liebenswürdigste Frau, die wir jetzt haben, das ist doch die Frau von Innstetten.‹«

»Ach, Geert, ich kenne dich ja gar nicht wieder, du sprichst ja wie ein Courmacher.«

»Es ist unser Hochzeitstag, und da mußt du mir schon was zugute halten.«

Innstetten war ernsthaft gewillt, auf das stille Leben, das er in seiner landrätlichen Stellung geführt, ein gesellschaftlich angeregteres folgen zu lassen, um seinet- und noch mehr um Effis willen; es ließ sich aber anfangs nur schwach und vereinzelt damit an, die rechte Zeit war noch nicht gekommen, und das Beste, was man zunächst von dem neuen Leben hatte, war genauso wie während des zurückliegenden Halbjahres, ein Leben im Hause. Wüllersdorf kam oft, auch Vetter Briest, und waren die da, so schickte man zu Gizickis hinauf, einem jungen Ehepaare, das über ihnen wohnte. Gizicki selbst war Landgerichtsrat, seine kluge, aufgeweckte Frau ein Fräulein von Schmettau. Mitunter wurde musiziert, kurze Zeit sogar ein Whist* versucht; man gab es aber wieder auf, weil man fand, daß eine Plauderei gemütlicher wäre. Gizickis hatten bis vor kurzem in einer kleinen oberschlesischen Stadt gelebt, und Wüllersdorf war sogar, freilich vor einer Reihe von Jahren schon, in den verschiedensten kleinen Nestern

(franz.) Aufrollbarer Vorhang aus festerem Material

Empfänge im eigenen Haus zu geben

Engl. Kartenspiel

der Provinz Posen gewesen, weshalb er denn auch den bekannten Spottvers:

> Schrimm
> Ist schlimm,
> Rogasen
> Zum Rasen,
> Aber weh dir nach Samter
> Verdammter –

Nachdruck mit ebensoviel Emphase* wie Vorliebe zu zitieren pflegte.
Niemand erheiterte sich dabei mehr als Effi, was dann meistens Veranlassung wurde, kleinstädtische Geschichten in
Hülle und Fülle folgen zu lassen: Auch Kessin – mit Gieshübler und der Trippelli, mit Oberförster Ring und Sidonie
Grasenabb – kam dann wohl an die Reihe, wobei sich Innstetten, wenn er guter Laune war, nicht leicht genug tun
konnte. »Ja«, so hieß es dann wohl, »unser gutes Kessin!
Das muß ich zugeben, es war eigentlich reich an Figuren,
obenan Crampas, Major Crampas, ganz Beau* und halber
⌈Barbarossa⌉, den meine Frau, ich weiß nicht, soll ich sagen
unbegreiflicher- oder begreiflicherweise stark in Affektion
genommen hatte* . . .« – »Sagen wir begreiflicherweise«,
warf Wüllersdorf ein, »denn ich nehme an, daß er Ressourcenvorstand war und Komödie spielte, Liebhaber oder
Bonvivants*. Und vielleicht noch mehr, vielleicht war er
auch ein Tenor.« Innstetten bestätigte das eine wie das andere, und Effi suchte lachend darauf einzugehen, aber es
gelang ihr nur mit Anstrengung, und wenn dann die Gäste
gingen und Innstetten sich in sein Zimmer zurückzog, um
noch einen Stoß Akten abzuarbeiten, so fühlte sie sich immer aufs neue von den alten Vorstellungen gequält, und es
war ihr zu Sinn, als ob ihr ein Schatten nachginge.
Solche Beängstigungen blieben ihr auch. Aber sie kamen
doch seltener und schwächer, was bei der Art, wie sich ihr

Marginal notes (left column):
- (franz.) Schöner Mann, hier abwertend: Schönling
- zugeneigt gewesen war
- (franz.) Lebemänner

Leben gestaltete, nicht wundernehmen konnte. Die Liebe, mit der ihr nicht nur Innstetten, sondern auch fernerstehende Personen begegneten, und nicht zum wenigsten die beinah zärtliche Freundschaft, die die Ministerin, eine selbst noch junge Frau, für sie an den Tag legte – all das ließ die Sorgen und Ängste zurückliegender Tage sich wenigstens mindern, und als ein zweites Jahr ins Land gegangen war und die ⌜Kaiserin, bei Gelegenheit einer neuen Stiftung⌝, die »Frau Geheimrätin« mit ausgewählt und in die Zahl der Ehrendamen* eingereiht, der alte Kaiser Wilhelm aber auf dem Hofball gnädige, huldvolle Worte an die schöne, junge Frau, »von der er schon gehört habe«, gerichtet hatte, da fiel es allmählich von ihr ab. Es war einmal gewesen, aber weit, weit weg, wie auf einem andern Stern, und alles löste sich wie ein Nebelbild und wurde Traum.

Frauen, die bei Stiftungen ins Stiftungskomitee aufgenommen wurden

Die Hohen-Cremmener kamen dann und wann auf Besuch und freuten sich des Glücks der Kinder, Annie wuchs heran – »schön wie die Großmutter«, sagte der alte Briest –, und wenn es an dem klaren Himmel eine Wolke gab, so war es die, daß es, wie man nun beinahe annehmen mußte, bei Klein-Annie sein Bewenden haben werde; Haus Innstetten (denn es gab nicht einmal Namensvettern) stand also mutmaßlich auf dem Aussterbeetat*. Briest, der den Fortbestand anderer Familien obenhin behandelte, weil er eigentlich nur an die Briests glaubte, scherzte mitunter darüber und sagte: »Ja, Innstetten, wenn das so weiter geht, so wird Annie seiner Zeit wohl einen Bankier heiraten (hoffentlich einen christlichen*, wenn's deren dann noch gibt) und mit Rücksicht auf das alte freiherrliche Geschlecht der Innstetten wird dann Seine Majestät Annies Haute finance-Kinder* unter dem Namen »von der Innstetten« im ⌜Gothaischen Kalender⌝, oder was weniger wichtig ist, in der preußischen Geschichte fortleben lassen« – Ausführungen, die von Innstetten selbst immer mit einer kleinen Verlegenheit, von Frau Briest mit Achselzucken, von Effi dagegen mit

ging zu Ende

Anspielung auf die zahlreichen jüd. Bankiers

(franz.) Kinder der Großbankiers

Heiterkeit aufgenommen wurden. Denn so adelsstolz sie war, so war sie's doch nur für ihre Person, und ein eleganter und welterfahrener und vor allem sehr, sehr reicher Bankierschwiegersohn wäre durchaus nicht gegen ihre Wünsche gewesen.

Ja, Effi nahm die Erbfolgefrage leicht, wie junge, reizende Frauen das tun; als aber eine lange, lange Zeit – sie waren schon im siebenten Jahre in ihrer neuen Stellung – vergangen war, wurde der alte Rummschüttel, der auf dem Gebiete der Gynäkologie* nicht ganz ohne Ruf war, durch Frau Briest doch schließlich zu Rate gezogen. Er verordnete Schwalbach*. Weil aber Effi seit letztem Winter auch an ⌈katarrhalischen Affektionen⌉ litt und ein paarmal sogar auf Lunge hin behorcht worden war, so hieß es abschließend: »Also zunächst Schwalbach, meine Gnädigste, sagen wir drei Wochen und dann ebensolange Ems*. Bei der Emser Kur kann aber der Geheimrat zugegen sein. Bedeutet mithin alles in allem drei Wochen Trennung. Mehr kann ich für Sie nicht tun, lieber Innstetten.«

Damit war man denn auch einverstanden, und zwar sollte Effi, dahin ging ein weiterer Beschluß, die Reise mit einer Geheimrätin Zwicker zusammen machen, wie Briest sagte »zum Schutze dieser letzteren«, worin er nicht ganz unrecht hatte, da die Zwicker, trotz guter Vierzig, eines Schutzes erheblich bedürftiger war als Effi. Innstetten, der wieder viel mit Vertretung zu tun hatte, beklagte, daß er, von Schwalbach gar nicht zu reden, wahrscheinlich auch auf gemeinschaftliche Tage in Ems werde verzichten müssen. Im übrigen wurde der 24. Juni (Johannistag) als Abreisetag festgesetzt, und Roswitha half der gnädigen Frau beim Packen und Aufschreiben der Wäsche. Effi hatte noch immer die alte Liebe für sie, war doch Roswitha die einzige, mit der sie von all dem Zurückliegenden, von Kessin und Crampas, von dem Chinesen und Kapitän Thomsens Nichte frei und unbefangen reden konnte.

Frauenheil-
kunde

Heilbad im
Taunus

Heilbad an
der Lahn

»Sage, Roswitha, du bist doch eigentlich katholisch. Gehst du denn nie zur Beichte?«

»Nein.«

»Warum nicht?«

»Ich bin früher gegangen. Aber das Richtige hab' ich doch nicht gesagt.«

»Das ist sehr unrecht. Dann freilich kann es nicht helfen.«

»Ach, gnädigste Frau, bei mir im Dorfe machten es alle so. Und welche waren, die kicherten bloß.«

»Hast du denn nie empfunden, daß es ein Glück ist, wenn man etwas auf der Seele hat, daß es runter kann?«

»Nein, gnädigste Frau. Angst habe ich wohl gehabt, als mein Vater damals mit dem glühenden Eisen auf mich los kam; ja, das war eine große Furcht, aber weiter war es nichts.«

»Nicht vor Gott?«

»Nicht so recht, gnädigste Frau. Wenn man sich vor seinem Vater so fürchtet, wie ich mich gefürchtet habe, dann fürchtet man sich nicht so sehr vor Gott. Ich habe bloß immer gedacht, der liebe Gott sei gut und werde mir armem Wurm schon helfen.«

Effi lächelte und brach ab und fand es auch natürlich, daß die arme Roswitha so sprach, wie sie sprach. Sie sagte aber doch: »Weißt du, Roswitha, wenn ich wiederkomme, müssen wir doch noch mal ernstlich drüber reden. Es war doch eigentlich eine große Sünde.«

»Das mit dem Kinde, und daß es verhungert ist? Ja, gnädigste Frau, das war es. Aber ich war es ja nicht, das waren ja die anderen . . . Und dann ist es auch schon so sehr lange her.«

Sechsundzwanzigstes Kapitel

Effi war nun schon die fünfte Woche fort und schrieb glückliche, beinahe übermütige Briefe, namentlich seit ihrem Eintreffen in Ems, wo man doch unter Menschen sei, das heißt unter Männern, von denen sich in Schwalbach nur ausnahmsweise was gezeigt habe. Geheimrätin Zwicker, ihre Reisegefährtin, habe freilich die Frage nach dem Kurgemäßen dieser Zutat aufgeworfen und sich aufs entschiedenste dagegen ausgesprochen, alles natürlich mit einem Gesichtsausdrucke, der so ziemlich das Gegenteil versichert habe; die Zwicker sei reizend, etwas frei, wahrscheinlich sogar mit einer Vergangenheit, aber höchst amüsant, und man könne viel, sehr viel von ihr lernen; nie habe sie sich, trotz ihrer Fünfundzwanzig, so als Kind gefühlt, wie nach der Bekanntschaft mit dieser Dame. Dabei sei sie so belesen, auch in fremder Literatur, und als sie, Effi, beispielsweise neulich von ⌈Nana⌉ gesprochen und dabei gefragt habe, »ob es denn wirklich so schrecklich sei«, habe die Zwicker geantwortet: »Ach, meine liebe Baronin, was heißt schrecklich? Da gibt es noch ganz anderes.« »Sie schien mich auch«, so schloß Effi ihren Brief, »mit diesem ›anderen‹ bekannt machen zu wollen. Ich habe es aber abgelehnt, weil ich weiß, daß du die Unsitte unserer Zeit aus diesem und ähnlichem herleitest, und wohl mit Recht. Leicht ist es mir aber nicht geworden. Dazu kommt noch, daß Ems in einem Kessel liegt. Wir leiden hier außerordentlich unter der Hitze.«

Innstetten hatte diesen letzten Brief mit geteilten Empfindungen gelesen, etwas erheitert, aber doch auch ein wenig mißmutig. Die Zwicker war keine Frau für Effi, der nun mal ein Zug innewohnte, sich nach links hin treiben zu lassen; er gab es aber auf; irgendwas in diesem Sinne zu schreiben, einmal weil er sie nicht verstimmen wollte, mehr noch, weil er sich sagte, daß es doch nichts helfen würde.

Dabei sah er der Rückkehr seiner Frau mit Sehnsucht entgegen und beklagte des Dienstes nicht bloß »immer gleichgestellte«, sondern jetzt, wo jeder Ministerialrat fort war oder fort wollte, leider auch auf Doppelstunden gestellte
5 Uhr.

Ja, Innstetten sehnte sich nach Unterbrechung von Arbeit und Einsamkeit, und verwandte Gefühle hegte man draußen in der Küche, wo Annie, wenn die Schulstunden hinter ihr lagen, ihre Zeit am liebsten verbrachte, was insoweit ganz natürlich war, als Roswitha und Johanna nicht
10 nur das kleine Fräulein in gleichem Maße liebten, sondern auch untereinander nach wie vor auf dem besten Fuße standen. Diese Freundschaft der beiden Mädchen war ein Lieblingsgespräch zwischen den verschiedenen Freunden des Hauses, und Landgerichtsrat Gizicki sagte dann wohl
15 zu Wüllersdorf: »Ich sehe darin nur eine neue Bestätigung des alten Weisheitssatzes: ›Laßt fette Leute um mich sein‹*; Cäsar* war eben ein Menschenkenner und wußte, daß Dinge, wie Behaglichkeit und Umgänglichkeit, eigentlich
20 nur beim Embonpoint* sind.« Von einem solchen ließ sich denn nun bei beiden Mädchen auch wirklich sprechen, nur mit dem Unterschiede, daß das in diesem Falle nicht gut zu umgehende Fremdwort bei Roswitha schon stark eine Beschönigung, bei Johanna dagegen einfach die zu-
25 treffende Bezeichnung war. Diese letztere durfte man nämlich nicht eigentlich korpulent* nennen, sie war nur prall und drall* und sah jederzeit mit einer eigenen, ihr übrigens durchaus kleidenden Siegermiene gradlinig und blauäugig über ihre Normalbüste fort. Von Haltung und
30 Anstand getragen, lebte sie ganz in dem Hochgefühl, die Dienerin eines guten Hauses zu sein, wobei sie das Überlegenheitsbewußtsein über die halb bäuerisch gebliebene Roswitha in einem so hohen Maße hatte, daß sie, was gelegentlich vorkam, die momentan bevorzugte Stellung
35 dieser nur belächelte. Diese Bevorzugung – nun ja, wenn's

Zitat aus Shakespeares *Julius Cäsar* (I,2)

Hier: die Figur aus Shakespeares Stück

(franz.) Dicke, Körperfülle

beleibt, dick

rundlich, kräftig-straff

dann mal so sein sollte, war eine kleine liebenswürdige Sonderbarkeit der gnädigen Frau, die man der guten, alten Roswitha mit ihrer ewigen Geschichte »von dem Vater mit der glühenden Eisenstange« schon gönnen konnte. »Wenn man sich besser hält, so kann dergleichen nicht vorkommen.« Das alles dachte sie, sprach's aber nicht aus. Es war eben ein freundliches Miteinanderleben. Was aber wohl ganz besonders für Frieden und gutes Einvernehmen sorgte, das war der Umstand, daß man sich, nach einem stillen Übereinkommen, in die Behandlung und fast auch Erziehung Annies geteilt hatte. Roswitha hatte das poetische Departement*, die Märchen- und Geschichtenerzählung, Johanna dagegen das des Anstands, eine Teilung, die hüben und drüben so fest gewurzelt stand, daß Kompetenzkonflikte kaum vorkamen, wobei der Charakter Annies, die eine ganz entschiedene Neigung hatte, das vornehme Fräulein zu betonen, allerdings mithalf, eine Rolle, bei der sie keine bessere Lehrerin als Johanna haben konnte.

Noch einmal also: beide Mädchen waren gleichwertig in Annies Augen.

In diesen Tagen aber, wo man sich auf die Rückkehr Effis vorbereitete, war Roswitha der Rivalin mal wieder um einen Pas* voraus, weil ihr, und zwar als etwas *ihr* Zuständiges, die ganze Begrüßungsangelegenheit zugefallen war. Diese Begrüßung zerfiel in zwei Hauptteile: Girlande mit Kranz und dann, abschließend, Gedichtvortrag. Kranz und Girlande – nachdem man über »W.« oder »E. v. I.«* eine Zeitlang geschwankt – hatte zuletzt keine sonderlichen Schwierigkeiten gemacht (»W.«, in Vergißmeinnicht geflochten, war bevorzugt worden), aber desto größere Verlegenheit schien die Gedichtfrage heraufbeschwören zu sollen und wäre vielleicht ganz unbeglichen geblieben, wenn Roswitha nicht den Mut gehabt hätte, den von einer Gerichtssitzung heimkehrenden Landgerichtsrat auf der

(franz.)
Hier: Bereich,
Abteilung

(franz.) Schritt

Initialen für
›Willkommen‹
und ›Effi von
Innstetten‹

zweiten Treppe zu stellen und ihm mit einem auf einen
»Vers« gerichteten Ansinnen mutig entgegenzutreten. Gizicki, ein sehr gütiger Herr, hatte sofort alles versprochen,
und noch am selben Spätnachmittage war seitens seiner
Köchin der gewünschte Vers, und zwar folgenden Inhalts,
abgegeben worden:

> Mama, wir erwarten dich lange schon,
> Durch Wochen und Tage und Stunden,
> Nun grüßen wir dich von Flur und Balkon
> Und haben Kränze gewunden.
> Nun lacht Papa voll Freudigkeit,
> Denn die gattin- und mutterlose Zeit
> Ist endlich von ihm genommen,
> Und Roswitha lacht und Johanna dazu,
> Und Annie springt aus ihrem Schuh
> Und ruft: willkommen, willkommen.

Es versteht sich von selbst, daß die Strophe noch an demselben Abend auswendig gelernt, aber doch nebenher auch
auf ihre Schönheit, beziehungsweise Nichtschönheit kritisch geprüft worden war. Das Betonen von Gattin und
Mutter, so hatte Johanna sich geäußert, erscheine zunächst
freilich in der Ordnung; aber es läge doch auch etwas darin, was Anstoß erregen könne, und sie persönlich würde
sich als »Gattin und Mutter« dadurch verletzt fühlen. Annie, durch diese Bemerkung einigermaßen geängstigt, versprach, das Gedicht am andern Tage der Klassenlehrerin
vorlegen zu wollen und kam mit dem Bemerken zurück:
»Das Fräulein sei mit ›Gattin und Mutter‹ durchaus einverstanden, aber desto mehr gegen ›Roswitha und Johanna‹ gewesen«, – worauf Roswitha erklärt hatte: »Das Fräulein sei eine dumme Gans; das käme davon, wenn man
zuviel gelernt habe.«

Es war an einem Mittwoch, daß die Mädchen und Annie das vorstehende Gespräch geführt und den Streit um die bemängelte Zeile beigelegt hatten. Am andern Morgen – ein erwarteter Brief Effis hatte noch den mutmaßlich erst in den Schluß der nächsten Woche fallenden Ankunftstag festzustellen – ging Innstetten auf das Ministerium. Jetzt war Mittag heran, die Schule aus, und als Annie, ihre Mappe auf dem Rücken, eben vom Kanal her auf die Keithstraße zuschritt, traf sie Roswitha vor ihrer Wohnung.

»Nun laß sehen«, sagte Annie, »wer am ehesten von uns die Treppe heraufkommt.« Roswitha wollte von diesem Wettlauf nichts wissen, aber Annie jagte voran, geriet, oben angekommen, ins Stolpern und fiel dabei so unglücklich, daß sie mit der Stirn auf den dicht an der Treppe befindlichen Abkratzer aufschlug und stark blutete. Roswitha, mühevoll nachkeuchend, riß jetzt die Klingel, und als Johanna das etwas verängstigte Kind hineingetragen hatte, beratschlagte man, was nun wohl zu machen sei. »Wir wollen nach dem Doktor schicken . . . wir wollen nach dem gnädigen Herrn schicken . . . des Portiers Lene muß ja jetzt auch aus der Schule wieder da sein.« Es wurde aber alles wieder verworfen, weil es zu lange dauere, man müsse gleich was tun, und so packte man denn das Kind aufs Sofa und begann, mit kaltem Wasser zu kühlen. Alles ging auch gut, so daß man sich zu beruhigen begann. »Und nun wollen wir sie verbinden«, sagte schließlich Roswitha. »Da muß ja noch die lange Binde sein, die die gnädige Frau letzten Winter zuschnitt, als sie sich auf dem Eise den Fuß verknickt hatte . . .«

»Freilich, freilich«, sagte Johanna, »bloß wo die Binde hernehmen? . . . Richtig, da fällt mir ein, die liegt im Nähtisch. Er wird wohl zu sein, aber das Schloß ist Spielerei; holen Sie nur das Stemmeisen, Roswitha, wir wollen den Deckel aufbrechen.«

Und nun wuchteten sie auch wirklich den Deckel ab und

begannen in den Fächern umherzukramen, oben und unten, die zusammengerollte Binde jedoch wollte sich nicht finden lassen. »Ich weiß aber doch, daß ich sie gesehn habe«, sagte Roswitha, und während sie halb ärgerlich immer weiter suchte, flog alles, was ihr dabei zu Händen kam, auf das breite Fensterbrett: Nähzeug, Nadelkissen, Rollen mit Zwirn und Seide, kleine vertrocknete Veilchensträußchen, Karten, Billets, zuletzt ein kleines Konvolut* von Briefen, das unter dem dritten Einsatz gelegen hatte, ganz unten, mit einem roten Seidenfaden umwickelt. Aber die Binde hatte man noch immer nicht.

Bündel von Schriftstücken

In diesem Augenblicke trat Innstetten ein.

»Gott«, sagte Roswitha und stellte sich erschreckt neben das Kind. »Es ist nichts, gnädiger Herr; Annie ist auf das Kratzeisen* gefallen . . . Gott, was wird die gnädige Frau sagen. Und doch ist es ein Glück, daß sie nicht mit dabei war.«

Am Hauseingang angebrachtes Eisen zum Schuhesäubern

Innstetten hatte mittlerweile die vorläufig aufgelegte Kompresse* fortgenommen und sah, daß es ein tiefer Riß, sonst aber ungefährlich war. »Es ist nicht schlimm«, sagte er; »trotzdem, Roswitha, wir müssen sehen, daß Rummschüttel kommt. Lene kann ja gehen, die wird jetzt Zeit haben. Aber was in aller Welt ist denn das da mit dem Nähtisch?«

Feuchter Umschlag

Und nun erzählte Roswitha, wie sie nach der gerollten Binde gesucht hätten; aber sie woll' es nun aufgeben, und lieber eine neue Leinwand schneiden.

Innstetten war einverstanden und setzte sich, als bald danach beide Mädchen das Zimmer verlassen hatten, zu dem Kinde. »Du bist so wild, Annie, das hast du von der Mama. Immer wie ein Wirbelwind. Aber dabei kommt nichts heraus oder höchstens so was.« Und er wies auf die Wunde und gab ihr einen Kuß. »Du hast aber nicht geweint, das ist brav, und darum will ich dir die Wildheit verzeihen . . . Ich denke, der Doktor wird in einer Stunde hier sein; tu nur alles, was er sagt, und wenn er dich verbunden hat, so zerre nicht und rücke und drücke nicht dran, dann heilt es schnell, und wenn die Mama dann kommt, dann ist alles wieder in Ordnung oder doch beinah. Ein Glück ist es aber doch, daß es noch bis nächste Woche dauert, Ende nächster Woche, so schreibt sie mir; eben habe ich einen Brief von ihr bekommen; sie läßt dich grüßen und freut sich, dich wiederzusehen.«

»Du könntest mir den Brief eigentlich vorlesen, Papa.«

»Das will ich gern.«

Aber eh er dazu kam, kam Johanna, um zu sagen, daß das Essen aufgetragen sei. Annie, trotz ihrer Wunde, stand mit auf, und Vater und Tochter setzten sich zu Tisch.

Siebenundzwanzigstes Kapitel

Innstetten und Annie saßen sich eine Weile stumm gegenüber; endlich, als ihm die Stille peinlich wurde, tat er ein paar Fragen über die Schulvorsteherin und welche Lehrerin sie eigentlich am liebsten habe. Annie antwortete auch, aber ohne rechte Lust, weil sie fühlte, daß Innstetten wenig bei der Sache war. Es wurde erst besser, als Johanna nach dem zweiten Gericht ihrem Anniechen zuflüsterte, es gäbe noch was. Und wirklich, die gute Roswitha, die dem Liebling an diesem Unglückstage was schuldig zu sein glaubte, hatte noch ein übriges getan und sich zu einer Omelette mit Apfelschnitten aufgeschwungen.

Annie wurde bei diesem Anblicke denn auch etwas redseliger, und ebenso zeigte sich Innstettens Stimmung gebessert, als es gleich danach klingelte und Geheimrat Rummschüttel eintrat. Ganz zufällig. Er sprach nur vor, ohne jede Ahnung, daß man nach ihm geschickt und um seinen Besuch gebeten habe. Mit den aufgelegten Kompressen war

er zufrieden. »Lassen Sie noch etwas Bleiwasser* holen und Annie morgen zu Hause bleiben. Überhaupt Ruhe.« Dann frug er noch nach der gnädigen Frau und wie die Nachrichten aus Ems seien; er werde den andern Tag wiederkom-
5 men und nachsehen.

Als man von Tisch aufgestanden und in das nebenan gelegene Zimmer – dasselbe, wo man mit so viel Eifer und doch vergebens nach dem Verbandstück gesucht hatte – eingetreten war, wurde Annie wieder auf das Sofa gebettet.
10 Johanna kam und setzte sich zu dem Kinde, während Innstetten, die zahllosen Dinge, die bunt durcheinandergewürfelt noch auf dem Fensterbrett umherlagen, wieder in den Nähtisch einzuräumen begann. Dann und wann wußte er sich nicht recht Rat und mußte fragen.
15 »Wo haben die Briefe gelegen, Johanna?«
»Ganz zuunterst« , sagte diese, »hier in diesem Fach.«
Und während so Frage und Antwort ging, betrachtete Innstetten etwas aufmerksamer als vorher das kleine, mit einem roten Faden zusammengebundene Paket, das mehr
20 aus einer Anzahl zusammengelegter Zettel als aus Briefen zu bestehen schien. Er fuhr, als wäre es ein Spiel Karten, mit dem Daumen und Zeigefinger an der Seite des Päckchens hin und einige Zeilen, eigentlich nur vereinzelte Worte, flogen dabei an seinem Auge vorüber. Von deutli-
25 chem Erkennen konnte keine Rede sein, aber es kam ihm doch so vor, als habe er die Schriftzüge schon irgendwo gesehen. Ob er nachsehen solle?
»Johanna, Sie können uns den Kaffee bringen. Annie trinkt auch eine halbe Tasse. Der Doktor hat's nicht verboten,
30 und was nicht verboten ist, ist erlaubt.«
Als er das sagte, wand er den roten Faden ab und ließ, während Johanna das Zimmer verließ, den ganzen Inhalt des Päckchens rasch durch die Finger gleiten. Nur zwei, drei Briefe waren adressiert: »An Frau Landrat von Inn-

Verdünnte Bleilösung zur Kühlung von Schwellungen

stetten.« Er erkannte jetzt auch die Handschrift; es war die des Majors. Innstetten wußte nichts von einer Korrespondenz zwischen Crampas und Effi, und in seinem Kopfe begann sich alles zu drehen. Er steckte das Paket zu sich und ging in sein Zimmer zurück. Etliche Minuten später, und Johanna, zum Zeichen, daß der Kaffee da sei, klopfte leis an die Tür. Innstetten antwortete auch, aber dabei blieb es; sonst alles still.

Erst nach einer Viertelstunde hörte man wieder sein Auf- und Abschreiten auf dem Teppich. »Was nur Papa hat?« sagte Johanna zu Annie. »Der Doktor hat ihm doch gesagt, es sei nichts.«

Das Auf- und Abschreiten nebenan wollte kein Ende nehmen. Endlich erschien Innstetten wieder im Nebenzimmer und sagte: »Johanna, achten Sie auf Annie und daß sie ruhig auf dem Sofa bleibt. Ich will eine Stunde gehen oder vielleicht zwei.«

Dann sah er das Kind aufmerksam an und entfernte sich.

»Hast du gesehen, Johanna, wie Papa aussah?«

»Ja, Annie. Er muß einen großen Ärger gehabt haben. Er war ganz blaß. So hab' ich ihn noch nie gesehen.«

Es vergingen Stunden. Die Sonne war schon unter, und nur ein roter Widerschein lag noch über den Dächern drüben, als Innstetten wieder zurückkam. Er gab Annie die Hand, fragte wie's ihr gehe, und ordnete dann an, daß ihm Johanna die Lampe in sein Zimmer bringe. Die Lampe kam auch. In dem grünen Schirm befanden sich halb durchsichtige Ovale mit Photographien, allerlei Bildnisse seiner Frau, die noch in Kessin, damals, als man die Wichertschen »Schritt vom Wege«* aufgeführt hatte, für die verschiedenen Mitspielenden angefertigt waren. Innstetten drehte den Schirm langsam von links nach rechts und musterte jedes einzelne Bildnis. Dann ließ er davon ab, öffnete, weil er es schwül fand, die Balkontür und nahm schließlich das Briefpaket

Vgl. Erl. zu 165,27.

Effi Briest

wieder zur Hand. Es schien, daß er gleich beim ersten Durchsehen ein paar davon ausgewählt und obenauf gelegt hatte. Diese las er jetzt noch einmal mit halblauter Stimme.

5 »Sei heute nachmittag wieder in den Dünen, hinter der Mühle. Bei der alten Adermann können wir uns ruhig sprechen, das Haus ist abgelegen genug. Du mußt Dich nicht um alles so bangen. Wir haben *auch* ein Recht. Und wenn Du Dir das eindringlich sagst, wird, denk' ich, alle Furcht
10 von Dir abfallen. Das Leben wäre nicht des Lebens wert, wenn das alles gelten sollte, was zufällig gilt. Alles Beste liegt jenseits davon. Lerne Dich daran freuen.«

». . . Fort, so schreibst Du, Flucht. Unmöglich. Ich kann meine Frau nicht im Stich lassen, zu allem andern auch
15 noch in Not. Es geht nicht, und wir müssen es leicht nehmen, sonst sind wir arm und verloren. Leichtsinn ist das Beste, was wir haben. Alles ist Schicksal. Es hat so sein sollen. Und möchtest Du, daß es anders wäre, daß wir uns nie gesehen hätten?«
20 Dann kam der dritte Brief.

». . . Sei heute noch einmal an der alten Stelle. Wie sollen meine Tage hier verlaufen ohne Dich! In diesem öden Nest. Ich bin außer mir, und nur darin hast Du recht: es ist die Rettung, und wir müssen schließlich doch die Hand seg-
25 nen, die diese Trennung über uns verhängt.«

Innstetten hatte die Briefe kaum wieder beiseite geschoben, als draußen die Klingel ging. Gleich danach meldete Johanna: »Geheimrat Wüllersdorf.«

Wüllersdorf trat ein und sah auf den ersten Blick, daß et-
30 was vorgefallen sein müsse.

»Pardon, Wüllersdorf«, empfing ihn Innstetten, »daß ich Sie gebeten habe, noch gleich heute bei mir vorzusprechen. Ich störe niemand gern in seiner Abendruhe, am wenigsten einen geplagten Ministerialrat. Es ging aber nicht anders.
35 Ich bitte Sie, machen Sie sich's bequem. Und hier eine Zigarre.«

Wüllersdorf setzte sich. Innstetten ging wieder auf und ab und wäre bei der ihn verzehrenden Unruhe gern in Bewegung geblieben, sah aber, daß das nicht gehe. So nahm er denn auch seinerseits eine Zigarre, setzte sich Wüllersdorf gegenüber und versuchte, ruhig zu sein. »Es ist«, begann er, »um zweier Dinge willen, daß ich Sie habe bitten lassen: erst um eine Forderung zu überbringen und zweitens um hinterher, in der Sache selbst, mein Sekundant zu sein; das eine ist nicht angenehm und das andere noch weniger. Und nun Ihre Antwort.«

»Sie wissen, Innstetten, Sie haben über mich zu verfügen. Aber eh ich die Sache kenne, verzeihen Sie mir die naive Vorfrage: muß es sein? Wir sind doch über die Jahre weg, *Sie*, um die Pistole in die Hand zu nehmen, und *ich*, um dabei mitzumachen. Indessen mißverstehen Sie mich nicht, alles dies soll kein ›Nein‹ sein. Wie könnte ich Ihnen etwas abschlagen? Aber nun sagen Sie, was ist es?«

»Es handelt sich um einen Galan* meiner Frau, der zugleich mein Freund war oder doch beinah.«

Wüllersdorf sah Instetten an. »Innstetten, das ist nicht möglich.«

»Es ist mehr als möglich, es ist gewiß. Lesen Sie.«

Wüllersdorf flog drüber hin. »Die sind an Ihre Frau gerichtet?«

»Ja. Ich fand sie heut' in ihrem Nähtisch.«

»Und wer hat sie geschrieben?«

»Major Crampas.«

»Also Dinge, die sich abgespielt, als Sie noch in Kessin waren?«

Innstetten nickte.

»Liegt also sechs Jahre zurück oder noch ein halb Jahr länger.«

»Ja.«

Wüllersdorf schwieg. Nach einer Weile sagte Innstetten:
»Es sieht fast so aus, Wüllersdorf, als ob die sechs oder

(franz.) Liebhaber

sieben Jahre einen Eindruck auf Sie machten. Es gibt eine ⌜Verjährungstheorie⌝, natürlich, aber ich weiß doch nicht, ob wir hier einen Fall haben, diese Theorie gelten zu lassen.«

»Ich weiß es auch nicht«, sagte Wüllersdorf. »Und ich bekenne Ihnen offen, um diese Frage scheint sich hier alles zu drehen.«

Innstetten sah ihn groß an. »Sie sagen das in vollem Ernst?«

»In vollem Ernst. Es ist keine Sache, sich in jeu d'esprit* oder in dialektischen Spitzfindigkeiten zu versuchen.«

(franz.) Geistreiche Wortspiele

»Ich bin neugierig, wie Sie das meinen. Sagen Sie mir offen, wie stehen Sie dazu?«

»Innstetten, Ihre Lage ist furchtbar, und Ihr Lebensglück ist hin. Aber wenn Sie den Liebhaber totschießen, ist Ihr Lebensglück sozusagen doppelt hin, und zu dem Schmerz über empfangenes Leid kommt noch der Schmerz über getanes Leid. Alles dreht sich um die Frage, müssen Sie's durchaus tun? Fühlen Sie sich so verletzt, beleidigt, empört, daß einer weg muß, er oder Sie? Steht es so?«

»Ich weiß es nicht.«

»Sie müssen es wissen.«

Innstetten war aufgesprungen, trat ans Fenster und tippte voll nervöser Erregung an die Scheiben. Dann wandte er sich rasch wieder, ging auf Wüllersdorf zu und sagte: »Nein, so steht es nicht.«

»Wie steht es denn?«

»Es steht so, daß ich unendlich unglücklich bin; ich bin gekränkt, schändlich hintergangen, aber trotzdem, ich bin ohne jedes Gefühl von Haß oder gar von Durst nach Rache. Und wenn ich mich frage, warum nicht? so kann ich zunächst nichts anderes finden als die Jahre. Man spricht immer von unsühnbarer Schuld; vor Gott ist es gewiß falsch, aber vor den Menschen auch. Ich hätte nie geglaubt, daß die *Zeit*, rein als Zeit, so wirken könne. Und dann als zweites: ich liebe meine Frau, ja, seltsam zu sagen, ich liebe sie noch, und so furchtbar ich alles finde, was geschehen, ich bin so sehr im Bann ihrer Liebenswürdigkeit, eines ihr eignen heiteren Charmes, daß ich mich, mir selbst zum Trotz, in meinem letzten Herzenswinkel zum Verzeihen geneigt fühle.«

Wüllersdorf nickte. »Kann ganz folgen, Innstetten, es würde mir vielleicht ebenso gehen. Aber wenn Sie so zu der Sache stehen und mir sagen: ›Ich liebe diese Frau so sehr, daß ich ihr alles verzeihen kann‹, und wenn wir dann das andere hinzunehmen, daß alles weit, weit zurückliegt, wie ein Geschehnis auf einem andern Stern, ja, wenn es so liegt, Innstetten, so frage ich, wozu die ganze Geschichte?«

»Weil es trotzdem sein muß. Ich habe mir's hin und her überlegt. Man ist nicht bloß ein einzelner Mensch, man gehört einem Ganzen an, und auf das Ganze haben wir beständig Rücksicht zu nehmen, wir sind durchaus abhängig von ihm. Ging es, in Einsamkeit zu leben, so könnt' es gehen lassen; ich trüge dann die mir aufgepackte Last, das rechte Glück wäre hin, aber es müssen so viele leben ohne dies ›rechte Glück‹, und ich würde es auch müssen und – auch können. Man braucht nicht glücklich zu sein, am allerwenigsten hat man einen Anspruch darauf; und den, der einem das Glück genommen hat, den braucht man nicht notwendig aus der Welt zu schaffen. Man kann ihn, wenn man weltabgewandt weiterexistieren will, auch laufen lassen. Aber im Zusammenleben mit den Menschen hat sich ein Etwas ausgebildet, das nun mal da ist und nach dessen Paragraphen wir uns gewöhnt haben, alles zu beurteilen, die andern und uns selbst. Und dagegen zu verstoßen geht nicht; die Gesellschaft verachtet uns, und zuletzt tun wir es selbst und können es nicht aushalten und jagen uns die Kugel durch den Kopf. Verzeihen Sie, daß ich Ihnen solche Vorlesung halte, die schließlich doch nur sagt, was sich jeder selber hundertmal gesagt hat. Aber freilich, wer kann was Neues sagen! Also noch einmal, nichts von Haß oder dergleichen, und um eines Glückes willen, das mir genommen wurde, mag ich nicht Blut an den Händen haben; aber jenes, wenn Sie wollen, uns tyrannisierende Gesellschafts-Etwas, das fragt nicht nach Charme und nicht nach Liebe und nicht nach Verjährung. Ich habe keine Wahl. Ich muß.«

»Ich weiß doch nicht, Innstetten . . .«

Innstetten lächelte. »Sie sollen selbst entscheiden, Wüllersdorf. Es ist jetzt zehn Uhr. Vor sechs Stunden, diese Konzession will ich Ihnen vorweg machen, hatt' ich das Spiel noch in der Hand, konnt' ich noch das eine und noch das andere, da war noch ein Ausweg. Jetzt nicht mehr, jetzt stecke ich in einer Sackgasse. Wenn Sie wollen, so bin ich selber schuld daran; ich hätte mich besser beherrschen und bewachen, alles in mir verbergen, alles im eignen Herzen auskämpfen sollen. Aber es kam mir zu plötzlich, zu stark, und so kann ich mir kaum einen Vorwurf machen, meine Nerven nicht geschickter in Ordnung gehalten zu haben. Ich ging zu Ihnen und schrieb Ihnen einen Zettel, und damit war das Spiel aus meiner Hand. Von dem Augenblicke an hatte mein Unglück und, was schwerer wiegt, der Fleck auf meiner Ehre einen halben Mitwisser, und nach den ersten Worten, die wir hier gewechselt, hat es einen ganzen. Und weil dieser Mitwisser da ist, kann ich nicht mehr zurück.«

»Ich weiß doch nicht«, wiederholte Wüllersdorf. »Ich mag nicht gerne zu der alten abgestandenen Phrase greifen, aber doch läßt sich's nicht besser sagen: Innstetten, es ruht alles in mir wie in einem Grabe.«

»Ja, Wüllersdorf, so heißt es immer. Aber es gibt keine Verschwiegenheit. Und wenn Sie's wahrmachen und gegen andere die Verschwiegenheit selber sind, so wissen *Sie* es, und es rettet mich nicht vor Ihnen, daß Sie mir eben Ihre Zustimmung ausgedrückt und mir sogar gesagt haben: ich kann Ihnen in allem folgen. Ich bin, und dabei bleibt es, von diesem Augenblicke an ein Gegenstand Ihrer Teilnahme (schon nicht etwas sehr Angenehmes), und jedes Wort, das Sie mich mit meiner Frau wechseln hören, unterliegt Ihrer Kontrolle, Sie mögen wollen oder nicht, und wenn meine Frau von Treue spricht oder, wie Frauen tun, über eine andere zu Gericht sitzt, so weiß ich nicht, wo ich mit meinen Blicken hin soll. Und ereignet sich's gar, daß ich in irgendeiner ganz alltäglichen Beleidigungssache zum Guten rede, ›weil ja der dolus* fehle‹ oder so was Ähnliches, so geht ein Lächeln über Ihr Gesicht, oder es zuckt wenigstens darin, und in Ihrer Seele klingt es: ›der gute Innstetten, er hat doch eine wahre Passion, alle Beleidigungen auf ihren Beleidigungsgehalt chemisch zu untersuchen, und das richtige Quantum Stickstoff findet er *nie*. Er ist noch nie an einer Sache erstickt‹ . . . Habe ich recht, Wüllersdorf; oder nicht?«

(lat.) Böser Vorsatz

Wüllersdorf war aufgestanden. »Ich finde es furchtbar, daß Sie recht haben, aber Sie *haben* recht. Ich quäle Sie nicht länger mit meinem ›Muß es sein‹. Die Welt ist einmal, wie sie ist, und die Dinge verlaufen nicht, wie *wir* wollen, sondern wie die *andern* wollen. Das mit dem ⌈›Gottesgericht‹⌉, wie manche hochtrabend versichern, ist freilich ein Unsinn, nichts davon, umgekehrt, unser ⌈Ehrenkultus⌉ ist ein Götzendienst, aber wir müssen uns ihm unterwerfen, solange der Götze gilt.«

Innstetten nickte.

Sie blieben noch eine Viertelstunde miteinander, und es wurde festgestellt, Wüllersdorf solle ⌈noch denselben Abend⌉ abreisen. Ein Nachtzug ging um zwölf.

Dann trennten sie sich mit einem kurzen: »Auf Wiedersehen in Kessin.«

Achtundzwanzigstes Kapitel

Am andern Abend, wie verabredet, reiste Innstetten. Er benutzte denselben Zug, den am Tage vorher Wüllersdorf benutzt hatte und war bald nach fünf Uhr früh auf der
5 Bahnstation, von wo der Weg nach Kessin links abzweigte. Wie immer, solange die Saison dauerte, ging auch heute, gleich nach Eintreffen des Zuges, das mehrerwähnte Dampfschiff, dessen erstes Läuten Innstetten schon hörte, als er die letzten Stufen der vom Bahndamm hinabführen-
10 den Treppe erreicht hatte. Der Weg bis zur Anlegestelle war keine drei Minuten; er schritt darauf zu und begrüßte den Kapitän, der etwas verlegen war, also im Laufe des gestrigen Tages von der ganzen Sache schon gehört haben muß-te, und nahm dann seinen Platz in der Nähe des Steuers.
15 Gleich danach löste sich das Schiff vom Brückensteg los; das Wetter war herrlich, helle Morgensonne, nur wenig Passagiere an Bord. Innstetten gedachte des Tages, als er, mit Effi von der Hochzeitsreise zurückkehrend, hier am Ufer der Kessine hin in offenem Wagen gefahren war, – ein
20 grauer Novembertag damals, aber er selber froh im Her-zen; nun hatte sich's verkehrt: das Licht lag draußen, und der Novembertag war in ihm. Viele, viele Male war er dann des Weges hier gekommen, und der Frieden, der sich über die Felder breitete, das Zuchtvieh in den Koppeln, das auf-
25 horchte, wenn er vorüberfuhr, die Leute bei der Arbeit, die Fruchtbarkeit der Äcker, das alles hatte seinem Sinne wohlgetan, und jetzt, in hartem Gegensatz dazu, war er froh, als etwas Gewölk heranzog und den lachenden blau-en Himmel leise zu trüben begann.
30 So fuhren sie den Fluß hinab, und bald nachdem sie die prächtige Wasserfläche des »Breitling« passiert, kam der Kessiner Kirchturm in Sicht und gleich danach auch das Bollwerk und die lange Häuserreihe mit Schiffen und Boo-ten davor. Und nun waren sie heran. Innstetten verab-

schiedete sich von dem Kapitän und schritt auf den Steg zu, den man, bequemeren Aussteigens halber, herangerollt hatte. Wüllersdorf war schon da. Beide begrüßten sich, ohne zunächst ein Wort zu sprechen, und gingen dann, quer über den Damm, auf den Hoppensackschen Gasthof zu, wo sie unter einem Zeltdach Platz nahmen.

»Ich habe mich gestern früh hier einquartiert«, sagte Wüllersdorf, der nicht gleich mit den Sachlichkeiten beginnen wollte. »Wenn man bedenkt, daß Kessin ein Nest ist, ist es erstaunlich, ein so gutes Hotel hier zu finden. Ich bezweifle nicht, daß mein Freund, der Oberkellner, drei Sprachen spricht; seinem Scheitel und seiner ausgeschnittnen Weste nach können wir dreist auf vier rechnen ... Jean, bitte, wollen Sie uns Kaffee und Cognac bringen.«

Innstetten begriff vollkommen, warum Wüllersdorf diesen Ton anschlug, war auch damit einverstanden, konnte aber seiner Unruhe nicht ganz Herr werden und zog unwillkürlich die Uhr.

»Wir haben Zeit«, sagte Wüllersdorf. »Noch anderthalb Stunden oder doch beinah. Ich habe den Wagen auf acht ein viertel bestellt; wir fahren nicht länger als zehn Minuten.«

»Und wo?«

»Crampas schlug erst ein Waldeck vor, gleich hinter dem Kirchhof. Aber dann unterbrach er sich und sagte: »Nein, da nicht.« Und dann haben wir uns über eine Stelle zwischen den Dünen geeinigt. Hart am Strand; die vorderste Düne hat einen Einschnitt, und man sieht aufs Meer.«

Innstetten lächelte. »Crampas scheint sich einen Schönheitspunkt ausgesucht zu haben. Er hatte immer die Allüren* dazu. Wie benahm er sich?«

»Wundervoll.«

»Übermütig? Frivol*?«

»Nicht das eine und nicht das andere. Ich bekenne Ihnen offen, Innstetten, daß es mich erschütterte. Als ich Ihren

Effi Briest

Namen nannte, wurde er totenblaß und rang nach Fassung, und um seine Mundwinkel sah ich ein Zittern. Aber all das dauerte nur einen Augenblick, dann hatte er sich wieder gefaßt, und von da ab war alles an ihm wehmütige
5 Resignation. Es ist mir ganz sicher, er hat das Gefühl, aus der Sache nicht heil herauszukommen, und will auch nicht. Wenn ich ihn richtig beurteile, er lebt gern und ist zugleich gleichgültig gegen das Leben. Er nimmt alles mit und weiß doch, daß es nicht viel damit ist.«
10 »Wer wird ihm sekundieren*? Oder sag' ich lieber, wen wird er mitbringen?«

Jmd. beim Duell als Berater und Zeuge beistehen

»Das war, als er sich wieder gefunden hatte, seine Hauptsorge. Er nannte zwei, drei Adlige aus der Nähe, ließ sie dann aber wieder fallen, sie seien zu alt und zu fromm, er
15 werde nach Treptow hin telegraphieren an seinen Freund ⌈Buddenbrook⌉. Und der ist auch gekommen, famoser Mann, schneidig und doch zugleich wie ein Kind. Er konnte sich nicht beruhigen und ging in größter Erregung auf und ab. Aber als ich ihm alles gesagt hatte, sagte er gera-
20 deso wie wir: ›Sie haben recht, es muß sein!‹«
Der Kaffee kam. Man nahm eine Zigarre, und Wüllersdorf war wieder darauf aus, das Gespräch auf mehr gleichgültige Dinge zu lenken.
»Ich wundere mich, daß keiner von den Kessinern sich ein-
25 findet, Sie zu begrüßen. Ich weiß doch, daß Sie sehr beliebt gewesen sind. Und nun gar Ihr Freund Gieshübler . . .«
Innstetten lächelte. »Da verkennen Sie die Leute hier an der Küste; halb sind es Philister und halb Pfiffici*, nicht sehr nach meinem Geschmack; aber eine Tugend haben sie, sie
30 sind alle sehr manierlich. Und nun gar mein alter Gieshübler. Natürlich weiß jeder, um was sich's handelt; aber eben deshalb hütet man sich, den Neugierigen zu spielen.«

teils Kleinbürger, Spießer und teils schlaue Köpfe

In diesem Augenblicke wurde von links her ein zurückgeschlagener Chaisewagen* sichtbar, der, weil es noch vor
35 der bestimmten Zeit war, langsam herankam.

Kutsche mit zurückschlagbarem Halbverdeck

»Ist das unsrer?« fragte Innstetten.

»Mutmaßlich.«

Und gleich danach hielt der Wagen vor dem Hotel, und Innstetten und Wüllersdorf erhoben sich.

Wüllersdorf trat an den Kutscher heran und sagte: »Nach der Mole.«

Die Mole lag nach der entgegengesetzten Strandseite, rechts statt links, und die falsche Weisung wurde nur gegeben, um etwaigen Zwischenfällen, die doch immerhin möglich waren, vorzubeugen. Im übrigen, ob man sich nun weiter draußen nach rechts oder links zu halten vorhatte, durch die Plantage mußte man jedenfalls, und so führte denn der Weg unvermeidlich an Innstettens alter Wohnung vorüber.

Das Haus lag noch stiller da als früher; ziemlich vernachlässigt sah's in den Parterreräumen aus; wie mocht' es erst da oben sein! Und das Gefühl des Unheimlichen, das Innstetten an Effi so oft bekämpft oder auch wohl belächelt hatte, jetzt überkam es ihn selbst, und er war froh, als sie dran vorüber waren.

»Da hab' ich gewohnt«, sagte er zu Wüllersdorf.

»Es sieht sonderbar aus, etwas öd und verlassen.«

»Mag auch wohl. In der Stadt galt es als ein Spukhaus, und wie's heute daliegt, kann ich den Leuten nicht unrecht geben.«

»Was war es denn damit?«

»Ach, dummes Zeug: alter Schiffskapitän mit Enkelin oder Nichte, die eines schönen Tages verschwand, und dann ein Chinese, der vielleicht ein Liebhaber war, und auf dem Flur ein kleiner Haifisch und ein Krokodil, beides an Strippen und immer in Bewegung. Wundervoll zu erzählen, aber nicht jetzt. Es spukt einem doch allerhand anderes im Kopf.«

»Sie vergessen, es kann auch alles glatt ablaufen.«

»Darf nicht. Und vorhin, Wüllersdorf, als Sie von Crampas sprachen, sprachen Sie selber anders davon.«

Bald danach hatte man die Plantage passiert, und der Kutscher wollte jetzt rechts einbiegen auf die Mole zu. »Fahren Sie lieber links. Das mit der Mole kann nachher kommen.«

5 Und der Kutscher bog links in eine breite Fahrstraße ein, die hinter dem Herrenbade grad auf den Wald zulief. Als sie bis auf dreihundert Schritt an diesen heran waren, ließ Wüllersdorf den Wagen halten, und beide gingen nun, immer durch mahlenden Sand hin, eine ziemlich breite
10 Fahrstraße hinunter, die die hier dreifache Dünenreihe senkrecht durchschnitt. Überall zur Seite standen dichte Büschel von Strandhafer, um diesen herum aber ⌈Immortellen⌉ und ein paar blutrote Nelken. Innstetten bückte sich und steckte sich eine der Nelken ins Knopfloch. »Die Im-
15 mortellen nachher.«
So gingen sie fünf Minuten.
Als sie bis an die ziemlich tiefe Senkung gekommen waren, die zwischen den beiden vordersten Dünenreihen hinlief, sahen sie, nach links hin, schon die Gegenpartei: Crampas
20 und Buddenbrook und mit ihnen den guten Doktor Hannemann, der seinen Hut in der Hand hielt, so daß das weiße Haar im Winde flatterte.
Innstetten und Wüllersdorf gingen die Sandschlucht hinauf; Buddenbrook kam ihnen entgegen. Man begrüßte
25 sich, worauf beide Sekundanten beiseitetraten, um noch ein kurzes sachliches Gespräch zu führen. Es lief darauf hinaus, daß man a tempo avancieren* und auf zehn Schritt Distance feuern solle. Dann kehrte Buddenbrook an seinen Platz zurück; alles erledigte sich rasch; und die Schüsse fie-
30 len. Crampas stürzte.
Innstetten, einige Schritte zurücktretend, wandte sich ab von der Szene. Wüllersdorf aber war auf Buddenbrook zugeschritten, und beide warteten jetzt auf den Ausspruch des Doktors, der die Achseln zuckte. Zugleich deutete
35 Crampas durch eine Handbewegung an, daß er etwas sa-

(franz.)
gleichzeitig
vorrücken

gen wollte. Wüllersdorf beugte sich zu ihm nieder, nickte zustimmend zu den paar Worten, die kaum hörbar von des Sterbenden Lippen kamen, und ging dann auf Innstetten zu.

»Crampas will Sie noch sprechen, Innstetten. Sie müssen ihm zu Willen sein. Er hat keine drei Minuten Leben mehr.«

Innstetten trat an Crampas heran.

»Wollen Sie . . .« das waren seine letzten Worte.

Noch ein schmerzlicher und doch beinah freundlicher Schimmer in seinem Antlitz, und dann war es vorbei.

Neunundzwanzigstes Kapitel

Am Abend desselben Tages traf Innstetten wieder in Berlin ein. Er war mit dem Wagen, den er innerhalb der Dünen an dem Querwege zurückgelassen hatte, direkt nach der Bahnstation gefahren, ohne Kessin noch einmal zu berühren, dabei den beiden Sekundanten die Meldung an die Behörden überlassend. Unterwegs (er war allein im Kupee) hing er, alles noch mal überdenkend, dem Geschehenen nach; es waren dieselben Gedanken wie zwei Tage zuvor, nur daß sie jetzt den umgekehrten Gang gingen und mit der Überzeugtheit von seinem Recht und seiner Pflicht anfingen, um mit Zweifeln daran aufzuhören. »Schuld, wenn sie überhaupt was ist, ist nicht an Ort und Stunde gebunden und kann nicht hinfällig werden von heute auf morgen. Schuld verlangt Sühne; das hat einen Sinn. Aber Verjährung ist etwas Halbes, etwas Schwächliches, zum mindesten was Prosaisches.« Und er richtete sich an dieser Vorstellung auf und wiederholte sich's, daß es gekommen sei, wie's habe kommen müssen. Aber im selben Augenblicke, wo dies für ihn feststand, warf er's auch wieder um. »Es

278

muß eine Verjährung geben, Verjährung ist das einzig Vernünftige; ob es nebenher auch noch prosaisch ist, ist gleichgültig; das Vernünftige ist meist prosaisch. Ich bin jetzt fünfundvierzig. Wenn ich die Briefe fünfundzwanzig Jahre später gefunden hätte, so wär ich siebzig. Dann hätte Wüllersdorf gesagt: »Innstetten, seien Sie kein Narr.« Und wenn es Wüllersdorf nicht gesagt hätte, so hätt' es Buddenbrook gesagt, und wenn auch *der* nicht, so ich selbst. Dies ist mir klar. Treibt man etwas auf die Spitze, so übertreibt man und hat die Lächerlichkeit. Kein Zweifel. Aber wo fängt es an? Wo liegt die Grenze? Zehn Jahre verlangen noch ein Duell, und da heißt es Ehre, und nach elf Jahren oder vielleicht schon bei zehn einhalb heißt es Unsinn. Die Grenze, die Grenze. Wo ist sie? War sie da? War sie schon überschritten? Wenn ich mir seinen letzten Blick vergegenwärtige, resigniert und in seinem Elend doch noch ein Lächeln, so hieß der Blick: ›Innstetten, Prinzipienreiterei . . . Sie konnten es mir ersparen und sich selber auch.‹ Und er hatte vielleicht recht. Mir klingt so was in der Seele. Ja, wenn ich voll tödlichem Haß gewesen wäre, wenn mir hier ein tiefes Rachegefühl gesessen hätte . . . Rache ist nichts Schönes, aber was Menschliches und hat ein natürlich menschliches Recht. So aber war alles einer Vorstellung, einem Begriff zuliebe, war eine gemachte Geschichte, halbe Komödie. Und diese Komödie muß ich nun fortsetzen und muß Effi wegschicken und sie ruinieren und mich mit . . . Ich mußte die Briefe verbrennen und die Welt durfte nie davon erfahren. Und wenn sie dann kam, ahnungslos, so mußt' ich ihr sagen: ›Da ist dein Platz‹, und mußte mich innerlich von ihr scheiden. Nicht vor der Welt. Es gibt so viele Leben, die keine sind, und so viele Ehen, die keine sind . . . dann war das Glück hin, aber ich hätte das Auge mit seinem Frageblicke und mit seiner stummen, leisen Anklage nicht vor mir.«

Kurz vor zehn hielt Innstetten vor seiner Wohnung. Er stieg die Treppen hinauf und zog die Glocke; Johanna kam und öffnete.

»Wie steht es mit Annie?«

»Gut, gnäd'ger Herr. Sie schläft noch nicht . . . Wenn der gnäd'ge Herr . . .«

»Nein, nein, das regt sie bloß auf. Ich sehe sie lieber morgen früh. Bringen Sie mir ein Glas Tee, Johanna. Wer war hier?«

»Nur der Doktor.«

Und nun war Innstetten wieder allein. Er ging auf und ab, wie er's zu tun liebte. »Sie wissen schon alles; Roswitha ist dumm, aber Johanna ist eine kluge Person. Und wenn sie's nicht mit Bestimmtheit wissen, so haben sie sich's zurechtgelegt und wissen es doch. Es ist merkwürdig, was alles zum Zeichen wird und Geschichten ausplaudert, als wäre jeder mit dabei gewesen.«

Johanna brachte den Tee. Innstetten trank. Er war nach der Überanstrengung todmüde und schlief ein.

Innstetten war zu guter Zeit auf. Er sah Annie, sprach ein paar Worte mit ihr, lobte sie, daß sie eine gute Kranke sei, und ging dann aufs Ministerium, um seinem Chef von allem Vorgefallenen Meldung zu machen. Der Minister war sehr gnädig. »Ja, Innstetten, wohl dem, der aus allem, was das Leben uns bringen kann, heil herauskommt; *Sie* hat's getroffen.« Er fand alles, was geschehen, in der Ordnung und überließ Innstetten das weitere.

Erst spät nachmittags war Innstetten wieder in seiner Wohnung, in der er ein paar Zeilen von Wüllersdorf vorfand. »Heute früh wieder eingetroffen. Eine Welt von Dingen erlebt; Schmerzliches, Rührendes, Gieshübler an der Spitze. Der liebenswürdigste Bucklige, den ich je gesehen. Von Ihnen sprach er nicht allzuviel, aber die Frau, die Frau! Er konnte sich nicht beruhigen, und zuletzt brach der kleine

Mann in Tränen aus. Was alles vorkommt. Es wäre zu wünschen, daß es mehr Gieshübler gäbe. Es gibt aber mehr andere. Und dann die Szene im Hause des Majors ... furchtbar. Kein Wort davon. Man hat wieder mal gelernt:
5 aufpassen. Ich sehe Sie morgen. Ihr W.«

Innstetten war ganz erschüttert, als er gelesen. Er setzte sich und schrieb seinerseits ein paar Briefe. Als er damit zu Ende war, klingelte er: »Johanna, die Briefe in den Kasten.«
10 Johanna nahm die Briefe und wollte gehen.

». . . Und dann, Johanna, noch eins: die Frau kommt nicht wieder. Sie werden von anderen erfahren, warum nicht. Annie darf nichts wissen, wenigstens jetzt nicht. Das arme Kind. Sie müssen es ihr allmählich beibringen, daß sie keine
15 Mutter mehr hat. Ich kann es nicht. Aber machen Sie's gescheit. Und daß Roswitha nicht alles verdirbt.«

Johanna stand einen Augenblick ganz wie benommen da. Dann ging sie auf Innstetten zu und küßte ihm die Hand.

Als sie wieder draußen in der Küche war, war sie von Stolz
20 und Überlegenheit ganz erfüllt, ja beinahe von Glück. Der gnädige Herr hatte ihr nicht nur alles gesagt, sondern am Schlusse auch noch hinzugesetzt: »und daß Roswitha nicht alles verdirbt«. Das war die Hauptsache, und ohne daß es ihr an gutem Herzen und selbst an Teilnahme mit der Frau
25 gefehlt hätte, beschäftigte sie doch, über jedes andere hinaus, der Triumph einer gewissen Intimitätsstellung zum gnädigen Herrn.

Unter gewöhnlichen Umständen wäre ihr denn auch die Herauskehrung und Geltendmachung dieses Triumphes
30 ein leichtes gewesen, aber heute traf sich's so wenig günstig für sie, daß ihre Rivalin, ohne Vertrauensperson gewesen zu sein, sich doch als die Eingeweihtere zeigen sollte. Der Portier unten hatte nämlich, so ziemlich um dieselbe Zeit, wo dies spielte, Roswitha in seine kleine Stube hineinge-
35 rufen und ihr gleich beim Eintreten ein Zeitungsblatt zum

Lesen zugeschoben. »Da, Roswitha, das ist was für Sie; Sie können es mir nachher wieder runterbringen. Es ist bloß das ⌜Fremdenblatt⌝; aber Lene ist schon hin und holt das ⌜Kleine Journal⌝. Da wird wohl schon mehr drin stehen; die wissen immer alles. Hören Sie, Roswitha, wer so was gedacht hätte.«

Roswitha, sonst nicht allzu neugierig, hatte sich doch nach dieser Ansprache so rasch wie möglich die Hintertreppe hinaufbegeben und war mit dem Lesen gerade fertig, als Johanna dazukam.

Diese legte die Briefe, die ihr Innstetten eben gegeben, auf den Tisch, überflog die Adressen oder tat wenigstens so (denn sie wußte längst, an wen sie gerichtet waren) und sagte mit gut erkünstelter Ruhe: »Einer ist nach Hohen-Cremmen.«

»Das kann ich mir denken«, sagte Roswitha.

Johanna war nicht wenig erstaunt über diese Bemerkung. »Der Herr schreibt sonst nie nach Hohen-Cremmen.«

»Ja, sonst. Aber jetzt . . . Denken Sie sich, *das* hat mir eben der Portier unten gegeben.«

Johanna nahm das Blatt und las nun halblaut eine mit einem dicken Tintenstrich markierte Stelle: »Wie wir kurz vor Redaktionsschluß von gut unterrichteter Seite her vernehmen, hat gestern früh in dem Badeort Kessin, in Hinterpommern, ein Duell zwischen dem Ministerialrat v. I. (Keithstraße) und dem Major von Crampas stattgefunden. Major von Crampas fiel. Es heißt, daß Beziehungen zwischen ihm und der Rätin, einer schönen und noch sehr jungen Frau, bestanden haben sollen.«

»Was solche Blätter auch alles schreiben«, sagte Johanna, die verstimmt war, ihre Neuigkeit überholt zu sehen.

»Ja«, sagte Roswitha. »Und das lesen nun die Menschen und verschimpfieren* mir meine liebe, arme Frau. Und der arme Major. Nun ist er tot.«

»Ja, Roswitha, was denken Sie sich eigentlich. Soll er *nicht* tot sein? Oder soll lieber unser gnädiger Herr tot sein?«

verunglimpfen, entehren

»Nein, Johanna, unser gnäd'ger Herr, der soll auch leben, alles soll leben. Ich bin nicht für totschießen und kann nicht mal das Knallen hören. Aber bedenken Sie doch, Johanna, das ist ja nun schon eine halbe Ewigkeit her, und die Briefe,
5 die mir gleich so sonderbar aussahen, weil sie die rote Strippe hatten und drei- oder viermal umwickelt und dann eingeknotet und keine Schleife – die sahen ja schon ganz gelb aus, so lange ist es her. Wir sind ja nun schon über sechs Jahre hier, und wie kann man wegen solcher alten Ge-
10 schichten . . .«
»Ach, Roswitha, Sie reden, wie Sie's verstehen. Und bei Lichte besehen, sind Sie schuld. Von den Briefen kommt es her. Warum kamen Sie mit dem Stemmeisen und brachen den Nähtisch auf; was man nie darf; man darf kein Schloß
15 aufbrechen, was ein anderer zugeschlossen hat.«
»Aber, Johanna, das ist doch wirklich zu schlecht von Ihnen, mir so was auf den Kopf zuzusagen, und Sie wissen doch, daß *Sie* schuld sind und daß Sie wie närrisch in die Küche stürzten und mir sagten, der Nähtisch müsse aufge-
20 macht werden, da wäre die Bandage drin, und da bin ich mit dem Stemmeisen gekommen, und nun soll ich schuld sein. Nein, ich sage . . .«
»Nun, ich will es nicht gesagt haben, Roswitha. Nur Sie sollen mir nicht kommen und sagen: der arme Major. Was
25 heißt der arme Major! Der ganze arme Major taugte nichts; wer solchen rotblonden Schnurrbart hat und immer wribbelt*, der taugt nie was und richtet bloß Schaden an.   zwirbelt, zupft
Und wenn man immer in vornehmen Häusern gedient hat . . . aber das haben Sie nicht, Roswitha, das fehlt Ihnen
30 eben . . . dann weiß man auch, was sich paßt und schickt und was Ehre ist, und weiß auch, daß, wenn so was vorkommt, dann geht es nicht anders, und dann kommt das, was man eine Forderung nennt, und dann wird einer totgeschossen.«
35 »Ach, das weiß ich auch; ich bin nicht so dumm, wie Sie

mich immer machen wollen. Aber wenn es so lange her ist . . .«

»Ja, Roswitha, mit Ihrem ewigen ›so lange her‹; daran sieht man ja eben, daß Sie nichts davon verstehen. Sie erzählen immer die alte Geschichte von Ihrem Vater mit dem glühenden Eisen und wie er damit auf Sie losgekommen, und jedesmal, wenn ich einen glühenden Bolzen eintue, muß ich auch wirklich immer an Ihren Vater denken und sehe immer, wie er Sie wegen des Kindes, das ja nun tot ist, totmachen will. Ja, Roswitha, davon sprechen Sie in einem fort, und es fehlt bloß noch, daß Sie Anniechen auch die Geschichte erzählen, und wenn Anniechen eingesegnet wird, dann wird sie's auch gewiß erfahren, und vielleicht denselben Tag noch; und das ärgert mich, daß Sie das alles erlebt haben, und Ihr Vater war doch bloß ein Dorfschmied und hat Pferde beschlagen oder einen Radreifen gelegt, und nun kommen Sie und verlangen von unserm gnäd'gen Herrn, daß er sich das alles ruhig gefallen läßt, bloß weil es so lange her ist. Was heißt lange her? Sechs Jahre ist nicht lange her. Und unsere gnäd'ge Frau – die aber nicht wiederkommt, der gnäd'ge Herr hat es mir eben gesagt –, unsre gnäd'ge Frau wird erst sechsundzwanzig, und im August ist ihr Geburtstag, und da kommen Sie mir mit ›lange her‹. Und wenn sie sechsunddreißig wäre, ich sage Ihnen, bei sechsunddreißig muß man erst recht aufpassen, und wenn der gnäd'ge Herr nichts getan hätte, dann hätten ihn die vornehmen Leute ›geschnitten‹. Aber das Wort kennen Sie gar nicht, Roswitha, davon wissen Sie nichts.«

»Nein, davon weiß ich nichts, will auch nicht; aber das weiß ich, Johanna, daß Sie in den gnäd'gen Herrn verliebt sind.«

Johanna schlug eine krampfhafte Lache auf.

»Ja, lachen Sie nur. Ich seh' es schon lange. Sie haben so was. Und ein Glück, daß unser gnäd'ger Herr keine Augen dafür hat . . . Die arme Frau, die arme Frau.«

Johanna lag daran, Frieden zu schließen. »Lassen Sie's gut sein, Roswitha. Sie haben wieder Ihren Koller; aber ich weiß schon, den haben alle vom Lande.«

»Kann schon sein.«

5 »Ich will jetzt nur die Briefe forttragen und unten sehen, ob der Portier vielleicht schon die andere Zeitung hat. Ich habe doch recht verstanden, daß er Lene danach geschickt hat? Und es muß auch mehr darin stehen; das hier ist ja so gut wie gar nichts.«

10 *Dreißigstes Kapitel*

Effi und die Geheimrätin Zwicker waren seit fast drei Wochen in Ems und bewohnten daselbst das Erdgeschoß einer reizenden kleinen Villa. In ihrem zwischen ihren zwei Wohnzimmern gelegenen gemeinschaftlichen Salon mit 15 Blick auf den Garten stand ein Polysanderflügel*, auf dem Effi dann und wann eine Sonate, die Zwicker dann und wann einen Walzer spielte; sie war ganz unmusikalisch und beschränkte sich im wesentlichen darauf; für ⌜Niemann⌝ als Tannhäuser zu schwärmen.

20 Es war ein herrlicher Morgen; in dem kleinen Garten zwitscherten die Vögel, und aus dem angrenzenden Hause, drin sich ein »Lokal« befand, hörte man, trotz der frühen Stunde, bereits das Zusammenschlagen der Billardbälle. Beide Damen hatten ihr Frühstück nicht im Salon selbst, sondern 25 auf einem ein paar Fuß hoch aufgemauerten und mit Kies bestreuten Vorplatz eingenommen, von dem aus drei Stufen nach dem Garten hinunterführten; die Marquise, ihnen zu Häupten, war aufgezogen, um den Genuß der frischen Luft in nichts zu beschränken, und sowohl Effi wie die 30 Geheimrätin waren ziemlich emsig bei ihrer Handarbeit. Nur dann und wann wurden ein paar Worte gewechselt.

Flügel aus dem südamerik. Edelholz Palisander

»Ich begreife nicht«, sagte Effi, »daß ich schon seit vier Tagen keinen Brief habe; er schreibt sonst täglich. Ob Annie krank ist? Oder er selbst?«

Die Zwicker lächelte: »Sie werden erfahren, liebe Freundin, daß er gesund ist, ganz gesund.«

Effi fühlte sich durch den Ton, in dem dies gesagt wurde, wenig angenehm berührt und schien antworten zu wollen, aber in ebendiesem Augenblicke trat das aus der Umgegend von Bonn stammende Hausmädchen, das sich von Jugend an daran gewöhnt hatte, die mannigfachsten Erscheinungen des Lebens an Bonner Studenten und Bonner Husaren zu messen, vom Salon her auf den Vorplatz hinaus, um hier den Frühstückstisch abzuräumen. Sie hieß Afra.

»Afra«, sagte Effi, »es muß doch schon neun sein; war der Postbote noch nicht da?«

»Nein, noch nicht, gnäd'ge Frau.«

»Woran liegt es?«

»Natürlich an dem Postboten; er ist aus dem Siegenschen und hat keinen Schneid. Ich hab's ihm auch schon gesagt, das sei die ›reine Lodderei*‹. Und wie ihm das Haar sitzt; ich glaube, er weiß gar nicht, was ein Scheitel ist.«

(norddt.) Schlamperei

»Afra, Sie sind mal wieder zu streng. Denken Sie doch: Postbote, und so tagaus, tagein bei der ewigen Hitze . . .«

»Ist schon recht, gnäd'ge Frau. Aber es gibt doch andere, die zwingen's; wo's drin steckt, da geht es auch.« Und während sie noch so sprach, nahm sie das Tablett geschickt auf ihre fünf Fingerspitzen und stieg die Stufen hinunter, um durch den Garten hin den näheren Weg in die Küche zu nehmen.

flink und munter

»Eine hübsche Person«, sagte die Zwicker. »Und so quick und kasch*, und ich möchte fast sagen von einer natürlichen Anmut. Wissen Sie, liebe Baronin, daß mich diese Afra . . . übrigens ein wundervoller Name, und es soll sogar eine ⌐heilige Afra⌐ gegeben haben, aber ich glaube nicht, daß unsere davon abstammt . . .«

»Und nun, liebe Geheimrätin, vertiefen Sie sich wieder in Ihr Nebenthema, das diesmal Afra heißt, und vergessen darüber ganz, was Sie eigentlich sagen wollten . . .«

»Doch nicht, liebe Freundin, oder ich finde mich wenigstens wieder zurück. Ich wollte sagen, daß mich diese Afra ganz ungemein an die stattliche Person erinnert, die ich in Ihrem Hause . . .«

»Ja, Sie haben recht. Es ist eine Ähnlichkeit da. Nur unser Berliner Hausmädchen ist doch erheblich hübscher und namentlich ihr Haar viel schöner und voller. Ich habe so schönes flachsenes Haar, wie unsere Johanna hat, überhaupt noch nicht gesehen. Ein bißchen davon sieht man ja wohl, aber solche Fülle . . .«

Die Zwicker lächelte. »Das ist wirklich selten, daß man eine junge Frau mit solcher Begeisterung von dem flachsenen Haar ihres Hausmädchens sprechen hört. Und nun auch noch von der Fülle! Wissen Sie, daß ich das rührend finde. Denn eigentlich ist man doch bei der Wahl der Mädchen in einer beständigen Verlegenheit. Hübsch sollen sie sein, weil es jeden Besucher, wenigstens die Männer, stört, eine lange Stakete* mit griesem Teint* und schwarzen Rändern in der Türöffnung erscheinen zu sehen, und ein wahres Glück, daß die Korridore meistens so dunkel sind. Aber nimmt man wieder zuviel Rücksicht auf solche Hausrepräsentation und den sogenannten ersten Eindruck und schenkt man wohl gar noch einer solchen hübschen Person eine weiße Tändelschürze* nach der andern, so hat man eigentlich keine ruhige Stunde mehr und fragt sich, wenn man nicht *zu* eitel ist und nicht *zu* viel Vertrauen zu sich selber hat, ob da nicht Remedur* geschaffen werden müsse. Remedur war nämlich ein Lieblingswort von Zwicker, womit er mich oft gelangweilt hat; aber freilich, alle Geheimräte haben solche Lieblingsworte.«

Effi hörte mit sehr geteilten Empfindungen zu. Wenn die Geheimrätin nur ein bißchen anders gewesen wäre, so hät-

(norddt.)
Stecken

Hier: vertrocknete Haut

Schmuckschürze

Abhilfe

te dies alles reizend sein können, aber da sie nun mal war, wie sie war, so fühlte sich Effi wenig angenehm von dem berührt, was sie sonst vielleicht einfach erheitert hätte.

»Das ist schon recht, liebe Freundin, was Sie da von den Geheimräten sagen. Innstetten hat sich auch dergleichen angewöhnt, lacht aber immer, wenn ich ihn daraufhin ansehe, und entschuldigt sich hinterher wegen der Aktenausdrücke. Ihr Herr Gemahl war freilich schon länger im Dienst und überhaupt wohl älter . . .«

»Um ein geringes«, sagte die Geheimrätin spitz und ablehnend.

»Und alles in allem kann ich mich in Befürchtungen, wie Sie sie aussprechen, nicht recht zurechtfinden. Das, was man gute Sitte nennt, ist doch immer noch eine Macht . . .«

»Meinen Sie?«

». . . Und ich kann mir namentlich nicht denken, daß es gerade Ihnen, liebe Freundin, beschieden gewesen sein sollte, solche Sorgen und Befürchtungen durchzumachen. Sie haben, Verzeihung, daß ich diesen Punkt hier so offen berühre, gerade das, was die Männer einen ›Charme‹ nennen, Sie sind heiter, fesselnd, anregend und, wenn es nicht indiskret ist, so möcht' ich, angesichts dieser Ihrer Vorzüge, wohl fragen dürfen, stützt sich das, was Sie da sagen, auf allerlei Schmerzliches, das Sie persönlich erlebt haben?«

»Schmerzliches?« sagte die Zwicker. »Ach, meine liebe, gnädigste Frau, Schmerzliches, das ist ein zu großes Wort, auch dann noch, wenn man vielleicht wirklich manches erlebt hat. Schmerzlich ist einfach zuviel, viel zuviel. Und dann hat man doch schließlich auch seine Hilfsmittel und Gegenkräfte. Sie dürfen dergleichen nicht zu tragisch nehmen.«

»Ich kann mir keine rechte Vorstellung von dem machen, was Sie anzudeuten belieben. Nicht, als ob ich nicht wüßte, was Sünde sei, das weiß ich auch; aber es ist doch ein Unterschied, ob man so hineingerät in allerlei schlechte Gedanken oder ob einem derlei Dinge zur halben oder auch wohl zur ganzen Lebensgewohnheit werden. Und nun gar im eigenen Hause ...«

5 »Davon will ich nicht sprechen, das will ich nicht so direkt gesagt haben, obwohl ich, offen gestanden, auch nach dieser Seite hin voller Mißtrauen bin, oder, wie ich jetzt sagen muß, war; denn es liegt ja alles zurück. Aber da gibt es Außengebiete. Haben Sie von Landpartien* gehört?«

10 »Gewiß. Und ich wollte wohl, Innstetten hätte mehr Sinn dafür ...«

»Überlegen Sie sich das, liebe Freundin. Zwicker saß immer in Saatwinkel*. Ich kann Ihnen nur sagen, wenn ich das Wort höre, gibt es mir noch jetzt einen Stich ins Herz.

15 Überhaupt diese Vergnügungsörter in der Umgegend unseres lieben, alten Berlin! Denn ich liebe Berlin trotz alledem. Aber schon die bloßen Namen der dabei in Frage kommenden Ortschaften umschließen eine Welt von Angst und Sorge. Sie lächeln. Und doch, sagen Sie selbst, liebe

20 Freundin, was können Sie von einer großen Stadt und ihren Sittlichkeitszuständen erwarten, wenn Sie beinah unmittelbar vor den Toren derselben (denn zwischen Charlottenburg und Berlin ist kein rechter Unterschied mehr), auf kaum tausend Schritte zusammengedrängt, einem Pichels-

25 berg, einem Pichelsdorf und einem Pichelswerder* begegnen. Dreimal Pichel ist zuviel*. Sie können die ganze Welt absuchen, das finden Sie nicht wieder.«

Effi nickte.

»Und das alles«, fuhr die Zwicker fort, »geschieht am grü-

30 nen Holze der Havelseite. Das alles liegt nach Westen zu, da haben Sie Kultur und höhere Gesittung. Aber nun gehen Sie, meine Gnädigste, nach der andern Seite hin, die Spree hinauf. Ich spreche von Treprow und Stralau*, das sind Bagatellen, Harmlosigkeiten, aber wenn Sie die Spezial-

35 karte zur Hand nehmen wollen, da begegnen Sie neben

Ausflüge in eine ländliche Gegend

Beliebter Ausflugsort an der Havel

Beliebte Ausflugsziele für Berliner

Anspielung auf zuviel picheln, d.h. zuviel trinken

Die im Folgenden genannten Orte lagen in der näheren Umgebung von Berlin.

mindestens sonderbaren Namen wie Kiekebusch, wie Wuhlheide ... Sie hätten hören sollen, wie Zwicker das Wort aussprach ... Namen von geradezu brutalem Charakter, mit denen ich Ihr Ohr nicht verletzen will. Aber natürlich sind das gerade die Plätze, die bevorzugt werden. Ich hasse diese Landpartien, die sich das Volksgemüt als eine ⌜Kremserpartie⌝ mit ›Ich bin ein Preuße‹‹ vorstellt, in Wahrheit aber schlummern hier die Keime einer ⌜sozialen Revolution⌝. Wenn ich sage ›soziale Revolution‹, so meine ich natürlich moralische Revolution, alles andere ist bereits wieder überholt, und schon Zwicker sagte mir noch in seinen letzten Tagen: ›Glaube mir, Sophie, ⌜Saturn frißt seine Kinder⌝.‹ Und Zwicker, welche Mängel und Gebrechen er haben mochte, das bin ich ihm schuldig, er war ein philosophischer Kopf und hatte ein natürliches Gefühl für historische Entwicklung ... Aber ich sehe, meine liebe Frau von Innstetten, so artig sie sonst ist, hört nur noch mit halbem Ohr zu; natürlich, der Postbote hat sich drüben blicken lassen, und da fliegt denn das Herz hinüber und nimmt die Liebesworte vorweg aus dem Briefe heraus ... Nun, Böselager, was bringen Sie?«

Der Angeredete war mittlerweile bis an den Tisch herangetreten und packte aus: mehrere Zeitungen, zwei Friseuranzeigen und zuletzt auch einen großen, eingeschriebenen Brief an Frau Baronin von Innstetten, geb. von Briest.

Die Empfängerin unterschrieb, und nun ging der Postbote wieder. Die Zwicker aber überflog die Friseuranzeigen und lachte über die Preisermäßigung von Shampooing*.

Effi hörte nicht hin; sie drehte den ihrerseits empfangenen Brief zwischen den Fingern und hatte eine ihr unerklärliche Scheu, ihn zu öffnen. Eingeschrieben und mit zwei großen Siegeln gesiegelt und ein dickes Kuvert. Was bedeutete das? Poststempel: »Hohen-Cremmen«, und die Adresse von der Handschrift der Mutter. Von Innstetten, es war der fünfte Tag, keine Zeile.

Vgl. Erl. zu 178,27–28.

Sie nahm eine Stickschere mit Perlmuttergriff und schnitt die Längsseite des Briefes langsam auf. Und nun harrte ihrer eine neue Überraschung. Der Briefbogen, ja, das waren eng geschriebene Zeilen von der Mama, darin eingelegt aber waren Geldscheine mit einem breiten Papierstreifen drumherum, auf dem mit Rotstift, und zwar von des Vaters Hand, der Betrag der eingelegten Summe verzeichnet war. Sie schob das Konvolut zurück und begann zu lesen, während sie sich in den Schaukelstuhl zurücklehnte. Aber sie kam nicht weit, die Zeilen entfielen ihr, und aus ihrem Gesicht war alles Blut fort. Dann bückte sie sich und nahm den Brief wieder auf.

»Was ist Ihnen, liebe Freundin? Schlechte Nachrichten?« Effi nickte, gab aber weiter keine Antwort und bat nur, ihr ein Glas Wasser reichen zu wollen. Als sie getrunken, sagte sie: »Es wird vorübergehen, liebe Geheimrätin, aber ich möchte mich doch einen Augenblick zurückziehen ... Wenn Sie mir Afra schicken könnten.« Und nun erhob sie sich und trat in den Salon zurück, wo sie sichtlich froh war, einen Halt gewinnen und sich an dem Polysanderflügel entlangfühlen zu können. So kam sie bis an ihr nach rechts hin gelegenes Zimmer, und als sie hier, tappend und suchend, die Tür geöffnet und das Bett an der Wand gegenüber erreicht hatte, brach sie ohnmächtig zusammen.

Einunddreißigstes Kapitel

Minuten vergingen. Als Effi sich wieder erholt hatte, setzte sie sich auf einen am Fenster stehenden Stuhl und sah auf die stille Straße hinaus. Wenn da doch Lärm und Streit gewesen wäre; aber nur der Sonnenschein lag auf dem chaussierten* Wege und dazwischen die Schatten, die das Gitter und die Bäume warfen. Das Gefühl des Alleinseins in

Vgl. 125,26–27.

der Welt überkam sie mit seiner ganzen Schwere. Vor einer Stunde noch eine glückliche Frau, Liebling aller, die sie kannten, und nun ausgestoßen. Sie hatte nur erst den Anfang des Briefes gelesen, aber genug, um ihre Lage klar vor Augen zu haben. Wohin? Sie hatte keine Antwort darauf; und doch war sie voll tiefer Sehnsucht, aus dem herauszukommen, was sie hier umgab, also fort von dieser Geheimrätin, der das alles bloß ein »interessanter Fall« war, und deren Teilnahme, wenn etwas davon existierte, sicher an das Maß ihrer Neugier nicht heranreichte.

»Wohin?«

Auf dem Tische vor ihr lag der Brief; aber ihr fehlte der Mut, weiterzulesen. Endlich sagte sie: »Wovor bange ich mich noch? Was kann noch gesagt werden, das ich mir nicht schon selber sagte? Der, um den all dies kam, ist tot, eine Rückkehr in mein Haus gibt es nicht, in ein paar Wochen wird die Scheidung ausgesprochen sein, und das Kind wird man dem Vater lassen. Natürlich. Ich bin schuldig, und eine Schuldige kann ihr Kind nicht erziehen. Und wovon auch? Mich selbst werde ich wohl durchbringen. Ich will sehen, was die Mama darüber schreibt, wie sie sich mein Leben denkt.«

Und unter diesen Worten nahm sie den Brief wieder, um auch den Schluß zu lesen.

».. . Und nun Deine Zukunft, meine liebe Effi. Du wirst Dich auf Dich selbst stellen müssen und darfst dabei, soweit äußere Mittel mitsprechen, unserer Unterstützung sicher sein. Du wirst am besten in Berlin leben (in einer großen Stadt vertut sich dergleichen am besten) und wirst da zu den vielen gehören, die sich um freie Luft und lichte Sonne gebracht haben. Du wirst einsam leben, und wenn Du das nicht willst, wahrscheinlich aus Deiner Sphäre herabsteigen müssen. Die Welt, in der Du gelebt hast, wird Dir verschlossen sein. Und was das Traurigste für uns und für Dich ist (auch für Dich, wie wir Dich zu kennen vermeinen) – auch das elterliche Haus wird Dir verschlossen sein; wir können Dir keinen stillen Platz in Hohen-Cremmen anbieten, keine Zuflucht in unserem Hause, denn es hieße das, dies Haus von aller Welt abschließen, und das zu tun, sind wir entschieden nicht geneigt. Nicht weil wir zu sehr an der Welt hingen und ein Abschiednehmen von dem, was sich ›Gesellschaft‹ nennt, uns als etwas unbedingt Unerträgliches erschiene; nein, *nicht* deshalb, sondern einfach, weil wir Farbe bekennen und vor aller Welt, ich kann Dir das Wort nicht ersparen, unsere Verurteilung Deines Tuns, des Tuns unseres einzigen und von uns so sehr geliebten Kindes, aussprechen wollen . . .«

Effi konnte nicht weiterlesen; ihre Augen füllten sich mit Tränen, und nachdem sie vergeblich dagegen angekämpft hatte, brach sie zuletzt in ein heftiges Schluchzen und Weinen aus, darin sich ihr Herz erleichterte.

Nach einer halben Stunde klopfte es, und auf Effis »Herein« erschien die Geheimrätin. »Darf ich eintreten?«

»Gewiß, liebe Geheimrätin«, sagte Effi, die jetzt, leicht zugedeckt und die Hände gefaltet, auf dem Sofa lag. »Ich bin erschöpft und habe mich hier eingerichtet, so gut es ging. Darf ich Sie bitten, sich einen Stuhl zu nehmen.«

Die Geheimrätin setzte sich so, daß der Tisch, mit einer Blumenschale darauf, zwischen ihr und Effi war. Effi zeigte keine Spur von Verlegenheit und änderte nichts in ihrer Haltung, nicht einmal die gefalteten Hände. Mit einem Male war es ihr vollkommen gleichgültig, was die Frau dachte; nur fort wollte sie. »Sie haben eine traurige Nachricht empfangen, liebe, gnädigste Frau . . .«

»Mehr als traurig«, sagte Effi. »Jedenfalls traurig genug, um unserem Beisammensein ein rasches Ende zu machen. Ich muß noch heute fort.«

»Ich möchte nicht zudringlich erscheinen, aber ist es etwas mit Annie?«

»Nein, nicht mit Annie. Die Nachrichten kamen überhaupt nicht aus Berlin, es waren Zeilen meiner Mama. Sie hat Sorgen um mich, und es liegt mir daran, sie zu zerstreuen, oder wenn ich das nicht kann, wenigstens an Ort und Stelle zu sein.«

»Mir nur zu begreiflich, sosehr ich es beklage, diese letzten Emser Tage nun ohne Sie verbringen zu sollen. Darf ich Ihnen meine Dienste zur Verfügung stellen?«

Ehe Effi darauf antworten konnte, trat Afra ein und meldete, daß man sich eben zum Lunch versammle. Die Herrschaften seien alle sehr in Aufregung: der Kaiser käme wahrscheinlich auf drei Wochen, und am Schluß seien große Manöver, und die Bonner Husaren kämen auch.

Die Zwicker überschlug sofort, ob es sich verlohnen würde, bis dahin zu bleiben, kam zu einem entschiedenen »Ja« und ging dann, um Effis Ausbleiben beim Lunch zu entschuldigen.

Als gleich danach auch Afra gehen wollte, sagte Effi: »Und dann, Afra, wenn Sie frei sind, kommen Sie wohl noch eine Viertelstunde zu mir, um mir beim Packen behilflich zu sein. Ich will heute noch mit dem Sieben-Uhr-Zug fort.«

»Heute noch? Ach, gnädigste Frau, das ist doch aber schade. Nun fangen ja die schönen Tage erst an.«

Effi lächelte.

Die Zwicker, die noch allerlei zu hören hoffte, hatte sich nur mit Mühe bestimmen lassen, der »Frau Baronin« beim Abschiede nicht das Geleit zu geben. »Auf einem Bahnhofe«, so hatte Effi versichert, »sei man immer so zerstreut und nur mit seinem Platz und seinem Gepäck beschäftigt; gerade Personen, die man lieb habe, von denen nähme man gern vorher Abschied.« Die Zwicker bestätigte das, trotzdem sie das Vorgeschützte darin sehr wohl heraushörte; sie hatte hinter allen Türen gestanden und wußte gleich, was echt und unecht war.

Afra begleitete Effi zum Bahnhof und ließ sich fest versprechen, daß die Frau Baronin im nächsten Sommer wiederkommen wolle; wer mal in Ems gewesen, der komme immer wieder. Ems sei das schönste, außer Bonn.

Die Zwicker hatte sich mittlerweile zum Briefeschreiben niedergesetzt, nicht an dem etwas wackligen Rokokosekretär im Salon, sondern draußen auf der Veranda, an demselben Tisch, an dem sie kaum zehn Stunden zuvor mit Effi das Frühstück genommen hatte.

Sie freute sich auf den Brief, der einer befreundeten, zurzeit in Reichenhall weilenden Berliner Dame zugute kommen sollte. Beider Seelen hatten sich längst gefunden und gipfelten in einer der ganzen Männerwelt geltenden starken Skepsis; sie fanden die Männer durchweg weit zurückbleibend hinter dem, was billigerweise gefordert werden könne, die sogenannten »forschen« am meisten. »Die, die vor Verlegenheit nicht wissen, wo sie hinsehen sollen, sind, nach einem kurzen Vorstudium, immer noch die besten, aber die eigentlichen Don Juans erweisen sich jedesmal als eine Enttäuschung. Wo soll es am Ende auch herkommen.« Das waren so Weisheitssätze, die zwischen den zwei Freundinnen ausgetauscht wurden.

Die Zwicker war schon auf dem zweiten Bogen und fuhr in ihrem mehr als dankbaren Thema, das natürlich »Effi« hieß, eben wie folgt fort: »Alles in allem war sie sehr zu leiden, artig, anscheinend offen, ohne jeden Adelsdünkel (oder doch groß in der Kunst, ihn zu verbergen) und immer interessiert, wenn man ihr etwas Interessantes erzählte, wovon ich, wie ich Dir nicht zu versichern brauche, den ausgiebigsten Gebrauch machte. Nochmals also, reizende junge Frau, fünfundzwanzig oder nicht viel mehr. Und doch hab' ich dem Frieden nie getraut und traue ihm auch in diesem Augenblicke noch nicht, ja, jetzt vielleicht am wenigsten. Die Geschichte heute mit dem Briefe – da steckt eine wirkliche Geschichte dahinter. Dessen bin ich so gut wie sicher. Es wäre das erstemal, daß ich mich in solcher Sache geirrt hätte. Daß sie mit Vorliebe von den Berliner Modepredigern sprach und das Maß der Gottseligkeit jedes einzelnen feststellte, das, und der gelegentliche Gretchenblick*, der jedesmal versicherte, kein Wässerchen trüben zu können – alle diese Dinge haben mich in meinem Glauben . . . Aber da kommt eben unsere Afra, von der ich Dir, glaub' ich, schon schrieb, eine hübsche Person, und packt mir ein Zeitungsblatt auf den Tisch, das ihr, wie sie sagt, unsere Frau Wirtin für mich gegeben habe; die blau angestrichene Stelle. Nun verzeih, wenn ich diese Stelle erst lese . . .

Ironische Anspielung auf Gretchens Unschuld in Goethes *Faust I*

Nachschrift. Das Zeitungsblatt war interessant genug und kam wie gerufen. Ich schneide die blau angestrichene Stelle heraus und lege sie diesen Zeilen bei. Du siehst daraus, daß ich mich *nicht* geirrt habe. Wer mag nur der Crampas sein? Es ist unglaublich – erst selber Zettel und Briefe schreiben und dann auch noch die des anderen aufbewahren! Wozu gibt es Öfen und Kamine? Solange wenigstens, wie dieser Duellunsinn noch existiert, darf dergleichen nicht vorkommen; einem kommenden Geschlechte kann diese ⌐Briefschreibepassion⌐ (weil dann gefahrlos geworden) vielleicht freigegeben werden. Aber soweit sind wir noch lange nicht. Übrigens bin ich voll Mitleid mit der jungen Baronin und finde, eitel, wie man nun mal ist, meinen einzigen Trost darin, mich in der Sache selbst nicht getäuscht zu haben. Und der Fall lag nicht so ganz gewöhnlich. Ein schwächerer Diagnostiker hätte sich doch vielleicht hinters Licht führen lassen. Wie immer Deine Sophie.«

Zweiunddreißigstes Kapitel

Drei Jahre waren vergangen, und Effi bewohnte seit fast ebensolanger Zeit eine kleine Wohnung in der Königgrätzer Straße, zwischen Askanischem Platz und Halleschem Tor: ein Vorder- und Hinterzimmer und hinter diesem die Küche mit Mädchengelaß*, alles so durchschnittsmäßig und alltäglich wie nur möglich. Und doch war es eine apart hübsche Wohnung, die jedem, der sie sah, angenehm auffiel, am meisten vielleicht dem alten Geheimrat Rummschüttel, der, dann und wann vorsprechend, der armen jungen Frau nicht bloß die nun weit zurückliegende Rheumatismus- und Neuralgiekomödie, sondern auch alles, was seitdem sonst noch vorgekommen war, längst verziehen hatte, wenn es für ihn der Verzeihung überhaupt bedurfte. Denn Rummschüttel kannte noch ganz anderes. Er war jetzt ausgangs siebzig, aber wenn Effi, die seit einiger Zeit ziemlich viel kränkelte, ihn brieflich um seinen Besuch bat, so war er am anderen Vormittag auch da und wollte von Entschuldigungen, daß es so hoch sei, nichts wissen. »Nur keine Entschuldigungen, meine liebe, gnädigste Frau; denn erstens ist es mein Metier*, und zweitens bin ich glücklich und beinahe stolz, die drei Treppen so gut noch steigen zu können. Wenn ich nicht fürchten müßte, Sie zu belästigen – denn ich komme doch schließlich als Arzt und nicht als Naturfreund und Landschaftsschwärmer –, so käme ich wohl noch öfter, bloß um Sie zu sehen und mich hier etliche Minuten an Ihr Hinterfenster zu setzen. Ich glaube, Sie würdigen den Ausblick nicht genug.«

»O doch, doch«, sagte Effi; Rummschüttel aber ließ sich nicht stören und fuhr fort: »Bitte, meine gnädigste Frau, treten Sie hier heran, nur einen Augenblick, oder erlauben Sie mir, daß ich Sie bis an das Fenster führe. Wieder ganz herrlich heute. Sehen Sie doch nur die verschiedenen Bahndämme, drei, nein vier, und wie es beständig darauf hin-

Kleines Zimmer für das Hausmädchen

(franz.) Beruf, Handwerk

und hergleitet . . . und nun verschwindet der Zug da wieder
hinter einer Baumgruppe. Wirklich herrlich. Und wie die
Sonne den weißen Rauch durchleuchtet! Wäre der Matt-
häikirchhof nicht unmittelbar dahinter, so wäre es ideal.«
»Ich sehe gern Kirchhöfe.«

»Ja, Sie dürfen das sagen. Aber unserein! Unsereinem
kommt unabweislich immer die Frage, könnten hier nicht
vielleicht einige weniger liegen? Im übrigen, meine gnädigste Frau, bin ich mit Ihnen zufrieden und beklage nur, daß
Sie von Ems* nichts wissen wollen; Ems bei Ihren katarrhalischen Affektionen* würde Wunder . . .«
Effi schwieg.

»Ems würde Wunder tun. Aber da Sie's nicht mögen (und
ich finde mich darin zurecht), so trinken Sie den Brunnen*
hier. In drei Minuten sind Sie im ⌐Prinz Albrechtschen Gar-
ten⌐, und wenn auch die Musik und die Toiletten und all die
Zerstreuungen einer regelrechten Brunnenpromenade fehlen, der Brunnen selbst ist doch die Hauptsache.«
Effi war einverstanden, und Rummschüttel nahm Hut und
Stock. Aber er trat noch einmal an das Fenster heran. »Ich
höre von einer ⌐Terrassierung⌐ des Kreuzbergs sprechen,
Gott segne die Stadtverwaltung, und wenn dann erst die
kahle Stelle da hinten mehr in Grün stehen wird . . . Eine
reizende Wohnung. Ich könnte Sie fast beneiden . . . Und
was ich schon längst einmal sagen wollte, meine gnädige
Frau, Sie schreiben mir immer einen so liebenswürdigen
Brief. Nun, wer freute sich dessen nicht? Aber es ist doch
jedesmal eine Mühe . . . Schicken Sie mir doch einfach Roswitha.«
Effi dankte ihm, und so schieden sie.

»Schicken Sie mir doch einfach Roswitha . . .«, hatte
Rummschüttel gesagt. Ja, war denn Roswitha bei Effi? War
sie denn statt in der Keith- in der Königgrätzerstraße? Gewiß war sie's, und zwar sehr lange schon, geradeso lange,

Vgl. 256,16.

Vgl. Erl.
zu 256,13.

Mineralwasser

wie Effi selbst in der Königgrätzerstraße wohnte. Schon drei Tage vor diesem Einzug hatte sich Roswitha bei ihrer lieben gnädigen Frau sehen lassen, und das war ein großer Tag für beide gewesen, so sehr, daß dieses Tages hier noch nachträglich gedacht werden muß.

Effi hatte damals, als der elterliche Absagebrief aus Hohen-Cremmen kam und sie mit dem Abendzuge von Ems nach Berlin zurückreiste, nicht gleich eine selbständige Wohnung genommen, sondern es mit einem Unterkommen in einem Pensionate versucht. Es war ihr damit auch leidlich geglückt. Die beiden Damen, die dem ⌐Pensionat⌐ vorstanden, waren gebildet und voll Rücksicht und hatten es längst verlernt, neugierig zu sein. Es kam da so vieles zusammen, daß ein Eindringenwollen in die Geheimnisse jedes einzelnen viel zu umständlich gewesen wäre. Dergleichen hinderte nur den Geschäftsgang. Effi, die die mit den Augen angestellten Kreuzverhöre der Zwicker noch in Erinnerung hatte, fühlte sich denn auch von dieser Zurückhaltung der Pensionsdamen sehr angenehm berührt, als aber vierzehn Tage vorüber waren, empfand sie doch deutlich, daß die hier herrschende Gesamtatmosphäre, die physische* wie die moralische, nicht wohl ertragbar für sie sei. Bei Tisch waren sie zumeist zu sieben, und zwar außer Effi und der einen Pensionsvorsteherin (die andere leitete draußen das Wirtschaftliche) zwei ⌐die Hochschule besuchende Engländerinnen⌐, eine adlige Dame aus Sachsen, eine sehr hübsche galizische Jüdin, von der niemand wußte, was sie eigentlich vorhatte, und eine Kantorstochter aus Polzin in Pommern, die Malerin werden wollte. Das war eine schlimme Zusammensetzung, und die gegenseitigen Überheblichkeiten, bei denen die Engländerinnen merkwürdigerweise nicht absolut obenan standen, sondern mit der vom höchsten Malergefühl erfüllten Polzinerin um die Palme rangen, waren unerquicklich; dennoch wäre Effi, die sich passiv verhielt, über den Druck, den diese geistige At-

körperliche

mosphäre übte, hinweggekommen, wenn nicht, rein phy-
sisch und äußerlich, die sich hinzugesellende Pensionsluft
gewesen wäre. Woraus sich diese eigentlich zusammensetz-
te, war vielleicht überhaupt unerforschlich, aber daß sie
der sehr empfindlichen Effi den Atem raubte, war nur zu 5
gewiß, und so sah sie sich, aus diesem äußerlichen Grunde,
sehr bald schon zur Aus- und Umschau nach einer anderen
Wohnung gezwungen, die sie denn auch in verhältnismä-
ßiger Nähe fand. Es war dies die vorgeschilderte Wohnung
in der Königgrätzerstraße. Sie sollte dieselbe zu Beginn des 10
Herbstvierteljahrs beziehen, hatte das Nötige dazu be-
schafft und zählte während der letzten Septembertage die
Stunden bis zur Erlösung aus dem Pensionat.
An einem dieser letzten Tage – sie hatte sich eine Viertelstunde zuvor aus dem Eßzimmer zurückgezogen und ge- 15
dachte sich eben auf einem mit einem großblumigen Woll-
stoff überzogenen Seegras-Sofa* auszuruhen – wurde leise
an ihre Tür geklopft.

»Herein.«

Das eine Hausmädchen, eine kränklich aussehende Person 20
von Mitte Dreißig, die, durch beständigen Aufenthalt auf
dem Korridor des Pensionats, den hier lagernden Dunst-
kreis überallhin in ihren Falten mitschleppte, trat ein und
sagte: »Die gnädige Frau möchte entschuldigen, aber es
wolle sie jemand sprechen.« 25

»Wer?«

»Eine Frau.«

»Und hat sie ihren Namen genannt?«

»Ja. Roswitha.«

Und siehe da, kaum daß Effi diesen Namen gehört hatte, so 30
schüttelte sie den Halbschlaf von sich ab und sprang auf
und lief auf den Korridor hinaus, um Roswitha bei beiden
Händen zu fassen und in ihr Zimmer zu ziehen.

»Roswitha. Du. Ist das eine Freude. Was bringst du? Natürlich was Gutes. Ein so gutes, altes Gesicht kann nur was 35

Mit Seegras
gepolstertes
Sofa

Gutes bringen. Ach, wie glücklich ich bin, ich könnte dir einen Kuß geben; ich hätte nicht gedacht, daß ich noch solche Freude haben könnte. Mein gutes, altes Herz, wie geht es dir denn? Weißt du noch, wie's damals war, als der Chinese spukte? Das waren glückliche Zeiten. Ich habe damals gedacht, es wären unglückliche, weil ich das Harte des Lebens noch nicht kannte. Seitdem habe ich es kennengelernt. Ach, Spuk ist lange nicht das Schlimmste! Komm, meine gute Roswitha, komm, setze dich hier zu mir und erzähle mir . . . Ach, ich habe solche Sehnsucht. Was macht Annie?«

Roswitha konnte kaum reden und sah sich in dem sonderbaren Zimmer um, dessen grau und verstaubt aussehende Wände in schmale Goldleisten gefaßt waren. Endlich aber fand sie sich und sagte, daß der gnädige Herr nun wieder aus Glatz* zurück sei; der alte Kaiser habe gesagt, ⌐»sechs Wochen in solchem Falle sei gerade genug«⌐, und auf den Tag, wo der gnädige Herr wieder da sein würde, darauf habe sie bloß gewartet, wegen Annie, die doch eine Aufsicht haben müsse. Denn Johanna sei wohl eine propre* Person, aber sie sei doch noch zu hübsch und beschäftige sich noch zu viel mit sich selbst und denke vielleicht Gott weiß was alles. Aber nun, wo der gnädige Herr wieder aufpassen und in allem nach dem Rechten sehen könne, da habe sie sich's doch antun wollen und mal sehen, wie's der gnädigen Frau gehe . . .

»Das ist recht, Roswitha . . .«

. . . Und habe mal sehen wollen, ob der gnädigen Frau was fehle und ob sie sie vielleicht brauche, dann wolle sie gleich hierbleiben und beispringen und alles machen und dafür sorgen, daß es der gnädigen Frau wieder gut ginge.

Effi hatte sich in die Sofaecke zurückgelehnt und die Augen geschlossen. Aber mit eins richtete sie sich auf und sagte: »Ja, Roswitha, was du da sagst, das ist ein Gedanke; das ist was. Denn du mußt wissen, ich bleibe hier nicht in dieser

Schles. Stadt, in deren Festungsanlage Innstetten seine Haftstrafe verbüßte

ordentliche, angenehme

Pension, ich habe da weiterhin eine Wohnung gemietet und auch Einrichtung besorgt, und in drei Tagen will ich da einziehen. Und wenn ich da mit dir ankäme und zu dir sagen könnte: ›Nein, Roswitha, da nicht, der Schrank muß dahin und der Spiegel da‹, ja, das wäre was, das sollte mir schon gefallen. Und wenn wir dann müde von all der Plakkerei wären, dann sagte ich: ›Nun, Roswitha, gehe da hinüber und hole uns eine Karaffe Spatenbräu*, denn wenn man gearbeitet hat, dann will man doch auch trinken, und wenn du kannst, so bring uns auch etwas Gutes aus dem ›Habsburger Hof*‹ mit, du kannst ja das Geschirr nachher wieder herüberbringen« – ja, Roswitha, wenn ich mir das denke, da wird mir ordentlich leichter ums Herz. Aber ich muß dich doch fragen, hast du dir auch alles überlegt? Von Annie will ich nicht sprechen, an der du doch hängst, sie ist ja fast wie dein eigen Kind, – aber trotzdem, für Annie wird schon gesorgt werden, und die Johanna hängt ja auch an ihr. Also davon nichts. Aber bedenke, wie sich alles verändert hat, wenn du wieder zu mir willst. Ich bin nicht mehr wie damals; ich habe jetzt eine ganz kleine Wohnung genommen und der Portier wird sich wohl nicht sehr um dich und um mich bemühen. Und wir werden eine sehr kleine Wirtschaft haben, immer das, was wir sonst unser Donnerstag-Essen nannten, weil da reingemacht wurde. Weißt du noch? Und weißt du noch, wie der gute Gieshübler mal dazukam und sich zu uns setzen mußte, und wie er dann sagte: ›So was Delikates habe er noch nie gegessen.‹ Du wirst dich noch erinnern, er war immer so schrecklich artig*, denn eigentlich war er doch der einzige Mensch in der Stadt, der von Essen was verstand. Die andern fanden alles schön.«

Roswitha freute sich über jedes Wort und sah schon alles in bestem Gange, bis Effi wieder sagte: »Hast du dir das alles überlegt? Denn du bist doch – ich muß das sagen, wiewohl es meine eigne Wirtschaft war –, du bist doch

Glasflasche Münchner Bier

Bekanntes Hotel und Restaurant

höflich

nun durch viele Jahre hin verwöhnt, und es kam nie darauf an, wir hatten es nicht nötig, sparsam zu sein; aber jetzt muß ich sparsam sein, denn ich bin arm und habe nur, was man mir gibt, du weißt, von Hohen-Cremmen her. Meine Eltern sind sehr gut gegen mich, soweit sie's können, aber sie sind nicht reich. Und nun sage, was meinst du?«

»Daß ich nächsten Sonnabend mit meinem Koffer anziehe, nicht am Abend, sondern gleich am Morgen, und daß ich da bin, wenn das Einrichten losgeht. Denn ich kann doch ganz anders zufassen wie die gnädige Frau.«

»Sage das nicht, Roswitha. Ich kann es auch. Wenn man muß, kann man alles.«

»Und dann, gnädige Frau, Sie brauchen sich wegen meiner nicht zu fürchten, als ob ich mal denken könnte: ›für Roswitha ist das nicht gut genug.‹ Für Roswitha ist alles gut, was sie mit der gnädigen Frau teilen muß, und am liebsten, wenn es was Trauriges ist. Ja, darauf freue ich mich schon ordentlich. Dann sollen Sie mal sehen, das verstehe ich. Und wenn ich es nicht verstünde, dann wollte ich es schon lernen. Denn, gnädige Frau, das hab' ich nicht vergessen, als ich da auf dem Kirchhof saß, mutterwindallein* und bei mir dachte, nun wäre es doch wohl das beste, ich läge da gleich mit in der Reihe. Wer kam da? Wer hat mich da bei Leben erhalten? Ach, ich habe so viel durchzumachen gehabt. Als mein Vater damals mit der glühenden Stange auf mich loskam . . .« Vgl. 141,1–2.

»Ich weiß schon, Roswitha . . .«

»Ja, das war schlimm genug. Aber als ich da auf dem Kirchhof saß, so ganz arm und verlassen, das war doch noch schlimmer. Und da kam die gnädige Frau. Und ich will nicht selig werden, wenn ich das vergesse.«

Und dabei stand sie auf und ging aufs Fenster zu. »Sehen Sie, gnädige Frau, *den* müssen Sie doch auch noch sehen.«

Und nun trat auch Effi heran.

Drüben, auf der anderen Seite der Straße, saß Rollo und sah nach den Fenstern der Pension hinauf.

Wenige Tage danach bezog Effi, von Roswitha unterstützt, ihre Wohnung in der Königgrätzerstraße, darin es ihr von Anfang an gefiel. Umgang fehlte freilich, aber sie hatte während ihrer Pensionstage von dem Verkehr mit Menschen so wenig Erfreuliches gehabt, daß ihr das Alleinsein nicht schwer fiel, wenigstens anfänglich nicht. Mit Roswitha ließ sich allerdings kein ästhetisches Gespräch führen, auch nicht mal sprechen über das, was in der Zeitung stand, aber wenn es einfach menschliche Dinge betraf und Effi mit einem »Ach, Roswitha, mich ängstigt es wieder . . .« ihren Satz begann, dann wußte die treue Seele jedesmal gut zu antworten und hatte immer Trost und meist auch Rat.

Bis Weihnachten ging es vorzüglich; aber der Heiligabend verlief schon recht traurig, und als das neue Jahr herankam, begann Effi ganz schwermütig zu werden. Es war nicht kalt, nur grau und regnerisch, und wenn die Tage kurz waren, so waren die Abende desto länger. Was tun? Sie las, sie stickte, sie ⌈legte Patience⌉, sie spielte Chopin*, aber diese ⌈Nocturnes⌉ waren auch nicht angetan, viel ⌈Licht in ihr Leben⌉ zu tragen, und wenn Roswitha mit dem Teebrett kam und außer dem Teezeug auch noch zwei Tellerchen mit einem Ei und einem in kleinen Scheiben geschnittenen Wiener Schnitzel auf den Tisch setzte, sagte Effi, während sie das Pianino* schloß: »Rücke heran, Roswitha. Leiste mir Gesellschaft.«

Roswitha kam denn auch. »Ich weiß schon, die gnädige Frau haben wieder zu viel gespielt; dann sehen Sie immer so aus und haben rote Flecke. Der Geheimrat hat es doch verboten.«

»Ach, Roswitha, der Geheimrat hat leicht verbieten, und du hast es auch leicht, all das nachzusprechen. Aber was

Frédéric Ch. (1810–1849), poln. Komponist

Kleines Klavier

Effi Briest

soll ich denn machen? Ich kann doch nicht den ganzen Tag
am Fenster sitzen und nach der Christuskirche hinübersehen. Sonntags, beim Abendgottesdienst, wenn die Fenster
erleuchtet sind, sehe ich ja immer hinüber; aber es hilft mir
auch nichts, mir wird dann immer noch schwerer ums
Herz.«

»Ja, gnädige Frau, dann sollten Sie mal hineingehen. Einmal waren Sie ja schon drüben.«

»O schon öfters. Aber ich habe nicht viel davon gehabt. Er
predigt ganz gut und ist ein sehr kluger Mann, und ich wäre
froh, wenn ich das Hundertste davon wüßte. Aber es ist
doch alles bloß, wie wenn ich ein Buch lese; und wenn er
dann so laut spricht und herumficht und seine schwarzen
Locken schüttelt, dann bin ich aus meiner Andacht heraus.«

»Heraus?«

Effi lachte. »Du meinst, ich war noch gar nicht drin. Und es
wird wohl so sein. Aber an wem liegt das? Das liegt doch
nicht an mir. Er spricht immer so viel vom ⌈Alten Testament⌉. Und wenn es auch ganz gut ist, es erbaut mich nicht.
Überhaupt all das Zuhören; es ist nicht das Rechte. Sieh,
ich müßte so viel zu tun haben, daß ich nicht ein noch aus
wüßte. Das wäre was für mich. ⌈Da gibt es so Vereine⌉, wo
junge Mädchen die Wirtschaft lernen oder Nähschulen
oder Kindergärtnerinnen. Hast du nie davon gehört?«

»Ja, ich habe mal davon gehört. Anniechen sollte mal in
einen ⌈Kindergarten⌉.«

»Nun siehst du, du weißt es besser als ich. Und in solchen
Verein, wo man sich nützlich machen kann, da möchte ich
eintreten. Aber daran ist gar nicht zu denken; die Damen
nehmen mich nicht an und können es auch nicht. Und das
ist das schrecklichste, daß einem die Welt so zu ist, und daß
es sich einem sogar verbietet, bei Gutem mit dabei zu sein.
Ich kann nicht mal armen Kindern eine Nachhülfestunde
geben . . .«

»Das wäre auch nichts für Sie, gnädige Frau; die Kinder haben immer so fettige Stiefel an, und wenn es nasses Wetter ist – das ist dann solch Dunst und Schmook*, das halten die gnädige Frau gar nicht aus.«

(norddt.) Rauch

Effi lächelte. »Du wirst wohl recht haben, Roswitha; aber es ist schlimm, daß du recht hast, und ich sehe daran, daß ich noch zu viel von dem alten Menschen in mir habe und daß es mir noch zu gut geht.«

Davon wollte aber Roswitha nichts wissen. »Wer so gut ist wie gnädige Frau, dem kann es gar nicht zu gut gehen. Und Sie müssen nur nicht immer so was Trauriges spielen, und mitunter denke ich mir, es wird alles noch wieder gut, und es wird sich schon was finden.«

Und es fand sich auch was. Effi, trotz der Kantorstochter aus Polzin, deren Künstlerdünkel ihr immer noch als etwas Schreckliches vorschwebte, wollte Malerin werden, und wiewohl sie selber darüber lachte, weil sie sich bewußt war, über eine unterste Stufe des Dilettantismus* nie hinauskommen zu können, so griff sie doch mit Passion danach, weil sie nun eine Beschäftigung hatte, noch dazu eine, die, weil still und geräuschlos, ganz nach ihrem Herzen war. Sie meldete sich denn auch bei einem ganz alten Malerprofessor, der in der märkischen Aristokratie sehr bewandert und zugleich so fromm war, daß ihm Effi von Anfang an ans Herz gewachsen erschien. Hier, so gingen wohl seine Gedanken, war eine Seele zu retten, und so kam er ihr, als ob sie seine Tochter gewesen wäre, mit einer ganz besonderen Liebenswürdigkeit entgegen. Effi war sehr glücklich darüber, und der Tag ihrer ersten Malstunde bezeichnete für sie einen Wendepunkt zum Guten. Ihr armes Leben war nun nicht so arm mehr, und Roswitha triumphierte, daß sie recht gehabt und sich nun doch etwas gefunden habe.

Das ging so Jahr und Tag und darüber hinaus. Aber daß sie nun wieder eine Berührung mit den Menschen hatte, wie

Laienhafte Kunstausübung, Stümperei

sie's beglückte, so ließ es auch wieder den Wunsch in ihr entstehen, daß diese Berührungen sich erneuern und mehren möchten. Sehnsucht nach Hohen-Cremmen erfaßte sie mitunter mit einer wahren Leidenschaft, und noch leiden-
5 schaftlicher sehnte sie sich danach, Annie wiederzusehen. Es war doch ihr Kind, und wenn sie dem nachhing und sich gleichzeitig der Trippelli erinnerte, die mal gesagt hatte: »die Welt sei so klein, und in Mittelafrika könne man sicher sein, plötzlich einem alten Bekannten zu begegnen«, so war
10 sie mit Recht verwundert, Annie noch nie getroffen zu haben. Aber auch das sollte sich eines Tages ändern. Sie kam aus der Malstunde, dicht am Zoologischen Garten, und stieg, nahe dem Halteplatz, in einen die lange Kurfürstenstraße passierenden Pferdebahnwagen ein. Es war sehr
15 heiß, und die herabgelassenen Vorhänge, die bei dem starken Luftzuge, der ging, hin- und herbauschten, taten ihr wohl. Sie lehnte sich in die dem Vorderperron* zugekehrte Ecke und musterte eben mehrere in eine Glasscheibe eingebrannte Sofas, blau mit Quasten und Puscheln* daran, als
20 sie – der Wagen war gerade in einem langsamen Fahren – drei Schulkinder aufspringen sah, die Mappen auf dem Rücken, mit kleinen spitzen Hüten, zwei blond und ausgelassen, die dritte dunkel und ernst. Es war Annie. Effi fuhr heftig zusammen, und eine Begegnung mit dem Kinde zu
25 haben, wonach sie sich doch so lange gesehnt, erfüllte sie jetzt mit einer wahren Todesangst. Was tun? Rasch entschlossen öffnete sie die Tür zu dem Vorderperron, auf dem niemand stand als der Kutscher, und bat diesen, sie bei der nächsten Haltestelle vorn absteigen zu lassen. »Is verboten,
30 Fräulein«, sagte der Kutscher; sie gab ihm aber ein Geldstück und sah ihn so bittend an, daß der gutmütige Mensch anderen Sinnes wurde und vor sich hin sagte: »Sind soll es eigentlich nich; aber es wird ja woll mal gehn.« Und als der Wagen hielt, nahm er das Gitter aus, und Effi sprang ab.
35 Noch in großer Erregung kam Effi nach Hause.

Vordere Plattform des Pferdebahnwagens

Verschiedene Schnüre

»Denke dir, Roswitha, ich habe Annie gesehen.« Und nun erzählte sie von der Begegnung in dem Pferdebahnwagen. Roswitha war unzufrieden, daß Mutter und Tochter keine Wiedersehensszene gefeiert hatten, und ließ sich nur ungern überzeugen, daß das in Gegenwart so vieler Menschen nicht wohl angegangen sei. Dann mußte Effi erzählen, wie Annie ausgesehen habe, und als sie das mit mütterlichem Stolze getan, sagte Roswitha: »Ja, sie ist so halb und halb. Das Hübsche und, wenn ich es sagen darf, das Sonderbare, das hat sie von der Mama; aber das Ernste, das ist ganz der Papa. Und wenn ich mir so alles überlege, ist sie doch wohl mehr wie der gnädige Herr.«

»Gott sei Dank!« sagte Effi.

»Na, gnäd'ge Frau, das ist nu doch auch noch die Frage. Und da wird ja wohl mancher sein, der mehr für die Mama ist.«

»Glaubst du, Roswitha? Ich glaube es nicht.«

»Na, na, ich lasse mir nichts vormachen, und ich glaube, die gnädige Frau weiß auch ganz gut, wie's eigentlich ist und was die Männer am liebsten haben.«

»Ach, sprich nicht davon, Roswitha.«

Damit brach das Gespräch ab und wurde auch nicht wieder aufgenommen. Aber Effi, wenn sie's auch vermied, gerade über Annie mit Roswitha zu sprechen, konnte die Begegnung in ihrem Herzen doch nicht verwinden und litt unter der Vorstellung, vor ihrem eigenen Kinde geflohen zu sein. Es quälte sie bis zur Beschämung, und das Verlangen nach einer Begegnung mit Annie steigerte sich bis zum Krankhaften. An Innstetten schreiben und ihn darum bitten, das war nicht möglich. Ihrer Schuld war sie sich wohl bewußt, ja, sie nährte das Gefühl davon mit einer halb leidenschaftlichen Geflissentlichkeit; aber inmitten ihres Schuldbewußtseins fühlte sie sich andererseits auch von einer gewissen Auflehnung gegen Innstetten erfüllt. Sie sagte sich: er hatte recht und noch einmal und noch einmal, und zuletzt hatte er doch unrecht. Alles Geschehene lag so weit zurück, ein neues Leben hatte begonnen, – er hätte es können verbluten lassen, statt dessen verblutete der arme Crampas.

Nein, an Innstetten schreiben, das ging nicht; aber Annie wollte sie sehen und sprechen und an ihr Herz drücken, und nachdem sie's tagelang überlegt hatte, stand ihr fest, wie's am besten zu machen sei.

Gleich am andern Vormittage kleidete sie sich sorgfältig in ein dezentes Schwarz und ging auf die Linden zu, sich hier bei der Ministerin melden zu lassen. Sie schickte ihre Karte hinein, auf der nur stand: Effi von Innstetten geb. von Briest. Alles andere war fortgelassen, auch die Baronin. »Exzellenz lassen bitten«, und Effi folgte dem Diener bis in ein Vorzimmer, wo sie sich niederließ und trotz der Erregung, in der sie sich befand, den Bilderschmuck an den Wänden musterte. Da war zunächst ⌈Guido Renis Aurora⌉, gegenüber aber hingen englische Kupferstiche, Stiche nach Benjamin West*, in der bekannten ⌈Aqua tinta-Manier⌉ von viel Licht und Schatten. Eines der Bilder war König Lear im Unwetter* auf der Heide.

Effi hatte ihre Musterung kaum beendet, als die Tür des angrenzenden Zimmers sich öffnete und eine große, schlanke Dame von einem sofort für sie einnehmenden Ausdruck auf die Bittstellerin zutrat und ihr die Hand reichte. »Meine liebe, gnädigste Frau«, sagte sie, »welche Freude für mich, Sie wiederzusehen . . .«

Und während sie das sagte, schritt sie auf das Sofa zu und zog Effi, während sie selber Platz nahm, zu sich nieder.

Effi war bewegt durch die sich in allem aussprechende Herzensgüte. Keine Spur von Überheblichkeit oder Vorwurf, nur menschlich schöne Teilnahme. »Womit kann ich Ihnen dienen?« nahm die Ministerin noch einmal das Wort.

Um Effis Mund zuckte es. Endlich sagte sie: »Was mich herführt, ist eine Bitte, deren Erfüllung Exzellenz vielleicht

Engl. Historienmaler (1738–1820)

Szene aus Shakespeares Tragödie *König Lear* (III,2)

möglich machen. Ich habe eine zehnjährige Tochter, die ich seit drei Jahren nicht gesehen habe und gern wiedersehen möchte.«

Die Ministerin nahm Effis Hand und sah sie freundlich an.

»Wenn ich sage, in drei Jahren nicht gesehen, so ist das nicht ganz richtig. Vor drei Tagen habe ich sie wiedergesehen.« Und nun schilderte Effi mit großer Lebendigkeit die Begegnung, die sie mit Annie gehabt hatte. »Vor meinem eigenen Kinde auf der Flucht. Ich weiß wohl, man liegt, wie man sich bettet, und ich will nichts ändern in meinem Leben. Wie es ist, so ist es recht; ich habe es nicht anders gewollt. Aber das mit dem Kinde, das ist doch zu hart, und so habe ich denn den Wunsch, es dann und wann sehen zu dürfen, nicht heimlich und verstohlen, sondern mit Wissen und Zustimmung aller Beteiligten.«

»Unter Wissen und Zustimmung aller Beteiligten«, wiederholte die Ministerin Effis Worte. »Das heißt also unter Zustimmung Ihres Herrn Gemahls. Ich sehe, daß seine Erziehung dahin geht, das Kind von der Mutter fernzuhalten, ein Verfahren, über das ich mir kein Urteil erlaube. Vielleicht, daß er recht hat; verzeihen Sie mir diese Bemerkung, gnädige Frau.«

Effi nickte.

»Sie finden sich selbst in der Haltung Ihres Herrn Gemahls zurecht und verlangen nur, daß einem natürlichen Gefühle, wohl dem schönsten unserer Gefühle (wenigstens wir Frauen werden uns darin finden), sein Recht werde. Treff' ich es darin?«

»In allem.«

»Und so soll ich denn die Erlaubnis zu gelegentlichen Begegnungen erwirken, in Ihrem Hause, wo Sie versuchen können, sich das Herz Ihres Kindes zurückzuerobern.«

Effi drückte noch einmal ihre Zustimmung aus, während die Ministerin fortfuhr: »Ich werde also tun, meine gnädigste Frau, was ich tun kann. Aber wir werden es nicht eben leicht haben. Ihr Herr Gemahl, verzeihen Sie, daß ich ihn nach wie vor so nenne, ist ein Mann, der nicht nach Stimmungen und Laune, sondern nach Grundsätzen handelt, und diese fallen zu lassen oder auch nur momentan aufzugeben, wird ihm hart ankommen. Läg' es nicht so, so wäre seine Handlungs- und Erziehungsweise längst eine andere gewesen. Das, was hart für Ihr Herz ist, hält er für richtig.«

»So meinen Exzellenz vielleicht, es wäre besser, meine Bitte zurückzunehmen?«

»Doch nicht. Ich wollte nur das Tun Ihres Herrn Gemahls erklären, um nicht zu sagen rechtfertigen, und wollte zugleich die Schwierigkeiten andeuten, auf die wir, aller Wahrscheinlichkeit nach, stoßen werden. Aber ich denke, wir zwingen es trotzdem. Denn wir Frauen, wenn wir's klug einleiten und den Bogen nicht überspannen, wissen mancherlei durchzusetzen. Zudem gehört Ihr Herr Gemahl zu meinen besonderen Verehrern, und er wird mir eine Bitte, die ich an ihn richte, nicht wohl abschlagen. Wir haben morgen einen kleinen Zirkel, auf dem ich ihn sehe, und übermorgen früh haben Sie ein paar Zeilen von mir, die Ihnen sagen werden, ob ich's klug, das heißt glücklich, eingeleitet oder nicht. Ich denke, wir siegen in der Sache, und Sie werden Ihr Kind wiedersehen und sich seiner freuen. Es soll ein sehr schönes Mädchen sein. Nicht zu verwundern.«

Dreiunddreißigstes Kapitel

Am zweitfolgenden Tage trafen, wie versprochen, einige Zeilen ein und Effi las: »Es freut mich, liebe gnädige Frau, Ihnen gute Nachricht geben zu können. Alles ging nach

Wunsch; Ihr Herr Gemahl ist zu sehr Mann von Welt, um einer Dame eine von ihr vorgetragene Bitte abschlagen zu können; zugleich aber – auch *das* darf ich Ihnen nicht verschweigen –, ich sah deutlich, daß sein ›Ja‹ nicht dem entsprach, was er für klug und recht hält. Aber kritteln* wir nicht, wo wir uns freuen sollen. Ihre Annie, so haben wir es verabredet, wird über Mittag kommen, und ein guter Stern stehe über Ihrem Wiedersehen.«

kleinliche Kritik üben, herummäkeln

Es war mit der zweiten Post, daß Effi diese Zeilen empfing, und bis zu Annies Erscheinen waren mutmaßlich keine zwei Stunden mehr. Eine kurze Zeit, aber immer noch zu lang, und Effi schritt in Unruhe durch beide Zimmer und dann wieder in die Küche, wo sie mit Roswitha von allem möglichen sprach, von dem Efeu drüben an der Christuskirche, nächstes Jahr würden die Fenster wohl ganz zugewachsen sein, von dem Portier, der den Gashahn wieder so schlecht zugeschraubt habe (sie würden doch noch nächstens in die Luft fliegen), und daß sie das Petroleum doch lieber wieder aus der großen Lampenhandlung Unter den Linden als aus der Anhaltstraße holen solle – von allem möglichen sprach sie, nur von Annie nicht, weil sie die Furcht nicht aufkommen lassen wollte, die trotz der Zeilen der Ministerin, oder vielleicht auch um dieser Zeilen willen, in ihr lebte.

Nun war Mittag. Endlich wurde geklingelt, schüchtern, und Roswitha ging, um durch das Guckloch zu sehen. Richtig, es war Annie. Roswitha gab dem Kinde einen Kuß, sprach aber sonst kein Wort, und ganz leise, wie wenn ein Kranker im Hause wäre, führte sie das Kind vom Korridor her erst in die Hinterstube und dann bis an die nach vorn führende Tür.

»Da geh hinein, Annie.« Und unter diesen Worten, sie wollte nicht stören, ließ sie das Kind allein und ging wieder auf die Küche zu.

Effi stand am anderen Ende des Zimmers, den Rücken ge-

gen den Spiegelpfeiler, als das Kind eintrat. »Annie!« Aber
Annie blieb an der nur angelehnten Tür stehen, halb ver-
legen, aber halb auch mit Vorbedacht, und so eilte denn
Effi auf das Kind zu, hob es in die Höhe und küßte es.

5 »Annie, mein süßes Kind, wie freue ich mich. Komm, *erzähle* mir«, und dabei nahm sie Annie bei der Hand und
ging auf das Sofa zu, um sich da zu setzen. Annie stand
aufrecht und griff, während sie die Mutter immer noch
scheu ansah, mit der Linken nach dem Zipfel der herab-
10 hängenden Tischdecke. »Weißt du wohl, Annie, daß ich
dich einmal gesehen habe?«

»Ja, mir war es auch so.«

»Und nun erzähle mir recht viel. Wie groß du geworden
bist! Und das ist die Narbe da; Roswitha hat mir davon
15 erzählt. Du warst immer so wild und ausgelassen beim
Spielen. Das hast du von deiner Mama, die war auch so.
Und in der Schule? Ich denke mir, du bist immer die Erste,
du siehst mir so aus, als müßtest du eine Musterschülerin
sein und immer die besten Zensuren nach Hause bringen.
20 Ich habe auch gehört, daß dich das Fräulein von Wedel-
städt so gelobt haben soll. Das ist recht; ich war auch so
ehrgeizig, aber ich hatte nicht solche gute Schule. Mythologie war immer mein Bestes. Worin bist du denn am besten?«

25 »Ich weiß es nicht.«

»Oh, du wirst es schon wissen. Das weiß man. Worin hast
du denn die beste Zensur?«

»In der Religion.«

»Nun, siehst du, da weiß ich es doch. Ja, das ist sehr schön;
30 ich war nicht so gut darin, aber es wird wohl auch an dem
Unterricht gelegen haben. Wir hatten bloß einen Kandi-   Vgl. 18,7.
daten*.«

»Wir hatten auch einen Kandidaten.«

»Und der ist fort?«

35 Annie nickte.

»Warum ist er fort?«

»Ich weiß es nicht. Wir haben nun wieder den Prediger.«

»Den ihr alle sehr liebt.«

Übertritt zweier jüd. Schülerinnen zum Christentum

»Ja; zwei aus der ersten Klasse wollen auch übertreten*.«

»Ah, ich verstehe; das ist schön. Und was macht Johanna?«

»Johanna hat mich bis vor das Haus begleitet . . .«

»Und warum hast du sie nicht mit heraufgebracht?«

»Sie sagte, sie wolle lieber unten bleiben und an der Kirche drüben warten.«

»Und da sollst du sie wohl abholen?«

»Ja.«

»Nun, sie wird da hoffentlich nicht ungeduldig werden. Es ist ein kleiner Vorgarten da, und die Fenster sind schon halb von Efeu überwachsen, als ob es eine alte Kirche wäre.«

»Ich möchte sie aber doch nicht gerne warten lassen.«

»Ach, ich sehe, du bist sehr rücksichtsvoll und darüber werde ich mich wohl freuen müssen. Man muß es nur richtig einteilen . . . Und nun sage mir noch, was macht Rollo?«

»Rollo ist sehr gut. Aber Papa sagt, er würde so faul; er liegt immer in der Sonne.«

»Das glaub' ich. So war er schon, als du noch ganz klein warst . . . Und nun sage mir Annie – denn heute haben wir uns ja bloß so mal wiedergesehen –, wirst du mich öfter besuchen?«

»O gewiß, wenn ich darf.«

»Wir können dann in dem Prinz Albrechtschen Garten spazierengehen.«

»O gewiß, wenn ich darf.«

Bekannte Berliner Konditorei

»Oder wir gehen zu Schilling* und essen Eis, Ananas- oder Vanilleeis, das aß ich immer am liebsten.«

»O gewiß, wenn ich darf.«

Und bei diesem dritten »wenn ich darf« war das Maß voll;

Effi sprang auf, und ein Blick, in dem es wie Empörung aufflammte, traf das Kind. »Ich glaube, es ist die höchste Zeit, Annie; Johanna wird sonst ungeduldig.« Und sie zog die Klingel. Roswitha, die schon im Nebenzimmer war, trat gleich ein. «Roswitha, gib Annie das Geleit bis drüben zur Kirche. Johanna wartet da. Hoffentlich hat sie sich nicht erkältet. Es sollte mir leid tun. Grüße Johanna.« Und nun gingen beide.

Kaum aber, daß Roswitha draußen die Tür ins Schloß gezogen hatte, so riß Effi, weil sie zu ersticken drohte, ihr Kleid auf und verfiel in ein krampfhaftes Lachen. »So also sieht ein Wiedersehen aus«, und dabei stürzte sie nach vorn, öffnete die Fensterflügel und suchte nach etwas, das ihr beistehe. Und sie fand auch was in der Not ihres Herzens. Da neben dem Fenster war ein Bücherbrett, ein paar Bände von ⌐Schiller und Körner¬ darauf, und auf den Gedichtbüchern, die alle gleiche Höhe hatten, lag eine Bibel und ein Gesangbuch. Sie griff danach, weil sie was haben mußte, vor dem sie knien und beten konnte, und legte Bibel und Gesangbuch auf den Tischrand, gerade da, wo Annie gestanden hatte, und mit einem heftigen Ruck warf sie sich davor nieder und sprach halblaut vor sich hin: »Oh, du Gott im Himmel, vergib mir, was ich getan; ich war ein Kind ... Aber nein, nein, ich war kein Kind, ich war alt genug, um zu wissen, was ich tat. ⌐Ich *hab*¬ es auch gewußt, und ich will meine Schuld nicht kleiner machen, ... aber *das* ist zuviel. Denn das hier, mit dem Kind, das bist nicht *du*, Gott, der mich strafen will, das ist *er*, bloß er! Ich habe geglaubt, daß er ein edles Herz habe, und habe mich immer klein neben ihm gefühlt; aber jetzt weiß ich, daß er es ist, *er* ist klein. Und weil er klein ist, ist er grausam. Alles, was klein ist, ist grausam. Das hat *er* dem Kinde beigebracht, ein Schulmeister war er immer, Crampas hat ihn so genannt, spöttisch damals, aber er hat recht gehabt. ›O gewiß, wenn ich darf.‹ Du *brauchst* nicht zu dürfen; ich will euch nicht mehr, ich haß' euch, auch mein eigen Kind. Was zuviel ist, ist zuviel. Ein Streber war er, weiter nichts. – Ehre, Ehre, Ehre . . . und dann hat er den armen Kerl totgeschossen, den ich nicht einmal liebte und den ich vergessen hatte, weil ich ihn nicht liebte. Dummheit war alles, und nun Blut und Mord. Und ich schuld. Und nun schickt er mir das Kind, weil er einer Ministerin nichts abschlagen kann, und ehe er das Kind schickt, richtet er's ab wie einen Papagei und bringt ihm die Phrase bei ›wenn ich darf‹. Mich ekelt, was ich getan; aber was mich noch mehr ekelt, das ist eure Tugend. Weg mit euch. Ich muß leben, aber ewig wird es ja wohl nicht dauern.«

Als Roswitha wiederkam, lag Effi am Boden, das Gesicht abgewandt, wie leblos.

Vierunddreißigstes Kapitel

Rummschüttel, als er gerufen wurde, fand Effis Zustand nicht unbedenklich. Das Hektische, das er seit Jahr und Tag an ihr beobachtete, trat ihm ausgesprochener als früher entgegen, und was schlimmer war, auch die ersten Zeichen eines ⌈Nervenleidens⌉ waren da. Seine ruhig freundliche Weise aber, der er einen Beisatz von Laune zu geben wußte, tat Effi wohl, und sie war ruhig, solange Rummschüttel um sie war. Als er schließlich ging, begleitete Roswitha den alten Herrn bis in den Vorflur und sagte: »Gott, Herr Geheimrat, mir ist so bange; wenn es nu mal wiederkommt, und es kann doch; Gott – da hab' ich ja keine ruhige Stunde mehr. Es war aber doch auch zuviel, das mit dem Kind. Die arme gnädige Frau. Und noch so jung, wo manche erst anfangen.«

»Lassen Sie nur, Roswitha. Kann noch alles wieder werden. Aber fort muß sie. Wir wollen schon sehen. Andere Luft, andere Menschen.«

Den zweiten Tag danach traf ein Brief in Hohen-Cremmen ein, der lautete: »Gnädigste Frau! Meine alten freundschaftlichen Beziehungen zu den Häusern Briest und Belling und nicht zum wenigsten die herzliche Liebe, die ich zu Ihrer Frau Tochter hege, werden diese Zeilen rechtfertigen. Es geht so nicht weiter. Ihre Frau Tochter, wenn nicht etwas geschieht, das sie der Einsamkeit und dem Schmerzlichen ihres nun seit Jahren geführten Lebens entreißt, wird schnell hinsiechen. Eine Disposition zu Phthisis* war immer **Schwindsucht** da, weshalb ich schon vor Jahren Ems verordnete; zu diesem alten Übel hat sich nun ein neues gesellt: ihre Nerven zehren sich auf. Dem Einhalt zu tun, ist ein Luftwechsel nötig. Aber wohin? Es würde nicht schwer sein, in den schlesischen Bädern eine Auswahl zu treffen, Salzbrunn gut, und Reinerz, wegen der Nervenkomplikation, noch besser. Aber es darf nur Hohen-Cremmen sein. Denn, meine gnädigste Frau, was Ihrer Frau Tochter Genesung bringen kann, ist nicht Luft allein; sie siecht hin, weil sie nichts hat als Roswitha. Dienertreue ist schön, aber Elternliebe ist besser. Verzeihen Sie einem alten Manne dies Sicheinmischen in Dinge, die jenseits seines ärztlichen Berufes liegen. Und doch auch wieder nicht, denn es ist schließlich auch der Arzt, der hier spricht und seiner Pflicht nach, verzeihen Sie dies Wort, Forderungen stellt . . . Ich habe so viel vom Leben gesehen . . ., aber nichts mehr in diesem Sinne. Mit der Bitte, mich Ihrem Herrn Gemahl empfehlen zu wollen, in vorzüglicher Ergebenheit Dr. Rummschüttel.«

Frau von Briest hatte den Brief ihrem Manne vorgelesen; beide saßen auf dem schattigen Steinfliesengange, den Gartensaal im Rücken, das Rondell mit der Sonnenuhr vor sich. Der um die Fenster sich rankende wilde Wein bewegte sich leis in dem Luftzuge, der ging, und über dem Wasser standen ein paar Libellen im hellen Sonnenschein. Briest schwieg und trommelte mit dem Finger auf dem Teebrett.

»Bitte, trommle nicht; sprich lieber.«

»Ach, Luise, was soll ich sagen. Daß ich trommle, sagt gerade genug. Du weißt seit Jahr und Tag, wie ich darüber denke. Damals, als Innstettens Brief kam, ein Blitz aus heiterem Himmel, damals war ich deiner Meinung. Aber das ist nun schon wieder eine halbe Ewigkeit her; soll ich hier bis an mein Lebensende den ⌐Großinquisitor⌐ spielen? Ich kann dir sagen, ich hab' es seit lange satt . . .«

»Mache mir keine Vorwürfe, Briest; ich liebe sie so wie du, vielleicht noch mehr; jeder hat seine Art. Aber man lebt doch nicht bloß in der Welt, um schwach und zärtlich zu sein und alles mit Nachsicht zu behandeln, was gegen Gesetz und Gebot ist und was die Menschen verurteilen und, vorläufig wenigstens, auch noch – mit Recht verurteilen.«

»Ach was. Eins geht vor.«

»Natürlich, eins geht vor; aber was ist das eine?«

»Liebe der Eltern zu ihren Kindern. Und wenn man gar bloß eines hat . . .«

»Dann ist es vorbei mit Katechismus und Moral und mit dem Anspruch der ›Gesellschaft‹.«

»Ach, Luise, komme mir mit Katechismus, soviel du willst; aber komme mir nicht mit ›Gesellschaft‹.«

»Es ist sehr schwer, sich ohne Gesellschaft zu behelfen.«

»Ohne Kind auch. Und dann glaube mir, Luise, die ›Gesellschaft‹, wenn sie nur will, kann auch ein Auge zudrükken. Und ich stehe so zu der Sache: kommen die Rathenower, so ist es gut, und kommen sie nicht, so ist es auch gut. Ich werde ganz einfach telegraphieren: ›Effi, komm*.‹ Bist du einverstanden?«

Sie stand auf und gab ihm einen Kuß auf die Stirn. »Natürlich bin ich's. Du solltest mir nur keinen Vorwurf machen. Ein leichter Schritt ist es nicht. Und unser Leben wird von Stund an ein anderes.«

»Ich kann's aushalten. Der Raps* steht gut, und im Herbst kann ich einen Hasen hetzen*. Und der Rotwein schmeckt mir noch. Und wenn ich das Kind erst wieder im Hause

Vgl. Erl. zu 22,14.

Vgl. 33,11.
Anspielung auf die Jagd

Effi Briest

habe, dann schmeckt er mir noch besser . . . Und nun will
ich das Telegramm schicken.«

Effi war nun schon über ein halbes Jahr in Hohen-Cremmen; sie bewohnte die beiden Zimmer im ersten Stock, die
sie schon früher, wenn sie zu Besuch da war, bewohnt hatte; das größere war für sie persönlich hergerichtet, nebenan
schlief Roswitha. Was Rummschüttel von diesem Aufenthalt und all dem andern Guten erwartet hatte, das hatte
sich auch erfüllt, soweit sich's erfüllen konnte. Das Hüsteln
ließ nach, der herbe Zug, der das so gütige Gesicht um ein
gut Teil seines Liebreizes gebracht hatte, schwand wieder
hin, und es kamen Tage, wo sie wieder lachen konnte. Von
Kessin und allem, was da zurücklag, wurde wenig gesprochen, mit alleiniger Ausnahme von Frau von Padden
und natürlich von Gieshübler, für den der alte Briest eine
lebhafte Vorliebe hatte. »Dieser Alonzo, dieser Preciosa-
Spanier*, der einen Mirambo beherbergt und eine Trippelli
großzieht – ja, das muß ein Genie sein, das laß ich mir nicht
ausreden.« Und dann mußte sich Effi bequemen, ihm den
ganzen Gieshübler, mit dem Hut in der Hand und seinen
endlosen Artigkeitsverbeugungen, vorzuspielen, was sie,
bei dem ihr eigenen Nachahmungstalent, sehr gut konnte,
trotzdem aber ungern tat, weil sie's allemal als ein Unrecht
gegen den guten und lieben Menschen empfand. – Von
Innstetten und Annie war nie die Rede, wiewohl feststand,
daß Annie Erbtochter sei und Hohen-Cremmen ihr zufal-
len würde.

Ja, Effi lebte wieder auf, und die Mama, die nach Frauenart
nicht ganz abgeneigt war, die ganze Sache, so schmerzlich
sie blieb, als einen interessanten Fall anzusehen, wetteiferte
mit ihrem Manne in Liebes- und Aufmerksamkeitsbezeu-
gungen.

»Solchen guten Winter haben wir lange nicht gehabt«, sagte Briest. Und dann erhob sich Effi von ihrem Platz und

Vgl. Erl.
zu 73,33.

streichelte ihm das spärliche Haar aus der Stirn. Aber so schön das alles war, auf Effis Gesundheit hin angesehen, war es doch alles nur Schein, in Wahrheit ging die Krankheit weiter und zehrte still das Leben auf. Wenn Effi – die wieder, wie damals an ihrem Verlobungstage mit Innstetten, ein blau- und weißgestreiftes Kittelkleid mit einem losen Gürtel trug – rasch und elastisch auf die Eltern zutrat, um ihnen einen guten Morgen zu bieten, so sahen sich diese freudig verwundert an, freudig verwundert, aber doch auch wehmütig, weil ihnen nicht entgehen konnte, daß es nicht die helle Jugend, sondern eine Verklärtheit war, was der schlanken Erscheinung und den leuchtenden Augen diesen eigentümlichen Ausdruck gab. Alle, die schärfer zusahen, sahen dies, nur Effi selbst sah es nicht und lebte ganz dem Glücksgefühle, wieder an dieser für sie so freundlich friedreichen Stelle zu sein, in Versöhnung mit denen, die sie immer geliebt hatte und von denen sie immer geliebt worden war, auch in den Jahren ihres Elends und ihrer Verbannung.

Sie beschäftigte sich mit allerlei Wirtschaftlichem und sorgte für Ausschmückung und kleine Verbesserungen im Haushalt. Ihr Sinn für das Schöne ließ sie darin immer das Richtige treffen. Lesen aber und vor allem die Beschäftigung mit den Künsten hatte sie ganz aufgegeben. »Ich habe davon so viel gehabt, daß ich froh bin, die Hände in den Schoß legen zu können.« Es erinnerte sie auch wohl zu sehr an ihre traurigen Tage. Sie bildete statt dessen die Kunst aus, still und entzückt auf die Natur zu blicken, und wenn das Laub von den Platanen fiel, wenn die Sonnenstrahlen auf dem Eis des kleinen Teiches blitzten oder die ersten Krokus aus dem noch halb winterlichen Rondell aufblühten – das tat ihr wohl, und auf all das konnte sie stundenlang blicken und dabei vergessen, was ihr das Leben versagt, oder richtiger wohl, um was sie sich selbst gebracht hatte.

Besuch blieb nicht ganz aus, nicht alle stellten sich gegen sie; ihren Hauptverkehr aber hatte sie doch in Schulhaus und Pfarre.

Daß im Schulhaus die Töchter ausgeflogen waren, schadete nicht viel, es würde nicht mehr so recht gegangen sein; aber zu Jahnke selbst – der nicht bloß ganz Schwedisch-Pommern, sondern auch die Kessiner Gegend als skandinavisches Vorland ansah und beständig darauf bezügliche Fragen stellte –, zu diesem alten Freunde stand sie besser denn je. »Ja, Jahnke, wir hatten ein Dampfschiff, und wie ich Ihnen, glaub' ich, schon einmal schrieb oder vielleicht auch schon mal erzählt habe, beinahe wär' ich wirklich rüber nach Wisby gekommen. Denken Sie sich, beinahe nach Wisby. Es ist komisch, aber ich kann eigentlich von vielem in meinem Leben sagen ›beinah‹.«

»Schade, schade«, sagte Jahnke.

»Ja, freilich schade. Aber auf Rügen bin ich wirklich umhergefahren. Und das wäre so was für Sie gewesen, Jahnke. Denken Sie sich, Arkona mit einem großen Wenden-Lagerplatz*, der noch sichtbar sein soll; denn ich bin nicht hingekommen: aber nicht allzu weit davon ist der Herthasee mit weißen und gelben Mummeln. Ich habe da viel an Ihre Hertha denken müssen . . .«

»Nun, ja, ja, Hertha . . . Aber Sie wollten von dem Herthasee sprechen . . .«

»Ja, das wollt' ich . . . Und denken Sie sich, Jahnke, dicht an dem See standen zwei große Opfersteine, blank und noch die Rinnen drin, in denen vordem das Blut ablief. Ich habe von der Zeit an einen Widerwillen gegen die Wenden.«

»Ach, gnäd'ge Frau verzeihen. Aber das waren ja keine Wenden. Das mit den Opfersteinen und mit dem Herthasee das war ja schon wieder viel, viel früher, ganz vor Christum natum*; reine Germanen, von denen wir alle abstammen . . .«

Festung und Tempelanlage der Wenden

(lat.) vor Christi Geburt

»Versteht sich«, lachte Effi, »von denen wir alle abstammen, die Jahnkes gewiß und vielleicht auch die Briests.«
Und dann ließ sie Rügen und den Herthasee fallen und fragte nach seinen Enkeln und welche ihm lieber wären, die von Bertha oder die von Hertha.

Ja, Effi stand gut zu Jahnke. Aber trotz seiner intimen Stellung zu Herthasee, Skandinavien und Wisby war er doch nur ein einfacher Mann, und so konnte es nicht wohl ausbleiben, daß der vereinsamten jungen Frau die Plaudereien mit Niemeyer um vieles lieber waren.

Im Herbst, solange sich im Parke promenieren ließ, hatte sie denn auch die Hülle und Fülle davon; mit dem Eintreten des Winters aber kam eine mehrmonatliche Unterbrechung, weil sie das Predigerhaus selbst nicht gern betrat; Frau Pastor Niemeyer war immer eine sehr unangenehme Frau gewesen und schlug jetzt vollends hohe Töne an, trotzdem sie, nach Ansicht der Gemeinde, selber nicht ganz einwandsfrei war.

Das ging so den ganzen Winter durch, sehr zu Effis Leidwesen. Als dann aber, Anfang April, die Sträucher einen grünen Rand zeigten und die Parkwege rasch abtrockneten, da wurden auch die Spaziergänge wieder aufgenommen.

Einmal gingen sie auch wieder so. Von fernher hörte man den Kuckuck, und Effi zählte, wie viele Male er rief. Sie hatte sich an Niemeyers Arm gehängt und sagte: »⌈Ja, da ruft der Kuckuck⌉. Ich mag ihn nicht befragen. Sagen Sie, Freund, was halten Sie vom Leben?«

»Ach, liebe Effi, mit solchen Doktorfragen darfst du mir nicht kommen. Da mußt du dich an einen Philosophen wenden oder ein Ausschreiben an eine Fakultät* machen. Was ich vom Leben halte? Viel und wenig. Mitunter ist es recht viel und mitunter ist es recht wenig.«

»Das ist recht, Freund, das gefällt mir; mehr brauch' ich nicht zu wissen.« Und als sie das so sagte, waren sie bis an

Abteilung an
der Universität

die Schaukel gekommen. Sie sprang hinauf mit einer Behendigkeit wie in ihren jüngsten Mädchentagen, und ehe sich noch der Alte, der ihr zusah, von seinem halben Schreck erholen konnte, huckte* sie schon zwischen den zwei Stricken nieder und setzte das Schaukelbrett durch ein geschicktes Auf- und Niederschnellen ihres Körpers in Bewegung. Ein paar Sekunden noch, und sie flog durch die Luft, und bloß mit einer Hand sich haltend, riß sie mit der andern ein kleines Seidentuch von Brust und Hals und schwenkte es wie in Glück und Übermut. Dann ließ sie die Schaukel wieder langsam gehen und sprang herab und nahm wieder Niemeyers Arm.

»Effi, du bist doch noch immer, wie du früher warst.«

»Nein. Ich wollte, es wäre so. Aber es liegt *ganz* zurück, und ich hab' es nur noch einmal versuchen wollen. Ach, wie schön es war, und wie mir die Luft wohltat; mir war, als flög' ich in den Himmel. Ob ich wohl hineinkomme? Sagen Sie mir's, Freund, Sie müssen es wissen. Bitte, bitte . . .«

Niemeyer nahm ihren Kopf in seine zwei alten Hände und gab ihr einen Kuß auf die Stirn und sagte: »Ja, Effi, du wirst.«

hockte

Fünfunddreißigstes Kapitel

Effi war den ganzen Tag draußen im Park, weil sie das Luftbedürfnis hatte; der alte Friesacker Doktor Wiesike war auch einverstanden damit, gab ihr aber in diesem Stükke doch zuviel Freiheit, zu tun, was sie wolle, so daß sie sich während der kalten Tage im Mai heftig erkältete; sie wurde fiebrig, hustete viel, und der Doktor, der sonst jeden dritten Tag herüberkam, kam jetzt täglich und war in Verlegenheit, wie er der Sache beikommen solle, denn die Schlaf-

und Hustenmittel, nach denen Effi verlangte, konnten ihr des Fiebers halber nicht gegeben werden.

»Doktor«, sagte der alte Briest, »was wird aus der Geschichte? Sie kennen sie ja von klein auf, haben sie geholt. Mir gefällt das alles nicht; sie nimmt sichtlich ab, und die roten Flecke und der Glanz in den Augen, wenn sie mich mit einem Male so fragend ansieht. Was meinen Sie? Was wird? Muß sie sterben?«

Wiesike wiegte den Kopf langsam hin und her. »Das will ich nicht sagen, Herr von Briest. Daß sie so fiebert, gefällt mir nicht. Aber wir werden es schon wieder runterkriegen, dann muß sie nach der Schweiz oder nach Mentone*. Reine Luft und freundliche Eindrücke, die das Alte vergessen machen . . .«

Bei Nizza gelegener Lungenkurort

»⌈Lethe, Lethe⌉.«

»Ja, Lethe«, lächelte Wiesike. »Schade, daß uns die alten Schweden, die Griechen, bloß das Wort hinterlassen haben und nicht zugleich auch die Quelle selbst . . .«

»Oder wenigstens das Rezept dazu; Wässer werden ja jetzt nachgemacht. Alle Wetter, Wiesike, das wär' ein Geschäft, wenn wir hier so ein Sanatorium anlegen könnten: Friesack als Vergessenheitsquelle. Nun, vorläufig wollen wir's mit der Riviera versuchen. Mentone ist ja wohl Riviera? Die Kornpreise sind zwar in diesem Augenblicke wieder schlecht, aber was sein muß, muß sein. Ich werde mit meiner Frau darüber sprechen.«

Das tat er denn auch und fand sofort seiner Frau Zustimmung, deren in letzter Zeit – wohl unter dem Eindruck zurückgezogenen Lebens – stark erwachte Lust, auch mal den Süden zu sehen, seinem Vorschlag zu Hülfe kam. Aber Effi selbst wollte nichts davon wissen. »Wie gut ihr gegen mich seid. Und ich bin egoistisch genug, ich würde das Opfer auch annehmen, wenn ich mir etwas davon verspräche. Mir steht es aber fest, daß es mir bloß schaden würde.«

»Das redest du dir ein, Effi.«

»Nein. Ich bin so reizbar geworden; alles ärgert mich. Nicht hier bei euch. Ihr verwöhnt mich und räumt mir alles aus dem Wege. Aber auf einer Reise, da geht das nicht, da läßt sich das Unangenehme nicht so beiseitetun; mit dem Schaffner fängt es an, und mit dem Kellner hört es auf. Wenn ich mir die süffisanten* Gesichter bloß vorstelle, so wird mir schon ganz heiß. Nein, nein, laßt mich hier. Ich mach nicht mehr weg von Hohen-Cremmen, hier ist meine Stelle. Der Heliotrop unten auf dem Rondell, um die Sonnenuhr herum, ist mir lieber als Mentone.«

selbstgefälligen

Nach diesem Gespräch ließ man den Plan wieder fallen, und Wiesike, soviel er sich von Italien versprochen hatte, sagte: »Das müssen wir respektieren, denn das sind keine Launen; solche Kranken haben ein sehr feines Gefühl und wissen mit merkwürdiger Sicherheit, was ihnen hilft und was nicht. Und was Frau Effi da gesagt hat von Schaffnern und Kellnern, das ist doch auch eigentlich ganz richtig, und es gibt keine Luft, die so viel Heilkräfte hätte, den Hotelärger (wenn man sich überhaupt darüber ärgert) zu balancieren. Also lassen wir sie hier; wenn es nicht das beste ist, so ist es gewiß nicht das schlechteste.«

Das bestätigte sich denn auch. Effi erholte sich, nahm um ein geringes wieder zu (der alte Briest gehörte zu den Wiegefanatikern) und verlor ein gut Teil ihrer Reizbarkeit. Dabei war aber ihr Luftbedürfnis in einem beständigen Wachsen, und zumal wenn Westwind ging und graues Gewölk am Himmel zog, verbrachte sie viele Stunden im Freien. An solchen Tagen ging sie wohl auch auf die Felder hinaus und ins Luch, oft eine halbe Meile weit, und setzte sich, wenn sie müde geworden, auf einen Hürdenzaun und sah, in Träume verloren, auf die Ranunkeln und roten Ampferstauden*, die sich im Winde bewegten.

Leuchtend blühende Pflanzen

»Du gehst immer so allein«, sagte Frau von Briest. »Unter unseren Leuten bist du sicher; aber es schleicht auch so viel fremdes Gesindel umher.«

Das machte doch einen Eindruck auf Effi, die an Gefahr nie gedacht hatte, und als sie mit Roswitha allein war, sagte sie: »Dich kann ich nicht gut mitnehmen, Roswitha; du bist zu dick und nicht mehr fest auf den Füßen.«

»Nu, gnäd'ge Frau, so schlimm ist es doch noch nicht. Ich könnte ja doch noch heiraten.«

»Natürlich«, lachte Effi. »Das kann man immer noch. Aber weißt du, Roswitha, wenn ich einen Hund hätte, der mich begleitete. Papas Jagdhund hat gar kein Attachement* für mich, Jagdhunde sind so dumm, und er rührt sich immer erst, wenn der Jäger oder der Gärtner die Flinte vom Riegel nimmt. Ich muß jetzt oft an Rollo denken.«

(franz.) Anhänglich-keit, Zunei-gung

»Ja«, sagte Roswitha, »so was wie Rollo haben sie hier gar nicht. Aber damit will ich nichts gegen ›hier‹ gesagt haben. Hohen-Cremmen ist sehr gut.«

Es war drei, vier Tage nach diesem Gespräche zwischen Effi und Roswitha, daß Innstetten um eine Stunde früher in sein Arbeitszimmer trat als gewöhnlich. Die Morgensonne, die sehr hell schien, hatte ihn geweckt, und weil er fühlen mochte, daß er nicht wieder einschlafen würde, war er aufgestanden, um sich an eine Arbeit zu machen, die schon seit geraumer Zeit der Erledigung harrte.

Nun war es eine Viertelstunde nach acht, und er klingelte. Johanna brachte das Frühstückstablett, auf dem, neben der ⌐Kreuzzeitung⌐ und der ⌐Norddeutschen Allgemeinen⌐, auch noch zwei Briefe lagen. Er überflog die Adressen und erkannte an der Handschrift, daß der eine vom Minister war. Aber der andere? Der Poststempel war nicht deutlich zu lesen, und das »Sr. Wohlgeboren Herrn Baron von Inn-stetten.« bezeugte eine glückliche Unvertrautheit mit den landesüblichen Titulaturen*. Dem entsprachen auch die Schriftzüge von sehr primitivem Charakter. Aber die Wohnungsangabe war wieder merkwürdig genau: W. Keith-straße 1 c, zwei Treppen hoch.

Rangbezeich-nungen

Innstetten war Beamter genug, um den Brief von »Exzellenz« zuerst zu erbrechen. »Mein lieber Innstetten! Ich freue mich, Ihnen mitteilen zu können, daß Seine Majestät Ihre Ernennung zu unterzeichnen geruht haben, und gratuliere Ihnen aufrichtig dazu.« Innstetten war erfreut über die liebenswürdigen Zeilen des Ministers, fast mehr als über die Ernennung selbst. Denn was das Höherhinaufklimmen auf der Leiter anging, so war er seit dem Morgen in Kessin, wo Crampas mit einem Blick, den er immer vor Augen hatte, Abschied von ihm genommen, etwas kritisch gegen derlei Dinge geworden. Er maß seitdem mit anderem Maße, sah alles anders an. Auszeichnung, was war es am Ende? Mehr als einmal hatte er während der ihm immer freudloser dahinfließenden Tage einer halbvergessenen Ministerialanekdote aus den Zeiten des älteren ⌐Ladenberg⌐ her gedenken müssen, der, als er nach langem Warten den ⌐Roten Adlerorden⌐ empfing, ihn wütend und mit dem Ausrufe beiseitewarf: »Da liege, bis du *schwarz* wirst.« Wahrscheinlich war er dann hinterher auch »schwarz« geworden, aber um viele Tage zu spät und sicherlich ohne rechte Befriedigung für den Empfänger. Alles, was uns Freude machen soll, ist an Zeit und Umstände gebunden, und was uns heute noch beglückt, ist morgen wertlos. Innstetten empfand das tief, und so gewiß ihm an Ehren und Gunstbezeugungen von oberster Stelle her lag, wenigstens gelegen *hatte*, so gewiß stand ihm jetzt fest, es käme bei dem glänzenden Schein der Dinge nicht viel heraus, und das, was man »das Glück« nenne, wenn's überhaupt existiere, sei was anderes als dieser Schein. »Das Glück, wenn mir recht ist, liegt in zweierlei: darin, daß man ganz da steht, wo man hingehört (aber welcher Beamte kann das von sich sagen), und zum zweiten und besten in einem behaglichen Abwickeln des ganz Alltäglichen, also darin, daß man ausgeschlafen hat und daß einem die neuen Stiefel nicht drücken. Wenn einem die 720 Minuten eines zwölfstündigen Tages ohne besonderen Ärger vergehen, so läßt sich von einem glücklichen Tage sprechen.« In einer Stimmung, die derlei schmerzlichen Betrachtungen nachhing, war Innstetten auch heute wieder. Er nahm nun den zweiten Brief. Als er ihn gelesen, fuhr er über seine Stirn und empfand schmerzlich, *daß* es ein Glück gebe, daß er es gehabt, aber daß er es nicht mehr habe und nicht mehr haben könne.

Johanna trat ein und meldete: »Geheimrat Wüllersdorf.« Dieser stand schon auf der Türschwelle. »Gratuliere, Innstetten.«

»Ihnen glaub ich's; die anderen werden sich ärgern. Im übrigen . . .«

»Im übrigen. Sie werden doch in diesem Augenblicke nicht kritteln wollen.«

»Nein. Die Gnade Seiner Majestät beschämt mich, und die wohlwollende Gesinnung des Ministers, dem ich das alles verdanke, fast noch mehr.«

»Aber . . .«

»Aber ich habe mich zu freuen verlernt. Wenn ich es einem anderen als Ihnen sagte, so würde solche Rede für redensartlich gelten. Sie aber, Sie finden sich darin zurecht. Sehen Sie sich hier um; wie leer und öde ist das alles. Wenn die Johanna eintritt, ein sogenanntes Juwel, so wird mir angst und bange. Dieses Sich-in-Szene-Setzen (und Innstetten ahmte Johannas Haltung nach), diese halb komische Büstenplastik, die wie mit einem Spezialanspruch auftritt, ich weiß nicht, ob an die Menschheit oder an mich – ich finde das alles so trist und elend, und es wäre zum Totschießen, wenn es nicht so lächerlich wäre.«

»Lieber Innstetten, in dieser Stimmung wollen Sie Ministerialdirektor werden?«

»Ah, bah. Kann es anders sein? Lesen Sie; diese Zeilen habe ich eben bekommen.«

Wüllersdorf nahm den zweiten Brief mit dem unleserlichen

Poststempel, amüsierte sich über das »Wohlgeboren« und trat dann ans Fenster, um bequemer lesen zu können.

»Gnädger Herr! Sie werden sich wohl am Ende wundern, daß ich Ihnen schreibe, aber es ist wegen Rollo. Anniechen hat uns schon voriges Jahr gesagt: Rollo wäre jetzt so faul; aber das tut hier nichts, er kann hier so faul sein, wie er will, je fauler, je besser. Und die gnädge Frau möchte es doch so gern. Sie sagt immer, wenn sie ins Luch oder über Feld geht: ›Ich fürchte mich eigentlich, Roswitha, weil ich da so allein bin; aber wer soll mich begleiten? Rollo, ja, das ginge; der ist mir auch nicht gram. Das ist der Vorteil, daß sich die Tiere nicht so drum kümmern.‹ Das sind die Worte der gnädgen Frau, und weiter will ich nichts sagen und den gnädgen Herrn bloß noch bitten, mein Anniechen zu grü-ßen. Und auch die Johanna. Von ihrer treu ergebensten Dienerin

Roswitha Gellenhagen.«

»Ja«, sagte Wüllersdorf, als er das Papier wieder zusam-menfaltete, »die ist uns über.«
»Finde ich auch.«
»Und das ist auch der Grund, daß Ihnen alles andere so fraglich erscheint.«
»Sie treffen's. Es geht mir schon lange durch den Kopf, und diese schlichten Worte mit ihrer gewollten oder vielleicht auch nicht gewollten Anklage haben mich wieder vollends aus dem Häuschen gebracht. Es quält mich seit Jahr und Tag schon, und ich möchte aus dieser ganzen Geschichte heraus; nichts gefällt mir mehr; je mehr man mich aus-zeichnet, je mehr fühle ich, daß dies alles nichts ist. Mein Leben ist verpfuscht, und so hab' ich mir im stillen ausge-dacht, ich müßte mit all den Strebungen und Eitelkeiten überhaupt nichts mehr zu tun haben und mein Schulmei-stertum, was ja wohl mein Eigentlichstes ist, als ein höherer

Sittendirektor verwenden können. Es hat ja dergleichen gegeben. Ich müßte also, wenn's ginge, solche schrecklich berühmte Figur werden, wie beispielsweise der ⌈Doktor Wichern im Rauhen Hause zu Hamburg⌉ gewesen ist, dieser Mirakelmensch*, der alle Verbrecher mit seinem Blick und seiner Frömmigkeit bändigte . . .«

»Hm, dagegen ist nichts zu sagen; das würde gehen.«

»Nein, es geht auch nicht. Auch *das* nicht mal. Mir ist eben alles verschlossen. Wie soll ich einen Totschläger an seiner Seele packen? Dazu muß man selber intakt sein. Und wenn man's nicht mehr ist und selber so was an den Fingerspitzen hat, dann muß man wenigstens vor seinen zu bekehrenden Confratres* den wahnsinnigen Büßer spielen und eine Riesenzerknirschung zum besten geben können.«

Wüllersdorf nickte.

». . . Nun sehen Sie, Sie nicken. Aber das alles kann ich nicht mehr. Den Mann im Büßerhemd bring' ich nicht mehr heraus, und den Derwisch oder Fakir*, der unter Selbstanklagen sich zu Tode tanzt, erst recht nicht. Und da hab' ich mir denn, weil das alles nicht geht, als ein Bestes herausgeklügelt: weg von hier, weg und hin unter lauter pechschwarze Kerle, die von Kultur und Ehre nichts wissen. Diese Glücklichen. Denn gerade *das*, dieser ganze Krimskrams ist doch an allem schuld. Aus Passion, was am Ende gehen möchte, tut man dergleichen nicht. Also bloßen Vorstellungen zuliebe . . . Vorstellungen! . . . Und da klappt denn einer zusammen, und man klappt selber nach. Bloß noch schlimmer.«

»Ach was, Innstetten, das sind Launen, Einfälle. Quer durch Afrika, was soll das heißen? Das ist für 'nen ⌈Leutnant, der Schulden hat⌉. Aber ein Mann wie Sie! Wollen Sie mit einem roten Fes* einem Palaver* präsidieren oder mit einem Schwiegersohn von ⌈König Mtesa⌉ Blutsfreundschaft schließen? Oder wollen Sie sich in einem Tropenhelm, mit sechs Löchern oben, am Kongo entlangtasten,

Wundertäter

(lat.)
Mitbrüder

Pers. und arab.
Bettelmönche

Arab. Kopf-
bedeckung

Hier: laute
Versammlung

bis Sie bei Kamerun oder da herum wieder herauskommen? Unmöglich!«

»Unmöglich? Warum? Und *wenn* unmöglich, was dann?«

»Einfach hierbleiben und Resignation üben. Wer ist denn unbedrückt? Wer sagte nicht jeden Tag: ›eigentlich eine sehr fragwürdige Geschichte.‹ Sie wissen, ich habe auch mein Päckchen zu tragen*, nicht gerade das Ihrige, aber nicht viel leichter. Es ist Torheit mit dem Im-Urwald-Umherkriechen oder in einem Termitenhügel nächtigen; wer's mag, der mag es, aber für unserein ist es nichts. ⌐In der Bresche stehen⌐ und aushalten, bis man fällt, das ist das beste. Vorher aber im kleinen und kleinsten so viel herausschlagen wie möglich und ein Auge dafür haben, wenn die Veilchen blühen oder das Luisendenkmal* in Blumen steht oder die kleinen Mädchen mit hohen Schnürstiefeln über die Korde* springen. Oder auch wohl nach Potsdam fahren und in die Friedenskirche gehen, wo ⌐Kaiser Friedrich⌐ liegt, und wo sie ⌐jetzt eben⌐ anfangen, ihm ein Grabhaus zu bauen. Und wenn Sie da stehen, dann überlegen Sie sich das Leben von *dem*, und wenn Sie dann nicht beruhigt sind, dann ist Ihnen freilich nicht zu helfen.«

»Gut, gut. Aber das Jahr ist lang, und jeder einzelne Tag . . . und dann der Abend.«

»Mit dem ist immer noch am ehesten fertig zu werden. Da haben wir ⌐Sardanapal⌐ oder ⌐Coppelia⌐ mit der ⌐dell'Era⌐, und wenn es damit aus ist, dann haben wir Siechen*. Nicht zu verachten. Drei Seidel* beruhigen jedesmal. Es gibt immer noch viele, sehr viele, die zu der ganzen Sache nicht anders stehen wie wir, und einer, dem auch viel verquer gegangen war, sagte mir mal: ›Glauben Sie mir, Wüllersdorf, es geht überhaupt nicht ohne ‚Hülfskonstruktionen'.‹ Der das sagte, war ein Baumeister und mußt' es also wissen. Und er hatte recht mit seinem Satz. Es vergeht kein Tag, der mich nicht an die ›Hülfskonstruktionen‹ gemahnte.«

Redensart, nach der jeder seine Sorgen und Probleme hat

Denkmal zu Ehren von Königin Luise von Preußen (1776–1810)

Seil, Schnur

Bekanntes Berliner Bierrestaurant

Bierglas

Wüllersdorf, als er sich so expektoriert*, nahm Hut und
Stock. Innstetten aber, der sich bei diesen Worten seines
Freundes seiner eigenen voraufgegangenen Betrachtungen
über das »kleine Glück« erinnert haben mochte, nickte
halb zustimmend und lächelte vor sich hin.

»Und wohin gehen Sie nun, Wüllersdorf? Es ist noch zu
früh für das Ministerium.«

»Ich schenk' es mir heute ganz. Erst noch eine Stunde Spaziergang am Kanal hin bis an die Charlottenburger Schleu-
se und dann wieder zurück. Und dann ein kleines Vorsprechen bei Huth*, Potsdamer Straße, die kleine Holz-
treppe vorsichtig hinauf. Unten ist ein Blumenladen.«

»Und das freut Sie? Das genügt Ihnen?«

»Das will ich nicht gerade sagen. Aber es hilft ein bißchen.
Ich finde da verschiedene Stammgäste, Frühschoppler*, deren Namen ich klüglich verschweige. Der eine erzählt dann
vom ⌐Herzog von Ratibor¬, der andere vom ⌐Fürstbischof
Kopp¬ und der dritte wohl gar von Bismarck. Ein bißchen
fällt immer ab. Dreiviertel stimmt nicht, aber wenn es nur
witzig ist, krittelt man nicht lange dran herum und hört
dankbar zu.«

Und damit ging er.

Sechsunddreißigstes Kapitel

Der Mai war schön, der Juni noch schöner, und Effi, nachdem ein erstes schmerzliches Gefühl, das Rollos Eintreffen
in ihr geweckt hatte, glücklich überwunden war, war voll
Freude, das treue Tier wieder um sich zu haben. Roswitha
wurde belobt, und der alte Briest erging sich seiner Frau
gegenüber in Worten der Anerkennung für Innstetten, der
ein Kavalier sei, nicht kleinlich und immer das Herz auf
dem rechten Fleck gehabt habe. »Schade, daß die dumme

Geschichte dazwischenfahren mußte. Eigentlich war es doch ein Musterpaar.« Der einzige, der bei dem Wiedersehen ruhig blieb, war Rollo selbst, weil er entweder kein Organ für Zeitmaß hatte oder die Trennung als eine Unordnung ansah, die nun einfach wieder behoben sei. Daß er alt geworden, wirkte wohl auch mit dabei. Mit seinen Zärtlichkeiten blieb er sparsam, wie er beim Wiedersehen sparsam mit seinen Freudenbezeugungen gewesen war, aber in seiner Treue war er womöglich noch gewachsen. Er wich seiner Herrin nicht von der Seite. Den Jagdhund behandelte er wohlwollend, aber doch als ein Wesen auf niederer Stufe. Nachts lag er vor Effis Tür auf der Binsenmatte, morgens, wenn das Frühstück im Freien genommen wurde, neben der Sonnenuhr, immer ruhig, immer schläfrig, und nur wenn sich Effi vom Frühstückstisch erhob und auf den Flur zuschritt und hier erst den Strohhut und dann den Sonnenschirm vom Ständer nahm, kam ihm seine Jugend wieder, und ohne sich darum zu kümmern, ob seine Kraft auf eine große oder kleine Probe gestellt werden würde, jagte er die Dorfstraße hinauf und wieder herunter und beruhigte sich erst, wenn sie zwischen den ersten Feldern waren. Effi, der freie Luft noch mehr galt als landschaftliche Schönheit, vermied die kleinen Waldpartien und hielt meist die große, zunächst von uralten Rüstern* und dann, wo die Chaussee begann, von Pappeln besetzte große Straße, die nach der Bahnhofsstation führte, wohl eine Stunde Wegs. An allem freute sie sich, atmete beglückt den Duft ein, der von den Raps- und Kleefeldern herüberkam, oder folgte dem Aufsteigen der Lerchen und zählte die Ziehbrunnen und Tröge, daran das Vieh zur Tränke ging. Dabei klang ein leises Läuten zu ihr herüber. Und dann war ihr zu Sinn, als müsse sie die Augen schließen und in einem süßen Vergessen hinübergehen. In Nähe der Station, hart an der Chaussee, lag eine Chausseewalze. Das war ihr täglicher Rasteplatz, von dem aus sie das Treiben auf dem Bahn-

* Ulmen

damm verfolgen konnte; Züge kamen und gingen, und mitunter sah sie zwei Rauchfahnen, die sich einen Augenblick wie deckten und dann nach links und rechts hin wieder auseinandergingen, bis sie hinter Dorf und Wäldchen verschwanden. Rollo saß dann neben ihr, an ihrem Frühstück teilnehmend, und wenn er den letzten Bissen aufgefangen hatte, fuhr er, wohl um sich dankbar zu bezeigen, irgendeine Ackerfurche wie ein Rasender hinauf und hielt nur inne, wenn ein paar beim Brüten gestörte Rebhühner dicht neben ihm aus einer Nachbarfurche aufflogen.

»Wie schön dieser Sommer! Daß ich noch so glücklich sein könnte, liebe Mama, vor einem Jahre hätte ich's nicht gedacht« – das sagte Effi jeden Tag, wenn sie mit der Mama um den Teich schritt oder einen Frühapfel vom Zweig brach und tapfer einbiß. Denn sie hatte die schönsten Zähne. Frau von Briest streichelte ihr dann die Hand und sagte: »Werde nur erst wieder gesund, Effi, ganz gesund; das Glück findet sich dann; nicht das alte, aber ein neues. Es gibt Gott sei Dank viele Arten von Glück. Und du sollst sehen, wir werden schon etwas finden für dich.«
»Ihr seid so gut. Und eigentlich hab' ich doch auch euer Leben geändert und euch vor der Zeit zu alten Leuten gemacht.«
»Ach, meine liebe Effi, davon sprich nicht. Als es kam, da dacht' ich ebenso. Jetzt weiß ich, daß unsere Stille besser ist als der Lärm und das laute Getriebe von vordem. Und wenn du so fortfährst, können wir noch reisen. Als Wiesike Mentone vorschlug, da warst du krank und reizbar und hattest, weil du krank warst, ganz recht mit dem, was du von den Schaffnern und Kellnern sagtest; aber wenn du wieder festere Nerven hast, dann geht es, dann ärgert man sich nicht mehr, dann lacht man über die großen Allüren und das gekräuselte Haar. Und dann das blaue Meer und weiße Segel und die Felsen ganz mit rotem Kaktus über-

wachsen – ich habe es noch nicht gesehen, aber ich denke es mir so. Und ich möchte es wohl kennenlernen.«

So verging der Sommer, und die Sternschnuppennächte lagen schon zurück. Effi hatte während dieser Nächte bis über Mitternacht hinaus am Fenster gesessen und sich nicht müde sehen können. »Ich war immer eine schwache Christin; aber ob wir doch vielleicht von da oben stammen und, wenn es hier vorbei ist, in unsere himmlische Heimat zurückkehren, zu den Sternen oben oder noch drüber hinaus! Ich weiß es nicht, ich will es auch nicht wissen, ich habe nur die Sehnsucht.«

⌜Arme Effi, du⌝ hattest zu den Himmelwundern zu lange hinaufgesehen und darüber nachgedacht, und das Ende war, daß die ⌜Nachtluft⌝ und die Nebel, die vom Teich her aufstiegen, sie wieder aufs Krankenbett warfen, und als Wiesike gerufen wurde und sie gesehen hatte, nahm er Briest beiseite und sagte: »Wird nichts mehr; machen Sie sich auf ein baldiges Ende gefaßt.«

Er hatte nur zu wahr gesprochen, und wenige Tage danach, es war noch nicht spät und die zehnte Stunde noch nicht heran, da kam Roswitha nach unten und sagte zu Frau von Briest:

»Gnädigste Frau, mit der gnädigen Frau oben ist es schlimm; sie spricht immer so still vor sich hin und mitunter ist es, als ob sie bete, sie will es aber nicht wahrhaben, und ich weiß nicht, mir ist, als ob es jede Stunde vorbei sein könnte.« »Will sie mich sprechen?«

»Sie hat es nicht gesagt. Aber ich glaube, sie möchte es. Sie wissen ja, wie sie ist; sie will Sie nicht stören und ängstlich machen. Aber es wäre doch wohl gut.«

»Es ist gut, Roswitha«, sagte Frau von Briest, »ich werde kommen.«

Und ehe die Uhr noch einsetzte, stieg Frau von Briest die Treppe hinauf und trat bei Effi ein. Das Fenster stand auf, und sie lag auf einer Chaiselongue*, die neben dem Fenster stand.

*(franz.) Gepolsterte Liege mit Kopflehne

Frau von Briest schob einen kleinen schwarzen Stuhl mit drei goldenen Stäbchen in der Ebenholzlehne heran, nahm Effis Hand und sagte:

»Wie geht es dir, Effi? Roswitha sagt, du seiest so fiebrig.«

»Ach, Roswitha nimmt alles so ängstlich. Ich sah ihr an, sie glaubt, ich sterbe. Nun, ich weiß nicht. Aber sie denkt, es soll es jeder so ängstlich nehmen wie sie selbst.«

»Bist du so ruhig über Sterben, liebe Effi?«

»Ganz ruhig, Mama.«

»Täuschst du dich darin nicht? Alles hängt am Leben und die Jugend erst recht. Und du bist noch so jung, liebe Effi.«

Effi schwieg eine Weile. Dann sagte sie: »Du weißt, ich habe nicht viel gelesen, und Innstetten wunderte sich oft darüber, und es war ihm nicht recht.«

Es war das erstemal, daß sie Innstettens Namen nannte, was einen großen Eindruck auf die Mama machte und dieser klar zeigte, daß es zu Ende sei.

»Aber ich glaube«, nahm Frau von Briest das Wort, »du wolltest mir was erzählen.«

»Ja, das wollte ich, weil du davon sprachst, ich sei noch so jung. Freilich bin ich noch jung. Aber das schadet nichts. Es war noch in glücklichen Tagen, da las mir Innstetten abends vor; er hatte sehr gute Bücher, und in einem hieß es: Es sei wer von einer fröhlichen Tafel abgerufen worden, und am andern Tage habe der Abgerufene gefragt, wie's denn nachher gewesen sei. Da habe man ihm geantwortet: ›Ach, es war noch allerlei; aber eigentlich haben Sie nichts versäumt.‹ Sieh, Mama, diese Worte haben sich mir eingeprägt – es hat nicht viel zu bedeuten, wenn man von der Tafel etwas früher abgerufen wird.«

Frau von Briest schwieg. Effi aber schob sich etwas höher hinauf und sagte dann: »Und da ich nun mal von alten Zeiten und auch von Innstetten gesprochen habe, muß ich dir doch noch etwas sagen, liebe Mama.«

»Du regst dich auf, Effi.«

»Nein, nein; etwas von der Seele heruntersprechen, das regt mich nicht auf, das macht still. Und da wollt' ich dir denn sagen: ich sterbe mit Gott und Menschen versöhnt, auch versöhnt mit *ihm*.«

»Warst du denn in deiner Seele in so großer Bitterkeit mit ihm? Eigentlich, verzeihe mir, meine liebe Effi, daß ich das jetzt noch sage, eigentlich hast du doch euer Leid heraufbeschworen.«

Effi nickte. »Ja, Mama. Und traurig, daß es so ist. Aber als dann all das Schreckliche kam, und zuletzt das mit Annie, du weißt schon, da hab' ich doch, wenn ich das lächerliche Wort gebrauchen darf, den Spieß umgekehrt und habe mich ganz ernsthaft in den Gedanken hineingelebt, er sei schuld, weil er nüchtern und berechnend gewesen sei und zuletzt auch noch grausam. Und da sind Verwünschungen gegen ihn über meine Lippen gekommen.«

»Und das bedrückt dich jetzt?«

»Ja. Und es liegt mir daran, daß er erfährt, wie mir hier in meinen Krankheitstagen, die doch fast meine schönsten gewesen sind, wie mir hier klar geworden, daß er ⌈in allem recht gehandelt⌉. In der Geschichte mit dem armen Crampas – ja, was sollt' er am Ende anders tun? Und dann, womit er mich am tiefsten verletzte, daß er mein eigen Kind in einer Art Abwehr gegen mich erzogen hat, so hart es mir ankommt und so weh es mir tut, er hat auch darin recht gehabt. Laß ihn das wissen, daß ich in dieser Überzeugung gestorben bin. Es wird ihn trösten, aufrichten, vielleicht versöhnen. Denn er hatte viel Gutes in seiner Natur und war so edel, wie jemand sein kann, der ohne rechte Liebe ist.«

Frau von Briest sah, daß Effi erschöpft war und zu schlafen schien oder schlafen wollte. Sie erhob sich leise von ihrem Platz und ging. Indessen kaum, daß sie fort war, erhob sich auch Effi und setzte sich an das offene Fenster, um noch einmal die kühle Nachtluft einzusaugen. Die Sterne flimmerten, und im Parke regte sich kein Blatt. Aber je länger sie hinaushorchte, je deutlicher hörte sie wieder, daß es wie ein feines Rieseln auf die Platanen niederfiel. Ein Gefühl der Befreiung überkam sie. »Ruhe, Ruhe.«

Es war einen Monat später, und der September ging auf die Neige. Das Wetter war schön, aber das Laub im Parke zeigte schon viel Rot und Gelb*, und seit den Äquinoktien*, die drei Sturmtage gebracht hatten, lagen die Blätter überallhin ausgestreut. Auf dem Rondell hatte sich eine kleine Veränderung vollzogen, die Sonnenuhr war fort, und an der Stelle, wo sie gestanden hatte, lag seit gestern eine weiße Marmorplatte, darauf stand nichts als »Effi Briest« und darunter ein Kreuz. Das war Effis letzte Bitte gewesen: »Ich möchte auf meinem Stein ⌈meinen alten Namen⌉ wiederhaben; ich habe dem andern keine Ehre gemacht.« Und es war ihr versprochen worden.

Ja, gestern war die Marmorplatte gekommen und aufgelegt worden, und angesichts der Stelle saßen nun wieder Briest und Frau und sahen darauf hin und auf den Heliotrop, den man geschont und der den Stein jetzt einrahmte. Rollo lag daneben, den Kopf in die Pfoten gesteckt. Wilke, dessen Gamaschen* immer weiter wurden, brachte das Frühstück und die Post, und der alte Briest sagte: »Wilke, bestelle den kleinen Wagen. Ich will mit der Frau über Land fahren.«

Frau von Briest hatte mittlerweile den Kaffee eingeschenkt und sah nach dem Rondell und seinem Blumenbeete. »Sieh, Briest, Rollo liegt wieder vor dem Stein. Es ist ihm doch noch tiefer gegangen als uns. Er frißt auch nicht mehr.«

»Ja, Luise, die Kreatur*. Das ist ja, was ich immer sage. Es ist nicht so viel mit uns, wie wir glauben. Da reden wir immer von Instinkt. Am Ende ist es doch das Beste.«

Vgl. Erl. zu 136,8.

Tag- und Nachtgleiche, hier: die Herbstäquinoktien um den 21.9.

Meist lederne Überstrümpfe

Hier: von Gott geschaffenes Wesen

»Sprich nicht so. Wenn du so philosophierst . . . nimm es
mir nicht übel, Briest, dazu reicht es bei dir nicht aus. Du
hast deinen guten Verstand, aber du kannst doch nicht an
solche Fragen . . .«
5 »Eigentlich nicht.«
»Und wenn denn schon überhaupt Fragen gestellt werden
sollen, da gibt es ganz andere, Briest, und ich kann dir
sagen, es vergeht kein Tag, seit das arme Kind da liegt, wo
mir solche Fragen nicht gekommen wären . . .«
10 »Welche Fragen?«
»Ob *wir* nicht doch vielleicht schuld sind?«
»Unsinn, Luise. Wie meinst du das?«
»Ob wir sie nicht anders in Zucht hätten nehmen müssen.
Gerade wir. Denn Niemeyer ist doch eigentlich eine Null,
15 weil er alles in Zweifel läßt. Und dann, Briest, so leid es mir
tut . . . deine beständigen Zweideutigkeiten . . . und zuletzt, womit ich mich selbst anklage, denn ich will nicht
schuldlos ausgehen in dieser Sache, ob sie nicht doch vielleicht zu jung war?«
20 Rollo, der bei diesen Worten aufwachte, schüttelte den
Kopf langsam hin und her, und ⌐Briest sagte ruhig¬: »Ach,
Luise, laß . . . das ist ein *zu* weites Feld*.«

Vgl. 44,10;
47,28; 49,30.

Kommentar

Zeittafel

1819   Henri Théodore (Theodor) Fontane wird am 30. Dezember als erster Sohn des Apothekers Louis Henri Fontane (1796–1867) und seiner Frau Emilie, geb. Labry (1798–1869), beide mit hugenottischen Vorfahren, in Neuruppin, Mark Brandenburg geboren.

1827   Die Familie zieht nach Swinemünde um.

1835   Erste Begegnung mit Emilie Rouanet-Kummer (1824–1902), Fontanes späterer Frau.

1836   Fontane geht von der Berliner Friedrichswerderschen Gewerbeschule ab und beginnt eine Lehre in der Apotheke »Zum Weißen Schwan« in Berlin. Bis 1849 wird Fontane diesen Beruf in verschiedenen Apotheken ausüben.

1839   Fontanes erste Veröffentlichung, die Erzählung »Geschwisterliebe«, erscheint im *Berliner Figaro*.

1844   Eintritt als Einjährig-Freiwilliger in das Garderegiment Kaiser Franz in Berlin. Aufnahme in den Literaturclub »Tunnel über der Spree« unter dem Namen Lafontaine. Erste Reise nach England.

1847   Trennung der Eltern.

1848   Beobachtende Teilnahme an den Barrikadenkämpfen vom 18. März. In der *Berliner Zeitungs-Halle* erscheinen revolutionäre Aufsätze von Fontane.

1849   Freier Schriftsteller. Publikation von 29 (chiffrierten) politischen Korrespondenzen in der *Dresdner Zeitung*. Die ersten Bücher erscheinen: *Männer und Helden* und *Von der schönen Rosamunde*.

1850   Fontane heiratet Emilie Rouanet-Kummer, mit der er sich 1845 verlobt hatte. Anstellung im Literarischen Büro (»Literarisches Cabinett«) des Innenministeriums. Das Büro wird am 31. Dezember aufgelöst.

1851   Erste Buchausgabe der Gedichte. Geburt des Sohnes George Emile (gest. 1887). Anstellung bei der neugegründeten Zentralstelle für Presseangelegenheiten der preußischen Regierung.

1852   Zweiter Englandaufenthalt. Berichte für Berliner Zeitungen.

1855 Beginn des dritten, diesmal mehrjährigen Englandaufenthalts. Im Auftrag des Ministers Otto Freiherr von Manteuffel baut Fontane eine »Deutsch-Englische Pressekorrespondenz« auf, die er bis zu ihrer Auflösung 1856 leitet; von da an ist Fontane halbamtlicher »Presse-Agent«.

1856 Emilie siedelt mit den Kindern nach London über. Geburt des Sohnes Theodor Henry (gest. 1933).

1859 Rückkehr nach Berlin. Vergeblicher Versuch, in München eine »Königliche Sekretär-Stellung« zu erhalten.

1860 Eintritt in die Redaktion der *Kreuzzeitung*. Geburt der Tochter Martha (gest. 1917), später Mete genannt.

1861 Am Jahresende erscheint der erste Band der *Wanderungen durch die Mark Brandenburg* (bis 1882 erscheinen noch drei weitere Bände).

1864 Geburt des Sohnes Friedrich (gest. 1941), der 1888 einen Verlag gründen wird und Fontanes letzte Werke publiziert.

1867 Tod des Vaters.

1869 Tod der Mutter.

1870 Vertrag mit der *Vossischen Zeitung* als Theaterkritiker. Besichtigungsreise im Auftrag des Verlegers Rudolf von Decker durch das besetzte Frankreich. Festnahme als Kriegsgefangener in Domremy. Freilassung aufgrund einer direkten Intervention Bismarcks.

1872 Der erste Teilband von Fontanes *Der Krieg gegen Frankreich 1870–1871* erscheint, die Fortsetzung drei Jahre später.

1878 *Vor dem Sturm*. Von jetzt an erscheinen in rascher Folge Fontanes Romane und Erzählungen: *Grete Minde* (1880), *Ellernklipp* (1881), *L'Adultera* (1882), *Schach von Wuthenow* (1883), *Graf Petöfy* (1884), *Unterm Birnbaum* (1885), *Cécile* (1887), *Irrungen,Wirrungen* (1888), *Stine* (1890), *Quitt* (1891), *Unwiederbringlich* (1892), *Frau Jenny Treibel* (1893), *Effi Briest* (1895), *Die Poggenpuhls* (1896), *Der Stechlin* (posthum 1899), *Mathilde Möhring* (posthum 1906).

1890 Ende der Tätigkeit als Theaterkritiker.

1891 Erkrankung an Gehirnanämie.

1894 Ehrendoktorwürde der Philosophischen Fakultät der Berliner Universität. Veröffentlichung der autobiographischen Schrift *Meine Kinderjahre*.

1898 Die Fortsetzung seiner Lebenserinnerungen erscheinen unter dem Titel *Von Zwanzig bis Dreißig*. Am 20. September stirbt Fontane in Berlin. Die Beisetzung findet auf dem Friedhof der Französischen Reformierten Gemeinde statt.

Entstehungs- und Textgeschichte

Wann genau Fontane mit der Arbeit an *Effi Briest* begann, lässt sich nicht datieren, denn über die einzelnen Schreibaktivitäten schweigt sich der sonst so fleißige Briefschreiber aus. Mitte 1890 kündigt Fontane dem Stuttgarter Verleger Adolf Kröner, Besitzer und Herausgeber des populärsten und auflagenstärksten Familienblattes *Die Gartenlaube*, den bereits fertigen Roman zum Druck für den Winter oder das kommende Frühjahr an: »Er spielt im ersten Drittel auf einem havelländischen adligen Gut, im zweiten Drittel in einem kleinen pommerschen Badeort in der Nähe von Varzin und im letzten Drittel in Berlin. Titel: Effi Briest. Es handelt sich [. . .] nur um Liebe, also stofflich eine Art Ideal.« Aus welchem Grund diese Fassung nicht gedruckt wurde, ist nicht eindeutig zu klären; sicher trugen die diversen Krankheiten dazu bei, die vom Frühjahr bis Spätsommer 1892 ein Arbeiten Fontanes am Schreibtisch gänzlich unmöglich machten. Zur Genesung empfahl ihm der Hausarzt, auf die Fertigstellung des Romans vorerst zu verzichten und stattdessen an der ebenfalls begonnenen Autobiographie *Meine Kinderjahre* weiterzuschreiben. Das Aufarbeiten seiner Kindheit in Swinemünde – letztlich das Vorbild für Kessin – tat ihm gut, und so schrieb er sich im wahrsten Sinne des Wortes »wieder gesund«. Nachdem er seine Autobiographie fertiggestellt hatte, nahm Fontane 1893 die Arbeit an *Effi Briest* wieder auf, und es überrascht wohl kaum, dass sich manche Szenerien aus Fontanes Leben im Roman wiederfinden, etwa der Spuk in der väterlichen Apotheke, der Schloon oder seine Faszination am Schaukeln, am Wasser und am »Aparten«.

Im Rückblick scheint Fontane die Abfassung dieses Romans ausgesprochen leichtgefallen zu sein; in einem Brief vom 2. März 1895 an Hans Hertz heißt es: »Vielleicht ist es mir so gelungen, weil ich das Ganze träumerisch und fast wie mit einem Psychographen geschrieben habe. Sonst kann ich mich immer der Arbeit, ihrer Mühe, Sorgen und Etappen, erinnern – in *diesem* Falle gar nicht. Es ist so wie von selbst gekommen, ohne rechte Überlegung und ohne alle Kritik.« Dies bezog sich jedoch nur auf die erste Niederschrift des Romans, denn Fontane korrigierte diese Fassung mehrmals, so wie er auch bei seinen anderen Romanen verfuhr. Diese Revisionen und Korrekturen (Fritz Behrend unterscheidet in seinem Band *Aus Theodor Fontanes Werkstatt* sieben Fassungen) zogen sich bis Mai 1894 hin und haben ihm »viel Arbeit gemacht«, wie er später einräumt. Schließlich war der Roman als Vorabdruck von Oktober 1894 bis März 1895 in Heft 1 bis 6 des 21. Jahrgangs der *Deutschen Rundschau* zu lesen, jeweils sechs Kapitel pro Heft. Als Buch erschien *Effi Briest* im Oktober 1895 im Verlag seines Sohnes Friedrich, und es war so erfolgreich, dass der Autor am Ende des Jahres in sein Tagebuch notierte: »Im Herbst erscheint *Effi Briest* als Buch und bringt es in weniger als Jahresfrist zu 5 Auflagen – der erste wirkliche Erfolg, den ich mit einem Roman habe.«

Der Erfolg des Romans begründet sich zum einen mit dem Thema Ehebruch und seiner Faszination und zum anderen mit Fontanes Talent, Szenerien und v. a. Figuren zu entwerfen, in die der Leser eintauchen und mit denen er mitfühlen kann. Der reale Stoff, der dem Roman zugrunde liegt, dürfte weit weniger für die Begeisterung beim Lesepublikum verantwortlich gewesen sein, denn 1895 war die Affäre um den Freiherrn von Ardenne kaum mehr bekannt (vgl. S. 348). Was Fontane an den zahlreichen positiven Kritiken überraschte, war die Anteilnahme an Effis Schicksal und die ablehnende Haltung gegenüber Innstetten. So schrieb er in einem Brief an Clara Kühnast am 27. Oktober 1895:

Brief an C. Kühnast

> »Ja, Effi! Alle Leute sympathisieren mit ihr, und einige gehen so weit, im Gegensatz dazu, den Mann als einen ›alten Ekel‹ zu bezeichnen. [In einem anderen Brief hält Fontane fest: »Männer – und nun gar wenn sie Prinzipien haben – sind immer ›alte Ekels‹. Darin muß man sich finden.«] Das amüsiert mich natürlich, gibt mir aber auch zu denken, weil es wieder beweist, wie wenig den Menschen an der sogenannten ›Moral‹ liegt und wie die liebenswürdigen Naturen dem Menschenherzen sympathischer sind. Ich habe dies lange gewußt, aber es ist mir nie so stark entgegengetreten wie in diesem Effi Briest- und Innstetten-Fall. Denn eigentlich ist er (Innstetten)

doch in jedem Anbetracht ein ganz ausgezeichnetes Menschenexemplar, dem es an dem, was man lieben muß, durchaus nicht fehlt. Aber sonderbar, alle korrekten Leute werden schon bloß um ihrer Korrektheiten willen mit Mißtrauen, oft mit Abneigung betrachtet.«

Brief an
J. V. Widmann
An den Kritiker Joseph Viktor Widmann schrieb er am 19. November 1895, nachdem dieser in einer Rezension das Spukhaus, das Chinesen-Motiv und die Figur Innstetten gewürdigt hatte:

»Für den Schriftsteller in mir kann es gleichgültig sein, ob Innstetten, der nicht notwendig zu gefallen braucht, als famoser Kerl oder als ›Ekel‹ empfunden wird, als Mensch aber macht mich die Sache stutzig. Hängt das mit etwas Schönem im Menschen- und namentlich im Frauenherzen zusammen, oder zeigt es, wie schwach es mit den Moralitäten steht, so daß jeder froh ist, wenn er einem ›Etwas‹ begegnet, das er nur nicht den Mut hatte auf die eigenen Schultern zu nehmen.«

Auch auf die realen Hintergründe des Romans ging Fontane mehrfach ein. Die »wirkliche Effi« oder ihre »Geschichte nach dem Leben« beschrieb er einer Dame am 12. Juni 1895:

Brief vom
12. 6. 1895
»Es ist nämlich eine wahre Geschichte, die sich hier zugetragen hat, nur in Ort und Namen alles transponiert. Das Duell fand in Bonn statt, nicht in dem rätselvollen Kessin, dem ich die Szenerie von Swinemünde gegeben habe; Crampas war ein Gerichtsrat, Innstetten ist jetzt Oberst, Effi lebt noch, ganz in der Nähe von Berlin. Vielleicht läge sie lieber auf dem Rondel in Hohen-Cremmen. – Daß ich die Sache im unklaren gelassen hätte, kann ich nicht zugeben, die berühmten ›Schilderungen‹ (der Gipfel der Geschmacklosigkeit) vermeide ich freilich, aber Effis Brief an Crampas und die mitgeteilten 3 Zettel von Crampas an Effi, die sagen doch alles.«

Die Ardenne-Affäre

Wie bereits erwähnt, liegen der Geschichte in *Effi Briest* reale Ereignisse zugrunde: die Ardenne-Affäre. Was Fontane über diesen Gesellschaftsskandal wusste, hatte er von Emma Lessing, der Frau des Haupteigentümers der Berliner *Vossischen Zeitung*, erfahren, die das Ehepaar Ardenne persönlich kannte. Ihren Berichten verdanken wir letztlich den Roman, was Fontane durch jene Widmung deutlich machte, die er in ihre Buchausgabe schrieb: »Rückkehrt hier, was ich geschrieben habe / Zur ursprünglichen Spenderin dieser Gabe.« Was dies im Einzelnen bedeutete, hielt Fontane in einem Brief vom 21. Februar 1896 an Friedrich Spielhagen (1829–1911) fest, der gleichfalls über die Ardenne-Geschichte einen Roman geschrieben hatte:

Brief an
F. Spielhagen

»Mir wurde die Geschichte vor etwa 7 Jahren [d. h. Anfang 1889] durch meine Freundin und Gönnerin Lessing (›Vossische Zeitung‹) bei Tisch erzählt. ›Wo ist denn jetzt Baron A.?‹ fragte ich ganz von ungefähr. ›Wissen Sie nicht?‹ Und nun hörte ich, was ich in meinem Roman erzähle. Übrigens, glaube ich, wußte Frau Lessing den Namen der Dame nicht genau. Alles spielte, um auch das noch zu sagen, am Rhein, nicht in Pommern. Das ist das wenige, was ich weiß. Übrigens sagte mir Geh. Rat Adler (der Architekt), ›Gott, das ist ja die Geschichte von dem A.‹ Er hatte es doch rausgewittert. [. . .] Die ganze Geschichte ist eine Ehebruchsgeschichte wie hundert andre mehr und hätte, als mir Frau L. davon erzählte, weiter keinen großen Eindruck auf mich gemacht, wenn nicht (vergl. das kurze 2. Kapitel) die Szene bez. die Worte: ›Effi komm‹ [S. 22] darin vorgekommen wären. Das Auftauchen der Mädchen an den mit Wein überwachsenen Fenstern, die Rotköpfe, der Zuruf und dann das Niederducken und Verschwinden machten *solchen* Eindruck auf mich, daß aus *dieser* Szene die ganze lange Geschichte entstanden ist. An dieser *einen* Szene können auch Baron A. und die Dame erkennen, daß *ihre* Geschichte den Stoff gab.«

Auch Fontane selbst hatte das Ehepaar Ardenne 1880 im Salon der Emma Lessing kennen gelernt und im gleichen Jahr die von Ardenne verfasste *Geschichte des Zietenschen Husaren-Regiments* (1874) gelesen, über die er im Anschluss einen Aufsatz schrieb, der in Fortsetzungen in der *Vossischen Zeitung* erschien. Was Fontane aber im Detail über die Affäre wusste, lässt sich nur schwer nachvollziehen. Erst die Fontane-Forschung und die mit ihr einhergehenden Darstellungen des Skandals brachten Licht in die tatsächlichen Ereignisse um Elisabeth Baronin von Ardenne, geb. Freiin von Plotho, und ihren Ehemann, Armand Léon von Ardenne. In aller Kürze stellen sich die realen Geschehnisse wie folgt dar:

Die realen Geschehnisse

Elisabeth Freiin von Plotho wird 1853 auf dem elterlichen Gut Zerben bei Parey an der Elbe geboren – und nicht in Paretz, wie Fontane an Spielhagen schreibt. Sie wächst als jüngstes von fünf Kindern ohne äußere Zwänge auf und spielt besonders gern mit Jungen. Bei diesen ausgelassenen Spielen erweist sich der 1848 geborene Armand Léon Ardenne, der häufig bei von Plothos zu Gast ist, als Störenfried, denn seine Vorliebe gilt der Musik und Konzerten, wozu die Mutter die Tochter zu rufen pflegt: »Else, komm, der junge Ardenne spielt Klavier!« Erst nach dem Deutsch-Französischen Krieg, bei dem Ardenne verwundet wird, gibt Else ihre anfängliche Ablehnung gegenüber dem fünf Jahre älteren Mann auf, und durch Vermittlung der Mutter verloben sich die beiden im Februar 1871. Zwei Jahre später heiratet die 19-jährige Else den 24-jährigen Ardenne in Zerben. Zunächst leben sie in einer von der Mutter eingerichteten Berliner Wohnung, ziehen danach vorübergehend nach Rathenow, wo sie wohl die glücklichste Zeit ihrer Ehe verbringen, ehe sie nach Berlin zurückkehren, da Ardenne in den Generalstab versetzt wird. Daneben macht sich Ardenne einen Namen als Militärschriftsteller; er geht voll und ganz in seinem Beruf auf, während sich Else zunehmend vernachlässigt fühlt. In Düsseldorf, wohin Ardenne 1877 versetzt wird, lernt Elisabeth bei einem der zahlreichen Feste im Haus Ardenne den 1843 geborenen Amtsrichter Hartwich kennen, der nebenberuflich malt und Aufsätze und Bücher über Erziehung und Hygiene schreibt. Der gemeinsamen Vorliebe für das Theaterspiel folgt ein vertrauter Briefwechsel, der sich auch fortsetzt, als Ardenne 1884 ins Kriegsministerium versetzt wird und die Familie nach Berlin umzieht. Dort besucht Hartwich gelegentlich die Baronin, und im Sommer 1886 (Ardenne befindet sich gerade im Manöver) beschließen die beiden, sich von ihren jetzigen Partnern scheiden zu lassen und zu heiraten. Doch Ardenne hat bereits Verdacht geschöpft: Er bricht eine Kassette auf, um an die Briefe Hartwichs an seine Frau zu gelangen, die er dann bei der Scheidungsklage als Beweismittel vorlegt. Zugleich fordert er Hartwich, seinen alten Freund, zum

Duell am 27. November 1886. Dabei wird der als vorzüglicher Pistolenschütze bekannte Hartwich schwer verwundet, und er soll seinen Gegner »wegen der ihm angetanen schweren Kränkung« um Verzeihung gebeten haben. Vier Tage später stirbt er. Am 15. März 1887 wird die Ehe geschieden, die Kinder, Margot (*1873) und Egmont (*1877), werden dem Vater zugesprochen. Nach einer kurzen Festungshaft heiratet Ardenne 1888 erneut, macht schnell Karriere und wird als Generalleutnant 1904 pensioniert. 1919 stirbt er in Berlin, während Else von Ardenne, die ihren Namen behält, nach der Scheidung als Krankenpflegerin arbeitet und in bescheidenen Verhältnissen und zurückgezogen in der Nähe von Lindau lebt. Sie stirbt am 5. Februar 1952. Die Parallelen zwischen dieser Biographie und Fontanes *Effi Briest* hat Seiffert detailliert nachgezeichnet (Seiffert, S. 267ff.; vgl. dagegen die Differenzen bei Zimmermann 1997). Davon profitieren auch die zwei »Biographen« Elisabeth von Ardennes (Budjuhn 1985, Franke 1994).

Der Fall erregte in der zeitgenössischen Presse großes Aufsehen, etwa im *Berliner Tageblatt* (3.12.1886), und so überrascht es nicht, dass auch, wie erwähnt, ein zweiter Schriftsteller auf den Stoff zurückgriff: Friedrich Spielhagen in seinem Roman *Zum Zeitvertreib*, der Anfang 1896 in *Dies Blatt gehört der Hausfrau* vorabgedruckt wurde und am 1. April des gleichen Jahres als Buch erscheinen sollte. Bei Spielhagen erweist sich v. a. seine Bekanntschaft mit der Familie als das entscheidende Motiv für die Prosaarbeit: Mit Frau von Ardenne pflegte er vor und nach der Affäre Briefkontakt (vgl. Seiffert, S. 284ff.), weshalb seine Darstellung gegenüber der von Fontane als die »persönlichere« gelten kann. Sein Roman wäre wohl heute weitgehend vergessen, gäbe es nicht *Effi Briest* und den anregenden Briefwechsel zwischen ihm und Fontane. Dem Roman Spielhagens gegenüber blieb Fontane reserviert, denn dieser hatte bei ihm »kleine Bedenken hinterlassen«, wie er in einem Brief vom 25. August 1896 an Spielhagen formulierte: »Diese Bedenken gipfeln in der persönlichen oder sag ich lieber richterlichen Stellung, die Sie zu der von Ihnen geschilderten Gesellschaft einnehmen. Ich finde das Maß von Verurteilung, soweit von einer solchen überhaupt gesprochen werden kann, nicht scharf genug.« Daneben mo-

F. Spielhagens Roman *Zum Zeitvertreib*

nierte Fontane »das, was ich die *politische* Seite des Buches nennen möchte. Der Roman unterstützt, gewiß sehr ungewollt, die alte Anschauung, daß es drei Sorten Menschen gibt: Schwarze, Weiße und – Prinzen.«

Letztlich können diese Kommentare Fontanes zu Spielhagens Roman *Zum Zeitvertreib* (dessen Titel er süffisant kommentierte als »das, was dem Leser seinen Standpunkt anweisen soll, nicht besser ausgedrückt werden kann«) auch als indirekte Anmerkungen zu seinem Werk verstanden werden; nur als solche verdienen sie heute noch Interesse, was für Spielhagens an der Sensation eines Ehebruchs orientiertem Roman weniger gelten kann (vgl. Leventhal, S. 187ff. und Viering, S. 329ff.). Insbesondere der allgemeine Hinweis auf die Aufgabe eines Romanschriftstellers in Fontanes Brief vom 15. Februar 1896 kann dabei auch als Porträt der eigenen Schreibweise gelten:

Brief vom
15. 2. 1896

> »Das Hineinreden des Schriftstellers ist fast immer von Übel, mindestens überflüssig. Und was überflüssig ist, ist falsch. Allerdings wird es mitunter schwer festzustellen sein, wo das Hineinreden beginnt; der Schriftsteller muß doch auch, als *er*, eine Menge tun und sagen, sonst geht es eben nicht oder wird Künstelei. Nur des Urteilens, des Predigens, des klug und weise Seins muß er sich enthalten.«

Wirkungsgeschichte

Effi Briest wurde von der zeitgenössischen Kritik äußerst positiv aufgenommen. So lobt der Literaturkritiker Felix Poppenberg in *Die Nation*, dass Fontane »für Niemand Partei [ergreife], und wir verstehen Innstetten's Thun aus seinem Wesen und Effi's Handeln aus dem ihren, und wir verzeihen beiden«. Ähnlich pathetisch äußert sich der Feuilletonist und Essayist Joseph Viktor Widmann: »In ›Effie Briest‹ hat Fontane der Welt ein Buch geschenkt, das in der Form sanft und still und lieblich hingleitet wie ein guter, freundlicher Wiesenbach, in Bezug auf Ideengehalt aber einer Landschaft von weitestem Horizont gleicht, über der ein heiterer, schöner Herbsthimmel steht mit einer milden, segensvollen Sonne.« Überhaupt sehen die Rezensenten weniger das Stoffliche im Vordergrund als vielmehr die psychologische Gestaltung der Figuren, d. h. Fontane wolle erklären, so der Literaturhistoriker Otto Pniower, »wie die arme Effi, die zum Fehltritt nicht gerade disponirt ist, den Verführer nicht eigentlich liebt und von seiner Inferiorität gegenüber dem betrogenen Gatten überzeugt ist, dennoch schuldig werden musste, und sein künstlerischer Zweck ist, in dem Leser Mitgefühl mit der Unglücklichen zu erwecken. Beides gelingt ihm in ungewöhnlichem Maasse.« Erstaunlicherweise spielte Fontanes Rekurs auf eine »reale« Geschichte bei den zeitgenössischen Kritiken des Romans ebenso wenig eine zentrale Rolle wie die Duellproblematik; *Effi Briest* wurde v. a. in formaler Hinsicht besprochen und oft mit Blick auf Fontanes Gesamtwerk. Erst Friedrich Spielhagens Essay »Einst und jetzt. Die ›Wahlverwandtschaften‹ und ›Effi Briest‹. Eine literar-ästhetische Studie« verwies auf die Bedeutung des Stoffes und gab damit Anstoß zu einer Reihe von Analysen, in denen *Effi Briest* im Kontext anderer bedeutender und populärer Ehebruchsromane (vgl. Müller-Seidel) betrachtet wurde. Da Friedrich Spielhagen bestens mit den Ereignissen der Ardenne-Affäre vertraut war, ist es kaum verwunderlich, dass er insbesondere die Art und Weise, wie Fontane die Briefe finden lässt, scharf kritisierte:

»Hier müssen die Dienstboten den Nähtisch der verreisten

Herrin gewaltsam erbrechen, damit nachher der Gatte unter den achtlos herausgerissenen und verstreuten Sachen (die Leute suchen nach einer Binde für das verletzte Kind) die ominösen Briefe findet. Schon der ganze aufgebotene Apparat ist umständlich und unwahrscheinlich; brave Dienstboten, wie diese, erbrechen nicht einen von der Herrin bei ihrer Abreise verschlossenen Kasten, wenn sie sich noch dazu, wie sich alsbald herausstellt, anderweitig so leicht zu helfen wissen. Das ist nebensächlich. Der gravierende Hauptpunkt ist: eine Frau, der, wie Effi, die Erinnerung ihrer schwachen Stunden so peinlich ist, die so sorgfältig sich bemüht, jede Spur, die zur Entdeckung führen könnte, zu verwischen, beständig von der Angst gefoltert wird, diese Entdeckung könnte doch noch einmal stattfinden – eine solche Frau beschwört, wenn die Trennung beschlossen, den Liebhaber bei seiner Ehre und allem, was ihm heilig, jeden letzten Fetzen der Briefe, die sie ihm geschrieben, zu vernichten, und vernichtet selbst die, welche er ihr geschrieben, bis auf den letzten Fetzen. Diese Briefe, als gebe es keine Öfen und Kamine [vgl. S. 296] – wie eine frivole Freundin Effis später sehr richtig bemerkt – säuberlich geschichtet, mit einem roten Bande umwunden, aufzubewahren durch alle diese Jahre in einem so verräterischen Behälter noch dazu, wie ein Nähtischchen ist – das widerspricht der Wahrscheinlichkeit auf das äußerste; ist ein Notbehelf des Dichters, der seine – ich wiederhole es jetzt mit größerer Zuversicht – sieben Jahre lang hinausgezögerte Katastrophe nicht anders herbeizuführen wußte.«

Neben den Rezensenten waren es v. a. Romanciers, die Fontanes Kunst und insbesondere *Effi Briest* in höchsten Tönen lobten. Th. Mann Thomas Mann (1875–1955) galt das Buch »noch immer der beste deutsche Roman seit den ›Wahlverwandtschaften‹«, und in einer Würdigung »Zum hundertsten Geburtstag Theodor Fontanes« 1919 bezeichnete er es als des Dichters »ethisch modernstes Werk«, weil es »die volle Breite des Lebens und des Glaubens seiner Zeit in Frage« stelle und damit »die Überwindung der vom Dichter verkörperten Ordnungswelt bedeutet«. In einer »Romanbibliothek der rigorosesten Auswahl, und beschränkte man sie auf ein Dutzend Bände, auf zehn, auf sechs«, wollte

Thomas Mann *Effi Briest* nicht missen, und er sagte von sich, dass er als Erzähler »beim alten Fontane in die Schule gegangen« sei. Auch sein Bruder Heinrich Mann (1871–1950) bezeichnete H. Mann Fontane in jungen Jahren als seinen »Leibpoet unter den Neuen«. Er schätzte v. a. die Prosa Fontanes, die er zum 50. Todestag Fontanes so würdigte:

> »Der moderne Roman wurde für Deutschland erfunden, verwirklicht, auch gleich vollendet von einem Preußen, Mitglied der französischen Kolonie, Theodor Fontane. Als erster hat er wahrgemacht, daß ein Roman das gültige, bleibende Dokument einer Gesellschaft, eines Zeitalters sein kann; daß er soziale Kenntnis gestalten und vermitteln, Leben und Gegenwart bewahren kann noch in einer sehr veränderten Zukunft, wo, sagen wir, das Berlin von einst nicht mehr besteht. Alles vermöge richtig gesehener, stark gezeichneter Personen, einer Welt von Personen oder einzeln ausgesuchter, die dasselbe tun: standhalten, sich selbst unverletzt überbringen den weiten Weg von damals her.«

Auch viele andere Schriftsteller des 20. Jh.s schätzten Fontane, darunter Kurt Tucholsky (1890–1935), Arno Schmidt (1914–1979), Uwe Johnson (1934–1984), Günter de Bruyn (*1926), um nur einige zu nennen, die nicht in dem 1976 publizierten Sammelband *Für Fontane. Eine Umfrage und die Antworten* vertreten sind. Bei Tucholskys Fontane-Ehrung als »einer der K. Tucholksky gewiegtesten Techniker, die die deutsche Literatur je gehabt hat, ohne daß man Versen und Sätzen ansieht, wie sie gebosselt sind«, steht allerdings eher der Dichter im Vordergrund und weniger der »Romanschreiber Fontane«, denn dieser »schwindet mit seiner Zeit [. . .] Der alte Fontane ist nicht am 20. September 1898 gestorben. Er starb am 1. August 1914. Er wäre heute etwas völlig Unmögliches.« Doch es gab auch kritische Stimmen: Alfred Döblin (1878–1957) warf Fontane v. a. das »Philis- A. Döblin tröse« vor, das hinter dem Satz stehe »›alles verstehen und alles verzeihen‹; eine Sache, die nicht nur Leuten übel schmeckt, die die Strenge irgendeines Imperativs an sich tragen, sondern noch mehr dem historisch Denkenden«. Für Döblin schrieb Fontane »aus dem Milieu des Hohenzollernschen Bürgers von 1880–90, eines fatalen Typus« heraus, und das hatte Konsequenzen:

»Fontane fühlte die höhere Kultur des Landadels gegenüber der anorganischen Großstadtmasse, genauer: dem albernen entmannten Bürger seines Milieus und seiner Generation. Die Großstadt, die mächtige anonyme, wuchs, er sah sie nicht, er liebte nicht, protestierte nicht, fand sich ab: ›alles verstehen‹. Etwas Bitterkeit schmilzt zu Elegie, zuletzt scherzt man und verehrt, natürlich mit Einwänden, ›beinah‹, nur nicht übertreiben, es wird überall mit Wasser gekocht, um 9 Uhr geht alles zu Bett.«

G. Benn   Während Döblin das »Philiströse« kritisiert, stört sich Gottfried Benn (1886–1956) am »Pläsierlichen«, das »ihm den Rang entzieht«, denn das »Pläsierliche, ein Präservativ der Moral, eine Hemdsärmeligkeit des Charakters, eine fritzisch-freiheitliche Form des Stils, exerziert nach allround und commonwealth«.

Zur wachsenden Bekanntheit von Fontanes Roman trugen v. a. auch die verschiedenen Adaptionen bei, seien es die Filme, die Hörspiele, die Rezitationen oder später die zahlreichen Bühnenfassungen. Im Theater hatte Effi 1958 in London und ein Jahr später in Berlin einen etwas merkwürdigen Auftritt, denn Samuel Beckett (1906–1989) legt in seinem Einakter *Das letzte Band* der Hauptfigur Krapp gegen Ende die folgenden Worte in den Mund: »Sah mir die Augen aus dem Kopf, indem ich wieder einmal E f f i las, eine Seite pro Tag, wieder einmal unter Tränen. Effi . . . *Pause.* Hätte mit ihr glücklich sein können, da oben an der Ostsee, und die Kiefern und die Dünen. *Pause.* Nicht? Und sie? Bah! *Pause.* Fanny kam ein paarmal. Klappriges altes Hurengespenst. Konnte nicht viel machen, war immerhin besser als zwischen Daumen und Zeigefinger.«

S. Becketts *Das letzte Band*

Mit zur Wirkungsgeschichte des Romans gehört auch das literarische Weiterleben der Titelfigur und ihres Autors in den Werken anderer Autoren. Zu den ersten, die auf Effi als literarische Figur zurückgriffen, gehört Christine Brückner (1921–1996), deren Gesamtwerk letztlich um die Frage nach den Gestaltungsmöglichkeiten von Frauen in der Gesellschaft kreist. 1983 versammelte sie elf »ungehaltene Reden ungehaltener Frauen« – so der trefflich wortspielerische Untertitel ihres Bandes *Wenn du geredet hättest, Desdemona* –, darunter »Triffst du nur das Zauberwort – Effi Briest an den tauben Hund Rollo«. Die Au-

Ch. Brückner

torin ergreift für Effi Partei und stellt jene Fragen, die wohl bei vielen Lesern während der Lektüre auftauchten. Doch der Text fordert nicht nur Zustimmung, sondern auch entschiedenen Widerspruch. Effis späte Einsicht »Wir hätten miteinander reden sollen« markiert dabei den Hintergrund, und anstelle von Fontanes poetischem »Effi, komm« wählt Brückner Innstettens strenges »Aber, Effi« zum Leitmotiv ihres Monologs. Diese Worte sieht Effi auch auf ihrem Grabstein stehen und hält rückblickend fest: »Ich habe lauter Nebenrollen gespielt und meine Hauptrolle nicht bekommen.« Bleibt die Perspektive hier noch ganz auf Fontanes Roman und die zentrale Figur beschränkt, interessiert sich der Dramatiker Rolf Hochhuth (*1931) in seinem Monolog *Effis Nacht* (1996) mehr für die Frage nach der Bedeutung von Geschichte allgemein. Deshalb verarbeitet er v. a. seine Recherchen über das Leben der Elisabeth von Ardenne, das Verhalten der Alliierten während des Zweiten Weltkriegs, und nicht zuletzt die Lektüre von Fontanes Briefen. So erleben wir das reale »Vorbild« für die Romanfigur Effi Briest, wie sie in Lindau – ganz ihrem Beruf als Krankenpflegerin verpflichtet – als 90-jährige in einer Mainacht des Jahres 1943 Nachtwache bei einem 19-jährigen Soldaten hält, der zum Sterben nach Hause entlassen wurde. Elisabeth von Ardenne beschreibt in ihrem Monolog aktuelle Kriegsereignisse, wie die Kapitulation des Afrika-Korps und die Bombardierung der nahegelegenen Stadt Friedrichshafen, aber auch vergangene Kriege. Und sie korrigiert – der erlebten Realität folgend – die Geschehnisse in Fontanes Roman. Dabei fällt auf, dass Elisabeth von Ardenne ihren Geliebten, den Amtsrichter Hartwich, v. a. als »Anti-Spießer«, als Pädagogen und Künstler charakterisiert, der auf den ersten Schuss bewusst verzichtet habe; ihr eigenes schuldhaftes Verhalten vergleicht sie mit dem der Generäle in Hitlers Kriegen. Darüber hinaus wird Elisabeth von Ardenne in Hochhuths Monolog zur Richterin darüber, was Fontane in *Effi Briest* alles unterließ (wie etwa die Schilderung der drei Nächte Hartwichs vor seinem Tod), und sie geht der Frage nach, welche Bedeutung dies für eine Lektüre des Romans hat.

Für das Verständnis von Hochhuths Text ist zweifellos die Kenntnis von Fontanes Roman vonnöten – dies gilt noch mehr

R. Hochhuth

für Dorothea Keulers (*1951) eigenwilligen Beitrag zum Fontane-Jubiläum 1998. Allein »Ein Melodram« – so der Untertitel – scheint der Journalistin geeignet, *Die wahre Geschichte der Effi B.* (1998) zu erzählen. »Eine Geschichte mit Entsagung ist nie schlimm« zitiert die Autorin Fontane und setzt ihr Anliegen kurz und knapp dagegen: »Ich finde, die Geschichte, wie meine Mutter [d. h. Effi Briest] sie erzählte, klingt wie ein Märchen, und das ist sie auch. In Wirklichkeit war alles ganz anders.« Und diese andere Geschichte bis ins Jahr 1945 schildert zunächst eine Erzählerin, ehe Annie/Anna als Effis Tochter ihre Sicht der Geschehnisse beschreibt. So spannt Dorothea Keuler einen turbulenten Ereignisbogen, beginnend mit dem Leben Luises und ihrem Verhältnis zu Geert von Innstetten, über die glückliche Liebesbeziehung Marietta Trippellis mit Effi Briest, bis zur Heirat Anna Briests mit Manfred von Crampas, dem Sohn des getöteten Crampas. Dabei gerät die Geschichte mitunter allerdings zum bemühten Bildungsquiz für *Effi Briest*-Kenner, denn stets steht die implizite Frage im Raum, ob dieses oder jenes Motiv nun erfunden ist oder von Fontane übernommen wurde.

Während sich die Autoren in den genannten Beispielen v. a. mit der Frauenfigur Effi Briest auseinandersetzten, griff Günter Grass (*1927) auf den Romanautor Theodor Fontane selbst und auf sein wohl berühmtestes Zitat zurück. Der Roman *Ein weites Feld* (1995) fordert dazu auf, die Rolle des Romanautors Fontane unter den Ereignissen der Wiedervereinigung Deutschlands neu zu bestimmen und ihn als »gesamtdeutschen Autor« zu bewerten. Der Leser dieses komplexen Romans folgt in fünf Büchern und auf fast 800 Seiten zum einen dem Protagonisten Theo Wuttke (Fonty genannt und exakt hundert Jahre nach Fontane 1919 in Neuruppin geboren) und zum anderen dem Auf und Ab der deutschen Geschichte von 1848 bis zur Wiedervereinigung 1990.

Die Verfilmungen

Es gehört nicht zuletzt zur Qualität dieses Romans, dass er nicht allein Anlass zu vier Verfilmungen gab und von verschiedenen Interpreten für Hörfunk- und Hörbuchfassungen rezitiert wur-

D. Keuler

G. Grass

de – wobei hier insbesondere der geniale Gert Westphal zu nennen ist –, sondern inzwischen auch in verschiedenen Versionen auf Theaterbühnen gespielt wird und zuletzt sogar Einzug in das Musiktheater hielt, in Form von *Effi Briest. Musiktheatralisches Psychogramm in vier Akten. Nach Theodor Fontane* von Iris ter Schiporst und Helmut Oehrnig. Auf die Hörfunkfassungen sowie die wachsende Zahl an Bearbeitungen für die Bühne kann hier nicht weiter eingegangen werden. Betrachten wir aber in einem kurzen Abriss die verschiedenen Adaptionen von *Effi Briest* für den Film.

1939 kam unter der Regie von Gustaf Gründgens die erste Verfilmung des Romans in die Kinos, nachdem zwei Jahre zuvor Frank Wysbar den *Ball im Metropol* gedreht hatte, der auf Motiven aus Fontanes Roman *Irrungen, Wirrungen* basierte. Inzwischen ist *Effi Briest* zusammen mit *Mathilde Möhring* und *Frau Jenny Treibel* das am häufigsten verfilmte Werk Fontanes mit vier filmischen Adaptionen: Gustaf Gründgens *Der Schritt vom Wege* (1939), Rudolf Jugerts *Rosen im Herbst* (1955), Wolfgang Luderers *Effi Briest* (1968) und schließlich Rainer Werner Fassbinders *Fontane Effi Briest oder Viele, die eine Ahnung haben von ihren Möglichkeiten und ihren Bedürfnissen und dennoch das herrschende System in ihrem Kopf akzeptieren durch ihre Taten und es somit festigen und durchaus bestätigen* (1974).

Die erste Verfilmung, *Der Schritt vom Wege*, vermutlich als Ehrung zum 40. Todestag Fontanes entstanden, zeigt eine eher verharmlosende Darstellung des Themas Ehebruch sowie eine an der antiken Tragödie orientierte Schicksalsergebenheit des Einzelnen. Inwieweit der Regisseur dabei dezidierte politische Auflagen zu erfüllen hatte, lässt sich wohl ebenso wenig genau ermitteln wie die Reaktionen des Publikums. Und so muss offen bleiben, ob Innstettens Satz zur Begründung des Duells – »Es gibt Dinge, über die spricht man nicht, die tut man!« – 1939 eher als kritisch oder vielmehr als Bestätigung der herrschenden Verhältnisse verstanden wurde. Gustaf Gründgens (1899–1963) wollte v. a. Charaktere präsentieren, seine Darsteller in Szene setzen und den Schauspielern ihren »Auftritt im Film« verschaffen, nicht zuletzt seiner Ehefrau Marianne Hoppe in der Titel-

Der Schritt vom Wege

rolle. Kurzum: Gründgens Film zielt stets auf dramatische Effekte, mehr auf die äußere als auf die innere Handlung. Diese »dramatische Inszenierung« von *Effi Briest* ist auch noch für Rudolf Jugerts (1907–1979) Verfilmung *Rosen im Herbst* kennzeichnend, der ebenso wie Gründgens seinen weiblichen Star in den Mittelpunkt rückte. Führt man sich die im gleichen Jahr gedrehten Filme vor Augen, etwa *Drei Mädels vom Rhein, Der Himmel ist nie ausverkauft, Ich denke oft an Piroschka, Die Mädels vom Immenhof, Urlaub auf Ehrenwort*, so wird deutlich, dass Jugert mit *Rosen im Herbst* nur einen trivialen Liebesfilm drehen konnte, gepaart mit dem Flair und dem Charme eines Heimatfilms der 1950er Jahre. Dieser Film folgt der einfachen Typologie von Gut und Böse und nicht der komplexen Romanstruktur von *Effi Briest*. Allerdings zeigt Jugert als einziger eine entscheidungsfreudige Effi, die sogar eine gemeinsame Flucht mit Crampas vorschlägt. Wolfgang Luderers *Effi Briest* aus dem Jahre 1968 kann ebenso wenig wie die eben genannten losgelöst von seinen Entstehungsbedingungen in der DDR verstanden werden. Das Drehbuch sollte entsprechend den Vorstellungen einer »sozialistischen Fernsehkunst«, ein kritisches Preußenbild vermitteln, wonach das Schicksal Effis verständlich und konsequent erscheint. Auch deshalb wird der Gegensatz zur letzten Verfilmung durch Rainer Werner Fassbinder (1946–1982) umso deutlicher, die ebenso als Resultat der bundesrepublikanischen Geschichte nach 1968 zu verstehen ist. Als einziger schrieb er selbst das Drehbuch, das inzwischen auch als Buch vorliegt, und zielte statt der bisher üblichen »dramatischen« bewusst auf eine »epische Darstellungsweise«. An die Stelle einer Dramatik der Ereignisse inszeniert er v. a. die innere Verfasstheit der Protagonisten; pointiert formuliert: Fassbinder setzt Fontanes Worte vom »Angstapparat aus Kalkül« in Bilder um, und sein Film präsentiert sich demonstrativ – wie es der Regisseur selbst formuliert – »als eine Möglichkeit der Beschäftigung mit bereits formulierter Kunst«. Der Filmtitel, *Fontane Effi Briest*, verdeutlicht, dass es sich nicht nur um die filmische Aneignung eines Buches handelt, sondern auch um eine Auseinandersetzung mit dem Thema Literaturverfilmung. Da fast jeder schon die Geschichte von Effi Briest kenne, so Fassbinder in einem Interview, sei es nicht mehr nötig, »allein die Story zu erzählen«, sondern: »Die Literatur muß das wirkliche Thema des Films sein.« Daher lässt Fassbinder eine Stimme aus dem Off Fontane-Passagen wörtlich vortragen und in betont alter Schrift gesetzte Zwischentitel über die Leinwand laufen, auf denen Sätze des Romans, quasi Fassbinders Fund- und Lieblingsstücke, zu lesen sind. Fassbinders Vorgehensweise eröffnet so eine neue Sicht auf den Roman und engt diesen weit weniger ein als die vermeintlich »realistischen« Darstellungen seiner Vorgänger, die sich meist an Interieurs, Dialogen und eindeutigen Repräsentanten orientierten, die es vom Buch auf die Leinwand zu transportieren galt.

Deutungsansätze und Interpretationsgeschichte

Blickt man auf die Fülle von Sekundärliteratur zu Fontane und seinem literarischen Werk im Allgemeinen und zu *Effi Briest* im Besonderen, so fragt man sich, ob nicht alles bereits gesagt ist. Schon 1995 war von »Wiederholungslektüre(n)« des Romans *Effi Briest* (Kremer/Wegmann) die Rede. Denn es gehört sicherlich nicht zu den Stärken der Fontane-Interpreten, sich konsequent mit den vorliegenden Deutungen detailliert auseinanderzusetzen, diese einer kritischen Prüfung zu unterziehen und aus deren Vorzügen wie aus deren Mängeln zu neuen Einsichten zu gelangen, um so zu einem besseren Verständnis des Textes beizutragen

Dieser »Lektüre«-Überblick bietet daher An- und Einsichten, die zu einem genaueren Verständnis des Romans verhelfen sollen; er richtet sich dabei nicht an Fontane-Spezialisten, deren Wissen um Fontanes Werk und Leben sie nicht selten dazu verleitet, in *Effi Briest* v.a. das wiederzufinden, was der Autor andernorts als Absicht formulierte. Dies zeigt sich etwa an einem Zitat aus Fontanes Brief an Friedrich Stephany vom 2. Juli 1894, das geradezu leitmotivartig viele Analysen durchzieht: »Die Details [von Skandalfällen] sind mir ganz gleichgültig – Liebesgeschichten, in ihrer schauderösen Ähnlichkeit, haben was Langweiliges –, aber der Gesellschaftszustand, das Sittenbildliche, das versteckt und gefährlich Politische, das diese Dinge haben [...], *das* ist es, was mich so sehr daran interessiert.« Ebenso gern werden zahlreiche Deutungen mit Fontanes Hinweis auf die »tausend Finessen«, die er in das Werk gelegt habe, gerechtfertigt. Auch wenn, wie gesagt, viele dieser Interpretationen nur wenig zu einem besseren Verständnis des Romans beitragen, verdeutlichen sie, dass es *die* »eindeutige«, »korrekte« und letztlich »wahre« Lektüre von *Effi Briest* nicht gibt und auch nicht geben kann. Hugo Aust fasst in seinem Studienbuch *Theodor Fontane* (1998) die vielen Lesarten treffend zusammen,

> »deren Schlüsselwörter mit Vorliebe paarweise auftreten: Vergehen und Strafe, Individuum und Gesellschaft, Natur und Konvention, Freiheit und Zwang, Abenteuer und Lange-

H. Aust

weile, Wirklichkeit und Vorstellung, Künstler und Bürger, Glück und Qual, Kindheit und Erwachsenenalter und vieles mehr oder auch einfach Frau und Mann. Das Leitmotiv aller entdeckenden Leseakte liegt in der Diagnose eines ›Falls‹, der nicht isoliert vorkommt, sondern symptomatisch auf breitere oder tiefere, aktuelle wie archaische Zusammenhänge verweist. Sozialgeschichtliche, psychoanalytische, feministische, mythopoetische und diskurstheoretische Ansätze wetteifern um den Preis für die unanfechtbare Aufklärung der Frage, weshalb alles so kommen mußte und wer letztlich die Verantwortung dafür trägt: die Gesellschaft als menschenverzehrender Moloch, das Trauma als Wundmal allerfrühester Kränkung, der Herr als Verwalter der Frau, die auf- und abtauchende Elfe bzw. Nymphe als Erinnerungsspur für das vergessene Wesen oder die Welt als verkrustete Rede.« (S. 157)
Und geradezu als Bestätigung der eingangs erwähnten Beziehungslosigkeit zu bereits vorliegenden Analysen bleibt bei Aust jener An- und Aufsatz von Kremer/Wegmann unberücksichtigt, mit dem sie 1995 auf »zwei« Lesarten des Romans hingewiesen hatten: Die eine Lesart beschreibe *Effi Briest* als »Ort einer ethischen Kasuistik« und verlängere den »Text in die sozialgeschichtlichen Archive und Dokumente hinein« (Kremer/Wegmann, S. 62); die andere Lesart argumentiere genau dagegen, sei es bezüglich der Realismusauffassung, der Phantastik im Roman, oder Fontanes Inszenierung einer Tragödie mit komischen Elementen. Zusammengefasst lautet das Ergebnis der Interpreten: »*Effi Briest* lesen, heißt, eine Darstellungsfunktion studieren, die typischerweise als realistisch klassifiziert wird.« (ebd., S. 75) Entscheidender Bezugspunkt der Lektüre sollte daher primär der Text selbst und weniger dessen Entstehungsprozess oder die Geschichte eventueller »Vorbilder« sein, auch wenn sie den Arbeitsprozess Fontanes erhellen.

Zwei Lesarten

Den komparatistischen Deutungsversuchen, die sich allzu oft mit dem Nachweis von Gemeinsamkeiten oder Unterschieden zufriedengeben, soll eine eher pragmatische Vorgehensweise gegenübergestellt werden, die mehr Fragen an den Text stellt, als sie Antworten bereithält. Als geeigneter Ausgangspunkt könnte dazu eine Umfrage aus der *Berliner Morgenpost* (12.3.1939,

abgedruckt in: *Theodor Fontane – Dichtung und Wirklichkeit*,
Berlin 1981, S. 254f.) dienen, die im Anschluss an die erste Verfilmung des Romans veranstaltet wurde. Die Frage lautete:
»Wenn Sie nach sieben Jahren Liebesbriefe an Ihren Gatten finden ...« Damit rückt die Frage, aus welchen Gründen Effi die
Briefe Crampas so lange aufbewahrt, bis sie schließlich zufällig
in Innstettens Hände fallen, in den Mittelpunkt der Rezeption.
Es scheint, als habe Fontane die Schwäche dieses Szenarios ge-
spürt. Denn so recht vermögen die Argumente nicht zu überzeugen, die er 1896 gegenüber Herman Wichmann vorträgt:

»Ja, die nicht verbrannten Briefe in ›Effi‹! Unwahrscheinlich
ist es gar nicht. Dergleichen kommt immerzu vor. Die Menschen können sich nicht trennen von dem, woran ihre Schuld
haftet. Unwahrscheinlich ist es nicht, aber es ist leider trivial.
Das habe ich von allem Anfang an sehr stark empfunden, und
ich hatte eine Menge anderer Entdeckungen in Vorrat. Aber
ich habe nichts davon benutzt, weil alles wenig natürlich war,
und das gesucht Wirkende ist noch schlimmer als das Trivi-
ale. So wählte ich von zwei Übeln das kleinere.«

Dennoch fragt man sich, warum sich Effi nicht kurzerhand von
ihren Briefen trennt. Ist die eingangs als »Tochter der Luft« charakterisierte Effi im Laufe des Romans zur bodenständigen Ar-
chivarin ihres Lebens geworden? Entwickelt sich das »Naturkind« am Ende doch noch zu jener »gesellschaftlichen« Person,
die Geschichte – und sei es auch nur eine vermeintliche Liebesgeschichte – dokumentieren und sich diese mit Hilfe der Briefe
vergegenwärtigen will? Wohl kaum, und deshalb spüren die Leser das »Übel« dieser Entdeckung, das weniger in der Gestaltung
des »Wie« zu suchen ist als vielmehr in der zentralen Frage, warum sechseinhalb Jahren verstreichen mussten, um Innstetten
überhaupt in den Besitz der Briefe zu bringen. Fontane argumentiert als Romanautor nur konsequent, indem er die Szene
ausschließlich vom Ende her betrachtet und auch in der Schuldfrage keine Zweifel aufkommen lässt. Ein anderer Schluss, der
keine »gebrochene« Effi und letztlich ihren Tod vorsah, schien
Fontane unpassend, weshalb ihm ein »schuldiger« Innstetten
erst gar nicht in den Sinn kam. (Daher überraschten Fontane,
wie erwähnt, die Reaktionen der Leser; vgl. den Brief an Clara

Die Briefe
Crampas

Schuldfrage

Kühnast vom 27. 10. 1895, Kommentar S. 347.) Auch wenn entsprechend den gesellschaftlich reglementierten Verhältnissen die »Schuld« Effis außer Frage stehen dürfte, bedeutet dies umgekehrt keineswegs, dass man in Innstetten nur den »unschuldigen« und betrogenen Ehemann sehen kann, denn auch ihm hätten nach der Entdeckung der Briefe andere Verhaltensweisen offengestanden. Insofern lädt dieses Romangeschehen geradezu dazu ein, auch über andere mögliche Reaktionen Innstettens nachzudenken. Dass die Leser genauso verfuhren, zeigt die Rezeption des Romans, denn Innstettens Verhalten wurde und wird zumeist kritisiert und abgelehnt. Dies jedoch als »Fehllektüre« zu bezeichnen, wie z. B. in dem Beitrag »Effi Briest und Baron von Innstetten im Spannungsfeld zwischen gesellschaftlichen Verhaltensmaximen und privatem Glücksanspruch« des Bandes *Theodor Fontane. Am Ende des Jahrhunderts* (Bd. 2, S. 148), bedeutet einmal mehr, den Roman allein im Sinne der proklamierten Absichten Fontanes zu lesen. Hingegen hatte Heinz Schlaffer in seiner Textanalyse zur Bedeutung des »Schicksals« in Fontanes Romanen zum einen gezeigt, wie sehr der Autor auf die Geschlossenheit einer Klasse, nämlich der des Adels, angewiesen ist, und zum anderen, welche Rolle der angebliche Zufall tatsächlich spielt: »Das zufällige Auffinden der Liebesbriefe in ›Effi Briest‹ verhöhnt die scheinbare Zufälligkeit und beweist das Walten des Gesetzes, das erst durch diesen ›Zufall‹ Effis Leben zum Schicksal rundet« (Schlaffer, S. 407).

Im Gegensatz zu den vielen Selbstaussagen bezüglich des Stoffes gibt es nur wenige Äußerungen Fontanes hinsichtlich seines Schreibstils, glaubte er doch als Lyriker und weniger als Romancier im Gedächtnis seiner Leser zu überleben. Doch ist es gerade sein aus der langjährigen Erfahrung als Journalist geschulter Umgang mit der Sprache, der uns heute beeindruckt: seine einzigartige Kunst, Szenen und Dinge so zu beschreiben und zu schildern, dass sie vor den Augen der Leser lebendig werden, seine Fähigkeit, Personen mittels verschiedener Sprachstile treffend zu charakterisieren, sowie seine gekonnte Handhabung der Polyperspektivität. So lässt er Effi stets so sprechen, wie es ihre Rolle erfordert, sei es mit den Freundinnen zu Beginn, dann als Tochter aus gutem Haus, später als junge Baronin von Innstetten

Schreibstil

oder zuletzt als Dialogpartnerin des »Damenmann« Crampas, ehe sie sich im Elternhaus wieder der Ausdrucksweise ihrer Jungmädchenzeit bedient. Dieser ganz und gar besondere Fontane-Ton macht die Faszination der Lektüre aus und weit weniger die angesprochenen Themen.

Bürgerlicher Realismus Der Roman *Effi Briest* zeigt sich den Prinzipien des »poetischen Realismus«, oder genauer gesagt, des »bürgerlichen Realismus« verpflichtet. Danach soll das Kunstwerk Gegebenes und Gestaltetes miteinander verbinden. Es soll einerseits ein gesellschaftliches Gesamtbild der jeweiligen Zeit mit typischen Charakteren und deren Normen entwerfen, das von »Objektivität« und »Überparteilichkeit« geprägt ist. Andererseits soll dieses gegen jegliche Einseitigkeit gerichtete Gesellschaftsbild durch den »verklärten«, »humoristischen«, letztlich »poetischen« Blick des Autors gebrochen werden. Entscheidend sind dabei weniger die Ereignisse selbst als die verschiedenen Sichtweisen darauf, die eindeutige Wertungen weitgehend ausschließen. Wenn dadurch die konkreten Ursachen und Folgen der Ereignisse ins Zentrum des Interesses rücken, liegt der Reiz der Lektüre weniger in der Geschichte selbst oder in dem Auffinden der Vorlage, der »realen Geschichte«, als vielmehr im Ab- und Erwägen möglicher Alternativen zum tatsächlichen Verhalten der Romanfiguren oder in der Erörterung ihrer jeweiligen gesellschaftlich bedingten »Schuld« an den Ereignissen.

Neben dem Einsatz des Briefes zur Kommentierung der Romanfiguren und des Handlungsgeschehens, dem souveränen Umgang mit dem Stilmittel der Zeitraffung und dem situationsgemäßen Wechsel von erlebter Rede, Dialog und Erzählbericht bedient sich Fontane auch der Symbol- und Motivtechnik. So stellt er z. B. die Motive »Schaukeln, Fliegen, Klettern, Wind, Luft« den Motiven »Stürzen, Fallen, Stolpern, Wasser, Sumpf« gegenüber und integriert das Chinesen- und Spukmotiv eindrucksvoll Motiv des Chinesen in das Handlungsgeschehen. Mit dem Motiv des »Chinesen« lassen sich Effis Gemütslage, ihre Gefühle, Wünsche und Ängste ebenso detailliert aufzeigen, wie es als Symbol ihrer Sinnlichkeit figuriert. Nicht zuletzt offenbart es die Bedeutung des Fremden in der geordneten wilhelminischen Welt, zeigt ein Stück »Unheimlichkeit« in einer ansonsten so »rational erfahrbaren

Welt«, kurzum: Die Folgen des »Angstapparats aus Kalkül« (S. 154) werden thematisiert. Mit dem Spukhaus gelingt es Fontane zugleich, einen Gegenort zum Briestschen Herrenhaus zu entwerfen: Fremde und Verlorenheit auf der einen, Heimat und Geborgenheit auf der anderen Seite. Der Spuk mit dem Chinesen lässt sich darüber hinaus auch als Indikator für das Verhältnis Effi/Innstetten verstehen. Neben der Motiv- und Symboltechnik setzt Fontane konsequent das Mittel der Voraus- und Andeutung ein, um die chronologische Gestaltung der zwölf Jahre Handlungsgeschehen »künstlerisch« so interessant wie möglich und den gesellschaftlichen Verhältnissen entsprechend so »wahrscheinlich« wie nötig zu gestalten. Dies bedeutet, dass die Entwicklung Berlins zur Metropole, die Bedeutung Preußens für die deutsche Gesellschaft am Ende des 19. Jh.s in Fontanes Romanen ebenso ständig präsent sind, wie eines der zentralen Themen: die Entbehrung und Entsagung des Einzelnen gegenüber den gesellschaftlichen Anforderungen und Prinzipien. Dieser Gegensatz führt häufig zum Konflikt, denn die verschiedenen Bedürfnisse der meist weiblichen Figuren lassen sich kaum verwirklichen. Das Fremdsein des Einzelnen in der preußischen Gesellschaft kennzeichnet daher *Effi Briest* ebenso wie auch andere Romane Fontanes, weshalb sie zu Recht als »Berliner Gesellschaftsromane« beschrieben werden. Auch Bismarck ist als »der Fürst« in *Effi Briest* stets gegenwärtig, und Innstettens gesuchte Nähe zu ihm als potentiellem Förderer seiner politischen Karriere geht konsequent einher mit Effis zunehmender Distanz zu Innstetten als ihrem Ehemann. Doch Fontane lag es fern, ein detailliertes Porträt des Politikers Bismarck zu zeichnen. Vielmehr zog er es vor, das ganze Spektrum des Adels anhand der zahlreichen Romanfiguren und letztlich dessen Standesdenken mit den daraus erwachsenden Konsequenzen zu porträtieren. Der Adel als gesellschaftlicher Machtfaktor sollte erkennbar werden, wozu Fontane insbesondere die Vorstellungen eines »der Klasse entsprechend richtigen gesellschaftlichen Verhaltens« schilderte. Als Sujets wählte er – neben der Standesehe und der Inszenierung des Duells zur Wiederherstellung der Ehre als Resultat des »uns tyrannisierenden Gesellschafts-Etwas« (S. 271) – Effis »Verbannung« aus den Kreisen ebendieser Ge-

Preuß. Gesellschaft

sellschaft und anfänglich auch aus der Familie. Dieses Gesellschaftsporträt ergänzte Fontane schließlich um eine Darstellung des Militärs mit den dazugehörigen Werten, wie männlicher Ehrenkodex, Prinzipientreue und Pflichtdenken, und konnte damit nicht zuletzt die Bedeutung des Adels für eine zunehmende Militarisierung der preußischen Gesellschaft offenlegen.

In den literaturwissenschaftlichen Deutungen gilt allzu oft die »komparatistische Lupe« als der passende Schlüssel, um zu einem besseren Verständnis des Romans zu gelangen, also der Vergleich des Romans *Effi Briest* mit der realen Ardenne-Affäre (vgl. z. B. die Studien von Seiffert, Zimmermann, Restenberger), mit anderen Romanen zum Thema »Ehebruch«, seien es zeitgenössische wie etwa Spielhagens *Zum Zeitvertreib* (vgl. z. B. Viering) oder Klassiker wie Flauberts *Madame Bovary* und Tolstois *Anna Karenina* (vgl. z. B. Stern, Degering, Glaser oder Miething), oder zuletzt auch mit anderen Romanen Fontanes. Angeregt wurden diese Vergleiche sicherlich durch die Kommentare des inzwischen gut dokumentierten Briefeschreibers Fontane; insbesondere die Korrespondenz mit Spielhagen bezüglich der historischen Hintergründe des Duells zwischen Ardenne und Hartwich im Jahr 1887 sei hier erwähnt.

B. W. Seiler   Mit einem Vergleich der Werke Fontanes beginnt Bernd W. Seiler seinen Beitrag »Beliebt, doch nicht ganz einwandfrei. Fontane, ›Effi Briest‹« (2000 im Sammelband *(K)ein Kanon. 30 Schulklassiker neu gelesen* erschienen), indem er augenzwinkernd fragt, »Fontane, ja gewiss – aber muss es *Effi Briest* sein? Bietet nicht *Irrungen Wirrungen* die wahrere, *Frau Jenny Treibel* die deftigere, *L'Adultera* die erfreulichere Geschichte? Doch Effi Briest kennt jeder, kann jedenfalls jeder nennen, und weil Bekanntheit immer auch motiviert und diesen Roman *nicht* zu kennen auch wiederum zu wenig wäre, kann ruhig mit ihm der Anfang gemacht werden« (Seiler, S. 84). Als Einstieg seiner Deutung wählt auch er einmal mehr den Vergleich mit den realen Geschehnissen, um aus den Unterschieden seine Sicht des Romans vorzustellen:

»Von des Autors Parteinahme für seine Hauptfigur abzusehen wäre also unrichtig, so wie es unrichtig wäre, in ihr überhaupt einen Charakter zu sehen, d. h. einen Menschen, den man sich in seiner Konsistenz oder Entwicklung durch den Roman hindurch erschließen könnte. Effi ist kein Charakter, sie ist ein Idol, eines dieser jugendlich-erotischen Geschöpfe, wie es dann auch Lulu oder Lolita sein werden, nur dass Fontane diese Kindfrau noch ganz unbefangen, geradezu entzückt, vor sich und sein Publikum hinstellen kann. Und wie entzückt dieses war!«

Die pointierte Gegenüberstellung von Roman und Wirklichkeit kennzeichnete bereits die ersten Deutungen und Interpretationen von *Effi Briest*. In der ersten umfangreichen Monographie zu Fontane würdigte Conrad Wandrey 1919 die einzelnen Werke und kam zum »eindeutigen« Schluss: »›Irrungen,Wirrungen‹ wird in der deutschen Literatur immer einen hohen Rang einnehmen. Mit ›Effi Briest‹ ragt Fontane in die Weltliteratur. Es ist eines der überpersönlichsten und in seiner Enthaltsamkeit doch menschengütigsten dichterischen Bücher des vergangenen Jahrhunderts.« (Wandrey, S. 267)

C. Wandrey

Bis zu Wandreys Darstellung und den Feierlichkeiten zum 100. Geburtstag Fontanes, dominiert eher die Zeitschriften- und Zeitungsliteratur das Bild von Fontanes Werk und seinen Themen. Der umfassenden Monographie Wandreys folgt eine wachsende Zahl von Einzeluntersuchungen, die v. a. den historischen Kontexten in Fontanes Œuvre und Fontanes Arbeitsweise größere Bedeutung einräumen. Überraschenderweise gilt die erste große Einzelstudie nicht Fontanes erfolgreichstem Roman *Effi Briest*, sondern seinem letztem, dem *Stechlin*. Im »Dritten Reich« wird es etwas stiller um den Erzähler Fontane, denn nunmehr sollen eher die national gesinnten Heimatdichter gewürdigt werden, was allerdings Charlotte Jolles nicht daran hindert, den politischen Fontane bis ins Jahr 1860 näher zu betrachten. Allerdings kann ihre Studie erst 1983 publiziert werden. In der Nachkriegszeit geht die wissenschaftliche Auseinandersetzung um Fontanes Werk in Ost und West getrennte Wege. Der Autor wird der jeweiligen Ideologie entsprechend funktionalisiert, sei es als »liberal-konservativer Demokrat« oder als »Kritiker einer dekadenten bürgerlichen Gesellschaft«. Auch hier können bedeutende Interpreten genannt werden, die, wie Wandrey, die

Rezeptionsgeschichte der Werke Fontanes

Fontane-Rezeption maßgeblich beeinflusst haben, etwa Müller-Seidel und Martini auf der einen und Lukács auf der anderen Seite. Während Lukács den weltliterarischen Rang Fontanes stark bezweifelt und ihn durch die »gesellschaftlichen Entwicklungen« gehemmt sieht, denn »*Anna Karenina* steht zu *Effi Briest* wie der große Oktober 1917 zum deutschen November 1918«, sieht Müller-Seidel in Fontanes Werken v. a. die Auseinandersetzung mit den allgemein »menschlichen« Problemen gestaltet. Gegenüber diesen Positionen versuchen sich die folgenden Untersuchungen abzuheben; um Präzisierung wie auch um eine teilweise Revision bemüht (etwa hinsichtlich Fontanes Realismus, der keineswegs mit einem einfachen Abbild der gesellschaftlichen Verhältnisse zu verwechseln ist), entstehen zahlreiche Detailstudien. Mit den 1960er Jahren wird Fontane vom »heimlichen zu einem öffentlichen Klassiker« (Nürnberger), die Zahl der Veröffentlichungen zu Fontanes Werken steigt kontinuierlich, und die Festlichkeiten zum 150. Geburtstag bestätigen Fontane als *den* Autor des 19. Jh.s. Besondere Bedeutung kommt in diesen Jahren den Arbeiten Reuters zu, v. a. seiner »genetischen Monographie«. Trotz seiner ideologischen Implikationen, Fontane als Anwalt des Fortschritts und Sympathisant der Arbeiterklasse und teleologisch den späten Fontane als den echten zu bestimmen, charakterisiert Reuter die Person und den Schriftsteller Fontane detailliert und materialreich. Ferner ist der 1973 von Preisendanz herausgegebene Sammelband zu erwähnen, der alle wichtigen, allerdings meist westlichen Positionen festhält, die für die Auseinandersetzung mit Fontane bestimmend sind. Das Spektrum der Untersuchungen in den späten 1960er und 1970er Jahren reicht von marxistischen und sozialgeschichtlichen bis zu psychoanalytischen Deutungen in den 1980er und 1990er Jahren, von literatursoziologischen Fragestellungen bis zum Thema der Intertextualität in Fontanes Werk, wobei sich der Bogen von einer feministischen, an den »Gender Studies« orientierten Literaturwissenschaft bis zu einer an der Diskursanalyse ausgerichteten Textanalyse spannt. Nach der Wiedervereinigung geraten v. a. die *Wanderungen durch die Mark Brandenburg* verstärkt ins Blickfeld wie auch die Psychobiographie Fontanes, insofern das persönliche Umfeld Fontanes in Beziehung zu seinen literarischen Figuren eindringlich beleuchtet wird. Fontanes 100. Todestag 1998 schließlich zeitigt neben einigen Symposien eine Vielzahl von Publikationen und nicht zuletzt Ausstellungen, wie z. B. »Fontane und sein Jahrhundert« sowie »Fontane und die Bildende Kunst«.

Skizziert man nach diesem allgemeinen Überblick, den Helen Chambers in ihrem Buch *Theodor Fontanes Erzählwerk im Spiegel der Kritik* (2003) beschreibt, die Interpretationsgeschichte des Romans *Effi Briest*, so verläuft diese in ähnlichen Bahnen. Nachdem anfänglich die Komparatistik die Sicht auf den Roman bestimmt hatte und die Einschätzungen von Fontanes Werk im Vergleich zu anderen Romanciers wie etwa Flaubert oder Tolstoi eher schlecht ausfielen, setzten erst sehr viel später die Untersuchungen zu Fontanes besonderer Gestaltung des Romans ein. Den Anfang machte 1959 Mary E. Gilbert. Sie wies in ihrem kurzen Aufsatz auf die »kunstvolle Durchbildung der thematischen Struktur« hin und arbeitete erstmals die Beziehung zwischen den einzelnen Themen und den entsprechenden Symbolen heraus und schuf damit die Grundlagen, mit denen Peter Meyer dann seine Dissertation *Die Struktur der dichterischen Wirklichkeit in Fontanes ›Effi Briest‹* (1961) verfassen konnte. Dietrich Weber knüpfte daran an, als er 1966 *Über den Andeutungsstil bei Fontane* publizierte. Mit den Interpretationen von Walter Müller-Seidel (verfasst Ende der 1950er Jahre, 1975 gesammelt unter dem Titel *Theodor Fontane. Soziale Romankunst in Deutschland* erschienen) wird dann geradezu exemplarisch jene Gegenposition besetzt, die Georg Lukács' Essay *Der alte Fontane* – ein von Thomas Mann geliehener Titel – 1951 erstmals grob skizziert hatte und die Hans-Heinrich Reuter in seiner zweibändigen Monographie *Theodor Fontane* (1968) detailliert nachzuzeichnen versuchte. Unstrittig ist dabei die Charakteristik des Romans als Gesellschaftsroman oder als Zeitroman sowie die damit verbundene Gesellschaftskritik. Lukács lobt Fontane einerseits für seinen »großen bürgerlichen Roman«, in welchem die »einfache Erzählung einer Ehe und ihres notwendigen Bruchs zu einer Gestaltung der allgemeinen Widersprüche der ganzen bürgerlichen Gesellschaft emporwächst« (nach Preisendanz, S. 71). Die Darstellung Effis als

Rezeptionsgeschichte *Effi Briest*

G. Lukács

»Fontanes liebenswürdigste Gestalt« findet ebenso seine Begeisterung, wie der »Ankläger« Fontane, dessen »dichterische Verallgemeinerung« zeige, »wie die gesellschaftliche Moral des Bismarckschen Preußen-Deutschland sich im privaten Alltagsleben auswirkt«. Andererseits kritisiert er Fontane, dass er »nicht imstande ist, rebellierende Menschen zu gestalten« (ebd., S. 73), weshalb auch »die Kräfte der deutschen Erneuerung [d. h. für ein Ende des Bismarck'schen Preußen-Deutschland] völlig außerhalb seines dichterischen Horizontes« liegen und er letztlich nur

W. Müller-
Seidel

»passive Opfer« darstellen könne. Dagegen betont Müller-Seidel in seinem neun Jahre später publizierten Beitrag mit dem Titel *Gesellschaft und Menschlichkeit im Roman Theodor Fontanes* den für ihn zentralen Begriff in den Werken Fontanes: Menschlichkeit. Fontane rücke in seiner Darstellung, insbesondere im Gesellschaftlichen, stets das Menschliche in den Mittelpunkt: »die im Roman vorhandene Gesellschaftskritik [überzeugt] in dem Maße [. . .], als in ihr zugleich ein Allgemeines im Dasein des Menschen sichtbar wird« (nach Preisendanz, S. 176). Fontanes Werke seien daher »zeitlose Dichtung«. Und Müller-Seidel fährt fort: »Resignation und Skepsis sind auf dem Hintergrund der gesellschaftlichen Spannungen die Züge jener Menschlichkeit, die seiner Erzählkunst das Gepräge geben« (ebd., S. 196). Für den Roman *Effi Briest* bedeutet dies:

> »Ohne Gestalten wie Crampas müßte die Gesellschaft im Unmenschlichen erstarren. Aber ohne die Innstettens lösen sich Ordnung und Sitte auf. Wenn der Baron die starren Prinzipien der Gesellschaft verkörpert und Crampas das Menschlich-Natürliche im Absehen von unnötigen Konventionen, so läßt sich dieses Verhältnis bis in einzelne Züge hinein verfolgen. Bezeichnend ist Effis Angst vor der Spukgestalt des Chinesen.« (ebd., S. 187)

V. a. hebt Müller-Seidel auch »Züge menschlicher Komik« in Fontanes Werk hervor, die Wolfgang Preisendanz 1963 in *Humor als dichterische Einbildungskraft* als eines der Grundprinzipien des deutschen »poetischen Realismus« und neben anderen »Realisten« auch bei Fontane nachwies. Nachdem die »Macht des Humors« in Fontanes Werk offengelegt war, lag es nahe, ganz allgemein *Die Sprache als Thema* zu behandeln, was

Ingrid Mittenzwei 1970 dann im gleichnamigen Buch mit ihren Untersuchungen zu Fontanes Gesellschaftsromanen unternahm. Insgesamt schaffen die Aufsätze der 1960er Jahre – etwa Kurt Wölfels über den »Figurenentwurf in Fontanes Gesellschaftsromanen«, Hubert Ohls über die »Landschaftsdarstellung in den Romanen Theodor Fontanes« und Heinz Schlaffers über das »Schicksalsmodell in Fontanes Romanwerk« – jene Grundlagen, die in den 1980er Jahren im Hinblick auf die Erzählstrategien im Roman *Effi Briest* konkretisiert und hinsichtlich der Verarbeitung verschiedenster Motive, Symbole und Mythen präzisiert wurden, wie etwa in den zwei bisher umfangreichsten Einzelarbeiten zu *Effi Briest*: Karla Bindokat, »*Effi Briest*«: Er*zählstoff und Erzählinhalt* (1984) sowie Elsbeth Hamann, *Theodor Fontanes »Effi Briest« aus erzähltheoretischer Sicht unter besonderer Berücksichtigung der Interdependenzen zwischen Autor, Erzählwerk und Leser* (1984). Beide Bände fanden aber kaum Leser, ganz im Gegensatz zur Interpretation des Romans von Helmut Brackert und Marianne Schuller im Band *Literaturwissenschaft* (1981) sowie den beiden immer noch grundlegenden Überblicken: Christian Grawe, *Theodor Fontane. Effi Briest* in der Reihe »Grundlagen und Gedanken zum Verständnis erzählender Literatur« (1985) und Elsbeth Hamann, *Theodor Fontane. Effi Briest* in der Reihe »Oldenbourg Interpretationen« (1981, 1988²). Sie dokumentieren den Stand der Fontane-Forschung und fassen die Ergebnisse bezüglich der Entstehungsgeschichte, des Romanaufbaus, der Raum-, Figuren- und Zeitgestaltung sowie der sprachlichen Besonderheiten zusammen. Aber auch die zentralen Themen in *Effi Briest* werden berücksichtigt: sei es Fontanes spezifischer »Realismus«, seine Darstellung preußischer Verhältnisse, sei es die Problematik der Ehe und die Rolle der Frau oder das Verhältnis von Natur und Gesellschaft, die Frage der Ehre und der Notwendigkeit des Duells. Insbesondere dem Spuk, dem Chinesen und dem Imperialismus widmeten sich – da Fontane angemerkt hatte, dass im Chinesenmotiv »ein [und nicht »der« wie manchmal zitiert wird] Drehpunkt für die ganze Geschichte stecke« – zahlreiche Einzelstudien, vgl. z. B. Warnke (1978), Rainer (1982), Schuster (1983), Utz (1984), Subiotto (1985). Ähnliches gilt für die Be-

1980er Jahre

deutung anderer Symbole, Motive und Leitmotive (vgl. Thum 1979), für das Mittel der »Vorausdeutung« (vgl. Schwarz 1976) und das für Fontane so wichtige Gestaltungsprinzip der »Andeutung« sowie der »Verklärung« (vgl. Aust 1974). Des Weiteren sind noch die übergreifenden Interpretationen von Hanns Peter Reisner und Rainer Siegle zu nennen: *Stundenblätter ›Effi Briest‹* (1987) und *Lektürehilfen – Theodor Fontane. Effi Briest* (1993). Neue Wege, Fontane im Deutschunterricht zu interpretieren, bieten schließlich die beiden Sonderhefte zum Autor: *Diskussion Deutsch* 26 (1995) H. 144 und *Der Deutschunterricht* 50 (1998) H. 4.

K.-P. Schuster
Von Bedeutung ist bis heute auch eine kunstgeschichtliche Untersuchung aus dem Jahr 1978: Klaus-Peter Schusters *Theodor Fontane: Effi Briest – Ein Leben nach christlichen Bildern* – eine Studie, die viel Zustimmung, aber auch Kritik erfuhr. Die Befürworter sehen in Schusters Versuch, die von Panofsky in die Kunstgeschichte eingeführte Methode, die das Wesentliche als Symbol im Beiläufigen aufzufinden sucht, auf *Effi Briest* anzuwenden, einen vielversprechenden, ja geradezu sensationellen Deutungsansatz. Nach Schuster habe Fontane für die Romanhandlung in *Effi Briest* auf ein Grundmuster der Bibel zurückgegriffen und Gemälde – wie etwa die verschiedenen »Marienleben«, »Mariä Heimsuchung«, »Hortus conclusus« – bis ins Detail literarisch nachgezeichnet. Dagegen sehen die Kritiker Schusters in all dem nur die Vollendung der »Safari-Methode der Literaturkritik, die sich an alle eventuellen Symbole anpirscht und sie abknallt ohne das geringste Interesse am Schutz der textlichen Umwelt und ohne den heilsamen Verdacht, daß sie optische Täuschungen sein könnten«, wie es Karl Guthke in *Fontanes Finessen* (1982) formuliert. Wer die angeführten Bilder der Präraffaeliten (vgl. Schuster, S. 208ff.), etwa »Die Mädchenschaft Mariens« (1849) von Dante Gabriel Rosetti, »Herbstblätter« (1856) von John Everett Millais oder »Das erwachende Bewußtsein« (1853) von William Holman Hunt, während der Lektüre vor Augen hat, mag manche Ähnlichkeiten zwischen Bild und Text und Parallelen im gemalten und literarischen Bild entdecken. Doch dürfte es zweifelhaft bleiben, daraus eine Entwicklungs- oder Lebensgeschichte Effis nachzuzeichnen, wo-

nach diese als eine Art »Mariengeschichte« zu lesen ist, in der (fast) alles seine symbolische Bedeutung hat. Nach Schusters Interpretation ist daher in Baronin Briest der Engel Gabriel, in Innstetten Gott, in Hohen-Cremmen der Garten Eden Evas und in Kessin Bethlehem zu sehen. Bei all dem ist zu bedenken, dass Fontane keineswegs ein Autor war, der sich stark am Religiösen orientierte.

Welche Rolle die Bildende Kunst für Fontane spielte, versuchte 1998 eine große Berliner Ausstellung zu zeigen, doch bezüglich *Effi Briest* musste der Katalogtext (S. 309–317) einräumen, dass Fontane das inzwischen in vielen Ausgaben abgebildete »Vor-Bild« für Effi Briest, nämlich August Leopold Eggs »Past and Present« (1857/58), in seiner Ausstellungskritik aus Manchester überhaupt nicht erwähnt. Dies sollte die Bedeutung dieses Triptychons keineswegs schmälern, doch die Entstehung des Romans und die Gestaltung seiner Titelfigur lässt sich damit nicht erklären.

Ende der 1980er Jahre erschien der interessante Aufsatz von Bernd W. Seiler »Effi, du bist verloren! Vom fragwürdigen Lieb-reiz der Fontaneschen Effi Briest« (1988). Darin untersucht Sei-ler Innstettens Ehrbegriff und die Duellfrage, »Effis Scheidung und die Folgen, die diese für sie hat«, und die »Art und Weise von Effis Verheiratung bzw. der ihr zugemuteten Ehe« im Kontrast zum realen Vorfall und den historischen Konstellationen, mit dem Ergebnis, dass in *Effi Briest* »jedenfalls nicht gesellschaft-lich typische Umstände« (Seiler, S. 593) vorliegen. Nachdem Sei-ler auf diese Weise begründet hat, warum der Roman »gesell-schaftlich nicht anstieß«, versucht er im Anschluss nachzuwei-sen, »warum Effi als Figur so gefiel«. Ihre »erotische Verfüg-barkeit, die nicht erzieherisch erzwungen erscheint, sondern sich ganz als Natur gibt«, so der Interpret, sei das Besondere an die-ser Figur, die Seiler anschließend mit dem Typus »Kindfrau« näher charakterisiert und als »Wunschbild« Fontanes und vieler Leser dekuvriert. Als »erotisches Ideal« (ebd., S. 601) fasziniere das »Inbild weiblicher Natürlichkeit«, das Seiler in die Nähe minderjähriger Prostituierter stellt. Die Antwort etablierter Fon-tane-Philologen kam prompt. Christian Grawe ließ sich aller-dings nicht detailliert auf Seilers Argumentation ein, sondern

B. W. Seiler

verwahrte sich allgemein gegen die »Sinnentleerung der Literatur« (1989) – so der Titel seiner polemischen Anmerkungen – und verwies im Übrigen auf die Sekundärliteratur.

Solche Provokationen bleiben allerdings die Ausnahme. In der Regel ließen sich die Interpreten, wie erwähnt, von den Aussagen des Autors leiten wie etwa Christian Grawes Beitrag zu *Effi Briest* (S. 217ff.) in dem von ihm 1991 herausgegebenen Interpretationsband zu Fontanes Novellen und Romanen, oder sie lasen den Text vor dem Hintergrund einer aktuellen bzw. aktualisierten Theorie. 1998 wandte z. B. Norbert Mecklenburg zum einen Michail Bachtins Theorie der sozialen Redevielfalt auf Fontanes Romane an, um so »Leistung und Besonderheit der Erzählkunst Fontanes« neu zu bestimmen. Zum anderen ergänzte er seine Analyse der »Dialogizität« durch Pierre Bourdieus Theorie der sozialen Distinktion.

R. Helmstetter Wirkung dürfte auch die Untersuchung von Rudolf Helmstetter zeitigen, der in seinem Band *Die Geburt des Realismus aus dem Dunst des Familienblattes* (1998) erklärt, wie die »öffentlichkeitsgeschichtlichen Rahmenbedingungen des Poetischen Realismus Fontanes« konkret aussahen und wie sich die damaligen Publikationsbedingungen auf Fontanes Romane im Detail auswirkten, die ja meist zunächst als Fortsetzungen in Familienblättern ihr Lesepublikum erreichten. Diese Studie erschließt so erstmals jene Kontexte, in denen Fontane »argumentiert« und schreibt, sowie die Themen, Sujets, Denkmuster, auf die der Romanautor eingeht. Helmstetters Vorschlag, von Fontanes »medialem Realismus« (Helmstetter, S. 268) zu sprechen, eröffnet sowohl ein neues Feld für die Fontane-Interpretation als auch allgemeine Einsichten in die Besonderheit »realistischer Texte«. Darüber hinaus zeichnet Helmstetter stets die Alternativen nach, die den Protagonisten des Romans offenstehen: »*Effi Briest* zeigt viel eher, daß die Gesellschaft das Schicksal ist und daß ›Schicksal‹ nicht heißen muß, keine Wahl zu haben, sondern, im Gegenteil, auch heißen kann, nicht umhin zu können zu wählen (also Selektionszwang), aber auch: die Wahl, die man hat, nicht wahrzunehmen. Die Romanhandlung problematisiert auf vielerlei Weise solche Komplikationen des Handelns.« (ebd., S. 194) Auch zur Frage des »Realismus« finden wir klare Einsichten:

»Der Roman spielt mit der Differenz von Erzählung und Geschehen, er exponiert die Realität von nicht-erzählten Geschichten, seine narrative Skepsis exponiert Realität als etwas, was sich entzieht. Die Ellipse des Chinesen ist ein Äquivalent der Ellipse Effis: auch ihre Geschichte entzieht sich, denn wer weiß, *was da vorgefallen ist*?« (ebd., S. 214)

Es versteht sich von selbst, dass dieser Blick auf die Interpretationsgeschichte weniger ein vollständiges als vielmehr ein repräsentatives Bild abgeben sollte, weshalb manche interessante Analyse unerwähnt bleiben musste. So z. B. alle Darstellungen, die sich einzelnen Rand- oder Nebenfiguren widmen, wie etwa Geheimrat Zwicker (Neuhaus 1997), Wüllersdorf (Richert 1980), Gieshübler (Schwan 1990), Annie (Hoffmann 1994). Keine Berücksichtigung fanden auch all jene Versuche, die den Roman fast ausschließlich vor dem Hintergrund eines anderen Textes interpretieren, so etwa Anna Marie Gilbert (1979), die in *Effi Briest* den Aschenbrödel-Stoff verarbeitet sieht und der Ansicht ist, dass es sich bei dem Roman um ein Anti-Märchen handele. Nicht näher vorgestellt werden konnten auch die zahlreichen Untersuchungen zu den Leseerfahrungen Fontanes, die er in den Roman einfließen ließ, sowie die im Roman selbst thematisierte Lektüre, wie z. B. die Heine-Texte (vgl. Grawe 1982 und Pütz 1989). Auch auf die vorwiegend an der Person Fontane und dessen Lebenszusammenhängen orientierten Darstellungen konnte nicht eingegangen werden, wie etwa *Das Ich und die andern. Fontanes Figuren und ihre Selbstbilder* (1990) von Claudia Liebrand, Regina Dieterles Studie über *Vater und Tochter. Erkundung einer erotisierten Beziehung in Leben und Werk Theodor Fontanes* (1996) sowie die psychoanalytische Literaturinterpretation von Heide Rohse (2000). Es ist in der Tat ein weites Feld, in welchem sich die Analysen zu *Effi Briest* bewegen, und so tauchen die verschiedensten Fragen aus fast allen Wissenschaftsdisziplinen auf: War Effi Briest ein Opfer der Kantschen Moral (vgl. Baron 1988)? Kann die Rechtswissenschaft zur Klärung des Konflikts zwischen Individuellem und Generellem beitragen (Losch 1996)? Neben philosophischen und juristischen Deutungsmodellen gab es auch psychoanalytische Interpretationen, und so beschrieb Gisela Greve (1986) den

Roman konsequent als »eine Illustration der Entwicklung einer depressiven Erkrankung« (vgl. auch Rohses Kritik an diesem Ansatz), nachdem Joachim Dyck und Bernhard Wurth ein Jahr zuvor mit Hilfe von Michael Balints Theorie der Angstlust sowohl Effi wie auch die Tripelli und Crampas als »Philobaten« vorgestellt hatten, d. h. als Personen, die Wagnisse genießen.

Abgeschlossen werden soll dieser vielleicht (zu) schnelle Parforceritt durch die mittlerweile über einhundertjährige Interpretationsgeschichte mit einem Hinweis auf eine Analyse, an der sich exemplarisch zeigen lässt, zu welcher Deutungsakrobatik dieser Roman einzuladen vermag. So schreibt Humbert Settler in »*Effi Briest*« – *Fontanes Versteckspiel mittels Sprachgestaltung und Mätressenspuk* (1999), dass nicht nur Effi Ehebruch begangen habe, sondern auch Innstetten. Nach Ansicht Settlers hat Innstetten ein Verhältnis mit dem Dienstmädchen Johanna, und weil dies bislang unerkannt blieb, beweise dies die besondere Verschweige- und Andeutungskunst Fontanes, letztlich die Subtilität seiner Gesellschaftskritik. Dass damit die Interpretationsgeschichte von *Effi Briest* noch nicht zu Ende geschrieben wurde, dürfte klar sein.

H. Settler

Literaturhinweise

A. Textausgaben »Effi Briest«

Theodor Fontane, Effi Briest. Roman, Berlin 1895.

Theodor Fontane, Sämtliche Werke. 1. Abt., Bd. 7: Frau Jenny Treibel, Effi Briest, hg. v. E. Groß und K. Schreinert, München 1959 (Nymphenburger Ausgabe = NFA).

Theodor Fontane, Sämtliche Werke. Romane, Erzählungen, Gedichte. Bd. 4: Effi Briest, Frau Jenny Treibel, Die Poggenpuhls, Mathilde Möhring, hg. v. W. Keitel, München 1963 (Hanser Ausgabe = HFA).

Theodor Fontane, Romane und Erzählungen in acht Bänden. Bd. 7: Effi Briest, Die Poggenpuhls, Mathilde Möhring. Hg. v. P. Goldammer, G. Erler, A. Golz und J. Jahn, Berlin, Weimar 1969 (Aufbau Ausgabe = AFA).

Theodor Fontane, Effi Briest. Mit einem Nachwort von K. Wölfel. Stuttgart 1969.

Theodor Fontane, Große Brandenburger Ausgabe, hg. v. Gotthard Erler. Das Erzählerische Werk, Bd. 15: Effi Briest, hrsg. v. Christine Hehle, Berlin 1998 (Große Brandenburger Ausgabe = GBA).

B. Materialien zu Theodor Fontane und »Effi Briest«

Budjuhn, Horst, Fontane nannte sie »Effi Briest«. Das Leben der Elisabeth von Ardenne, Berlin 1985.

Fontane, Theodor, Der Dichter über sein Werk, hg. v. Richard Brinkman in Zusammenarbeit m. Waltraud Wiethölter, 2 Bde., durchgesehene und erweiterte Ausgabe, München 1977.

Fontane und sein Jahrhundert (Ausstellungskatalog), hg. v. der Stiftung Stadtmuseum Berlin, Berlin 1998.

Fontane und die bildende Kunst (Ausstellungskatalog), hg. v. Claude Keisch, Peter-Klaus Schuster u. Moritz Wullen, Berlin 1998.

Franke, Manfred, Leben und Roman der Elisabeth von Ardenne. Fontanes »Effi Briest«, Düsseldorf 1994.

Grawe, Christian, Führer durch Fontanes Romane. Ein Lexikon der Personen, Schauplätze und Kunstwerke, Stuttgart 1996.

Plett, Bettina, Kommentierte Auswahlbibliographie zu Theodor Fontane, in: Der Deutschunterricht 50 (1998) H. 4, S. 82–96.

Schafarschik, Walter, Erläuterungen und Dokumente. Theodor Fontane – Effi Briest, Stuttgart 2002.

Seiffert, Hans Werner (unter Mitarbeit v. Christel Laufer), Zeugnisse und Materialien zu Fontanes »Effi Briest« und Spielhagens »Zum Zeitvertreib«, in: H. W. Seiffert (Hg.), Studien zur neueren deutschen Literatur, Berlin/DDR 1964, S. 235–300.

C. Interpretationen zu »Effi Briest«

Bindokat, Karla, »Effi Briest«: Erzählstoff und Erzählinhalt, Frankfurt/M., Bern 1984.

Dyck, Joachim / Bernhard Wurth, »Immer Tochter der Luft«. Das gefährliche Leben der Effi Briest, in: Psyche 39 (1985), H. 7., S. 617–633.

Grawe, Christian, Theodor Fontane – Effi Briest, Frankfurt/M., Berlin, München (1985), 7. Aufl. 1998.

Grawe, Christian, Über die Sinnentleerung der Literatur. Polemische Anmerkungen zu Bernd W. Seilers ›Effi Briest‹-Aufsatz in DD 104, 1988, in: Diskussion Deutsch 20 (1989) H. 106, S. 208–211.

Grawe, Christian, »Effi Briest«. Geducktes Vögelchen in Schneelandschaft: Effi von Innstetten, geborene von Briest, in: ders., (Hg.), Interpretationen – Fontanes Novellen und Romane, Stuttgart 1991, S. 217–242.

Hamann, Elsbeth, Theodor Fontanes »Effi Briest« aus erzähltheoretischer Sicht unter besonderer Berücksichtigung der Interdependenzen zwischen Autor, Erzählwerk und Leser, Bonn 1984.

Hamann, Elsbeth, Theodor Fontane – Effi Briest, München (1988) 4. korr. Aufl. 2001.

Helmstetter, Rudolf, Literarisch induzierte Liebe und »salonmäßig abgedämpfte Liebe«. Theodor Fontanes »Effi Briest«, in: Reingard M. Nischik (Hg.), Leidenschaften literarisch, Konstanz 1998, S. 229–251.

Kempf, Franz R., »Versteckt und gefährlich politisch«. Hundert Jahre »Effi Briest«-Kritik, in: Michigan Germanic Studies 17 (1991), S. 99–118.

Kremer, Detlef / Wegmann, Nikolaus, Wiederholungslektüre(n): Fontanes »Effi Briest«. Realismus des wirklichen Lebens oder realistischer Text?, in: Der Deutschunterricht 47 (1995) H. 6., S. 56–75.

Rainer, Ulrike, »Effi Briest« und das Motiv des Chinesen: Rolle und Darstellung in Fontanes Roman, in: Zeitschrift für deutsche Philologie 101 (1982) H. 4., S. 545–561.

Reisner, Hans/Siegel, Rainer, Stundenblätter »Effi Briest«, Stuttgart 1987.

Reisner, Hans/Siegel, Rainer, Lektürehilfen Theodor Fontane »Effi Briest«, Stuttgart 1993.

Rohse, Heide, »Arme Effi«. Widersprüche geschlechtlicher Identität in Fontanes »Effi Briest« in: dies., Unsichtbare Tränen. Effi Briest – Oblomow – Anton Reiser – Passion Christi, Würzburg 2000, S. 17–31.

Schuster, Klaus-Peter, Theodor Fontane: »Effi Briest« – Ein Leben nach christlichen Bildern, Tübingen 1978.

Seiler, Bernd, »Effi, du bist verloren!«. Vom fragwürdigen Liebreiz der Fontaneschen Effi Briest, in: Diskussion Deutsch 19 (1988), H. 104, S. 586–605.

D. Allgemeine Literatur zu Theodor Fontane

Aust, Hugo (Hg.), Fontane aus heutiger Sicht. Analysen und Interpretationen seines Werks, München 1980.

Aust, Hugo, Theodor Fontane. Ein Studienbuch, Tübingen, Basel 1998.

Bauer, Karen, Fontanes Frauenfiguren. Zur literarischen Gestaltung weiblicher Charaktere im 19. Jahrhundert, Frankfurt/M. 2002.

Berbig, Roland, Theodor Fontane im literarischen Leben, Berlin 2000.

Blumenberg, Hans, Gerade noch Klassiker. Glossen zu Fontane, München 1998.

Brinkmann, Richard, Theodor Fontane. Über die Verbindlichkeit des Unverbindlichen, Tübingen 1977².

Chambers, Helen, Theodor Fontanes Erzählwerk im Spiegel der Kritik. 120 Jahre Fontane-Rezeption, Würzburg 2003.

Demetz, Peter, Formen des Realismus. Theodor Fontane, München 1964.

Dieterle, Regina, Vater und Tochter. Erkundung einer erotisierten Beziehung in Leben und Werk Theodor Fontanes, Bern 1996.

Drude, Otto, Fontane und sein Berlin. Personen, Häuser, Straßen, Frankfurt/M., Leipzig 1998.

Grawe, Christian / Nürnberger, Helmuth (Hg.), Fontane-Handbuch, Stuttgart 2000.

Hädecke, Wolfgang, Theodor Fontane. Biographie, München 1998.

Helmstetter, Rudolf, Die Geburt des Realismus aus dem Dunst des Familienblattes. Fontane und die öffentlichkeitsgeschichtlichen Rahmenbedingungen des Poetischen Realismus, München 1998.

Jolles, Charlotte, Theodor Fontane, 4. korr. Aufl., Stuttgart 1993.

Liebrand, Claudia, Das ich und die Andern. Fontanes Figuren und ihre Selbstbilder, Freiburg 1990.

Mecklenburg, Norbert, Theodor Fontane. Romankunst der Vielstimmigkeit, Frankfurt/M. 1998.

Müller-Seidel, Walter, Theodor Fontane. Soziale Romankunst in Deutschland, Stuttgart 1975.

Mittenzwei, Ingrid, Die Sprache als Thema. Untersuchungen zu Fontanes Gesellschaftsromanen, Bad Homburg, Berlin, Zürich 1970.

Neuhaus, Stefan, Fontane-ABC, Leipzig 1998.

Nürnberger, Helmuth, Fontanes Welt, Berlin 1997.

Preisendanz, Wolfgang (Hg.), Theodor Fontane, Darmstadt 1973.

Reuter, Hans-Heinrich, Theodor Fontane, 2 Bde., Berlin/DDR 1968.

Schlaffer, Heinz, Das Schicksalsmodell in Fontanes Romanwerk, in: GRM, N7 16 (1996), S. 392–409.

Wolzogen, Hanna Delf von / Nürnberger, Helmuth, Theodor Fontane – Am Ende des Jahrhunderts. Internationales Symposium des Theodor-Fontane-Archivs zum 100. Todestag Theodor Fontanes 13. bis 17. 9. 1998 in Potsdam, 3 Bde., Würzburg 2000.

Ziegler, Edda unter Mitarbeit v. Gotthard Erler, Theodor Fontane, Lebensraum und Phantasiewelt. Eine Biographie, Berlin 1996.

E. Allgemeine Literatur zu Fontanes Zeit

Frevert, Ute, Ehrenmänner. Das Duell in der bürgerlichen Gesellschaft, München 1991.

Frevert, Ute / Haupt, Heinz-Gerhard (Hg.), Der Mensch des 19. Jahrhunderts, Frankfurt/M. 1999.

Gerhard, Ute, Verhältnisse und Verhinderungen. Frauenarbeit, Familie und Rechte der Frau im 19. Jahrhundert, Frankfurt/M. 1978.

Martini, Fritz, Deutsche Literatur im bürgerlichen Realismus 1848–1898, Stuttgart 1962.

Wehler, Hans-Ulrich, Deutsche Gesellschaftsgeschichte 1849–1914, München 1995.

F. Der »mediale« Theodor Fontane

Fassbinder, Rainer Werner, Fontane Effi Briest, in: ders., Fassbinders Filme 3, hg. v. Michael Töteberg, Frankfurt/M. 1990, S. 97–174.

Schachtschabel, Gaby, Der Ambivalenzcharakter der Literaturverfilmung. Mit einer Beispielanalyse von Fontanes Roman »Effi Briest« und dessen Verfilmung von Rainer Werner Fassbinder, Frankfurt/M. 1984.

Schäfer, Peter / Strauch, Dietmar, Fontane in Film und Fernsehen. Zwischen ›Werktreue‹ und Neuinterpretation. Mit einer Filmographie, in: Fontane-Blätter H. 67 (1999), S. 172–200.

Verfilmungen

Der Schritt vom Wege (1938), schwarz-weiß, Regie: Gustaf Gründgens, Drehbuch: Georg C. Klaren und Eckart von Naso, Effi: Marianne Hoppe, 101 Min.

Rosen im Herbst (1955), Farbe, Regie: Rudolf Jugert, Drehbuch: Horst Budjuhn, Effi: Ruth Leuwerik, 102 Min.

Effi Briest (1969), Farbe, Regie: Wolfgang Luderer, Drehbuch: Christian Collin, Effi: Angelika Domröse, 115 Min.

Fontane. Effi Briest oder Viele, die eine Ahnung haben von ihren Möglichkeiten und ihren Bedürfnissen und dennoch das herrschende System in ihrem Kopf akzeptieren durch ihre Taten und es somit festigen und durchaus bestätigen (1972/74), schwarz-weiß, Regie: Rainer Werner Fassbinder, Drehbuch: Rainer Werner Fassbinder, Effi: Hanna Schygulla, 140 Min.

Theaterstücke

Theodor Fontane – Effi Briest. Fassung von Amélie Niermeyer und Thomas Potzger, Frankfurt/M. 1999.
Theodor Fontane – Effi Briest. Bühnenfassung von Holger Teschke, Reinbek b. Hamburg 2000.
Theodor Fontane – Effi Briest. Bühnenfassung von Axel Preusz, Tübingen, Berlin 2003.
Theodor Fontane – Effi Briest. Theaterfassung von Reinhard Göber für das Theater Konstanz, Konstanz 2004.

Hörspiele und -bücher

Theodor Fontane – Effi Briest: Ungekürzte Ausgabe, gelesen von Hans Eckhardt, Ascolto, Diedorf 1984, 6 MC, Laufzeit ca. 480 Min.
Theodor Fontane – Effi Briest: Ungekürzte Ausgabe, gelesen von Gert Westphal, Hörbuch DG, Hamburg 1988, 8 MC bzw. 8 CDs, Laufzeit ca. 630 Min.
Theodor Fontane – Effi Briest: Hörspielbearbeitung und Regie: Rudolf Noelte, Der Hörverlag, München 1998, 4 MC, Laufzeit ca. 162 Min.
Theodor Fontane – Effi Briest: gelesen von Cornelia Kühn-Leitz, Leuenhagen & Paris, Hannover 1999, 1 CD, Laufzeit ca. 61 Min.

G. *Theodor Fontanes* »*Effi Briest*« – *Ein Weiterleben in der Literatur*

Brückner, Christine, Triffst du nur das Zauberwort. Effi Briest an den tauben Hund Rollo, in: dies., Wenn du geredet hättest, Desdemona. Ungehaltene Reden ungehaltener Frauen, Hamburg 1983, S. 75–91.
Grass, Günter, Ein weites Feld. Roman, Göttingen 1995.
Hochhuth, Rolf, Effis Nacht. Monolog, Reinbek b. Hamburg 1996.
Keuler, Dorothea, Die wahre Geschichte der Effi B. Ein Melodram, Zürich 1998.
Oberhammer, Georg / Ostermann, Georg, Zerreißprobe. Der neue Roman von Günter Grass »Ein weites Feld« und die Literaturkritik. Eine Dokumentation, Innsbruck 1995.
Restenberger, Anja, Effi Briest: Historische Realität und literarische Fiktion in den Werken von Fontane, Spielhagen, Hochhuth, Brückner und Keuler, Frankfurt/M. 2001.

Wort- und Sacherläuterungen

9.2 **Kurfürst Georg Wilhelm**: Georg Wilhelm (1595–1640) war seit 1620 Kurfürst von Brandenburg und Vater des »großen Kurfürsten« Friedrich Wilhelm.

9.3 **Familie von Briest**: Märkische Adelsfamilie, die Fontane auch in Briefen und in anderen Werken erwähnt, z. B. in den *Wanderungen durch die Mark Brandenburg*.

9.21 **Schaukel**: Vgl. zu diesem Motiv Fontanes Erinnerungen im 4. Kapitel seiner Autobiographie *Meine Kinderjahre*, deren Abfassung nicht zuletzt Fontane die Fertigstellung des Romans *Effi Briest* erst ermöglichte.

10.14 **Rufnamen Effi**: Vgl. zur Namenswahl auch die Entwürfe Fontanes, in denen die Hauptfigur Betty von Ottersund heißt. Gleichwohl wurde versucht, Bedeutung zu entziffern, so z. B. der Anklang des Rufnamens an »Eva« und »elfische Frauengestalten«. Dagegen betonen andere Interpreten mit Fontane die Beziehung zu Elisabeth von Ardenne.

10.16–17 **den ganzen Kursus**: Vgl. zum zeitgenössischen Hintergrund dieses Kursus Rudolf Helmstetter, a. a. O., S. 167ff.

11.6 **Tochter der Luft**: Symbolisches Bild für Effis Vorliebe am Klettern, Schaukeln und letztlich für ihre Sorglosigkeit, ihren Wunsch nach einer Art schwerelosen Glücks, das auf den »festen Boden unter den Füßen« verzichtet. Vgl. zu den möglichen Bedeutungsassoziationen dieses Begriffs Aust (1998), S. 166ff.

11.14 **Backfisch**: Junges Mädchen. Mit Blick auf die zeitgenössische Romanliteratur und im Wissen um das Romanende kann hier auch ein Hinweis Fontanes auf die »Backfischromane« gesehen werden, in denen ein »erfahrener älterer Mann ein widerspenstiges, naiv-natürliches Mädchen« heiratet (Helmstetter, Literarisch induzierte Liebe, a. a. O., S. 240).

12.8 **Hansa**: Die Hanse war ein zeitweilig sehr einflussreicher mittelalterlicher Handelsbund, dem unter der Führung Lübecks die meisten norddt. Städte angehörten.

12.8 **Fritz Reuter**: Der Schriftsteller Fritz Reuter (1810–1874) schrieb in Mecklenburger Mundart und wurde v. a. durch verschiedene Darstellungen seiner Jugend bekannt.

als erwarte sie [. . .] Engel Gabriel: Scherzhafte Anspielung auf 12.19–20
das 1. Kapitel des Lukas-Evangelium, in dem der Engel Gabriel
Maria die Geburt des Gottessohnes verkündigt. Vgl. Lk. 1,26ff.

›Weiber weiblich, Männer männlich‹: Vgl. Norbert Mecklen- 13.2–3
burgs Interpretation der Sentenz, a. a. O., S. 264ff.

Geert von Innstetten: Auch Effis Ehemann sollte zunächst ganz 14.18
anders heißen: Hugo von Pannwitz, Waldemar von Pervenitz,
Waldemar von Griepenkerl, Waldemar von Innstetten, Ralph
von Innstetten.

so was Komisches: Hinweis Fontanes auf die Bedeutung des 14.26
Komischen für den weiteren Verlauf des Romans (vgl. Preisendanz).

das vierte Gebot: »Du sollst deinen Vater und deine Mutter eh- 15.9
ren« (Vgl. 2. Mose 20,12 und 2. Mose 19,20).

Belling: Der alte Belling (1719–1779) war Reitergeneral Fried- 15.19
rich des Großen und führte die Schwarzen Husaren.

Ritterschaftsrat: Hohes Mitglied der »Ritterschaft«, der Ver- 15.27
tretung der adligen Grundbesitzer in den preuß. Provinzialland-
tagen.

ein bißchen war es doch so was: Fontane betont mit der ironi- 16.1–2
schen Vorstellung eines »teilweisen Selbstmords« die außeror-
dentliche Wirkung von Innstettens Ablehnung durch Frau
Briest. Vgl. Aust (1998) S. 163ff.

Kreuz: Das »Eiserne Kreuz«, 1813 vom preuß. König für Ver- 16.11
dienste im Kampf gegen Napoleon gestiftet, wurde im Krieg gegen Frankreich (1870/71) erneut für ehrenhaftes Verhalten ver-
liehen.

Bismarck: Fürst Otto von Bismarck (1815–1898), Kanzler des 16.13
dt. Reiches 1871–1890.

der Kaiser: Wilhelm Friedrich Ludwig (1797–1888) wurde 16.14
1861 preuß. König und 1871 als Wilhelm I. dt. Kaiser.

Landrat: Vom König ernannter Beamter, der die »Geschäfte der 16.15
allgemeinen Landesverwaltung« gleichsam als »Organ der
Staatsregierung« ausübt.

Kessiner Kreise: Vermutlich nach dem kleinen Ort Kessin süd- 16.15
lich von Rostock, der sich in manchen Details mit Fontanes Erinnerungen an Swinemünde deckt, wo er von 1827–1832 seine
Kindheit verbrachte.

16.18–19 **Pommern, in Hinterpommern**: Landschaft südl. der Ostsee, wobei das östl. der Oder gelegene Hinterpommern als provinziell galt.

17.1–2 **Haus- und Familienfaktotum**: Meist ältere Person, die im Haushalt alles erledigt und auf liebenswerte Weise etwas sonderbar erscheint.

18.5 **Konstantinopel**: Die Stadt ist hier Symbol für den Islam, und der Verweis auf die Mohammedaner soll an die harte Strafe im Koran für Ehebruch erinnern.

19.9 **Stille Wasser sind tief.**: Redensart, nach der die äußerlich zurückhaltende, ruhige Menschen oft überraschende Charaktereigenschaften aufweisen.

20.7 **Feigenblatt**: Ironische Anspielung Fontanes auf die Bibelstelle 1. Mose 3,7.

21.4 **Aschenpuddel**: Figur aus dem Grimm'schen Märchen »Aschenputtel«, das als Stiefkind zunächst die unangenehmsten Küchenarbeiten verrichten muss, um am Ende nach vielen Widrigkeiten den Königssohn heiraten zu können.

22.14 **Effi, komm.**: Vgl. zur zentralen Bedeutung dieser Worte Fontanes Brief an Friedrich Spielhagen vom 21. 2. 1896 (vgl. Kommentar, S. 349). Ob es sich bei der Wiederaufnahme dieser Aufforderung gegen Ende des Romans (vgl. S. 318) um eine der vielen »Finessen« Fontanes handelt, erörtert Guthke in seinem Aufsatz *Fontanes »Finessen«* (1982), S. 235ff.

22.23 **das junge Paar**: Mit der ironischen Anspielung auf das Alter des Paares verrät Fontane, welche Problematik ein solches Verhältnis birgt, was nicht zuletzt durch Luises anschließenden Hinweis auf die »kaum achtzehn Jahre zurückliegende Zeit« besonders betont wird.

23.25 **poetische Bilder**: Fontane betont mit diesem Ausdruck den Gegensatz zu Briests vorher erwähnten Eigenschaft, eher »prosaisch« zu sein.

23.29 **Luise**: Populärer Vorname, v. a. wegen der Königin von Preußen (1776–1810), der Frau Wilhelms III.

27.9 **Alexander-Regiment**: Preuß. Garde-Grenadier-Regiment Nr. 1, benannt nach dem Zaren Alexander I. (1777–1825).

27.10–11 **»Fliegenden Blätter«**: 1844 in München von Kaspar Braun und Friedrich Schneider gegründete illustrierte humoristische Wochenzeitschrift, die v. a. wegen ihrer bedeutenden Zeichner, etwa Adolph Menzel (1815–1905) und Wilhelm Busch (1832–1908), viel Beachtung fand.

Nationalgalerie [. . .] »Insel der Seligen«: In der 1876 fertiggestellten Berliner Gemäldegalerie auf der Museumsinsel hing das von Arnold Böcklin (1827–1901) 1878 gemalte Bild »Die Gefilde der Seligen«. Der dargestellte Zentaur in idyllischer Landschaft, umspielt von nackten Nymphen, löste bei den Zeitgenossen empörte Reaktionen aus, während Fontane es »noch langweiliger als den Potsdamerstraßen-Alltagszustand« fand. 27.20–21

Prinzessin Friedrich Karl: Maria Anna von Anhalt (1837–1906) war mit dem Hohenzollern-Prinzen Friedrich Karl (1828–1885) verheiratet. 28.9–10

Apartes: (Franz.) »Geschmackvolles«. Der Hinweis auf Effis Hang zum »außergewöhnlich Reizvollen« durchzieht den ganzen Roman und kann fast als Leitmotiv gelten; vgl. S. 55, 100, 115, 151. 28.26

Gardepli: (Franz.) »Haltung«, letztlich das gesellschaftliche Auftreten, das man von einem Gardeoffizier erwartete. 29.11

auch so was gehabt: Wie in anderen Romanen benutzt Fontane auch hier das Stilmittel der Andeutung auf kommende Ereignisse, d. h. auf das Motiv des Ehebruchs. 29.34

Spät kommt ihr, doch ihr kommt.: Zitat aus Friedrich Schillers (1759–1805) zweitem Teil seiner Trilogie *Wallenstein* (1800) »Die Piccolomini« (I,1). 30.23

Hochzeitstag (3. Oktober): Die Zahl drei hat in dem Roman eine große Bedeutung, denn z. B. kommt nach drei Tagen Effis erste Urlaubskarte (S. 47), am 3. Juli wird Annie geboren (S. 133), Roswitha wird ihr Kind am dritten Tag weggenommen (S. 204), Crampas hat nach dem Duell »keine drei Minuten Leben« (S. 278), öfters vergehen drei Tage (S. 189) oder drei Jahre (S. 297), Annie wiederholt dreimal »O gewiß, wenn ich darf« (S. 314), und selbst die Briefe liegen unter dem »dritten Einsatz« (S. 263) usw. 30.27

Holunderbaumszene: In dieser Szene aus Kleists Drama *Das Käthchen von Heilbronn* (IV,2) schläft Käthchen unter einem Holunderbaum und spricht in einem Traum dem Grafen Wetter vom Strahl ihre große Liebe aus. 30.34

32.11 »**Aschenbrödel**«: Märchengestalt und Titel eines Lustspiels von Roderich Benedix (1811–1873), das Fontane als Kritiker mehrmals besprach und schätzte.

33.28 **Petersburg [. . .] Archangel**: Diese russ. Städte, sind – wie auch der Hinweis auf »einen halbsibirischen Ort« zuvor – Metapher für Kälte und Einsamkeit.

34.5 **Sedantag**: Gedenktag an die gewonnene Schlacht von Sedan (1870) und die Kapitulation Napoleons III., der bis 1918 (inoffizieller) nationaler Feiertag war.

34.32 **Lot**: Vgl. 1. Mose 19; während Lot beim Untergang von Sodom und Gomorrha gerettet wird, dreht sich seine Frau entgegen Gottes Befehl neugierig um und erstarrt daraufhin zur Salzsäule. Mit seinen beiden Töchtern, die Lot betrunken machen, zeugt dieser zwei Söhne.

39.2 **seine kleine Eva**: Da auch Rummschüttel später Effi als »Evastochter« (S. 229) beschreibt, wird deutlich, dass Fontane mit diesem Bild die verführerische »Eva« (S. 141) und die »Jungfrau Maria«(S. 211) zur widersprüchlichen Charakteristik seiner Titelfigur wählt.

39.22–23 **Piazetta [. . .] Lido**: Kleiner Platz am Dogenpalast in Venedig, Strand in Venedig zwischen den Lagunen und dem Meer.

41.11 **ich habe keine**: Vgl. hierzu Fontanes Charakteristik des »natürlichen Menschen« in einem Brief an Colmar Grünhagen vom 10. 10. 1895: »Der natürliche Mensch will leben, will weder fromm noch keusch noch sittlich sein, lauter Kunstprodukte von einem gewissen, aber immer zweifelhaft bleibenden Wert, weil es an Echtheit und Natürlichkeit fehlt. Dies Natürliche hat es mir seit lange angetan, ich lege nur *da*rauf Gewicht, fühle mich nur *da*durch angezogen, und dies ist wohl der Grund, warum meine Frauengestalten alle einen Knacks weghaben.«

41.29–31 **in *diesem* Zeichen [. . .] am entschiedensten gesiegt**: Anspielung auf den Satz Konstantin d. Großen, (lat.) »in hoc signo vinces«, »in diesem Zeichen wirst du siegen«; ein leuchtendes Kreuz mit dieser Inschrift soll Konstantin vor einer entscheidenden Schlacht im Jahre 312 n. Chr. erschienen sein.

42.12 **Strumpfband-Austanzens**: Abschließender Hochzeitstanz mit einer Art Pfänderspiel, bei dem das Strumpfband der Braut zerschnitten und den Gästen zur Erinnerung mitgegeben wurde.

Kunst der Antithese: Geschätztes Stilmittel Fontanes, mit dem 42.34
gegensätzliche Begriffe oder Gedanken einander gegenübergestellt werden, bzw. zu einer These eine entgegengesetzte Behauptung, die Antithese, formuliert wird, um Argumente überzeu-
gender vortragen zu können.

Kögel: Der konservative Theologe Rudolf Kögel (1829–1896) 42.34
wirkte seit 1863 als Hof- und Domprediger in Berlin, und seine
Predigtsammlungen wurden viel gelesen.

Walhalla: Zwischen 1830 und 1842 nach Entwürfen von Leo 44.3
von Klenze (1784–1864) erbaute, marmorne Ruhmeshalle bei
Donaustrauf in Form eines griech. Tempels, in dem die Büsten
berühmter Deutscher aufbewahrt werden. Der Name geht auf
den Ort zurück, an dem sich nach der nordischen Mythologie
die im Kampf Gefallenen aufhalten.

Naturkind: Vgl. Fontanes wiederholte Hinweise auf das 44.5
»Kind« Effi (z. B. S. 49 und S. 83) und Heide Rohses Ausführungen, die darin den »*zentralen geschlechtlichen Widerspruch* zwischen ihrer Natur als Frau und den gesellschaftlichen Moral-
vorstellungen, die dieser Natur Gewalt antun« (S. 21), entwickelt sieht.

Pinakothek: (Griech.) »Bildersammlung«. In München befin- 47.32
den sich die »Alte Pinakothek«, zwischen 1826–1836 von Klenze erbaut, sowie die »Neue Pinakothek«, die zwischen 1846–
1853 entstand.

Palladio: Der ital. Baumeister und Autor Andrea Palladio 48.21
(1508–1580) wirkte v. a. in Vicenzia und später in Venedig.

›Er liegt in Padua begraben‹: Mit diesem Satz berichtet Mephis- 48.25
to in Goethes *Faust I* (1808) (Vers 2925) Frau Marthe Schwerdt-
lein vom Tod ihres Mannes.

Pfauentaube: Tauben als Wohltäterinnen Aschenputtels gelten 49.7–8
auch als Sinnbild der Liebe der Eltern zu ihren Kindern und
daneben als Liebes- und Fruchtbarkeitssymbol.

Kind in den Brunnen gefallen: Redensart, wonach erst dann 49.17
etwas unternommen wird, wenn etwas Negatives passiert ist.

Capri und Sorrent: Bekannte ital. Reiseziele, die auch Fontane 50.2
während seiner Italienreise begeisterten.

St. Privat-Panoramas: Großes Rundbild von Emil Hünten 50.9
(1827–1902), das den Sturm der preuß. Truppen auf St. Privat

bei Metz am 18.8.1870 darstellt und von Februar 1881 bis Dezember 1884 im »Nationalpanorama« in der Herwarthstraße gezeigt wurde.

50.28–31 **»Phönix« [...] verbrennen möge**: Nach einer ägypt. Sage verbrannte sich der Vogel Phönix alle 500 Jahre und ging jeweils verjüngt aus der Asche wieder hervor.

51.20 **Varzin**: Dorf in Hinterpommern, in dem Bismarck seit 1867 ein Rittergut besaß und sich öfters aufhielt.

53.21 **Immortellen**: Ihrem Namen entsprechend, die »Unsterblichen« oder »Unvergänglichen«, behalten diese Art von Strohblumen mit ihren trockenen Blütenblättern lange Zeit sowohl ihre Form als auch ihre Farbe. In Fontanes Werk kann diese Blume als Symbol der Einsamkeit gelten, das auf einen nahen Tod hindeutet.

54.20 **Walter Scott**: Schott. Schriftsteller (1771–1832), den Fontane insbesondere wegen seiner historischen Romane außerordentlich schätzte.

54.25 **General de Meza**: Christian Julius de Meza (1792–1865) entstammte einem jüd.-port. Geschlecht, das wegen ihres Glaubens nach Holland emigrieren musste. Im dt.-dän. Krieg 1864 befehligte er die dän. Truppen.

55.7 **fliegenden Holländer**: Die Sagengestalt des fliegenden Holländers, der seines gottlosen Lebens wegen ständig auf See unterwegs ist, regte mehrere Autoren zu Bearbeitungen des Stoffes an. Neben Heinrich Heines Romanfragment *Aus den Memoiren des Herrn von Schnabelewopski* trug v. a. Richard Wagners Oper *Der fliegende Holländer* (1843) zur Bekanntheit der Figur bei, während der gleichnamige Roman von Albert Emil Brachvogel (1824–1878) zwar von Effi gelesen wurde, aber danach wohl nur noch wenige Leser fand.

55.9 **Schwarzflaggen**: Zwischen 1849 und 1866 herrschte in China Bürgerkrieg, der mit Hilfe engl. und franz. Truppen niedergeschlagen wurde. Teile der vertriebenen chin. Rebellen flohen nach Tongking, dem nördl. Teil Vietnams, und nannten sich Schwarzflaggen.

55.22 **Normannenherzog**: Rollo (gest. 931/32), ein Normanne aus Norwegen, beraubte jahrelang die flandrischen und nordfranz. Küstengebiete, weshalb ihm der franz. König aus Angst vor weiteren Angriffen die Normandie als Lehen gab.

Astrallampen: Für damalige Verhältnisse sehr moderne Lampen, die dank flacher, ringförmiger Petroleumbehältern nur sehr wenig Schatten warfen.   58.13

Wrangel: Friedrich Heinrich Ernst Graf von Wrangel (1784–1877) war seit 1866 preuß. Generalfeldmarschall. 1848 vertrieb er die dän. Truppen aus Schleswig und löste im November des gleichen Jahres die preuß. Nationalversammlung auf.   64.23

gute Menschen und schlechte Musikanten: Geflügeltes Wort nach Clemens Brentanos (1778–1842) Lustspiel *Ponce de Leon* (V,2), das Heinrich Heine (1797–1856) im 13. Kapitel seines Buches *Ideen. Das Buch Le Grand* zitiert.   66.5–6

Konsuln: Die beiden höchsten gewählten Beamten der röm. Republik. Hier sind allerdings die Handels- und Wahlkonsuln gemeint, d. h. Kaufleute, die verschiedene Länder in Handelsangelegenheiten repräsentieren und meist in Hafenstädten arbeiten.   66.7

Liktoren: Alaltröm. Amtsdiener, die hohen Beamten vorausgingen und Rutenbündel (Faczes) als Zeichen ihrer Macht trugen.   66.13

Brutus: Berühmter Name verschiedener röm. Konsuln, etwa des ersten Konsuls Lucius Iunis Brutus. Am bekanntesten dürfte allerdings Marcus Iunius Brutus (85–42 v.Chr.) sein. Anfänglich noch Cäsars Freund wird er später Anführer der Verschwörung gegen Cäsar und begeht als späterer Konsul nach einer militärischen Niederlage gegen Antonius und Oktavian Selbstmord. Heute steht der Name Brutus als Sinnbild für Verrat.   66.15

schwarz [. . .] rot dazwischen: Schwarz-weiß waren die preuß. Landesfarben, schwarz-weiß-rot die Farben des dt. Reiches. Mit der Frage nach der entsprechenden Flagge spielt Fontane auf das zentrale Thema an, welche Interessen letztlich dominieren: die des Reiches oder die Preußens.   67.6–7

Chinesen: Vgl. zu dem Motiv des Spukhauses und des Chinesen Fontanes brieflichen Hinweis an den Kritiker Widmann vom 19. 11. 1895, beides sei erstens »an und für sich interessant« und zweitens stehe dies »nicht zum Spaß da, sondern ist ein Drehpunkt für die ganze Geschichte«.   70.31

Bockmühle: Während bei holl. Windmühlen nur das Dach mit den Flügeln drehbar war, konnte bei den dt. Bockmühlen das gesamte Gebäude der Windrichtung entsprechend gedreht werden.   71.14

73.33 **Preziosaname**: Anspielung auf das romantische Schauspiel *Preciosa* des Schauspielers Pius Alexander Wolff (1782–1828) mit der Musik Carl Maria von Webers (1786–1826). Fontane beschrieb das Schauspiel 1886 »wie ein Stück ›aus der guten alten Zeit‹«. Im Mittelpunkt von *Preciosa* stehen das Zigeunermädchen Preciosa und ihr Liebhaber Don Alonzo.

74.27 **Fehrbelliner Schlacht**: In der Schlacht bei Fehrbellin am 28.6.1675 besiegten die brandenburgischen Truppen unter Kurfürst Friedrich Wilhelm Schweden und befreiten dadurch die Mark Brandenburg von schwed. Ansprüchen.

74.28 **Überfall von Rathenow**: Noch vor der Fehrbelliner Schlacht hatte General Derfflinger (1606–1696) das von den Schweden besetzte Rathenow am 25.6.1675 durch einen Überraschungsangriff befreit.

74.33 **Froben**: Wie es heißt, fiel der Stallmeister des Großen Kurfürsten Wilhelm Emanuel von Froben (1640–1675) angeblich bei der Schlacht Fehrbellin, weil er sein Pferd mit dem besonders auffälligen Schimmel des Kurfürsten Friedrich Wilhelm vertauschte.

74.34 **Luther**: Ob Martin Luther (1483–1546) die legendären Worte »Hier stehe ich. Ich kann nicht anders. Gott helfe mir! Amen.« tatsächlich auf dem Reichstag zu Worms 1521 gesprochen hat, als er sich wegen seiner »ketzerischen Schriften« rechtfertigen musste und seine Schriften widerrufen sollte, ist historisch nicht verbürgt.

75.4–5 **Cid [...] Campeador**: Cid ist der Beiname des span. Nationalhelden Ruy Diaz de Vivar (um 1043–1099), eines mittelalterlichen Kriegers, auch Campeador genannt, der gegen die Mauren kämpfte.

75.30 **Kronprinzessin**: Viktoria (1840–1901) war die Tochter der engl. Königin Viktoria, deren Mann, der preuß. Kronprinz Friedrich Wilhelm (1831–1888), 1888 hundert Tage als dt. Kaiser und König von Preußen regierte. Vermählt war die Kronprinzessin seit 1858 mit dem späteren Kaiser Friedrich III. Nach dessen Tod nahm sie den Witwennamen Kaiserin Friedrich an.

76.13 **Deismus**: Gottesauffassung der Aufklärung im 17./18. Jh., wonach Gott zwar die Welt geschaffen hat, aber keinen weiteren Einfluss auf sie ausübt.

da war auch ein 2. Dezember: Louis Napoleon (1808–1873), 76.28–29
ein Neffe Napoleons I., hatte am 2. Dezember 1851 in einem
blutigen Staatsstreich die Macht an sich gerissen und ließ sich ein
Jahr später als Napoleon III. zum Kaiser der Franzosen ausrufen.

Held und Eroberer von Saarbrücken: Zu Beginn des dt.-franz. 77.6–7
Krieges, am 2.8.1870, wurde Saarbrücken von einem Armee-
korps in Gegenwart Louis Napoleons vorübergehend besetzt.

katholischen Frau: Louis Napoleon war seit 1853 mit der span. 77.12–13
Gräfin Eugenie von Montijo und Teba (1826–1920), einer fa-
natischen Katholikin, verheiratet. Im Herbst 1870 floh sie vor
den revolutionären Ereignissen in Paris nach England.

Eugenie [. . .] jüdischen Bankier: Eugenie wurde allgemein ein 77.25–26
lockerer Lebenswandel und auch ein Verhältnis mit Baron Al-
fons de Rothschild (1827–1905), dem jüd. Bankier, nachgesagt.
Deshalb erscheint Paris als »die große Hure Babylon«, eine Anspielung auf die Offenbarung 17 des Johannes.

Wahl, Nobiling: Reichstagswahl. Der Anarchist Karl Eduard 77.35
Nobiling (1848–1878) versuchte am 2.6.1878 den 81jährigen
Kaiser Wilhelm I. zu erschießen. Das misslungene Attentat (der
Kaiser wurde nur schwer verwundet) nutzte Bismarck um sein
Vorgehen gegen die Sozialdemokraten, die er damit in Verbin-
dung brachte, zu rechtfertigen.

Le Bourget: Der nordöstl. von Paris gelegene und bei der Bela- 79.2–3
gerung der franz. Hauptstadt hart umkämpfte Ort wurde am
30.10.1870 von der preuß. Garde zurückerobert.

von Versailles her: In Versailles befand sich 1870/71 zeitweilig 79.26–27
das Hauptquartier der dt. Truppen, von wo aus Bismarck auch
die Regierungsgeschäfte leitete.

Gräfin von Orlamünde: Die Gräfin Agnes von Orlamünde soll 81.35
nach dem Tod ihres Mannes (1293) ihre Kinder getötet haben,
um den hohenzollerischen Burggrafen Albrecht von Nürnberg
heiraten zu können. Das Schicksal der Gräfin wurde danach in
Verbindung mit der »Weißen Frau« gebracht, die in verschiedenen Hohenzollern-Schlössern ihr Unwesen treibt.

nach einem Kellergewölbe: Der Sage nach soll Faust mit der 82.25
Hilfe des Teufels aus Auerbachs Keller in Leipzig auf einem ge-
füllten Weinfass hinausgeritten sein.

83.5–6 **ich bin ein Kind**: Vgl. Fontanes Gedicht »Großes Kind« sowie die Bedeutung dieser Selbsteinschätzung vom Ende des Romans aus betrachtet, denn als Kind wird Effi verheiratet, kehrt nach Jahren der Ehe und Verbannung wieder als Kind zu den Eltern zurück.

92.30–31 **bei einer Briest**: Innstettens Hinweis auf die »gesellschaftliche« Komponente, wonach für Adlige »Spuk« kein Thema sei, geht an Effis »natürlicher« Wahrnehmung und ihrem konkreten Empfinden vorbei.

94.7 **Marietta Trippelli**: Mit dem ital. klingenden Namen könnte Fontane sowohl auf die Reisetätigkeiten der Sängerin anspielen als auch auf die Bedeutung der Zahl drei in ihrem Leben.

94.33 **Kohlenprovisor**: Scherzhafter Ausdruck für einen Mitarbeiter in der Apotheke, der auch für die Heizung im Winter zuständig ist.

98.20 **Vatermördern**: Scherzhafter Ausdruck für hohe, steife Kragen an Herrenhemden, die im 19. Jh. sehr populär waren und an die Stelle des Jabot (vgl. Erl. zu 144,20) traten.

101.7–8 **Dejeuner**: (Franz.) »Frühstück«; hier ist allerdings das sogenannte »Gabelfrühstück« (vgl. S. 50) als zweites Frühstück gemeint.

101.26 **Papiermüller**: Anspielung auf Bismarck, der in Varzin (vgl. Erl. zu 51,20) ein Gut erworben und dort 1868 eine Papiermühle eingerichtet hatte.

103.18–19 **Baldrian- und Veilchenwurzelluft**: Pflanzen, aus denen stark riechende Öle gewonnen werden, die als Beruhigungsmittel dienen.

105.2 **tausendundeinste Seele**: Wortspiel Fontanes, bei dem er die *Geschichten aus Tausendundeiner Nacht* mit den russ. Seelen verbindet und Assoziationen zu Nicolai Gogols (1809–1852) *Tote Seelen* (1842) wachruft.

106.23 **›Orpheus‹ [. . .] ›Vestalin‹**: Gemeint sind hier die Figuren »Orpheus« aus der Oper *Orpheus und Eurydike* (1762) von Gluck, »Chrimhild« aus der Oper *Die Nibelungen* (1854) von Heinrich Ludwig Egmont Dorn (1804–1892) sowie die Titelfigur aus der gleichnamigen Oper *Die Vestalin* (1807) von Gasparo Spontini (1774–1851), die sich alle drei auf der Suche nach der »glücklichen Liebe« befinden.

›**Erlkönig**‹: Franz Schubert (1797–1828) vertonte 1815 die Bal- 106.28
lade »Der Erlkönig« von J. W. Goethe.

›**Bächlein, laß dein Rauschen sein . . .**‹: Zeile aus dem Gedicht- 106.28–29
zyklus *Die schöne Müllerin* (1820) von Wilhelm Müller (1794–
1827), den Franz Schubert 1823 vertonte.

Löwesche Balladen: Carl Loewe (1796–1869) war ein bekann- 106.31
ter Balladenkomponist, der auch Fontanes Balladen »Archibald
Douglas« (1858) und »Thomas der Reimer« (1867) vertonte.

›**Glocken von Speier**‹: Gedicht von Maximilian Freiherr von 106.32
Oer (1806–1846), das Carl Loewe vertonte.

›**Ritter Olaf**‹: Gemeint ist hier wohl das Gedicht »Herr Oluf« 106.34–35
aus der Gedichtsammlung *Des Knaben Wunderhorn*
(1805/1808), das Loewe ebenfalls vertonte und nicht Heinrich
Heines Gedicht »Ritter Olaf«.

›**Fliegenden Holländer**‹: Die Oper *Der fliegende Holländer* 107.5
komponierte Richard Wagner (1813–1883) 1840/41.

›**Zampa**‹: Louis Joseph Ferdinand Hérold (1791–1833) kom- 107.5
ponierte die Oper *Zampa oder die Marmorbraut* (1831).

›**Heideknabe**‹: Ballade von Friedrich Hebbel (1813–1863), die 107.6
Robert Schumann (1810–1856) 1853 vertonte.

der toten Julia flüstert Romeo: Vgl. Shakespeares *Romeo und* 107.30–31
Julia (V,3); darin begegnet Romeo allerdings nicht der toten Julia.

Quäkerin: Angehörige der von George Fox (1624–1691) in 108.18
England gegründeten Sekte in der Tradition der Wiedertäufer,
die in ihren mystisch-spiritualistischen Gemeinschaften fromm
und sittenstreng leben, kirchliche Rituale ablehnen und sich so-
zial engagieren.

Psychographen: Schreibapparat, der bei spiritistischen Sitzun- 108.29
gen Botschaften aus der Geisterwelt aufzeichnen soll.

Ironikus: Fontane gibt hier selbst ein kleines Beispiel seiner fei- 110.4
nen Ironie, indem er nicht den »Ironiker« erwähnt, einen spöttischen Menschen, sondern in Anlehnung des »Pfiffikus« einen
»Ironikus«.

Freigeist: Freidenker, der sich keiner kirchlichen Autorität un- 110.9
terwirft und in religiösen Dingen seine eigenen Anschauungen
entwickelt, weshalb er nicht mit einem Atheisten (vgl. S. 76) ver-
wechselt werden sollte.

110.19–20 Torquemada: Der Dominikaner Thomas de Torquemada (1420–1498) war seit 1484 span. Großinquisitor, d. h. oberster Richter bei Ketzerprozessen, und gilt seither als Sinnbild für richterliche Brutalität.

110.34–111.2 Madame la Baronne [. . .] Trippelli.: (Franz.) »An Frau Baronin von Innstetten, geb. von Briest. Gut angekommen. Fürst K. auf dem Bahnhof. Mehr denn je von mir entzückt. Tausend Dank für Ihre freundliche Aufnahme. Verbindliche Grüße an den Herrn Baron. Marietta Trippelli.«

112.4–5 Julklapp: Weihnachtsbrauch, nach dem am Julfest, d. h. am Weihnachtsfest, Geschenke ins Zimmer geworfen werden und Julklapp gerufen wird.

112.33 Stadtflora: Fontanes ironischer Ausruck für die »bunte Schar« der Ballteilnehmer, die sich anschickt, beim gesellschaftlichen Ereignis richtig »aufzublühen«.

118.4–5 Journalzirkels: Kreis von Zeitungslesern, im 19. Jh. letztlich der zentrale Anschluss an die entscheidenden Medien: Journale, Zeitschriften, Familien- und Frauenblätter.

118.20 Alchimisten: Goldmacher, Chemiker des Mittelalters, doch in diesem Kontext spielt Fontane auf die Alchimie als »geheime Kunst« an, weshalb hier eher Effis Liebe zum Geheimniskrämer gemeint sein dürfte.

119.6–7 Eugen Richter: Der »linksliberale« Politiker Eugen Richter (1838–1906) war Mitglied des Reichstages, einflussreicher Führer der Deutsch-Freisinnigen Partei und entschiedener Gegner der Politik Bismarcks.

119.13 Lohengrin [. . .] Walküre: Richard Wagners Oper *Lohengrin* (1845/48) wurde 1850 und die Oper *Die Walküre* (1851/56), ein Teil vom *Der Ring der Nibelungen*, 1870 uraufgeführt.

119.17 Wagners Stellung zur Judenfrage: Wagners antisemitische Einstellung lässt sich in seinem Aufsatz *Das Judenthum in der Musik* (1850) nachlesen.

120.18–19 Landwehrbezirkskommandeur: Die Landwehr war eine Art Reservetruppe, in der Wehrpflichtige nach Ableistung ihrer Wehrpflicht dienten. Als Landwehrbezirkskommandeur fungierte meist ein nicht aktiver Stabsoffizier, etwa ein Major oder Oberstleutnant, oder ein aktiver Oberst, der in Verbindung mit den zivilen Behörden, etwa einem Landrat, das Kommando über dieses bewaffnete Aufgebot übernahm.

Major von Crampas: Mit dem Namen könnte der »grand pas« 120.33
gemeint sein, der große Schritt vom Wege, wie ihn das Theater-
stück (vgl. Erl. zu 165,27) ebenfalls thematisiert. Auch dieser
Name durchlief einen Entwicklungsprozess, von Schlichtekrull
über Zinnowitz bis zum endgültigen Crampas, wobei sich der
militärische Rang erhöhte, vom anfänglichen Hauptmann zum
späteren Major.

Wilms: Fontane kannte Robert Friedrich Wilms (1824–1880), 121.20
der seit 1848 als Chirurg am Berliner Diakonissenkrankenhaus
»Bethanien« arbeitete und auch weit über Berlin hinaus als me-
dizinische Berühmtheit galt, noch persönlich aus seiner dortigen
Apothekerzeit.

Graf Gröben: Generalmajor Georg Graf von der Gröben 121.33
(1817–1894) war maßgeblich an der Belagerung von Paris im
dt.-franz. Krieg 1870/71 beteiligt.

Schwedisch-Pommern: Vorpommern war seit dem westfäli- 122.2
schen Frieden 1648 schwed., doch im Frieden von Stockholm
(1670) wurde der schwed. Besitz auf das so genannte Schwe-
den-Pommern, worunter Usedom und Swinemünde fielen, beschränkt. Dieses Gebiet östl. der Penne gehört erst seit 1815 zu
Preußen.

Wullenweber: Der protestantische Bürgermeister Lübecks, Jür- 126.13
gen Wullenwever (1492–1537), versuchte in seiner Amtszeit
(1533–1535) die vorherrschende Stellung der Hanse und
Lübecks zu behaupten und Reformen durchzusetzen, die seinen
kath. Widersacher, den Erzbischof von Bremen, dazu veranlass-
ten, ihn hinrichten zu lassen.

Stockholmer Blutbad: Während der Auseinandersetzungen 126.14–15
zwischen Dänemark und Schweden im 16. Jh. ließ Christian von
Dänemark (1481–1559) 600 Schweden hinrichten.

vierte Klasse: Billigste Wagenklasse, in der das Gepäck mitge- 128.24
führt werden musste und nicht aufgegeben werden konnte.

Gesindebuch: Über sein Gesinde, d. h. die Gesamtheit der 132.8
Knechte und Mägde, legte die jeweilige Herrschaft im »Gesin-
debuch« Zeugnis ab, in dem das Verhalten und die jeweiligen
Aufgaben beschrieben und kommentiert wurden.

Tag von Königgrätz: Am 3.7.1866 schlugen die Preußen die 133.28–29
öster. Truppen bei Königgrätz in Böhmen und entschieden damit
den preuß.-öster. Krieg für sich.

134.21 **Bibelwort**: Anspielung auf Off. 3,16: »Weil du aber lau bist und weder warm noch kalt, werde ich dich ausspeien aus meinem Munde.«

135.1 **›Felsen Petri‹**: Bild für die kath. Kirche in Anlehnung an das Wort Jesus in Mat. 16,18: »Du bist Petrus, und auf diesen Felsen will ich bauen meine Gemeinde, und die Pforten der Hölle sollen sie nicht überwältigen.«

135.1–2 **›Rocher de bronce‹**: (Franz.) »eherner Fels«, womit an dieser Stelle Bismarck gemeint ist.

136.8 **gelbes Licht**: Vgl. zur Farbenordnung des Romans die »Wiederholungslektüre« Kremer/Wegmanns, wonach die Farbe Rot auf die Gefahren bezüglich der Wünsche Effis hinweist, und die Farbe Gelb dann auftaucht, wo »Signale der Vergänglichkeit oder des Todes angezeigt werden« (S. 71).

137.17 **Schlacht von Waterloo**: Preuß. und brit. Truppen unter Gebhard Leberecht von Blücher (1742–1819) und Arthur Wellesley Herzog von Wellington (1769–1852) schlugen am 18.6.1815 bei Waterloo in der Nähe von Brüssel das Heer des aus der Verbannung zurückgekehrten Napoleon I.

143.21–22 **beim Großtürken oder unterm chinesischen Drachen**: Die beiden Anspielungen beziehen sich auf den chin.-jap. Krieg in den Jahren 1875 und 1882–85 sowie den russ.-türk. Krieg 1877/78.

143.30 **volkstümlicheren Wendung**: Gemeint ist hier vermutlich »einen Narren gefressen haben« oder »sich in jemanden verguckt haben«.

144.20 **Jabots**: Die Mode der Jabots, d.h. der am Kragen befestigten Spitzen- oder Seidenrüschen, wurde Anfang des 19. Jh.s zunächst durch den »Vatermörder« (vgl. Erl. zu 98,20) und später durch die Krawatte abgelöst.

145.8 **›Krieg im Frieden‹**: Besonders von Laienbühnen geschätztes Lustspiel (1881) von Gustav von Moser (1825–1903) und Franz von Schönthan (1849–1913).

145.9 **›Monsieur Herkules‹**: Oft gespielte Posse (1863) von Georg Friedrich Belly (1836–1875).

145.9 **›Jugendliebe‹**: Lustspiel (1871) von Adolf Wilbrandt (1837–1911), dem späteren Direktor des Wiener Burgtheaters.

145.10 **›Euphrosyne‹**: Schauspiel (1877) von Otto Franz Gensichen (1847–1933), das Goethes Beziehung zu Christiane Neumann-Becker (1778–1797) darstellt.

kastalischen Quell: Heilige Quelle am Südhang des Parnass-   145.21
Gebirges bei Delphi, dessen Wasser dichterische Begeisterung
verleihen sollte.

»Damenbad« und »Herrenbad«: Bis zum Beginn des 20. Jh.s   147.2–3
war eine Dreiteilung des Uferterrains üblich, d. h. es gab jeweils
ein Damen- und ein Herrenbad sowie dazwischen einen neu-
tralen Strandabschnitt, der dem geselligen Treiben wie Kurkon-
zerten vorbehalten blieb.

aus der Oper: Anspielung auf die Oper *Der Prophet* (1849) von   150.31
Giacomo Meyerbeer (1791–1864) um den niederl. Wiedertäu-
fer Jan Bochold von Leyden (1509–1536).

Mystik: Form von religiösem Erleben, bei dem mittels Askese   151.9
und innerer Versenkung die Verbindung zum Göttlichen gesucht
wird.

Geisterseher: Person, die Verbindungen zur Welt der Toten   151.9–10
sucht und sich meist mit anderen Spiritisten zu entsprechenden
Sitzungen trifft.

Bischof von Beauvais: Pierre Cauchon, Bischof von Beauvais   152.9
(um 1371–1442), war 1431 maßgeblich an der Verurteilung der
Jeanne d'Arc und ihrer Verbrennung beteiligt.

›Cochon‹: (Franz.) »Schwein«. Fontanes Verwechslung lässt   152.10
den Leser direkt zu jenem Urteil kommen, das über den Bischof
zu fällen ist.

Jungfrau von Orleans: Populäre Bezeichnung der franz. Nati-   152.10–11
onalheldin Jeanne d'Arc (um 1412–1431), die sich durch Stimmen berufen fühlte, Frankreich von den Engländern zu befreien,
und die mit zur Aufhebung der engl. Belagerung von Orleans
beitrug und damit dem Krieg gegen England eine entscheidende
Wende gab. Ihr weiteres Schicksal, die Verhaftung durch die Bur-
gunder, ihr Prozess und schließlich ihre Hinrichtung am
24.6.1431 auf dem Scheiterhaufen führten zu zahlreichen
künstlerischen Darstellungen, darunter auch Friedrich Schillers
Drama *Jungfrau von Orleans* (1801), das Fontane 1878 besprach.

Basedow und rechts Pestalozzi: Fontane wählt mit Johann   153.24
Bernhard Basedow (1723–1790) und Johann Heinrich Pestalozzi (1746–1827) nicht nur zwei der bedeutendsten Pädagogen
ihrer Zeit, sondern wohl auch die bekanntesten dt. Pädagogen

und Erziehungsreformer überhaupt. Beide Namen verbinden sich mit der Einrichtung neuartiger Erziehungsinstitute sowie mit dem Konzept, die in der Natur des Menschen liegenden Fähigkeiten durch entsprechende Bildungsmittel zu entwickeln, wobei der »körperlichen Anstrengung« eine zentrale Rolle zukommen sollte.

153.25–26 **Schnepfenthal oder Bunzlau**: Christliche Erziehungsanstalten; die im thüringischen Schnepfental wurde 1784 durch Christian Gotthilf Salzmann (1744–1811) gegründet, die im Schlesischen bei Bunzlau gelegene wurde von der Herrnhuter Brüdergemeinde geführt.

153.35 **Cherub mit dem Schwert**: Nach 1. Mose 3,24 der Engel, der das Paradies nach der Vertreibung von Adam und Eva bewacht.

157.2–3 **Husarenfähnrich von achtzehn**: Obwohl Fähnriche die jüngsten Offiziere in einer Einheit des preuß. Heeres waren, hatten sie meist die Zwanzig überschritten.

157.20 **Vineta**: Sagenhafte Stadt auf der Ostseeinsel Wollin, die angeblich wegen ihrer übermütigen Einwohner im Meer versank, doch bei klaren Tagen wieder zu sehen ist.

157.22 **Heinesche Gedicht**: Heinrich Heine (1797–1856) hat die Sage um den Ort Vineta in seinem Gedicht *Seegespenst* aus dem ersten Nordsee-Zyklus im *Buch der Lieder* (1827) thematisiert, wobei Crampas »Inhaltsangabe« sehr selektiv ausfällt, – entsprechend der Intention Fontanes.

158.8–10 **›Du hast Diamanten [. . .] ›Deine weichen Lilienfinger‹**: Gedichte aus dem Zyklus »Die Heimkehr« (1823/24) in Heines *Buch der Lieder*, wobei letzteres eigentl. »Deine weißen Lilienfinger« heißt.

158.26 **seinen späteren Gedichten**: Gemeint ist hier Heines dritte große Gedichtsammlung *Romanzero* (1851), die auch die Gedichte »Karl I«, d. h. Karl Stuart, sowie »Vitzliputzli« enhält.

158.31–32 **Karl Stuart**: Karl I. (1600–1649) König von England wurde 1649 auf Befehl des Parlaments hingerichtet. Fontane versuchte das Schicksal und das politische Scheitern des Königs in einem Drama zu gestalten, das aber Fragment blieb.

160.4 **»Ein Korbdeckel ist kein Korb …«**: Anspielung auf die Redensart, jemanden »einen Korb geben«, d. h. ein Angebot ablehnen.

Pedro dem Grausamen: Heine erzählt die Geschichte des kas-   160.15
tilischen Königs Pedro (1334–1369) in seinem Gedicht »Spani-
sche Atriden«, ebenfalls aus der Sammlung *Romanzero*.

Blaubartskönig: Titelfigur aus einem franz. Märchen, in dem   160.17
König Blaubart seine sechs Frauen nacheinander tötet, weil sie
das Geheimnis seiner Morde herausgefunden haben; seither
steht der Name Blaubart stellvertretend für einen Frauenmör-
der.

sechs Frauen von Heinrich dem Achten: Heinrich VIII. (1491–   160.22
1547), von 1509 bis 1547 König von England, ließ von seinen
sechs Frauen zwei wegen angeblicher Untreue hinrichten.

Mutter der Elisabeth: Die von Heinrich VIII. hingerichtete Gat-   160.26
tin Anna Boleyn war die Mutter von Elisabeth I. (1533–1603),
seit 1558 Königin von England.

Kreuz von Kalatrava: Ordenszeichen des Calatravaordens; der   160.30
span. Ritterorden wurde von König Sancho III. von Kastilien
1158 bei der Verteidigung der Burg Calatrava gegen Angriffe der
Mauren gestiftet.

Schwarzer Adler und Pour le mérite: Die beiden höchsten   160.31–32
preuß. Orden, 1701 von Friedrich I. anlässlich seiner Königs-
krönung bzw. 1740 von Friedrich II. anlässlich des ersten Schlesischen Krieges gegen Österreich gestiftet.

König von Thule: Anspielung auf die gleichnamige Ballade aus   163.12
Goethes *Faust*, insbesondere auf den Vers »Dem [. . .] seine Buhle / einen goldnen Becher gab«.

Reimwort: Das zunächst unausgesprochene Wort wird nun als   163.17
Reimwort erklärt: auf den König Thule reimt sich »Buhle«, ein
altes Wort für Geliebte.

Friedrichsruh: Bei Hamburg gelegener Besitz Bismarcks, den er   164.21–22
vom kaiserlichen Geldgeschenk anlässlich der Reichsgründung
kaufte.

›Buhküken von Halberstadt‹: Kinderlied aus Roswithas Hei-   165.10–11
mat, dem Harz, über den kinderfreundlichen Bischof Burkhard
II. von Halberstadt (1006–1059), das Arnim von Arnim (1781–
1831) und Clemens Brentano (1778–1842) in ihre Sammlung
Des Knaben Wunderhorn aufnahmen und das Fontane wiederholt zitiert.

»Ein Schritt vom Wege«: Erfolgreiches Lustspiel (1872) von   165.27

Ernst Wichert (1831–1902), dessen Premiere Fontane wohlwollend kommentierte, wobei er insbesondere die weibliche Hauptrolle der Ella von Schmettwitz treffend charakterisierte: »Ella, voll aristokratischer Abneigung gegen die große Heerstraße, zugleich voll poetisch-abenteuerlichem Verlangen nach einem ›Schritt vom Wege‹, sieht sich alsbald in Situationen eingeführt, die an Romantizismus nichts zu wünschen übrig lassen.« Diese Beschreibung trifft auch auf Effi zu, weshalb Gustaf Gründgens aus guten Gründen der ersten Verfilmung des Romans den Titel *Der Schritt vom Wege* (1939) geben konnte.

167.14–15 **der Dichter ist ein Kammergerichtsrat**: Ernst Wichert war nicht nur Schriftsteller, sondern auch Jurist und in dieser Eigenschaft von 1887–1896 in Berlin als Kammergerichtsrat tätig.

167.16 **noch dazu aus Königsberg**: Scherzhafte Anspielung auf den Philosophen Immanuel Kant (1724–1804), der in Königsberg den Grundsatz der Pflichterfüllung – den »kategorischen Imperativ« – formulierte, den Fontane mit den Worten wiedergab: »Wir sind nicht da um Glückes oder Vergnügens willen, sondern um unsere Pflicht zu tun.« Und im Falle Wichert hätte dies bedeutet, dass er eigentl. weiter als Richter in Königsberg hätte wirken und sich nicht dem Schreiben zuwenden sollen.

172.18 **ersten Feldzug in Schleswig**: Die Erhebung Schleswig-Holsteins gegen Dänemark im Frühjahr 1848 wurde bis zum Einspruch Englands und Russlands im August 1848 von Preußen unterstützt. Dabei befehligte der preuß. Generalfeldmarschall Wrangel (vgl. Erl. zu 64,23) die dt. Bundestruppen, während der General und spätere Kriegsminister Eduard von Bonin (1793–1865) die preuß. Linientruppen kommandierte.

172.20 **Danewerks**: Befestigungsanlage bei Schleswig, die am 23.4.1848 von preuß. Truppen erobert wurde.

173.9–10 **Signatur unserer Zeit**: Damals vielzitierte Redensart nach der eher reaktionären Streitschrift *Signatura temporis* (1849) des Historikers Heinrich Leo (1799–1878).

175.8 **Marienburger Remter**: Der aus dem 14. Jh. stammende Speisesaal in der Marienburg, dem Sitz des Deutschritterordens.

175.9 **Memlingschen Altarbilde**: 1470 von dem niederl. Maler Hans Memling (1433–1494) geschaffener Flügelaltar, der das Jüngste Gericht darstellt.

Nettelbeck: Joachim Nettelbeck (1738–1824), Schiffskapitän 175.13
und Bürgervertreter, hatte sich bei der Verteidigung Kolbergs
1807 gegen die napoleonischen Truppen verdient gemacht und
wurde zuweilen als Inbegriff des preuß. Patrioten verehrt.

Das Fleisch ist schwach: Anspielung auf die Worte Jesu in Mk 176.23
14,38: »Der Geist ist willig, aber das Fleisch ist schwach« sowie
ironischer Hinweis Fontanes auf die Diskrepanz zwischen Reden und Handeln, wenn die Figur anschließend genüsslich nach
dem Fleisch greift.

vom Geist überkommen: Fontane greift hier auf einen mehr- 177.10
fach in der Bibel gebrauchten Ausdruck zurück, etwa 1 Sam
10,6; 2 Sam 7,4; 1 Kön 18,46; 2 Kön 2,15; Mt 3,16 sowie Lk
1,35.

die Schalen ihres Zorns ausschüttete: Vgl. Offb 16,1: »die 177.10–11
sprach zu den sieben Engeln: Gehet hin und gießet aus die sieben
Schalen des Zornes Gottes auf die Erde.«

Kassandrablick: Der griech. Sage nach prophezeite die Prieste- 177.12
rin Kassandra, Tochter des Königs Priamus von Troja, den Untergang ihrer Geburtsstadt. Fontane verwendet den Begriff hier
allerdings eher zur Charakteristik einer Person, die dem Kommenden gegenüber stets negativ eingestellt ist und aufgrund des
damit verbundenen Pessimismus vor der Zukunft warnen zu
müssen glaubt.

›drei Ringen‹: Die Ringparabel in Gotthold Ephraim Lessings 178.10
(1729–1781) Schauspiel *Nathan der Weise* (1779) kann als Al-
legorie auf die drei großen Religionen, Christentum, Judentum
und Islam, und ihre Beziehung zu Gott verstanden werden. In
Lessings Parabel (III,7) lässt Gott zu einem echten Ring zwei
Imitationen anfertigen, die aber für Menschen nicht zu unterscheiden sind, weshalb die religiöse Toleranz das Ziel menschlichen Zusammenlebens sein sollte.

mit Gott für König und Vaterland: Ursprünglich nur Inschrift 178.18–19
an Helm und Mütze von Landwehrangehörigen (vgl. Erl. zu
120,18–19) wurde dieser Spruch später zum Losungswort kon-
servativer Parteien in Preußen.

Preußenliedes: Den Text zu dem auch als Preußenhymne be- 178.27–28
zeichneten Lied »Ich bin ein Preuße, kennt ihr meine Farben ...« schrieb der Halberstädter Gymnasiallehrer Johann

Bernhard Thiersch (1794–1855) zum Geburtstag Friedrich Wilhelms II. am 3. 8. 1831. 1832 wurde es von dem Berliner Komponisten und Chorleiter August Heinrich Neithardt (1793–1861) vertont.

179.27 **Doktor und Apotheker**: Anspielung auf die gleichnamige Oper (1786) von Karl Ditters von Dittersdorf (1739–1799).

182.11–12 **Methodistenpredigerin**: Die 1729 von John und Charles Wesley gegründete Sekte der Methodisten ging aus der anglikanischen Hochkirche hervor und gewann in England und Amerika rasch Einfluss auf breite Kreise der Bevölkerung. In Amerika kam es im 19. Jh. zu mehreren Abspaltungen, darunter die »Primitive Methodists«, die auch Predigten von Frauen erlaubten.

182.21 **Schloon**: Graben, der vor Heringsdorf, einem Badeort auf der Insel Usedom, aus dem Gothener See kommend in die Ostsee mündet.

190.2 **wendisch-heidnischen**: Ironische Anspielung Fontanes auf den markanten Gesichtsausdruck der Slawen, die auch Wenden genannt werden und oft als Heiden angesehen wurden.

190.7 **Radegaster und die Swantowiter Linie**: Zwei der Hauptgötter der wend. Stämme Wilzen und Obotriten.

191.4 **Tischreden**: Seit 1531 wurden Martin Luthers (1483–1546) Gespräche bei den Mahlzeiten festgehalten, deren Themen von Glaubens- über allgemeine bis zu politischen Fragen reichten. Nachdem sie bereits im 16. Jh. in einer Bearbeitung von Johann Aurifaber (1519–1575) erschienen waren, wurden diese Sentenzen innerhalb des Protestantismus schnell als beliebter Zitatenschatz gebraucht.

193.29 **Schwadronen**: Mit zwei Schwadronen (als Schwadron wurde die kleinste Einheit der Kavallerie bezeichnet) sollte die Garnison halb so groß sein wie das in Perleberg stationierte Ulanenregiment Nr. 11 (vgl. S. 16).

197.25–26 **auf französisch empfohlen**: Redensart für das heimliche Fortgehen aus einer Gesellschaft ohne förmliche Abschiedsworte.

198.24–25 **Blüchersche Husaren**: Husaren vom fünften pommerschen Regiment, benannt nach dem preuß. Generalfeldmarschall Gebhardt Leberecht Blücher, Fürst von Wahlstatt (1742–1819), dem Sieger von Waterloo.

199.13–14 **Vase mit Sanssouci und dem Neuen Palais**: Dt. Gesandtschaften wählten häufig Vasen als Repräsentationsgeschenke, und auf diesen in der Königlichen Porzellanmanufaktur in Berlin hergestellten Vasen befanden sich oft Abbildungen von architektonischen Sehenswürdigkeiten wie etwa die Potsdamer Schlösser.

Das muß es.: Vgl. zur Bedeutung des »es« bei Fontane Blumenbergs Glosse »Der Bedarf an dosierter Ungenauigkeit« (S. 132). 201.16

heilige Elisabeth: Elisabeth, Landgräfin von Thüringen (1207–1231), bekannt für ihre Mildtätigkeit und Frömmigkeit, wurde 1235 heilig gesprochen. 211.21–22

Schweigger: Der bekannte Augenarzt und Verfasser von Lehrbüchern Karl Schweigger (1830–1905) leitete seit 1871 die Berliner Universitäts-Augenklinik. 212.35

Schadowstraße: Diese Berliner Adresse befindet sich, wie auch die folgenden (vgl. S. 220), im Stadtzentrum. 213.15

Pferdebahn: 1878 wurde die erste Pferdebahnlinie, d. h. eine von Pferden gezogene Straßenbahn, zwischen Berlin und Treptow eingerichtet. 215.2

Schutzzölle: Anspielung auf die im Sommer 1879 verabschiedeten Schutzzollgesetze, die ausländische Unternehmen zum Teil vom dt. Markt ausschlossen und dadurch inländischen Produzenten erhebliche Vorteile und Gewinne sicherten. 222.13

Kladderadatsch: 1848 von David Kalisch (1820–1872), Rudolf Löwenstein (1819–1891) und Albert Hofmann (1818–1880) in Berlin gegründetes politisch-satirisches Witzblatt. Die auch im Ausland gern gelesene Wochenschrift war anfänglich linksliberal eingestellt, zeigte sich später aber eher bismarckfreundlich und unterstützte zuweilen seine Politik 222.20

Wippchen von Bernau: Figur aus dem 1866 gegründeten satirischen Witzblatt *Berliner Wespen*, das Julius Stettenheim (1831–1916) herausgab. Insbesondere die Berichte des »Kriegsberichterstatter Wippchen« über den russ.-türk. Krieg (1877/78) fanden große Beachtung und machten die Figur aus Bernau bei Berlin bekannt. 222.25–26

Kiebitzeier: Eines der Lieblingsgerichte Bismarcks; die Eier gelten v. a. in hartgekochter Form als Delikatesse. 223.7

dativisch Wrangelsche: Wrangel (vgl. Erl. zu 64,23) war dafür bekannt, dass er wie mitunter im Berliner Sprachgebrauch üblich Dativ und Akkusativ verwechselte, z. B. mir und mich. 223.13–14

223.18 **Apollo**: Schöner junger Mann. Weil Effi jedoch vom Erzähler als gut in »Mythologie«(vgl. S. 313) beschrieben wird, darf dies auch als Anspielung auf den Lichtgott Apoll verstanden werden, der oft auf einem Sonnenwagen als Lenker dargestellt wurde.

224.32 **Trockenwohner**: Bewohner eines Neubaus, deren Mieten bis zur völligen Trockenlegung der Wohnung niedrig waren.

227.25-27 **Walter Scott [...] Herrn von Bredow**: Hier nennt Fontane im Grunde einige seiner Lieblingsbücher: die Romane Walter Scotts *Ivanhoe* (1819) und *Quentin Durward* (1823), James Fenimore Coopers (1789–1851) *Der Spion* (1821), Charles Dickens (1812–1870) *David Copperfield* (1849/50), Willibald Alexis' (eigent. Wilhelm Heinrich Häring) (1798–1871) *Die Hosen des Herrn von Bredow* (1846).

228.21 **Geheimrat Rummschüttel**: Mit diesem sprechenden Namen, der auf die Bewegung hinweist (jemand herumschütteln), markiert Fontane den Gegensatz zur Patientin Effi, die sich gerade nicht drehen kann.

234.24-25 ›**Ein junges Lämmchen weiß wie Schnee.**‹: Zitat aus dem Gedicht und Kinderlied »Das Lämmchen« von Friedrich Justin Bertuch (1747–1822), wobei Effi die anspielungsreichen Zeilen »Die Freuden, die man übertreibt, die Freuden werden Schmerzen« verschweigt.

235.9 **tempi passati**: (Lat.) »vergangene Zeiten«. Mit diesem Ausdruck soll aber v. a. das Bedauern zum Ausdruck gebracht werden, dass die Ereignisse leider bzw. zum Glück schon viele Jahre zurückliegen.

236.6 **Roten Schloß**: Volkstümlicher Name für ein 1866/67 erbautes Geschäftshaus, dessen auffallende Fassade aus roten Ziegelsteinen bestand.

238.1-2 **Nero und Titus**: Röm. Kaiser, Nero (37–68 n. Chr.), Titus (39–81 n. Chr.), deren Wirken allerdings nicht gegensätzlicher sein könnte. Der Gewaltherrschaft Neros steht die friedvolle Herrschaft Titus' gegenüber.

238.5 »**Belvedere**«: In diesem Pavillon im Garten des Charlottenburger Schlosses veranstaltete der preuß. General und Minister Johann Rudolf von Bischoffswerder (1741–1803), Mitglied des Illuminatenordens und Günstling König Friedrich Wilhelms II. von Preußen, spiritistische Sitzungen.

Oberammergauer Spiele: Zur Erinnerung an die Pest 1634 fin-   239.7
den im bayerischen Oberammergau alle zehn Jahre die »Passi-
onsspiele« statt, bei denen Laienspieler die Leidensgeschichte
Christi darstellen: Von diesem Ereignis im »außerpreußischen
Deutschland« war auch Fontane begeistert, und vielleicht wollte
er damit auch versteckt auf die Zeitstruktur des Romans hinweisen; vgl. hierzu Aust (1998) S. 159ff.

Schill: Major Ferdinand von Schill (1776–1809), Kommandeur   239.16
eines preuß. Husarenregiments, kämpfte entschieden gegen die
napoleonischen Truppen und fiel bei Stralsund. Vgl. auch Fontanes Gedicht »Schill«.

Scheele: Der in Stralsund geborene Apotheker und Chemiker   239.16
Karl Wilhelm Scheele (1742–1786) entdeckte um 1771 nicht
nur den Sauerstoff, sondern viele andere Stoffe wie etwa Chlor,
Arsen-, Blau-, Wein- und Milchsäure.

»Hotel Fahrenheit« [. . .] nach Réaumur«: Scherzhafte Anspie-   240.1–2
lung auf die unterschiedliche Gradeinteilung der Temperaturs-
kalen. Das Quecksilber-Thermometer des dt. Gabriel Daniel
Fahrenheit (1686–1736) weist 180 Grad zwischen Gefrier- und
Siedepunkt des Wassers (32° bzw. 212°) auf, während das Wein-
geist-Thermometer des franz. René-Antoine Ferchault de Réaumur (1683–1757) nur 80 Grad zeigt (0° bzw. 80°).

Herthadienst: Anspielung auf den Kult der Fruchtbarkeitsgöt-   241.36
tin Nerthus, wobei deren Schreibung als Hertha auf eine unge-
nau überlieferte Tacitus-Stelle zurückgeht.

Thorwaldsen-Museum: Museum mit Plastiken des dän. klas-   243.26
sizistischen Bildhauers Bertel Thorvaldsen (1770–1844), über
das sich Fontane in einem Reisebericht sehr beeindruckt äußerte.

Tivoli-Theater: Berühmtes Varieté- und Komödientheater in   244.11–12
Kopenhagens Vergnügungsviertel »Tivoli«.

Arlequin und Colombine: (Franz.) Bezeichnung für die zwei   244.12–13
komischen Standardfiguren Arlecchino und Columbina in der
ital. Commedia dell'arte.

ich meine, was ich meine: Der alte Briest erweist sich im Ro-   246.1
man, so Fontanes Charakteristik, als Meister der Tautologie.

Orakel [. . .] Namen der Person: Gemeint ist hier Pythia, die im   246.20–22
Apollontempel in Delphi das Orakel verkündete.

247.7 **mit Augen gesehen:** Mit dem ironischen Hinweis auf die »eigenen Augen« bezweifelt Fontane die Richtigkeit ihrer Beobachtung, denn Frau Briest ist gerade wegen der Behandlung ihrer schwachen Augen nach Berlin gereist, was mehrfach thematisiert wird, vgl. z. B. S. 221, 224.

249.28 **»Der Sturm auf Düppel, Schanze V«:** Im Krieg gegen Dänemark erstürmten preuß. Truppen am 18. 4. 1864 die dän. Befestigungen bei Düppel und entschieden damit den Krieg zu Preußens Gunsten.

254.19 **Barbarossa:** Wegen seines rotblonden Bartes (vgl. S. 283) ähnelt Crampas Kaiser Friedrich I. (1125–1190), der den ital. Beinamen Barbarossa, der Rotbärtige, trug.

255.8–9 **Kaiserin [...] einer neuen Stiftung:** Augusta Marie Luise Katharina, Prinzessin von Sachsen-Weimar (1811–1890) war seit 1858 preuß. Königin, seit 1871 dt. Kaiserin. Sie war bekannt für ihre zahlreichen Stiftungen für wohltätige Einrichtungen.

255.31–32 **Gothaischen Kalender:** Die seit 1763 erscheinenden *Gothaischen Genealogischen Taschenbücher* verzeichneten alljährlich detailliert die personellen Veränderungen in den Adelsfamilien.

256.13 **katarrhalischen Affektionen:** Einmal mehr schreibt eher der »Apotheker« Fontane als der Romancier, denn die Präzision der Diagnose versucht sich zum einen gegenüber dem einfachen Katarrh abzugrenzen und zum anderen gegenüber der Ausdrucksweise von Laien, die von einer Erkältung oder einem Schnupfen sprechen würden.

258.17 **Nana:** Der Roman *Nana* (1880) des franz. Schriftstellers Emile Zola (1840–1902) erregte großes Aufsehen und wurde heftig angegriffen, da er den Zeitgenossen wegen seines naturalistischen Stils als »unmoralisch« erschien und zudem hatte Zola als Titelheldin eine Dirne gewählt, zu deren Kunden auch angesehene Kreise der Gesellschaft zählten.

269.2 **Verjährungstheorie:** Vgl. zur Frage, wann ein Duell wegen einer zu langen Zeitspanne zwischen Tat und Kenntnis der Tat hinfällig wird sowie zu allen Fragen bezüglich des Duells und seiner Geschichte die Studie Ute Freverts.

272.22–23 **›Gottesgericht‹:** Vorstellung, Gott richte stets im Sinne der Gerechtigkeit und bestrafe die Sünden der Menschen.

272.24 **Ehrenkultus:** Vgl. Stefan Greif, *Ehre als Bürgerlichkeit in den*

Zeitromanen Theodor Fontanes, Paderborn 1992, v. a. S. 171–208 sowie den Gegensatz zum »Naturkultus« (S. 181).

noch denselben Abend: Den Duellregeln entsprechend musste die Forderung 24 Stunden nach Entdeckung der Beleidigung überbracht werden. 272.29–30

Buddenbrook: Was den heutigen Leser sofort an Thomas Manns *Buddenbrooks* denken lässt, war für den zeitgenössischen Leser nur ein norddt. Familienname, denn Thomas Manns Roman erschien erst 1901. 275.16

Immortellen: Vgl. S. 390. Im Gegensatz zum Heliotrop, das stets eine helldunkle Stimmung verbildlicht, repräsentieren die Immortellen Bilder eines duftlosen, wehmütigen Todes. 277.12–13

Fremdenblatt: 1862 von Rudolf von Decker gegründetes Anzeigenblatt, seit 1876 nur noch *Berliner Fremdenblatt* mit Gästeliste und Lokalnachrichten. 282.3

Kleine Journal: 1879 von Bethel Henry Stousberg gegründete Berliner Tageszeitung, die meist über Ereignisse bei Hofe, Skandale und Gesellschaftsaffären berichtete. 282.4

Niemann: Der berühmte Heldentenor Albert Niemann (1831–1917) trat v. a. als Interpret in Wagner-Opern auf, sang darunter auch den erwähnten Tannhäuser aus der gleichnamigen Oper (1845) und war 1866 bis 1887 an der Berliner Hofoper engagiert. 285.18

heilige Afra: Märtyrerin und Schutzpatronin der Dirnen, wurde 304 in Augsburg während der diokletianischen Christenverfolgung verbrannt. Vgl. zu diesem Motiv Aust (1998), S. 171. 286.35

Kremserpartie: Ein Kremser konnte vor den Toren Berlins gemietet werden, nachdem Hofrat Kremser 1822 dafür die erste Lizenz bekommen hatte. Mit diesem Gefährt konnten die erwähnten Landpartien durchgeführt werden, sodass ein eigenes Fahrzeug nicht mehr benötigt wurde. 290.7

sozialen Revolution: Bismarck fürchtete eine solche Revolution, weshalb ein Teil seiner Politik darauf abzielte, eine gewaltsame Veränderung der Gesellschaft zu verhindern. Fontanes Hinweis und Einschränkung auf eine »moralische Revolution« kann als indirekter Hinweis auf die Wirkung der Sozialgesetzgebung Bismarcks in den 1880er Jahren verstanden werden, mit der letztlich die von den Sozialisten geforderte »reale soziale Revolution« überflüssig werden sollte. 290.8–9

290.12–13 **Saturn frißt seine Kinder**: Anspielung auf die Sage, wonach der röm. Gott Saturnus seine Kinder verschlang, nachdem ihm prophezeit worden war, sie würden ihn stürzen und töten.

296.21–22 **Briefschreibepassion**: Anspielung auf die seit dem 18. Jh. weitverbreitete Mode, sich möglichst oft in Briefen seiner Leidenschaften zu versichern.

298.15–16 **Prinz Albrechtschen Garten**: Dieser am Palais des Prinzen Albrecht von Preußen (1837–1906) gelegene Park am Askanischen Platz war ein beliebtes Ziel für Spaziergänger.

298.21 **Terrassierung**: Anspielung auf die baulichen Veränderungen am Berliner Kreuzberg, wo zwischen 1888 und 1894 der Viktoriapark angelegt wurde.

299.11 **Pensionat**: Im Gegensatz zu Fontanes früher Verwendung des Begriffs (vgl. S. 228) ist hier eine Pension gemeint, die Zimmer und Verpflegung innerhalb einer Privatwohnung für längere Zeit anbietet.

299.25–26 **die Hochschule besuchende Engländerinnen**: Frauen waren an Berliner Universitäten erst zu Beginn des 20. Jh.s zum ordentlichen Studium zugelassen; es bestand aber das Recht, als Gasthörerin Vorlesungen zu besuchen, was v. a. Ausländerinnen nutzten.

301.16–17 **»sechs Wochen [. . .] sei gerade genug«**: Laut Gesetz waren für den »Zweikampf selbst 3 Monate bis 5 Jahre, für den, der seinen Gegner im Zweikampf tötet, Festung von 2 Jahren bis 15 Jahren« vorgesehen (Carl Binding, *Der Zweikampf und das Gesetz*, 1905, S. 47).

304.21 **sie legte Patience**: Der ursprüngliche Begriff der »Geduld« wurde auf ein Kartenspiel übertragen, bei dem »patience« gefordert ist, um die Karten in einer bestimmten Reihenfolge legen zu können.

304.22 **Nocturnes**: Frédéric Chopins (1810–1849) *Nocturnes* (Nachtstücke), wie er eine Reihe kleinerer Klavierkompositionen nannte, zählen mit zu seinen bekanntesten Werken; berühmt wurde Chopin allerdings auch durch seinen neuartigen Klavierstil, der v. a. den lyrischen Ausdruck betonte.

304.23 **Licht in ihr Leben**: Fontane spielt hier mit dem Gegensatz zwischen Chopins *Nacht*stücken und Effis All*tag*.

305.19–20 **Alten Testament**: Der Prediger Paulus Cassel (1821–1892) der nahegelegenen Christuskirche bevorzugte den strafenden, drohenden Gott des Alten Testaments gegenüber dem Gott des Neuen Testaments, der sich der Botschaft der Nächstenliebe verpflichtet fühlt und diese verkündet.

Da gibt es so Vereine: Vermutlich Anspielung auf den vom preuß. Politiker Wilhelm Adolf Lette (1799–1868) 1865 gegründeten »Verein zur Förderung der Erwerbsfähigkeit des weiblichen Geschlechts«, kurz der »Lette-Verein«, der seine Geschäftsräume in der gleichen Straße hatte, in der Effi wohnte. 305.23

Kindergarten: Der Begriff soll hier als Kontrast zur individuellen Betreuung durch ein Kindermädchen verstanden werden. 305.27

Guido Renis Aurora: Guido Renis (1575–1642) Deckengemälde »Aurora« im röm. Palazzo Rospigliosi war durch verschiedenste Reproduktionen sehr bekannt geworden. 309.17

Aqua tinta-Manier: (Franz.) Kupferstichverfahren, bei dem die Zeichnung aus einer speziell behandelten Metallplatte herausgeätzt wird, um so die Wirkung einer Tuschzeichnung zu erzielen. 309.19

Schiller und Körner: Diese Ausgaben, quasi die Pflichtlektüre, markieren hier den Gegensatz zu Effis Bücherwunschliste (vgl. S. 227). Von wem die Bände Körners neben dem Klassiker Friedrich Schiller (1759–1805) letztlich stammen, muss unklar bleiben. Es könnte sich um Christian Gottfried Körner (1756–1831) handeln, einen Freund Schillers, der 1812–1815 eine 12bändige Schillerausgabe sowie den *Briefwechsel mit Schiller* (1847) herausgab, oder um Karl Theodor, seinen Sohn (1791–1813). Dieser war mit Tragödien aber auch mit Lustspielen in der Art Kotzebues erfolgreich, ehe er 1813 im Lützowschen Freikorps im Kampf gegen die napoleonischen Truppen fiel. 1814 erschienen seine Kriegs- und Freiheitslieder unter dem Titel *Leyer und Schwert*. 315.16

Ich *hab*': Die anschließende Vielzahl der kursiv gedruckten Wörter, verbunden mit den syntaktisch unvollständigen und kurzen Sätzen, den Wiederholungen und den Leerstellen, machen den emotional erregten Zustand Effis besonders deutlich. 315.25

Nervenleidens: Fontane kannte das Krankheitsbild aus eigener Erfahrung und auch seine Mutter unterzog sich früh einer Nervenkur. Vgl. auch Fontanes Brief an seine Tochter Mete vom 17. 2. 1882. 316.20

318.6 **Großinquisitor**: Untersuchungsrichter der Inquisition, d. h. Vertreter jenes Gerichts der kath. Kirche, mit dem sie gegenüber Ketzern vorging; vgl. Erl. zu 110,9; 110,19–20.

322.26–27 **Ja, da ruft der Kuckuck**: Anspielung auf den Volksglauben, wonach die Zahl der Kuckucksrufe die Zahl der Lebensjahre angibt, die man zählt.

324.15 **Lethe, Lethe**: In der griech. Mythologie war Lethe ein Fluss der Unterwelt, dessen Wasser bei den Verstorbenen die Erinnerung an ihr irdisches Dasein auslöschte. Seither steht der Begriff für das Vergessen schlechthin.

326.25 **Kreuzzeitung**: Bei dieser nach dem eisernen Kreuz im Titelkopf benannten Berliner *Neue Preußische Zeitung* arbeitete Fontane zunächst freiberuflich, später dann von 1860 bis 1870 als festangestellter Redakteur. Als Organ der ev. Konservativen 1848 von Hermann Wagener gegründet, entwickelte sich das Blatt immer mehr zum konservativen Sprachrohr und repräsentierte meist nur noch die Interessen des märkischen Adels.

326.25 **Norddeutschen Allgemeinen**: Die 1861 gegründete *Norddeutsche Allgemeine Zeitung* war ebenfalls ein konservatives Blatt, das stets die Positionen Bismarcks vertrat, weshalb es auch bis zu dessen Rücktritt als »Kanzlerblatt« galt.

327.15–16 **Ladenberg**: Philipp von Ladenberg (1796–1847), preuß. Finanzpolitiker, war von 1837–1842 Staatsminister.

327.17 **Roten Adlerorden**: Dieser 1705 gestiftete Orden galt nur als »mittlerer Orden«, im Gegensatz zum Schwarzen Adlerorden (vgl. Erl. zu 160,31–32), der zu den höchsten preuß. Ehrenzeichen gehörte.

330.3–4 **Doktor Wichern im Rauhen Hause zu Hamburg**: Johann Hinrich Wichern (1808–1881), ev. Theologe, begründete die »innere Mission« und 1833 das »Rauhe Haus« in Hamburg. Zunächst als christliche Erziehungsanstalt für »gefährdete Kinder« gedacht, wurde es später um Einrichtungen zur Gefangenenfürsorge und Krankenpflege erweitert.

330.30–31 **Leutnant, der Schulden hat**: Verschuldeten Offizieren wurde damals öfter der Dienst in den afrik. Kolonien nahegelegt, wo sie sich rehabilitieren konnten.

330.33 **König Mtesa**: Mtesa (1841–1884), Sultan von Uganda, wurde bekannt durch seine Gastfreundschaft, die er Afrikaforschern gewährte.

In der Bresche stehen: Eigent. lautet der Ausdruck »für jemand in die Bresche treten«, d. h. für jemand einspringen. 331.10–11

Kaiser Friedrich: Kaiser Friedrich III. (1831–1888), Sohn Wilhelms I. und Vater Wilhelms II., starb nach nur 99 Tagen Regierung an Kehlkopfkrebs. 331.17

jetzt eben: Ausgehend von dieser Zeitangabe rekonstruiert Christian Grawe (1985, S. 51ff.) detailliert die Chronologie des Romangeschehens. Nachdem Friedrich III. am 15.6.1888 gestorben war, begannen die Bauarbeiten zu dem von Julius Raschdorff entworfenen Mausoleum neben der Friedenskirche in Potsdam am 18.10.1888. Vgl. zur Problematik einer korrekten Chronologie auch GBA, S. 513 sowie Aust (1998), S. 159ff. 331.18

›Sardanapal‹: Ballett um den sagenhaften altassyrischen König Sardanapal, der im 9. Jh. v.Chr. sich und alle seine Frauen umbrachte, bevor sein Reich erobert wurde. 331.25

›Coppelia‹: Ballett (1870) nach E.T.A. Hoffmanns (1770–1822) Erzählung *Der Sandmann* (1817) des franz. Komponisten Léo Délibes (1836–1891). 331.25

dell'Era: Antonietta dell'Era (1861–1910) war nicht nur seit 1880 Primaballerina an der Berliner Hofoper, sondern gastierte in allen Opernhäusern Europas und galt als Publikumsliebling. 331.26

Herzog von Ratibor: Viktor Herzog von Ratibor und Fürst von Corvey (1818–1893), schlesischer Großgrundbesitzer, war seit 1877 Präsident des preuß. Herrenhauses. 332.17

Fürstbischof Kopp: Georg Kopp (1837–1914) war seit 1887 Fürstbischof von Berlau. Zuvor vermittelte er während des Kulturkampfes zwischen der kath. Kirche und Bismarck und war dadurch sowie als Verfasser von »Hirtenbriefen« bekannt geworden. 332.17–18

Arme Effi, du: Mit der direkten Anrede gibt der Erzähler seine »Neutralität« auf und signalisiert das nahe Ende Effis. 335.12

Nachtluft: Noch einmal greift Fontane den eingangs (vgl. S. 9) postulierten Gegensatz der Elemente Wasser und Luft auf, um den Sieg des Wassers zu betonen. 335.14

in allem recht gehandelt: Mit der dreifachen Wiederholung des »rechten« (S. 337) verdeutlicht der Erzähler, dass hier eine Kritik an einer möglichen Schuld Innstettens fehlt. 337.21–22

meinen alten Namen: Mit diesem Hinweis versucht Fontane 338.15

den Ring zum Anfang zu schließen, im Gegensatz zur Realität seines Stoffes, denn Else von Ardenne lebte unter dem Namen ihres Mannes weiter.

339.21 **Briest sagte ruhig**: Es ist von zentraler Bedeutung, dass Fontane hier mit dem vielfach zitierten Satz (vgl. Manfred Rösel, *Das ist ein weites Feld. Wahrheit und Weisheit einer Fontaneschen Sentenz*, Frankfurt/M., Berlin 1997) dem alten Briest das letzte Wort im Roman erteilt und damit deutlich macht, dass es eine eindeutige Klärung der Schuldfrage nicht geben kann, auch wenn Effis Mutter gerade dabei ist, die Rolle der Eltern zu problematisieren.